CONTOS DE IMAGINAÇÃO
E MISTÉRIO

CONTOS DE IMAGINAÇÃO
E MISTÉRIO

Edgar Allan Poe

Contos de Imaginação e Mistério

ILUSTRAÇÕES DE **Harry Clarke**

TRADUÇÃO DE **Cássio de Arantes Leite**
PREFÁCIO DE **Charles Baudelaire**

TORDSILHAS

Copyright da tradução dos contos e do prefácio © 2012 Tordesilhas

Todos os direitos reservados. Nenhuma parte desta edição pode ser utilizada ou reproduzida – em qualquer meio ou forma, seja mecânico ou eletrônico –, nem apropriada ou estocada em sistema de banco de dados, sem a expressa autorização da editora.

O texto deste livro foi fixado conforme o acordo ortográfico vigente no Brasil desde 1º de janeiro de 2009.

TÍTULO ORIGINAL *Tales of mystery and imagination*
TRADUÇÃO E NOTAS DO PREFÁCIO Daniel Knight
REVISÃO Beatriz de Freitas Moreira e Carmen T. S. Costa

Ilustrações digitalizadas cedidas pela editora Libros del Zorro Rojo, Barcelona-Madrid, Espanha.

1ª edição, 2012 (13 reimpressões)

Dados Internacionais de Catalogação na Publicação (CIP)
(Câmara Brasileira do Livro, SP, Brasil)

Poe, Edgar Allan, 1809-1849.
    Contos de imaginação e mistério / Edgar Allan Poe; prefácio de Charles Baudelaire; tradução de Cássio de Arantes Leite. – São Paulo: Tordesilhas, 2012.
    Título original: Tales of mystery and imagination
    Bibliografia

    ISBN 978-85-64406-35-3

    1. Contos de terror - Literatura norte-americana 2. Contos norte-americanos 3. Ficção policial e de mistério (Literatura norte-americana) I. Baudelaire, Charles, 1821-1867. II. Título.

12-02782   CDD-813

Índice para catálogo sistemático:
1. Contos : Literatura norte-americana 813

2021
Tordesilhas é um selo da Alaúde Editorial Ltda.
Avenida Paulista, 1337, conjunto 11
01311-200 – São Paulo – SP
www.tordesilhaslivros.com.br
blog.tordesilhaslivros.com.br

/TordesilhasLivros
/TordesilhasLivros
/Tordesilhas
/eTordesilhas

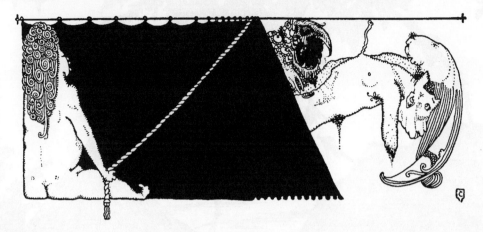

SUMÁRIO

Prefácio 7
William Wilson 25
O poço e o pêndulo 49
Manuscrito encontrado numa garrafa 67
O gato preto 81
Os fatos do caso do sr. Valdemar 93
O coração denunciador 105
Uma descida no Maelström 113
O barril de amontillado 133
A máscara da Morte Vermelha 143
O enterro prematuro 151
O encontro marcado 167
Morella 183
Berenice 191
Ligeia 203
A queda da Casa de Usher 221
O colóquio de Monos e Una 243
Silêncio — Uma fábula 255
O escaravelho de ouro 261
Os assassinatos da Rue Morgue 301
O mistério de Marie Roget 339
O Rei Peste 391
Leonizando 405

Notas 413
Sobre o tradutor e o prefaciador 420
Referências bibliográficas 421

PREFÁCIO
Outras anotações sobre Edgar Poe[1]

I

Literatura da decadência! – Palavras sem sentido que frequentemente ouvimos cair, com o som enfático de um bocejo, da boca daquelas esfinges sem segredo que velam às santas portas da Estética clássica. Toda vez que o oráculo irrefutável ressoa, pode-se afirmar que se trata de uma obra mais interessante que a *Ilíada*. É o caso, evidentemente, de um poema ou de um romance no qual todas as partes são dispostas habilmente em prol da surpresa, no qual o estilo é ornado magnificamente, no qual todos os recursos da linguagem e da prosódia são utilizados por uma mão impecável. Quando ouço ecoar o anátema – que, seja dito de passagem, geralmente cai sobre algum poeta célebre – sou sempre tomado pela vontade de responder: "Acaso vocês me tomam por alguém tão bárbaro quanto vocês, e creem que eu seja capaz de me divertir de forma tão sofrível?" Comparações grotescas então se põem em funcionamento no meu cérebro; parece que fui apresentado a duas mulheres: uma matrona grosseira, repugnante do ponto de vista da saúde e da moral, sem postura, em suma, *sem dever nada, a não ser à pura natureza*; a outra, uma daquelas belezas que dominam e oprimem a lembrança, unindo a eloquência de sua elegância ao seu charme profundo e original, senhora de si, consciente e rainha da própria pessoa – uma voz que soa como se um instrumento bem afinado estivesse falando, e olhares que não transmitem senão o que querem. Minha escolha não poderia ser mais simples; no entanto, há esfinges pedagógicas que me repreenderiam por faltar à honra clássica. Mas, para deixar as parábolas de lado, acredito que posso perguntar a esses homens sábios se eles entendem toda a vaidade, toda a inutilidade de sua sabedoria. Dizer *literatura da decadência* implica a existência de uma escala de literaturas, uma recém-nascida, outra pueril, uma adolescente, etc. Esse termo, quero dizer, pressupõe algo de fatal e de providencial, como um decreto inevitável; e é extremamente injusto nos criticarem por cumprir a lei misteriosa. Tudo o que consigo entender do discurso acadêmico é ser vergonhoso obedecer a essa lei de bom grado e sermos culpados por nos regozijarmos com nosso destino. Esse sol que, há poucas horas, dominava tudo com luz direta e branca, em breve irá encharcar o horizonte ocidental com várias cores. Nos jogos desse sol agonizante, certos espíritos poéticos encontrarão novos prazeres; eles descobrirão uma fileira de colunas deslumbrantes, cascatas de metal fundido, galerias de fogo, um esplendor triste, a volúpia da saudade, todos os encantos do sonho, todas as lembranças do ópio. E o pôr do sol lhes parecerá de fato como a maravilhosa alegoria de uma alma carregada de vida que vai para trás do horizonte com uma enorme provisão de pensamentos e sonhos.

Mas o que os professores não pensaram é que, no movimento da vida, tal complicação, tal combinação pode se apresentar completamente inesperada por sua sabedoria escolar. Então sua língua minguada se encontra em falta, como no caso – fenômeno que se multiplicará com prováveis variantes – no qual uma nação começa pela decadência e estreia onde as outras terminam.

Que entre as imensas colônias do presente século se façam novas literaturas produzirá, sem dúvida alguma, acidentes espirituais de uma natureza desconcertante para o espírito da escola. Jovem e velha ao mesmo tempo, a América fala pelos cotovelos e caduca com uma volubilidade espantosa. Quem seria capaz de contar seus poetas? São inumeráveis. Suas *bluestockings*[2]? Elas enchem os jornais. Seus críticos? Acredite, a América possui pedantes como os nossos para chamar o artista o tempo todo de volta à beleza antiga, para questionar um poeta ou romancista sobre a moralidade do seu objetivo e a qualidade das suas intenções. O que é

PREFÁCIO

comum aqui é ainda mais comum lá, literaturas que não sabem sequer a ortografia; uma atividade pueril inútil; um sem-número de compiladores; gente que se repete o tempo todo; plagiários de plágios e críticos de críticos. Nesse caldeirão de mediocridades, nesse mundo que adora aperfeiçoamentos materiais – escândalo de um gênero novo que permite compreender a grandeza dos povos preguiçosos –, nessa sociedade ávida por assombramento, apaixonada pela vida, mas, sobretudo, por uma vida cheia de excitações, um homem foi grande não apenas por sua sutileza metafísica, pela beleza sinistra ou encantadora do que concebeu, pelo rigor de suas análises, mas também foi grande como *caricatura*. É preciso que eu me explique com alguma inquietação, pois recentemente um crítico imprudente se servia, para denegrir Edgar Poe e contestar a sinceridade da minha admiração, da palavra *malabarista*, que eu mesmo havia empregado quase como um elogio ao nobre poeta.

Do seio de um mundo esfomeado por materialidades, Poe se jogou no sonho. Sufocado como estava pela atmosfera americana, escreveu na dedicatória de *Eureka*: "Ofereço este livro àqueles que puseram fé no sonho como única realidade!" Foi, portanto, um protesto admirável, que ele fez à sua maneira, *in his own way*. O autor que, n'*O colóquio de Monos e Una*, deixa abundante o desprezo e o desgosto pela democracia, pelo progresso e pela civilização é o mesmo autor que, para capturar a credulidade e satisfazer a curiosidade dos seus, reconheceu com mais vigor a soberania humana e fabricou com mais engenho os factoides mais lisonjeiros ao orgulho do *homem moderno*. Hoje, Poe me parece um hilota[3] que pretende fazer seu mestre corar. Por fim, afirmando minhas ideias de modo ainda mais claro, Poe foi sempre grande, não apenas pelas concepções nobres, mas também pelas farsas.

II

Pois ele nunca foi ludibriado! Não acredito que o virginiano, que escreveu tranquilamente em plena explosão democrática "O povo não tem relação alguma com as leis, a não ser a obediência", jamais tenha sido vítima da sabedoria moderna; e "O nariz da ralé é a imaginação; é pelo nariz que sempre se poderá guiá-la com facilidade" e tantas outras passagens nas quais a zombaria chora, pesada como artilharia, mas, ainda assim, descuidada e altiva. Os swendenborgeanos o felicitam por sua *Mesmeric Revelation* [Revolução hipnótica] à semelhança daqueles ingênuos iluminados que outrora olhavam o autor de *Le diable amoureux* [O diabo apaixonado] como revelador de seus mistérios; eles lhe agradecem pelas grandes verdades que acaba de proclamar, pois descobriram (ó, verificador do que não pode ser verificado!) que tudo o que ele anunciou é completamente verdadeiro, mesmo que antes, confessa essa boa gente, eles houvessem suspeitado que pudesse se tratar de mera ficção. Poe responde que, de sua parte, jamais duvidou. Ainda é preciso citar uma pequena passagem que me salta aos olhos enquanto folheio pela centésima vez as incríveis *Marginalia*, que são como a câmara secreta do seu espírito: "A enorme multiplicação de livros de todos os ramos do conhecimento é uma das maiores calamidades desta época, pois é um dos obstáculos mais sérios à aquisição de qualquer conhecimento preciso". Aristocrata por natureza mais que por nascimento, o virginiano, o homem do sul, o Byron perdido em um mundo ruim sempre manteve sua impassibilidade filosófica, e, seja definindo o nariz da ralé, zombando dos fabricantes de religiões ou desprezando as bibliotecas, resta aquele que foi e será sempre o verdadeiro poeta – uma verdade vestida de forma bizarra, um paradoxo aparente, alguém que não quer ser acotovelado em meio à multidão e que corre ao Extremo Oriente quando os fogos de artifício vão rumo ao poente.

Mas eis o ponto mais importante: notaremos que esse autor, produto de um século orgulhoso de si mesmo, filho de uma nação mais orgulhosa de si mesma que qualquer outra, viu com clareza e afirmou impassivelmente a perversidade do homem. Há no homem, diz ele, uma força misteriosa que a filosofia moderna é incapaz de perceber; e, no entanto, sem essa força inominada, sem essa tendência primordial, várias ações humanas permanecerão inexplicadas, inexplicáveis. Essas ações não atraem senão *porque* são más, perigosas; elas têm a atração do redemoinho. Tal força primitiva, irresistível, é a Perversidade natural que faz com que o homem seja o tempo todo e ao mesmo tempo homicida e suicida, crimi-

PREFÁCIO

noso e carrasco; pois, ele acrescenta com sutileza notavelmente satânica, a impossibilidade de encontrar um motivo razoável para certas ações más e perigosas poderia nos levar a considerá-las como sugestão do Demônio se a experiência e a história não nos ensinassem que Deus costuma desestabilizar a ordem e negligenciar o castigo aos faltosos; *após ter se valido dos mesmos faltosos como cúmplices*, tal é a palavra que passa, confesso, pelo meu espírito, como subentendido tão pérfido quanto inevitável. No entanto, não quero, no presente instante, cuidar de nada a não ser da verdade esquecida, a perversidade primordial do homem, e não é sem satisfação que vejo alguns destroços da antiga sabedoria voltarem de um país de onde não os esperaríamos. É agradável que algumas explosões da boa e velha verdade sejam jogadas dessa maneira na cara de todos os que louvam a raça humana, de todos esses apaziguadores e atenuadores que repetem em todos os tons possíveis "Nasci bom, você também, todos nós nascemos bons!" esquecendo, não!, fingindo esquecer o outro lado, que nascemos marcados pelo mal!

Por qual mentira ele poderia ser ludibriado, aquele que às vezes – dolorosa necessidade dos meios – as talhava tão bem? Que desprezo pela filosofaria, em seus melhores dias, quando ele era, por assim dizer, iluminado! Esse poeta, de quem várias ficções parecem feitas por simples gosto, para confirmar a pretensa onipotência do homem, quis purgar algumas vezes a si mesmo. O dia em que escreveu "Toda certeza está nos sonhos" foi quando repeliu seu próprio americanismo para a região das coisas inferiores; outras vezes, retomando o verdadeiro caminho dos poetas, obedecendo sem dúvida à inelutável verdade que nos assombra como um demônio, ele soltava os ardentes suspiros do *anjo caído que se lembra dos Céus*; mandava sua angústia à idade de ouro e ao Éden perdido; chorava toda essa magnificência da natureza, *contorcendo-se diante do bafo quente dos fornos*; enfim, lançava essas páginas admiráveis: *O colóquio de Monos e Una*, que teriam encantado e perturbado o impecável De Maistre.

Foi ele quem disse sobre o socialismo, na época em que isso sequer tinha um nome, ou quando esse nome ainda não tinha sido vulgarizado: "O mundo está infestado atualmente por uma nova seita de filósofos, que não se reconhecem como seita e, consequentemente, não adotaram um nome.

11

São os *crentes em toda velharia* (ou seja: pregadores do velho). O grande padre deste lado do Atlântico é Charles Fourier, e, do outro lado, Horace Greely. O único traço comum entre os membros da seita é a credulidade – chamemos a isso de demência e não falemos mais. Pergunte a um deles por que acredita nisso ou naquilo e, se ele for consciencioso (os ignorantes geralmente são), lhe dará uma resposta análoga à que deu Talleyrand[4] quando lhe perguntaram por que ele acreditava na Bíblia. 'Acredito', ele disse, 'primeiro porque sou bispo de Autun e em segundo lugar *porque não entendo absolutamente nada.*' O que esses filósofos chamam de *argumento* é para eles uma maneira de *negar o que é e de explicar o que não é.*"

O progresso, essa grande heresia da decrepitude, não podia lhe escapar. O leitor verá, em diferentes passagens, os termos usados para caracterizá-lo. De fato, poderia ser dito, ao ver o ardor empregado, que ele se vingava como que de uma vergonha pública, de uma ofensa da rua. Como ele deve ter rido, daquele riso desdenhoso dos poetas, que não engrossa jamais o coro dos curiosos, se deu de encontro, como me ocorreu recentemente, com aquela frase maravilhosa que supera os absurdos ridículos e voluntários dos palhaços e que vi se exibir em um jornal mais que sério: *O progresso incessante da ciência permitiu, pouco tempo atrás, que se encontrasse o segredo perdido e há muito tempo buscado de...* (fogo grego, têmpera de cobre, qualquer coisa perdida), *do qual as aplicações mais bem-sucedidas remontam a uma época* bárbara *e muito antiga!!!* Eis uma frase que pode se chamar de um verdadeiro achado, de uma sonora descoberta, mesmo em um século de *progresso incessante*; mas acredito que a múmia Allemistakeo não deixaria de perguntar, com o tom doce e discreto da superioridade, se foi também graças ao progresso *incessante* – à lei fatal, irresistível, do progresso – que esse famoso segredo foi perdido. Assim que, para manter o tom de farsa, em um assunto que contém tanto de riso quanto de lágrimas, não é estupendo ver uma nação, várias nações, em breve toda a humanidade, dizer a seus sábios, a seus feiticeiros "Eu os adorarei e os farei grandes se vocês me persuadirem de que progredimos sem querer, inevitavelmente, enquanto dormimos; livrem-nos da responsabilidade, encubram para nós a humilhação das comparações, sofistiquem a história e poderão se chamar de sábios dos sábios"? Não é matéria para espanto que essa ideia tão simples não estoure em todos os cérebros: que o progresso (enquanto haja progresso) aperfeiçoe a dor na mesma medida em que refina a volúpia, e que, se a epiderme dos povos se torna mais delicada, eles não buscam nada além de uma *Italiam fugientem*[5], uma conquista perdida a cada minuto, um progresso que nega a si mesmo o tempo todo.

Mas essas ilusões, a princípio interessantes, têm origem em um fundo de perversidade e de mentira, atraem as almas apaixonadas pelo fogo eterno, como Edgar Poe, e exasperam as inteligências obscuras, como Jean--Jacques[6], em quem uma sensibilidade ferida e propensa à revolta toma o lugar da filosofia. Que esse homem tenha razão contra o *animal depravado* é incontestável; mas o animal depravado tem o direito de criticá-lo por invocar a natureza. A natureza não cria nada além de monstros, e toda a questão se expõe na palavra *selvagem*.

Nenhum filósofo ousará propor como modelo aquelas hordas podres, infelizes, vítimas dos elementos, pasto de bestas, tão incapazes de fabricar armas quanto de conceber a ideia de um poder espiritual e supremo. Mas, se quisermos comparar o homem moderno, o homem civilizado, ao homem selvagem, ou, mais além, uma nação dita civilizada a uma nação dita selvagem, ou seja, privada de todas as engenhosas invenções que dispensam o indivíduo de heroísmo, quem não percebe que todas as honrarias vão para os selvagens? Por sua natureza, pela própria necessidade, eles são enciclopédicos, enquanto o homem moderno se encontra confinado nas minúsculas regiões da especialidade. O homem civilizado inventa a filosofia do progresso para se consolar de sua abdicação e decadência; enquanto o homem selvagem, marido temido e respeitado, guerreiro forçado à bravura individual, poeta às horas melancólicas quando o pôr do sol o convida a cantar o passado e os ancestrais, corta de mais perto a fronteira do ideal. Por qual lacuna nós ousaríamos repreendê-lo? Ele tem seu padre, seu feiticeiro e seu médico. O que eu estou dizendo? Ele tem o dândi, encarnação suprema do belo transportado à vida material, aquele que dita a forma e governa os costumes. Suas roupas, seus enfeites e seu cachimbo testemunham uma faculdade inventiva da qual desertamos há muito tempo. Podemos comparar nossos olhos preguiçosos e nossos ouvidos ensurdecidos àqueles olhos que perscrutam a névoa e àqueles ouvidos *que ouviriam a grama crescer?* E a selvageria, a alma simples e infantil, animal obediente e carinhoso que se doa inteiro e sabe que não é senão metade de um destino, nós a decretaremos inferior à senhora americana a qual o sr. Bellegarrigue (redator do *Moniteur de l'épicerie* [Monitor da mercearia]!) acreditou elogiar ao dizer que era o ideal da mulher culta? Essa mesma mulher, cuja moral bastante positiva inspirou Edgar Poe (tão galante, tão respeitoso à beleza!) as tristes linhas seguintes: "Essas bolsas enormes, que parecem um pepino gigante e estão na moda entre nossas belas, não são, como se acredita, de origem parisiense; são perfeitamente indígenas. Por que uma moda assim surgiria em Paris, onde uma mulher não carrega nada na bolsa além de dinheiro? Mas a bolsa de uma america-na! É preciso que essa bolsa seja vasta o suficiente para que ela possa fechar ali todo seu dinheiro – e toda sua alma!" Quanto à religião, não falarei de Vitziliputzli[7] com a mesma delicadeza de Alfred de Musset; confesso, sem vergonha, uma preferência muito maior pelo culto de Teutates[8] ao de Ma-mon[9], e o padre que oferece ao cruel chantagista hóstias humanas de víti-mas que morrem *honrosamente*, de vítimas que *querem* morrer, me parece um ser inteiramente doce e humano em comparação ao financista que não imola o povo a não ser em interesse próprio. De tempos em tempos, essas coisas ainda são vislumbradas, e encontrei uma vez em um artigo do sr. Barbey d'Aurevilly uma exclamação de tristeza filosófica que resume tudo o que eu gostaria de dizer sobre esse assunto: "Povos civilizados, que não param de lançar pedras aos selvagens, em breve vocês não merecerão ser nem mesmo idólatras!"

Um ambiente como esse – já disse, mas não posso resistir à vontade de repetir – não é feito pelos poetas. O que um espírito francês, suponha o mais democrático, entende por um Estado, não encontraria lugar em um espírito americano. Para toda a inteligência do velho mundo, um estado político tem um centro de movimento que é seu cérebro e seu sol, memó-rias antigas e gloriosas, longos anais poéticos e militares, uma aristocracia, à qual a pobreza, filha das revoluções, não faz senão acrescentar um lustre paradoxal; mas, *isso!* essa multidão de vendedores e consumidores, esse inominável, esse monstro sem cabeça, essa degradação do outro lado do oceano, Estado! – estou de acordo que um *cabaret* cheio da balbúrdia das más intenções e de clientes que tratam de negócios nas mesas sujas possa ser assimilado a um *salon*, ao que nós chamaríamos *salon* outrora, república do espírito presidida pela beleza!

Será sempre difícil exercer, de forma ao mesmo tempo nobre e frutífera, a condição de homem de letras sem se expor à difamação, à calúnia dos impotentes, à inveja dos ricos – inveja que é o castigo deles! – às vinganças da mediocridade burguesa. Mas isso, difícil em uma monarquia moderada ou em uma república regular, torna-se quase impraticável em uma espécie de *cafarnaum* onde cada sargento faz a polícia conforme seus vícios (ou suas virtudes, é a mesma coisa); onde um poeta ou um romancista de um país de escravos é detestável aos olhos de um crítico abolicionista; onde é impossível saber qual é o maior escândalo – o desleixo do cinismo ou a imperturbabilidade da hipocrisia bíblica. Queimar os negros acorrentados, culpados por sentir seu semblante preto fervilhar com o vermelho da honra, disparar um revólver contra a plateia do teatro, estabelecer a poligamia no paraíso do Oeste, que os selvagens (esse termo soa como uma injustiça) ainda não haviam sujado com essas vergonhosas utopias, colar nos muros, sem dúvida para consagrar o princípio da liberdade ilimitada, a *cura para as doenças de nove meses*, são alguns dos traços salientes, algumas das ilustrações morais do nobre país de Franklin, o inventor da moral de balcão, o herói de um século dedicado à matéria. É bom chamar atenção constantemente para tais maravilhas de brutalidade em um tempo em que a mania pela América se tornou quase uma paixão de bom tom, a ponto de um arcebispo poder nos prometer, sem rir, que a Providência nos chamaria logo a gozar desse ideal transatlântico.

III

Um meio social desse feitio engendra necessariamente erros literários equivalentes. É contra esses erros que Poe reagiu sempre que pôde e com toda a força. Portanto, não deve nos espantar que os escritores americanos, reconhecendo seu poder singular como poeta e contista, tenham sempre tentado invalidar seu valor como crítico. Em um país no qual a ideia de utilidade, a mais hostil do mundo à ideia de beleza, controla tudo, o crítico perfeito será o mais *honrado* - em outras palavras, aquele cujas tendências e cujos desejos se aproximem mais das tendências e dos desejos do público, aquele que embaralha as faculdades e os gêneros de produção e atribui a todos uma meta comum - se procurar, em um livro de poesia, meios para aperfeiçoar a consciência. Naturalmente, o indivíduo se torna cada vez menos preocupado com as belezas reais, positivas, da poesia; assim como ficará cada vez menos chocado com as imperfeições e mesmo com as falhas da execução. Edgar Poe, ao contrário, dividindo o mundo do espírito em *intelecto puro*, *gosto* e *sentido moral*, aplicava a crítica de acordo com essas três categorias. Ele era, sobretudo, sensível à perfeição da estrutura e à correção da execução; desmontando obras literárias como se fossem peças mecânicas defeituosas (em relação à meta que visam alcançar), apontando cuidadosamente os vícios de fabricação; e, quando passava ao detalhe da obra, à sua expressão plástica, ao estilo, em uma palavra, descascava, sem omissão, as falhas de prosódia, os erros gramaticais e toda essa massa de dejetos, que, entre os escritores que não são artistas, maculam as melhores intenções e deformam as concepções mais nobres.

Para ele, a imaginação é a rainha das faculdades; no entanto, por essa palavra entende-se algo maior do que aquilo que a maioria dos leitores percebe. Imaginação não é a fantasia; não é a sensibilidade, mesmo que seja difícil conceber um homem imaginativo que não seja sensível. A imaginação é uma faculdade quase divina que percebe tudo com antecedência, à parte dos métodos filosóficos, as relações íntimas e secretas das coisas, as correspondências e as analogias. As honrarias e funções que ele confere a essa faculdade carregam um valor tal (ao menos quando se compreende bem o pensamento do autor), que um sábio sem imaginação não parece mais que um falso sábio ou, quando muito, um sábio incompleto.

Entre os domínios literários onde a imaginação pode obter os resultados mais curiosos, pode colher tesouros, não os mais ricos e preciosos (esses pertencem à poesia), mas os mais numerosos e variados, está um particularmente querido a Poe, o *conto*. Ele tem sobre o romance de grandes proporções a imensa vantagem que a brevidade acrescenta à intensidade do efeito. Tal leitura, que pode ser realizada de um único fôlego, deixa no espírito uma marca muito mais poderosa que uma leitura intermitente, muitas vezes interrompida por problemas de negócios e preocupações com interesses mundanos. A unidade da impressão, a *totalidade* do efeito é uma vantagem imensa que pode dar a esse gênero de composição uma superioridade muito especial, no sentido de que um conto muito curto (o que é, sem dúvida, um defeito) seja ainda melhor que um conto muito extenso. O artista, se é hábil, não acomodará seus pensamentos aos incidentes; mas, tendo concebido deliberadamente, a seu bel-prazer, um efeito a produzir, inventará os incidentes, arranjará os eventos mais apropriados para conduzir ao efeito desejado. Se a primeira frase não for escrita de forma a preparar a impressão final, a obra é deficiente desde o começo. Ao longo da composição não se deve soltar uma única palavra que não seja uma intenção, que não tenda, direta ou indiretamente, a percorrer o plano traçado.

Há um ponto no qual o conto é superior até mesmo ao poema. O ritmo é necessário ao desenvolvimento da ideia de beleza, que é o maior e mais nobre objetivo do poema. Ora, os artifícios do ritmo são um obstáculo insuperável ao desenvolvimento minucioso de pensamentos e expressões que tenham por objetivo a *verdade*. Pois a verdade pode muitas vezes ser a meta do conto, e o raciocínio a melhor ferramenta para a construção de um conto perfeito. Eis a razão pela qual esse gênero de composição, que não é tratado com tanta elevação quanto a poesia pura, pode fornecer produtos mais variados e mais acessíveis ao gosto do leitor comum. Além disso, o contista tem à sua disposição uma enorme quantidade de tons, de nuances de linguagem – o tom reflexivo, o sarcástico, o humorístico, que repudia a poesia – e que são como dissonâncias, ultrajes à ideia de beleza pura. E é pelo mesmo motivo que o escritor que busca uma única meta de beleza em um conto trabalha em grande desvantagem, sendo privado do instrumento mais útil, o ritmo. Sei que, em todas as literaturas, foram feitos esforços, muitas vezes felizes, para criar contos puramente poéticos; o próprio Edgar Poe fez alguns muito bonitos. Mas são lutas e esforços que servem apenas para demonstrar a força dos verdadeiros recursos adaptados às metas correspondentes; não seria arriscado afirmar que para alguns autores, os maiores nos quais podemos pensar, essas tentações heroicas viessem de um desespero.

IV

"Genus irritabile vatum![10] Que os poetas (vamos utilizar a palavra em seu sentido mais extenso, compreendendo todos os artistas) sejam uma raça irritável é bem sabido; mas o *porquê* não me parece tão claro. O artista não é artista senão por sua compreensão refinada do belo, o que lhe proporciona deleites inebriantes, mas, ao mesmo tempo, implica uma compreensão igualmente refinada de toda deformidade e desproporção. Portanto, um erro, uma injustiça contra um poeta o exaspera de tal maneira que pode parecer, ao julgamento comum, em completa disparidade em relação à injustiça cometida. Os poetas *nunca* veem injustiça onde não existe, mas, na maioria das vezes, onde os olhos não poéticos são incapazes de vê-la. Dessa forma, a irritabilidade poética não tem relação com o *temperamento*, entendido em sua acepção vulgar, mas com uma clarividência além do normal relativa à falsidade e à injustiça. Tal clarividência nada mais é que um corolário da percepção viva do real e da justiça, da proporção, para empregar uma palavra relacionada ao belo. Mas há uma coisa muito clara, o homem que não é (ao julgamento comum) *irritabilis* não é, de forma alguma, poeta."

São palavras do próprio poeta, em uma apologia excelente e irrefutável a toda sua raça. Poe levava essa sensibilidade aos assuntos literários, e a extrema importância que conferia à poesia o induzia muitas vezes a um tom, segundo o julgamento dos mais frágeis, de superioridade. Já observei, acredito, que muito dos preconceitos que ele precisava combater, ideias falsas, julgamentos vulgares que circulavam a seu respeito, infectaram a imprensa francesa há um bom tempo. Não será inútil, portanto, observar sumariamente algumas de suas opiniões mais importantes em relação à composição poética. O paralelismo com o erro tornará a aplicação bastante fácil.

Mas, antes de tudo, devo dizer que, ao destacar o poeta natural, inato, Poe também destacava a ciência, o trabalho e a análise, o que parecerá exorbitante aos orgulhos não eruditos. Ele não apenas dispensou esforços consideráveis para submeter à sua vontade o demônio fugitivo dos minutos felizes, para lembrar a seu gosto essas sensações

PREFÁCIO

refinadas, essas ânsias espirituais, esses estados de saúde poética, tão raros e preciosos que poderiam ser considerados graças exteriores ao homem, como aparições; mas ele também submeteu a inspiração ao método, à análise mais severa. A escolha dos meios! Ele insiste o tempo todo em uma eloquência consciente da apropriação do meio ao efeito, do uso da rima, da lapidação do refrão, da adaptação da rima ao sentimento. Ele afirmava que quem não sabe tocar o intangível não é poeta; que só é poeta quem é mestre da memória, soberano das palavras, estando o registro de seus próprios sentimentos sempre prontos a se deixar folhear. Tudo pelo desenlace! ele repete incansavelmente. Até o soneto tem necessidade de um plano, e a construção, a armação, por assim dizer, é a garantia mais importante da vida misteriosa das obras do espírito.

Recorro naturalmente ao ensaio intitulado *The Poetic Principle* [O princípio poético] e nele encontro, desde o começo, um protesto vigoroso contra o que se pode chamar, em matéria de poesia, de heresia do comprimento ou da dimensão – o valor absurdo atribuído aos poemas longos. "Um poema longo não existe; o que se entende por poema longo é uma perfeita contradição em termos." De fato, um poema não merece esse nome a não ser quando estimula, eleva a alma, e o valor positivo de um poema se dá em função de tal *estímulo* da alma. Mas, por necessidade psicológica, todos os estímulos são fugitivos e transitórios. Esse estado singular no qual a alma do leitor foi, digamos, pega à força, certamente não durará mais que a leitura do poema, que ultrapassa a tenacidade do entusiasmo da qual a natureza humana é capaz.

Eis o poema épico evidentemente condenado. Pois uma obra de certa dimensão não pode ser considerada poética a não ser que se sacrifique a condição vital de toda obra de arte, a Unidade; não falo da unidade da concepção, mas da unidade da impressão, da *totalidade* do efeito, como já disse quando comparei o romance ao conto. O poema épico, portanto, se apresenta, esteticamente falando, como um paradoxo. É possível que as eras antigas tenham produzido séries de poemas líricos, reunidos posteriormente pelos compiladores como poemas épicos; mas toda *intenção épica* resulta evidentemente de uma acepção imperfeita da arte. O tempo dessa anomalia artística passou, e é difícil acreditar que um poema extenso tenha sido popular um dia.

É preciso acrescentar que um poema muito curto, aquele que não fornece um *pabulum* suficiente ao estímulo criado, que não satisfaz o apetite natural do leitor, também é defeituoso. Não importa a intensidade e o brilho do efeito, ele não dura; a memória não o retém; é como um selo que, colocado com pressa, não teve tempo de impor sua imagem à cera.

No entanto, há outra heresia, que, graças ao fingimento, ao peso e à baixeza dos espíritos, é muito mais temível e apresenta maiores possibilidades de duração, um erro que tem vida mais resistente, falo da heresia do *ensino*, a qual compreende como corolários inevitáveis as heresias da *paixão*, da *verdade* e da *moral*. Uma multidão imagina que o objetivo da poesia seja um ensino qualquer, que ela deva ora fortalecer a consciência, ora aperfeiçoar a moral, ora, por fim, *demonstrar* seja lá o que for de útil. Edgar Poe diz que os americanos apadrinharam essa ideia heterodoxa; *helas!* Não é preciso ir a Boston para encontrar a heresia em questão. Aqui mesmo ela nos sitia e ataca cotidianamente a verdadeira poesia. A poesia, por mais que se queira descer a si mesmo, interrogar a própria alma, evocar as lembranças do entusiasmo, não tem outro objetivo a não ser ela mesma; não pode ter outro, e nenhum poema será tão grande, tão nobre, tão digno do nome de poema quanto aquele que houver sido escrito unicamente pelo prazer de escrever um poema.

Não digo que a poesia não enobreça a moral, entenda bem, que seu resultado final não seja colocar o homem acima dos interesses vulgares; isso seria, sem dúvida, um absurdo. Digo que, se o poeta buscou uma meta moral, diminuiu sua força poética. E não será imprudente apostar que sua obra será ruim. A poesia não pode, sob pena de desfalecimento ou morte, assemelhar-se à ciência ou à moral; ela não tem a verdade por objeto, tem a si mesma. Os modos de demonstração da verdade são outros e estão em outros lugares. A verdade não tem nada a ver com canções. Tudo o que faz o encanto, a graça, o irresistível de uma canção privaria a verdade de autoridade e poder. Frio, calma, impassibilidade, o humor demonstrativo repele os diamantes e as flores da Musa; eis, portanto, o perfeito oposto do humor poético.

O intelecto visa à verdade, o gosto nos mostra a beleza e o sentido moral nos ensina o dever. É verdade que o meio está intimamente conectado aos dois extremos e não se separa do sentido moral a não ser por uma ligeira diferença, que Aristóteles não hesitou em dispor entre algumas das virtudes de seus delicados esquemas. Assim, o que exaspera no espetáculo do vício, sobretudo ao homem de gosto, é a deformidade, a desproporção. O vício agride o justo e o verdadeiro, revolta o intelecto e a consciência; mas, como ofensa à harmonia, como dissonância, ele atinge mais de perto certos espíritos poéticos; e não creio ser escandaloso considerar toda infração moral, à beleza moral, como uma espécie de falha universal de ritmo e de prosódia.

É esse instinto admirável, imortal, do belo que nos faz considerar a terra e os espetáculos como um vislumbre, como uma correspondência do Céu. A sede insaciável por tudo que está do outro lado, e que revela a vida, é a prova mais viva da nossa imortalidade. É ao mesmo tempo para a poesia e *através* da poesia, para a música e *através* dela que a alma entrevê os esplendores situados além-túmulo; e, quando um poema sublime traz lágrimas aos olhos, essas lágrimas não são prova de um excesso de deleite, são muito mais o testemunho de uma melancolia irritada, de uma súplica dos nervos, de uma natureza exilada na imperfeição e que gostaria de ganhar imediatamente, nessa mesma terra, o paraíso revelado.

Assim, o princípio da poesia é estrita e simplesmente a aspiração humana a uma beleza superior, e a manifestação de tal princípio está em um entusiasmo, um estímulo da alma – entusiasmo completamente independente da paixão, que é a embriaguez do coração; e da verdade, o pasto da razão. Pois a paixão é *natural*, natural demais para não introduzir um tom ofensivo, discorde no domínio da beleza pura, familiar e violenta demais para não escandalizar os desejos puros, as melancolias graciosas e os desesperos nobres que habitam as regiões sobrenaturais da poesia.

Essa elevação extraordinária, essa delicadeza refinada, esse tom de imortalidade que Edgar Poe exige da Musa, ao invés de deixá-lo menos atento às práticas de execução, forçou-o a afiar cada vez mais sua genialidade técnica. Muitas pessoas, sobretudo as que leram o singular poema intitulado *O corvo*, ficariam escandalizadas se eu analisasse o ensaio no qual nosso poeta explica em detalhes (ingenuamente em aparência, mas com uma leve impertinência que não posso repreender) a construção empregada por ele, a adaptação do ritmo, a escolha de um refrão – o mais breve possível e o mais suscetível a variadas aplicações, e, ao mesmo tempo, o mais representativo da melancolia e do desespero, ornado da rima mais sonora (*never more*, nunca mais) –, a escolha de um pássaro capaz de imitar a voz humana, mas, ainda assim, um pássaro – o corvo – marcado na imaginação popular por uma imagem funesta e fatal – a escolha do tom mais poético de todos, o melancólico –, do sentimento mais poético, o amor por uma morta, etc. "Não colocarei", diz ele "o herói do meu poema em um ambiente pobre porque a pobreza é trivial e contrária à ideia de beleza. Sua melancolia terá por guarida um quarto mobilhado magnífica e poeticamente." O leitor surpreenderá em vários contos de Poe sintomas curiosos desse gosto desmedido pelas formas belas, sobretudo pelas formas belas e singulares, pelos ambientes ornados e pelas suntuosidades orientais.

Eu disse que esse ensaio me parecia marcado por uma leve impertinência. Os partidários da inspiração quando muito não deixaram de ver nisso uma blasfêmia e uma profanação; mas creio que o texto tenha sido escrito especialmente para eles. Assim como certos escritores afetam o abandono, visando a obra-prima de olhos fechados, cheios de confiança na desordem, esperando que as letras lançadas ao teto caiam ao chão em forma de poema, Edgar Poe – um dos homens mais inspirados que já conheci – se vale da afetação para esconder a espontaneidade, para simular sangue-frio e deliberação. "Acredito poder me exaltar," diz ele com um orgulho divertido que não considero mau gosto, "por nenhum ponto da minha composição ter sido deixado à sorte e porque a obra toda caminhou passo a passo rumo à sua meta com a precisão e a lógica rigorosa de um problema matemático." Apenas os amantes da sorte, os fatalistas da inspiração e os fanáticos do *verso branco* poderiam achar bizarra sua *minúcia*. Não existe minúcia em matéria de arte.

22

PREFÁCIO

Quanto aos versos brancos, acrescentarei que Poe dá extrema importância à rima, e sua análise sobre o prazer matemático e musical que o espírito tira da rima trouxe tanto cuidado e sutileza que tudo se relaciona ao fazer poético. Ao mesmo tempo que mostra que o refrão é suscetível de aplicações infinitamente variáveis, ele também buscou rejuvenescer, redobrar o prazer da rima ao acrescentar esse elemento inesperado, a *estranheza*, que é como o condimento indispensável a toda beleza. O poeta faz, sobretudo, um uso feliz de repetições do mesmo verso ou de vários, frases obstinadas que simulam as obsessões da melancolia ou da ideia fixa – do refrão puro e simples, mas conduzido de várias formas diferentes –, do refrão-variante que interpreta a indolência e a distração – das rimas duplas e triplas, assim como de um gênero de rima que ele introduz na poesia moderna, mas com mais precisão e intenção, as surpresas do verso leonino.

É evidente que o valor de todos esses meios não pode ser verificado senão ao colocá-los em prática; e uma tradução de poesia, tão desejada e concentrada, pode ser um sonho doce, mas não mais que um sonho. Poe fez pouca poesia; algumas vezes chegou a expressar pena por não poder se dedicar não com mais frequência, mas exclusivamente, a esse gênero de trabalho que considerava como o mais nobre. Mas sua poesia tem um efeito poderoso. Não é a efusão ardente de Byron, nem a melancolia harmoniosa de Tennyson, pela qual ele nutria, diga-se de passagem, uma admiração quase fraterna. É algo profundo e resplandecente como um sonho, misterioso e perfeito como cristal. Não é necessário, acredito, dizer que os críticos americanos costumam denegrir essa poesia; recentemente, encontrei em um dicionário de biografias americanas um artigo no qual ela era descrita como estranheza, temia-se que essa Musa em trajes de sábio não fizesse escola no glorioso país da moral útil, e, por fim, lamentava-se que Poe não houvesse aplicado seu talento à expressão de verdades morais em vez de desperdiçá-lo na busca de um ideal bizarro e de espalhar por seus versos uma volúpia misteriosa, é verdade, mas sensual.

Conhecemos essa esgrima leal. As repreensões que os maus críticos fazem aos bons poetas são as mesmas em qualquer país. Ao ler esse ensaio, tive a impressão de estar lendo a tradução de um desses numerosos dis-

CONTOS DE IMAGINAÇÃO E MISTÉRIO

cursos de acusação dirigidos pelos críticos parisienses contra os mais apaixonados pela perfeição dentre nós, poetas. Nossos favoritos são fáceis de adivinhar, e toda alma tomada pela poesia pura me compreenderá quando eu disser que, entre nossa raça antipoética, Victor Hugo seria menos admirado se fosse perfeito, e que ele não pôde redimir seu gênio lírico a não ser introduzindo à força, brutalmente, em sua poesia o que Edgar Poe considera a heresia capital moderna – *o ensino*.

Charles Baudelaire

WILLIAM WILSON

Que dizer dela? que dizer da austera consciência,
Esse espectro em meu caminho?

Chamberlain, *Pharronida*

Que me seja permitido, no momento, apresentar-me como William Wilson. A página imaculada ora diante de mim não necessita ser manchada com meu verdadeiro nome. Este já constituiu por demais objeto do desprezo, do horror, do repúdio de minha estirpe. Às mais remotas regiões do globo não espalharam os ventos indignados sua infâmia sem paralelo? Ah, o mais desamparado pária dentre todos os párias! Para o mundo não estás morto eternamente? para suas glórias, para suas flores, para suas douradas aspirações? e acaso uma nuvem densa, desoladora e infinita não paira por todo o sempre entre tuas esperanças e o céu?

Não pretendo, mesmo que o pudesse, aqui ou agora, compor um relato de meus últimos anos de indizível sofrimento e desgraça imperdoável. Esse período — esses últimos anos — assumiram uma elevação súbita em torpeza cuja origem, e nada mais, é meu presente propósito determinar.[1] Os homens em geral tornam-se vis gradualmente. De mim, num instante, toda a virtude caiu por inteiro, como um manto. Da perversidade relativamente trivial passei, com as passadas de um gigante, a excessos maiores que os de um Heliogábalo. Que acaso — que evento isolado provocou esse infortúnio, tende paciência enquanto o relato. A morte se aproxima; e a sombra que a precede lançou uma influência suavizante sobre meu espírito. Anseio, ao cruzar o vale sombrio, pela simpatia — quase ia dizendo pela piedade — de meus semelhantes. Eu de bom grado os faria crer que fui, em alguma medida, escravo de circunstâncias além do controle humano. Gostaria que encontrassem para mim, nos detalhes que estou prestes a dar, algum pequeno oásis de *fatalidade* em meio a um deserto de erros. Desejaria que admitissem — coisa que não se podem furtar a admitir — que, embora a tentação possa ter desde algum tempo existido em tamanha grandeza, o homem jamais *assim* foi, pelo menos, antes tentado — certamente, jamais a ela *assim* sucumbiu. E de tal modo, portanto, que assim nunca sofreu. Acaso não terei vivido em um sonho? Não estarei perecendo vítima do horror e mistério das mais fantásticas dentre todas as visões sublunares?

Descendo de uma estirpe notável desde sempre por seu temperamento imaginativo e facilmente excitável; e, na mais tenra infância, dei mostras de ter herdado plenamente o caráter familiar. À medida que avançava em anos, este se desenvolvia cada vez mais forte; constituindo, por muitas razões, motivo de séria inquietação entre meus amigos, e de positivo agravo para mim mesmo. Tornei-me cada vez mais teimoso, aferrado aos mais estouvados caprichos, e presa das paixões mais ingovernáveis. Pobres de espírito e vítimas dessas fraquezas de constituição semelhantes às minhas próprias, meus pais pouco podiam fazer para deter as malignas propensões com que eu me distinguia. Alguns esforços débeis e mal direcionados redundaram em completo fracasso de sua parte e, é claro, em total triunfo da minha. Desse momento em diante minha voz passou a ser lei na família; e numa idade em que poucas crianças abandonaram suas guias, fui deixado à orientação de minha própria vontade, e tornei-me, em tudo a não ser no nome, senhor de minhas próprias ações.

Minhas mais antigas lembranças de uma vida escolar estão ligadas ao prédio grande, irregular, elisabetano de um vilarejo na Inglaterra, onde havia um vasto número de árvores gigantescas e contorcidas, e onde todas as casas eram excessivamente antigas. De fato, era um lugar onírico e que trazia paz ao espírito, esse antigo e venerável povoado. Neste exato momento, em minha imaginação, sinto o revigorante frescor de suas alamedas profundamente sombreadas, inspiro a fragrância de seus incontáveis arbustos e torno a estremecer com indefinível deleite sob o repique profundo e cavernoso do sino da igreja rompendo, de hora em hora, com seu troar repentino e taciturno, a quietude da fusca atmosfera em que se encravava serenamente o dilapidado campanário gótico.

Proporciona-me, talvez, tanto prazer quanto hoje me é dado de algum modo sentir deter-me em minuciosas recordações da escola e seus assuntos. Mergulhado em infelicidade como estou — infelicidade, ai de mim! por demais real —, espero ser perdoado se busco alívio, por mais superficial e transitório que seja, no fraco por alguns poucos detalhes aleatórios. Estes, além do mais, inteiramente triviais, e até ridículos em si mesmos, assumem, em minha imaginação, adventícia importância, pois que ligados a um período e local em que reconheço as primeiras ambíguas advertências do destino que posteriormente me lançou em tão completas trevas. Que me seja então permitido recordar.

O prédio, repito, era antigo e irregularmente distribuído. Seu terreno era extenso, e um muro de tijolos alto e sólido, encimado por cimento com cacos de vidro, circundava todo o entorno. Essa proteção semelhante à de uma prisão compunha o limite de nosso domínio; além dele íamos apenas três vezes por semana — uma delas nos sábados à tarde, quando, acompanhados por dois mestres, recebíamos permissão para breves caminhadas em formação por alguns dos campos vizinhos — e duas aos domingos, quando marchávamos desse mesmo modo formal para o serviço matutino e vespertino da única igreja no vilarejo. O diretor de nossa escola era o ministro dessa igreja. Com que profundo espírito de admiração e perplexidade soía eu observá-lo de nosso remoto banco na plateia, quando, com passos solenes e vagarosos, subia ao púlpito! Aquele homem reverendo, de semblante tão recatadamente benévolo, com seu manto tão brilhante e tão clericalmente esvoaçante, a peruca tão minuciosamente empoada, tão rígida e tão basta — como podia ser esse mesmo que, pouco antes, com expressão severa, e em roupas manchadas de rapé, administrava, palmatória na mão, as draconianas leis do internato? Ah, gigantesco paradoxo, absolutamente imenso demais para ter uma solução!

Em um ângulo do pesado muro espreitava ameaçador um portão ainda mais pesado. Guarnecido de rebites e ferrolhos e coroado por aguçadas lanças de ferro. Que impressões de profundo temor ele não inspirava! Nunca era aberto salvo pelas três periódicas saídas e ingressos já mencionados; assim, a cada rangido de seus poderosos gonzos, descobríamos uma plenitude de mistério — um mundo de matéria para solene consideração, ou para ainda mais solene reflexão.

A extensa muralha era irregular na forma, exibindo diversos nichos espaçosos. Destes, três ou quatro dentre os maiores constituíam o pátio de recreio. O terreno era nivelado e coberto de cascalho fino e duro. Lembro-me bem de não haver árvores, nem bancos, nem nada similar ali. Claro que ficava nos fundos do prédio. Na frente havia um pequeno *parterre*, onde se cultivavam buxos e outros arbustos; mas através dessa sagrada área passávamos na verdade apenas nas mais raras ocasiões — como ao chegar pela primeira vez na escola ou ao partir dali em definitivo, ou, talvez, quando, após o convite dos pais ou de algum amigo, alegremente tomávamos o caminho de casa para passar o Natal ou os feriados juninos.

Mas o prédio! — que edifício mais excêntrico e antigo aquele! — para mim, como era verdadeiramente um palácio encantado! Não havia de fato fim para seus meandros — para suas incompreensíveis subdivisões. Era difícil, a qualquer dado momento, dizer com certeza em qual de seus dois andares calhava de se estar. De cada cômodo para qualquer outro aconteceria seguramente de se topar com três ou quatro degraus, fosse para subir, fosse para descer. E ainda as passagens laterais eram inumeráveis — inconcebíveis — e de tal modo desembocando em si mesmas que nossas ideações mais exatas com respeito à totalidade da mansão não eram muito diferentes dessas com que ponderávamos sobre o infinito. Durante os cinco anos em que ali residi, nunca fui capaz de determinar com precisão em que remoto esconso localizava-se o pequeno dormitório reservado a mim e a cerca de dezoito ou vinte outros estudantes.

A sala de aula era a maior da casa — e, eu não conseguia deixar de pensar, do mundo. Era muito comprida, estreita e desoladoramente baixa, com pontudas janelas góticas e forro de carvalho. Em um ângulo remoto e que nos infundia o terror ficava o recinto quadrado com cerca de dois a três metros compreendendo o *sanctum*, "durante o horário", de nosso diretor, o reverendo dr. Bransby. Era uma sólida estrutura, com porta maciça, e, preferencialmente a abri-la na ausência do "*Dominie*", teríamos todos de bom grado perecido sob a *peine forte et dure*.[2] Em outros ângulos ficavam dois cubículos similares, muito menos reverenciados, na verdade, mas ainda assim objeto de grande respeito. Um deles era o púlpito do mestre "clássico", outro, do "inglês e matemático". Distribuídas pela sala, indo e vindo em uma irregularidade contínua, havia inumeráveis carteiras com bancos, escuras, antigas e desgastadas pelo tempo, cobertas com periclitantes pilhas de livros muito manuseados, e tão riscadas de iniciais, nomes inteiros, figuras grotescas e outros múltiplos trabalhos a canivete que estes haviam perdido inteiramente o pouco da forma original que porventura lhes coubera em um tempo havia muito ido. Um imenso balde d'água ficava numa extremidade da sala, e um relógio de dimensões estupendas na outra.

Encerrado nas paredes maciças desse venerando ateneu, passei, embora não entediado nem desgostoso, os anos do terceiro lustro de minha vida. A fervilhante cabeça da infância prescinde de qualquer mundo ou incidente externo com que se ocupar ou se divertir; e a monotonia aparentemente melancólica de um colégio era repleta de uma excitação mais intensa do que minha juventude mais avançada derivou do luxo ou minha idade viril do crime. E contudo quero crer que meu desenvolvimento mental inicial guardava em si muito de incomum — muito, até, de *outré*.[3] Nos seres humanos como um todo os eventos da existência muito tenra raramente deixam na maturidade alguma impressão definida. Tudo são sombras cinzentas — uma lembrança tênue e irregular — uma recordação vaga de débeis prazeres e fantasiosos sofrimentos. Comigo tal não se dá. Na infância devo ter sentido com a energia de um homem o que hoje encontro gravado na memória em linhas tão vívidas, tão profundas e tão permanentes quanto os exergos das medalhas cartaginesas.

E contudo de fato — para a visão factual do mundo — como havia pouco que recordar! O despertar pela manhã, as chamadas para se recolher à noite; as horas de estudo, as sabatinas; os regulares meios períodos de descanso, e suas perambulações; o pátio de recreio com suas altercações, seus passatempos, suas intrigas; — isso tudo, mediante uma feitiçaria mental há muito esquecida, foi moldado de maneira a envolver uma imensidade de sensações, um mundo de ricos incidentes, um universo de emoção variada, das excitações mais apaixonadas e inspiradoras do espírito. "*Oh, le bon temps, que ce siècle de fer!*"[4]

CONTOS DE IMAGINAÇÃO E MISTÉRIO

Na verdade, o ardor, o entusiasmo e a imperiosidade de minha disposição não tardaram a me conferir um caráter destacado entre meus colegas e, mediante graduações lentas mas naturais, renderam-me uma ascendência sobre todos os não muito mais velhos do que eu; — todos, com uma exceção. Essa exceção se encontrava na pessoa de um aluno que, embora sem parentesco comigo, ostentava o mesmo nome de batismo e sobrenome; — circunstância, na verdade, pouco notável; pois, não obstante uma linhagem nobre, o meu era um desses nomes ordinários que parecem, por direito prescritivo, ter sido, em tempos imemoriais, propriedade comum do vulgo. Nessa narrativa portanto intitulei a mim mesmo William Wilson — nome fictício não muito diferente do real. Apenas meu homônimo, dentre todos os que no linguajar escolar constituíam "nosso círculo", ousava competir comigo nos estudos da sala de aula, nos esportes e altercações do pátio — ousava recusar-se a crer implicitamente em minhas asserções, e submeter-se a minha vontade — na verdade, interferir com minha autoridade arbitrária no que quer que fosse. Se existe um despotismo supremo e absoluto no mundo, é o despotismo de uma mente superior na infância sobre os espíritos menos enérgicos de seus companheiros.

A rebeldia de Wilson para mim constituía fonte do maior constrangimento; — tanto mais porque, a despeito da bravata com que em público eu fazia questão de tratá-lo, bem como a suas pretensões, secretamente percebia temê-lo, e não conseguia deixar de pensar na igualdade que mantinha tão facilmente comigo como uma prova de sua genuína superioridade; pois que não ser derrotado custava-me um esforço perpétuo. E contudo essa superioridade — mesmo essa igualdade — não era com efeito admitida por ninguém mais a não ser eu mesmo; nossos colegas, devido a uma cegueira inexplicável, pareciam nem sequer desconfiar disso. Na verdade, sua competição, sua resistência e particularmente sua impertinência e obstinada interferência com os meus propósitos eram não tão manifestas, mas antes privadas. Ele parecia destituído igualmente da ambição que me impelia e da energia apaixonada de mente que me capacitava a me sobressair. Em sua rivalidade poder-se-ia conjecturar que agia unicamente por um desejo caprichoso de estorvar, surpreender ou mortificar minha pessoa; embora houvesse ocasiões em que eu não conseguia deixar de observar, com um sentimento misto de admiração, humilhação e irritação, que temperava suas injúrias, seus insultos ou suas contradições com uma *afetuosidade* de modos que era decerto por demais inadequada e seguramente por demais indesejável. Esse comportamento singular eu só o podia conceber como derivando de uma rematada presunção dando-se ares vulgares de apoio condescendente e proteção.

Talvez fosse este último traço na conduta de Wilson, combinado a nossa identidade de nome, e ao mero acidente de termos ingressado na escola no mesmo dia, que ventilou entre as classes mais velhas do colégio a ideia de que éramos irmãos. Os alunos maiores em geral não indagam com grande rigor os assuntos dos mais novos. Disse antes, ou deveria tê-lo feito, que Wilson não era, no mais remoto grau, ligado a minha família. Mas seguramente se *de fato* fôssemos irmãos deveríamos ser gêmeos; pois, após deixar a instituição do dr. Bransby, casualmente vim a saber que meu homônimo nascera no dia 19 de janeiro de 1809 — e isso é de certo modo uma coincidência notável; pois esse é precisamente o dia de meu próprio nascimento.[5]

Talvez pareça estranho que a despeito da contínua ansiedade em mim ocasionada pela rivalidade de Wilson, e por seu intolerável espírito contestador, eu era incapaz de vir a odiá-lo inteiramente. Tínhamos, para ser exato, quase todos os dias uma briga em que, concedendo-me publicamente a palma da vitória, ele, de algum modo, excogitava uma maneira de me fazer sentir não ser seu verdadeiro merecedor; e, contudo, um senso de orgulho de minha parte e uma genuína dignidade da dele mantinham-nos sempre no que se costuma chamar de "bons termos", embora houvesse muitos pontos de forte conformidade operando em nossos temperamentos para despertar em mim um sentimento que talvez exclusivamente nossa situação impedia de amadurecer em amizade. Difícil é de fato definir, ou mesmo descrever, meus reais sentimentos para com ele. Formavam um composto variegado e heterogêneo; — parte animosidade petulante, que ainda não era ódio, parte estima, uma dose de respeito, e muito medo, com uma quantidade imensa de curiosidade. Para o moralista será desnecessário dizer, além do mais, que Wilson e eu éramos os mais inseparáveis dos companheiros.

Foi sem dúvida o anômalo estado de coisas existente entre nós que conduziu todos os meus ataques contra ele (e eram muitos, abertos ou

CONTOS DE IMAGINAÇÃO E MISTÉRIO

disfarçados) pela senda da pilhéria ou da piada de mau gosto (provocando dor sob o pretexto do mero gracejo), e não de uma hostilidade mais grave e determinada. Mas meus esforços nesse sentido de modo algum conheciam sucesso uniforme, mesmo quando meus planos eram concebidos com a mais espirituosa das verves; pois meu homônimo tinha, em seu caráter, muito dessa austeridade despretensiosa e tranquila que, embora apreciadora da pungência de suas próprias piadas, jamais exibe seu calcanhar de aquiles e se recusa absolutamente a ser ela própria objeto de zombaria. Eu de fato não conseguia encontrar senão um único ponto vulnerável, e este, residindo numa peculiaridade pessoal, oriunda, talvez, de uma enfermidade constitucional, teria sido poupada por qualquer antagonista menos falto de recursos como era o meu caso; — meu rival possuía uma debilidade no aparelho faucal ou gutural que o impedia completamente de erguer a voz *acima de um sussurro baixo*. Desse defeito eu não deixava de tirar toda mísera vantagem que estivesse em meu alcance.

As retaliações de Wilson na mesma moeda eram muitas; e havia um procedimento de seu humor ferino que me transtornava além da medida. Como afinal de contas teve a sagacidade de descobrir que uma coisa tão insignificante era capaz de me atormentar, eis uma questão que jamais pude resolver; mas, tendo-a descoberto, praticava habitualmente a importunação. Eu sempre sentira aversão ao meu pouco refinado patronímico, bem como ao seu comuníssimo, se não plebeu, prenome. As duas palavras eram veneno para meus ouvidos; e quando, no dia de minha chegada, um segundo William Wilson também se apresentou no internato, fiquei furioso com ele por possuir esse nome, e duplamente desgostoso com o nome porque um estranho o carregava, alguém que seria causa de sua repetição duplicada, alguém que estaria constantemente em minha presença, e cujos interesses, na rotina ordinária dos assuntos escolares, deviam inevitavelmente, por conta da detestável coincidência, ser muitas vezes confundidos com os meus.

O sentimento de irritação assim engendrado foi ficando mais forte a cada circunstância que tendia a mostrar a semelhança, moral ou física, entre mim e meu rival. Nessa época eu ainda não descobrira o fato notável de que tínhamos a mesma idade; mas percebia que éramos da mesma altura, e me dava conta de que éramos até singularmente parecidos na figura geral de nossas pessoas e no contorno de nossas feições. Exasperava-me também o rumor no tocante a nosso parentesco, e que se tornara cada vez mais corrente nas classes mais velhas. Numa palavra, nada podia me perturbar mais seriamente (embora eu ocultasse essa perturbação com o maior escrúpulo) do que qualquer alusão a uma semelhança de espírito, figura ou condição existindo entre nós. Mas, na realidade, eu não tinha motivo para acreditar que (com exceção da questão do parentesco, e no caso do próprio Wilson) essa similaridade tivesse jamais constituído tema de comentário, nem sequer sido notada pelos nossos colegas. Que *ele* a notasse em todos os seus aspectos, e tão fixamente quanto eu, era óbvio; mas que ele fosse capaz de descobrir em tais circunstâncias um veio tão rico de aborrecimentos é algo que só posso atribuir, como já disse, à sua argúcia acima do normal.

Sua deixa, que era aperfeiçoar uma imitação de mim mesmo, residia tanto em suas palavras como em suas ações; e, nesse papel, seu desempenho era dos mais admiráveis. Minhas roupas eram coisa fácil de ser copiada; de meu andar e modos gerais ele, sem dificuldade, se apropriava; a despeito de seu defeito de constituição, nem sequer minha voz lhe escapava. Meus tons mais elevados, é claro, ficavam por tentar, mas o timbre era idêntico; *e assim seu sussurro singular tornou-se o puro eco do meu.*

Em que medida esse retrato sobremodo elaborado me importunava (pois não se lhe faria justiça denominá-lo de caricatura), não me arriscarei a descrever. Eu não tinha senão um consolo — o fato de que a imitação, aparentemente, era notada apenas por mim e mais ninguém, e que eu precisava aturar os sorrisos conspiratórios e estranhamente sarcásticos tão somente de meu homônimo. Satisfeito de haver produzido em meu íntimo o efeito pretendido, ele parecia rir-se em segredo da ferroada infligida, e se mostrava tipicamente desdenhoso dos louvores públicos que o triunfo de seus espirituosos esforços teria tão facilmente logrado. Que a escola, de fato, não enxergasse seu intento, percebesse sua consumação e participasse de seu escárnio foi, por muitos angustiados meses, um enigma que não pude resolver. Talvez a *gradatividade* de sua cópia a tornasse não tão prontamente perceptível; ou, mais possivelmente, minha segurança estivesse em débito com o proceder proficiente do copista, que, desdenhando ater-

-se à letra (coisa que numa pintura é tudo que os obtusos conseguem ver), não oferecia o pleno espírito de seu original senão à minha contemplação e mortificação individual.

Já falei mais de uma vez dos repulsivos ares protetores que assumia em relação a mim, e da interferência frequente e obsequiosa com minha vontade. Essa interferência muitas vezes ganhava o caráter indesejável de um conselho; conselho não abertamente dado, mas sugerido ou insinuado. Eu recebia isso com uma aversão que ficava mais forte a cada ano que passava. E contudo, neste dia distante, que me seja permitido lhe fazer a pura justiça de admitir que não consigo me recordar de uma ocasião sequer em que as sugestões de meu rival tenderam pelo lado desses erros ou tolices tão comuns a sua idade imatura e aparente inexperiência; que seu senso moral, no mínimo, quando não seus talentos gerais e sabedoria mundana, eram de longe muito mais penetrantes que os meus; e que eu poderia, hoje, ter me constituído num homem melhor e, desse modo, mais feliz, houvesse com menos frequência rejeitado os conselhos manifestados naqueles sussurros significativos que na época com tanta veemência odiei e com tanta amargura desprezei.

Do modo como foi, acabei por me mostrar impaciente ao extremo sob sua tutela desagradável e a me ressentir cada vez mais abertamente do que considerava sua arrogância intolerável. Afirmei anteriormente que nos primeiros anos de nossa ligação como colegas de escola meus sentimentos em relação a ele poderiam facilmente ter amadurecido em amizade; mas, nos últimos meses em que residi na instituição, embora seus habituais modos intrusivos houvessem, sem a menor sombra de dúvida, em certa medida arrefecido, meus sentimentos, em proporção quase similar, inclinaram-se em grande parte pelo positivo ódio. Em certa ocasião ele o notou, creio, e depois disso passou a me evitar, ou deu mostras de fazê-lo.

Foi mais ou menos nesse mesmo período, se me recordo corretamente, que, no decorrer de uma discussão violenta em que ele muito contra seu feitio baixou a guarda, e falou e agiu com uma franqueza de conduta estranha a sua natureza, percebi, ou imaginei perceber, em sua pronúncia, seus modos e sua aparência geral, algo que de início me alarmou e depois me deixou vivamente interessado, ao trazer-me à mente visões turvas de minha mais tenra infância — lembranças caóticas, confusas e precipitadas de um tempo em que a própria memória ainda estava por nascer. Não posso descrever melhor a sensação que me oprimiu do que afirmando como era difícil afastar de meu espírito a crença de que já havia conhecido aquela pessoa que estava diante de mim em alguma época muitíssimo remota — algum ponto do passado, ainda que infinitamente longínquo. A ilusão, entretanto, desvaneceu tão rapidamente quanto surgiu; e não a menciono aqui senão para marcar o dia da última conversa que ali mantive com meu singular homônimo.

A casa antiga e imensa, com suas incontáveis subdivisões, possuía diversos aposentos amplos que se comunicavam entre si, onde dormia a maior parte dos alunos. Havia, entretanto (como deve ser forçoso ocorrer em um edifício tão complicadamente projetado), muitos desvãos e recessos, os recortes supérfluos da estrutura; e esses recantos a engenhosidade econômica do dr. Bransby transformara em mais dormitórios; ainda que, por serem meros cubículos, fossem capazes de acomodar apenas um indivíduo. Um desses pequenos alojamentos era ocupado por Wilson.

Certa noite, ao final de meu quinto ano na escola, e imediatamente após a discussão que mencionei, vendo todos dormindo a sono solto, levantei-me da cama e, luminária na mão, dirigi-me furtivamente por um labirinto de passagens estreitas de meu próprio quarto ao do meu rival. Eu vinha planejando havia muito tempo uma dessas detestáveis peças de mau gosto às suas custas em que até então conhecera um fracasso tão invariável. Era minha intenção, agora, pôr meu plano em operação, e me determinara a fazê-lo sentir toda a extensão da malevolência de que estava imbuído. Tendo chegado a seu cubículo, entrei sem o menor ruído, deixando a luminária, com um quebra-luz, do lado de fora. Avancei um passo e escutei o som de sua respiração tranquila. Convicto de que dormia, voltei, apanhei a luz e tornei a me aproximar da cama. Cortinas fechadas a cercavam, as quais, dando prosseguimento a meu intento, silenciosamente puxei, quando os raios brilhantes caíram vivamente sobre o adormecido e meus olhos, nesse mesmo momento, sobre seu semblante. Olhei; — e um entorpecimento, uma gelidez de sensações instantaneamente invadiu meu corpo. Meu peito arfou, meus joelhos vacilaram, todo o meu espírito ficou possuído de um horror inapreensível, e contudo intolerável. Ofegando sem ar, baixei a luminária numa proximidade ainda maior de seu rosto. Eram aquelas — *aquelas* as feições de William Wilson? Eu via, de fato, que eram as suas, mas tremi como que num acesso febril imaginando que não eram. O que *havia* acerca delas que me confundia dessa maneira? Olhei fixamente; — enquanto minha cabeça girava com uma miríade de pensamentos incoerentes. Não era assim que ele me parecia — certamente não *assim* — na vivacidade de suas horas despertas. O mesmo nome! o mesmo contorno de figura! o mesmo dia de chegada na escola! E depois sua imitação obstinada e sem sentido de meu andar, minha voz, meus hábitos, minhas maneiras! Seria de fato verdade, dentro dos limites da possibilidade humana, que *o que eu agora via* fosse o resultado, meramente, da prática habitual de sua imitação sarcástica? Tomado de terror, e tremendo convulsivamente, apaguei a luminária, saí silenciosamente da alcova e deixei, incontinente, as dependências do antigo ateneu para nunca mais voltar.

Após o lapso de alguns meses, passados em casa na pura ociosidade, achei-me estudando em Eton. O breve intervalo fora suficiente para enfraquecer minha memória dos acontecimentos no colégio do dr. Bransby, ou ao menos para operar uma mudança palpável na natureza dos sentimentos com os quais eu as recordava. A veracidade — a tragédia — do drama haviam sumido. Eu podia agora encontrar ensejo para duvidar da evidência de meus sentidos; e raramente chegava mesmo a pensar no assunto, a não ser com um quê de admiração ante a amplitude da credulidade humana, e um sorriso para a vívida força de imaginação que me fora hereditariamente legada. E tampouco era provável que essa espécie de ceticismo diminuísse com o caráter da vida que eu levava em Eton. O vórtice de excessos irrefletidos em que ali tão imediata e temerariamente mergulhei tudo tragava a não ser a ebulição trivial de minhas horas anteriores, engolfando de uma só vez qualquer impressão sólida ou séria e não deixando lembrança senão das mais absolutas leviandades de uma existência precedente.

Não desejo, entretanto, traçar aqui o curso de minha licenciosidade desprezível — licenciosidade que desafiava as leis ao mesmo tempo que iludia a vigilância da instituição. Três anos de excessos, passados sem proveito, não fizeram senão arraigar os hábitos do vício, e ampliar, em grau até certo ponto incomum, meu calibre corporal, quando, após uma semana de maquinal dissipação, convidei um reduzido grupo dos mais dissolutos alunos para uma bebedeira sigilosa em meus aposentos. Encontramo-nos a uma hora avançada da noite; pois nossa pândega deveria se prolongar religiosamente até a manhã. O vinho correu livremente, e não havia carência de outras e talvez mais perigosas seduções; de modo que a aurora cinzenta já despontava debilmente a leste quando nossa extravagância delirante encontrava-se em seu auge. Descontroladamente exaltado com as cartas e a embriaguez, eu estava prestes a insistir num brinde de profanidade mais do que costumeira quando minha atenção foi desviada pela porta do quarto sendo aberta com brusquidão, embora apenas parcialmente, e pela voz ansiosa de um criado do lado de fora. Informava-me que uma pessoa, aparentemente com grande urgência, pedia para falar comigo na entrada da casa.

Febrilmente animado pelo vinho, a inesperada interrupção antes me alegrou do que surpreendeu. Avancei cambaleante na mesma hora e uns poucos passos me conduziram ao vestíbulo. No cômodo baixo e exíguo não havia iluminação; e nesse momento luz alguma penetrava, salvo os raios extremamente tênues da aurora filtrando pela janela semicircular. Assim que pisei na soleira, dei pela presença de um jovem mais ou menos da minha própria altura, trajado com uma sobrecasaca de casimira branca, talhada na última moda, a exemplo da que eu mesmo vestia naquele momento. Isso a luz débil possibilitou-me perceber; mas as feições de seu rosto não pude distinguir. Quando entrei, avançou rapidamente a largas passadas até mim e, segurando-me pelo braço em um gesto de impaciência insolente, sussurrou as palavras "William Wilson!" em meu ouvido.

Fiquei perfeitamente sóbrio num instante.

Havia qualquer coisa nos modos do estranho, e no tremor hesitante de seu dedo, conforme o erguia entre meus olhos e a luz, que me encheu de um espanto absoluto; mas não fora isso que tão violentamente me emocionara. Foi a pregnância de solene admoestação em sua elocução singular, baixa, sibilante; e, acima de tudo, o caráter, o tom, *o timbre* daquelas poucas sílabas simples e familiares, ainda que *sussurradas*, que vieram com uma miríade de lembranças precipitadas de tempos idos, e que atingiram minha alma com o choque de uma pilha galvânica. Antes que pudesse recobrar o uso de meus sentidos ele havia partido.

Embora o episódio não deixasse de causar um vívido efeito em minha imaginação desorientada, foi contudo tão evanescente quanto vívido. Por algumas semanas, de fato, ocupei-me de zelosa indagação, ou permaneci envolto numa nuvem de mórbida especulação. Não pretendia ocultar de minha percepção a identidade do singular indivíduo que tão perseverantemente interferia com meus assuntos e importunava-me com a insinuação de seus aconselhamentos. Mas quem e o que era aquele Wilson? — e de onde vinha? — e quais eram seus propósitos? Acerca de nenhuma dessas questões pude me satisfazer; meramente constatei, em relação a ele, que um súbito acidente em sua família levara a sua saída da instituição do dr. Bransby na tarde do dia em que eu próprio fugira. Mas em curto período deixei de pensar no assunto; minha atenção ficando inteiramente absorvida nos preparativos com uma transferência para Oxford. Para lá fui em pouco tempo; a impensada vaidade de meus pais provendo-me dos meios materiais e da permanência anual que me permitiriam abandonar--me ao meu bel-prazer ao luxo já tão caro ao meu coração — rivalizar em prodigalidade de gastos com os mais altivos herdeiros dos condados mais abastados na Grã-Bretanha.

Estimulado por tal instrumentação para o vício, o temperamento de minha constituição aflorou com ardor redobrado, e repudiei até mesmo os refreamentos comuns da decência na tresloucada paixão de minhas esbórnias. Mas seria absurdo deter-me em detalhar minhas extravagâncias. Bastará dizer que, em esbanjamentos, superei em herodianismo o próprio Herodes, e que, dando nome a uma infinitude de inovadores desvarios, aditei um apêndice nada breve ao longo catálogo de vícios então em uso na universidade mais dissoluta da Europa.

Dificilmente se poderia crer, entretanto, que mesmo nesse momento eu descera tão abaixo de minha distinta condição a ponto de aspirar a uma familiaridade com as vis artes do jogador por profissão e, tendo me tornado adepto dessa desprezível ciência, de praticá-la habitualmente como um meio de aumentar meus já enormes proventos às custas dos mais pobres de espírito dentre meus colegas. Tal, não obstante, foi o ocorrido. E a pura enormidade dessa ofensa contra todo e qualquer sentimento de hombridade e honra se provou, sem sombra de dúvida, a principal, se não a única razão da impunidade com a qual foi cometido. Com efeito, quem dentre meus mais dissolutos companheiros não haveria preferido antes ter duvidado da clara evidência de seus sentidos a suspeitar de tais condutas, o alegre, o franco, o generoso William Wilson — o mais nobre e liberal estudante de Oxford — aquele cujas loucuras (diziam seus parasitas) nada mais eram que as loucuras da juventude e da imaginação desenfreada — cujos erros nada além de inimitável capricho — cujo vício tenebroso nada além de extravagância negligente e chique?

Ocupava-me dessa vida com sucesso havia dois anos quando chegou à universidade um jovem nobre *parvenu*, Glendinning — tão rico, diziam os rumores, quanto Herodes Ático —, sua fortuna, também, facilmente conquistada. Não tardou para que eu percebesse a fraqueza de seu intelecto e é claro que o marquei como um alvo apropriado para minhas habilidades. Eu o atraía frequentemente à mesa de jogo e permitia, com a usual perícia do jogador, que ganhasse somas consideráveis, de modo a enredá-lo com mais eficácia na armadilha. Finalmente, meu plano estando amadurecido, reunimo-nos (sendo minha plena intenção de que esse encontro fosse final e decisivo) no aposento de um colega (o sr. Preston), igualmente íntimo de ambos, mas que, justiça lhe seja feita, não tinha a mais remota desconfiança de meu intento. Para contribuir com o disfarce, eu providenciara a presença de um grupo com cerca de oito ou dez outros alunos e fui solicitamente cuidadoso para que o surgimento das cartas parecesse acidental e originado na proposta daquele próprio a quem visava ludibriar. Para ser breve acerca de um tópico vil, nada da degradada arte foi omitido, algo tão costumeiro em ocasiões similares que só pode constituir motivo de admiração ainda haver aqueles tão aparvalhados a ponto de dela caírem vítimas.

Havíamos prosseguido nisso até altas horas da noite quando enfim consegui efetuar a manobra de fazer de Glendinning meu único adversário. O jogo, também, era meu *écarté* favorito. Os demais presentes, interessados na magnitude de nossa jogatina, haviam abandonado seus próprios carteados, e ajeitaram-se em torno como espectadores. O *parvenu*, que fora

CONTOS DE IMAGINAÇÃO E MISTÉRIO

induzido por meio de meus ardis na primeira parte da noite a beber pesadamente, agora embaralhava, dava as cartas ou jogava de uma maneira nervosa e precipitada que sua embriaguez, assim pensei, poderia explicar em parte, mas não inteiramente. Em um período muito curto de tempo tornara-se meu devedor por vultosa soma, quando, após virar um longo trago de porto, fez precisamente o que eu viera friamente antecipando — propôs dobrar nossas já extravagantes apostas. Com uma bem fingida afetação de relutância, e somente depois que minhas repetidas recusas persuadiram-no a proferir algumas palavras furiosas que emprestaram uma aparência de *pique*[6] a minha aquiescência, finalmente cedi. O resultado, claro, apenas provou quão irremediavelmente a presa caíra em minha armadilha; em menos de uma hora ele havia quadruplicado sua dívida. Já havia algum tempo que seu semblante vinha perdendo o ruborizado matiz advindo do vinho; mas agora, para meu assombro, percebi que atingira uma palidez verdadeiramente assustadora. Digo para meu assombro. Minhas ansiosas sondagens haviam-me levado a crer que Glendinning era incomensuravelmente rico; e os montantes que até então perdera, embora em si vastos, não poderiam, assim supunha eu, perturbá-lo muito seriamente, menos ainda deixá-lo tão violentamente agitado daquele modo. Que estivesse subjugado pela quantidade de vinho que acabara de tomar foi a ideia que mais prontamente me veio; e, antes com vistas à preservação de meu próprio caráter aos olhos de meus colegas do que por qualquer outro motivo menos interesseiro, eu estava prestes a insistir, peremptoriamente, na interrupção do jogo, quando algumas coisas ditas à minha volta entre o grupo e uma exclamação evidenciando completo desespero da parte de Glendinning levaram-me a compreender que eu efetuara sua total ruína sob circunstâncias que, tornando-o objeto da piedade geral, deveriam tê-lo protegido dos ofícios maléficos até de um demônio.

No que agora devia ter constituído minha conduta é difícil dizer. A condição lastimável de minha vítima fizera descer uma atmosfera de sombrio constrangimento sobre todos os presentes; e, por alguns momentos, um profundo silêncio se manteve, durante os quais não pude deixar de sentir meu rosto queimando com os inúmeros olhares intensos de desprezo ou reprovação lançados sobre mim pelos menos depravados do grupo.

40

Admitirei ainda que um intolerável peso de angústia foi por breve instante tirado de meu peito pela súbita e extraordinária interrupção que se seguiu. As amplas e pesadas portas duplas do aposento foram subitamente abertas, por completo, com uma impetuosidade vigorosa e violenta que apagou, como que por encanto, todas as velas do quarto. A luz, no momento em que elas se extinguiam, possibilitaram-me perceber apenas que um estranho havia entrado, mais ou menos da minha própria altura, e cuidadosamente encapotado em um manto. A escuridão, entretanto, agora era total; e podíamos apenas *sentir* sua presença ali em nosso meio. Antes que qualquer um de nós conseguisse se recuperar da extrema perplexidade em que aquela grosseria nos lançara a todos, escutamos a voz do intruso.

"Senhores", disse, num baixo, distinto e inesquecível *sussurro* que me fez tremer até a medula, "abstenho-me de pedir quaisquer desculpas por meu comportamento, pois, desse modo me comportando, não estou senão cumprindo um dever. Os senhores encontram-se, sem sombra de dúvida, desinformados sobre o verdadeiro caráter da pessoa que ganhou no *écarté* esta noite uma enorme soma de dinheiro de Lord Glendinning. Vou desse modo lhes propor um método diligente e conclusivo de obter essa informação absolutamente indispensável. Por favor examinem, com vagar, o forro interno do punho de sua manga esquerda, e os diversos pequenos pacotes que podem ser encontrados nos bolsos razoavelmente espaçosos de seu roupão bordado."

Enquanto falava, tão profundo foi o silêncio que se poderia ter escutado a queda de um alfinete no soalho. Ao terminar, partiu na mesma hora, e tão abruptamente quanto entrara. Poderei — conseguirei descrever minhas sensações? — deverei dizer que senti todos os horrores da danação? Asseguro que tive pouco tempo para refletir. Inúmeras mãos agarraram-me brutalmente ali mesmo e as luzes tornaram imediatamente a ser acesas. Fui revistado. No forro de minha manga encontraram-se todas as cartas essenciais do *écarté* e, nos bolsos de meu roupão, uma série de baralhos, idênticos aos usados em nossas noitadas, com a única exceção de que os meus eram dessa espécie tecnicamente chamada de *arrondies*[7]; as honras sendo ligeiramente convexas no alto e embaixo, as cartas menores, ligeiramente convexas nas laterais. Com esse arranjo, a vítima que corta, como de costume, no sentido longitudinal do baralho, invariavelmente descobrirá que dá uma honra ao seu adversário; ao passo que o jogador trapaceiro, cortando na largura, com o mesmo grau de certeza nada dará ao seu oponente que possa contar para o triunfo no jogo.

Qualquer explosão de indignação com a descoberta teria me afetado menos do que o desprezo silencioso ou a sarcástica compostura com que ela foi recebida.

"Senhor Wilson", disse nosso anfitrião, curvando-se para remover de sob seus pés um manto sumamente luxuoso de peles raras, "senhor Wilson, isto é de sua propriedade." (Fazia frio; e ao deixar meu quarto, eu jogara um manto por cima de meu *robe de chambre*, tirando-o ao chegar ao local da jogatina.) "Presumo que será supérfluo procurar aqui (relanceando as dobras do traje com um sorriso amargo) por qualquer evidência adicional de sua destreza. Com efeito, já tivemos o suficiente. O senhor compreenderá a necessidade, espero, de deixar Oxford — de todo modo, de deixar meus aposentos imediatamente."

Humilhado, rebaixado à desonra como então fiquei, é provável que tivesse reagido a essas palavras exasperantes com violência pessoal imediata, não fosse minha atenção naquele momento ser atraída para um fato da natureza mais surpreendente. O manto que eu agora vestia era de uma rara qualidade de pele; quão rara, e quão extravagantemente cara, não ousarei dizer. Seu feitio, também, era de minha própria invenção fantasiosa; pois eu era fastidioso a um grau absurdo de afetação em matérias dessa natureza frívola. Quando, desse modo, o sr. Preston estendeu-me o que havia recolhido do chão, e ao me aproximar das portas duplas do aposento, foi com um assombro beirando o terror que percebi meu próprio manto já dobrado em meu braço (onde eu sem dúvida sem me dar conta o havia pendurado) e que aquele que me fora oferecido não era senão sua exata contrapartida em todas e mais minuciosas particularidades possíveis. A singular criatura que tão funestamente me desmascarara havia permanecido encapotada, lembro-me, em um manto; e nenhum outro membro de nosso grupo usava um, com exceção de mim mesmo. Conservando alguma presença de espírito, aceitei o que me fora entregue por Preston; coloquei-o, despercebido, sobre o meu; deixei o apartamento com uma expressão determinada de desafio; e, na manhã seguinte, antes do alvorecer do dia, iniciei uma apressada viagem de Oxford para o continente, numa perfeita agonia de horror e vergonha.

Fugi em vão. Meu destino maligno perseguiu-me como que em exultação e provou, de fato, que o exercício de seu misterioso domínio ainda estava apenas por começar. Mal pus os pés em Paris, obtive nova evidência do detestável interesse assumido por esse Wilson em meus assuntos. Anos se passaram sem que eu conhecesse alívio. Patife! — em Roma, quão inoportunamente, e contudo, com que diligência mais fantasmagórica, ele se interpôs entre mim e minha ambição! Em Viena, também — em Berlim — e em Moscou! Onde, na verdade, *não* tinha eu uma razão amarga para amaldiçoá-lo do fundo do coração? De sua inescrutável tirania enfim fugi, tomado de pânico, como que da peste; e para os próprios confins da terra *eu fugi em vão.*

E novamente, e novamente, em secreta comunhão com meu próprio espírito, fazia eu as perguntas "Quem é ele? — de onde veio — e quais são seus objetivos?". Porém nenhuma resposta era encontrada. E agora eu examinava, com escrutínio minucioso, as formas, os métodos, as características principais de sua vigilância impertinente. Mas mesmo aí havia muito pouco sobre o que basear uma conjectura. Era com efeito notável que em nenhuma das múltiplas ocasiões em que recentemente cruzara meu caminho ele não o tivesse feito senão para frustrar planos ou estorvar ações que, se levados a um termo, poderiam ter resultado em amarga injúria. Que pobre justificativa, na realidade, para uma autoridade tão arrogantemente presumida! Que pobre reparação para direitos naturais de autogoverno tão tenazmente, tão insultuosamente negados!

Fora-me também forçoso notar que meu algoz, por um período muito longo (ao mesmo tempo que escrupulosamente, e com destreza sobrenatural, prosseguia em seu capricho de trajar-se de forma idêntica à minha), agira de tal maneira, na execução de sua variada interferência com minha vontade, que eu jamais visse, em momento algum, as feições de seu rosto. Fosse quem fosse Wilson, *isso*, ao menos, era a mais extrema das afetações, ou das tolices. Seria possível ele supor, por um instante, que em meu admoestador de Eton — no destruidor de minha honra em Oxford

— naquele que frustrara minha ambição em Roma, minha vingança em Paris, meu amor apaixonado em Nápoles, ou no que ele falsamente chamou de minha avareza no Egito — que nele, meu arqui-inimigo e gênio do mal, eu pudesse deixar de reconhecer o William Wilson de meus dias escolares — o homônimo, o companheiro, o rival — o odiado e temido rival na instituição do dr. Bransby? Impossível! — Mas que me seja permitido passar rapidamente à derradeira cena memorável do drama.

Até esse momento eu sucumbira letargicamente a seu arrogante domínio. O sentimento de profunda reverência com que habitualmente encarava o caráter elevado, a sabedoria majestosa, a aparente onipresença e onipotência de Wilson, combinado a um outro de semelhante terror que determinados outros traços em sua natureza e pressuposições me inspiravam, havia até ali agido de modo a imprimir em mim uma ideia de minha própria fraqueza e desamparo e a sugerir uma submissão implícita, ainda que amargamente relutante, à arbitrariedade de sua vontade. Mas, por essa época, eu me entregara completamente ao vinho; e a influência exasperante da bebida sobre meu temperamento hereditário tornou-me cada vez mais intolerante ao controle. Comecei a resmungar — a hesitar — a resistir. E seria apenas a fantasia que me induzia a acreditar que, com o aumento de minha firmeza, a de meu algoz conheceu diminuição proporcional? Fosse como fosse, comecei assim a sentir a inspiração de uma esperança ardente, e acabei por nutrir secretamente em meus pensamentos uma austera e desesperada resolução de não mais me submeter àquele jugo.

Foi em Roma, durante o Carnaval de 18—, que compareci a uma mascarada no palacete do duque napolitano Di Broglio. Eu me entregara mais livremente do que o habitual aos excessos do vinho; e agora a atmosfera sufocante dos ambientes abarrotados irritava-me além do suportável. Também a dificuldade de abrir caminho entre a confusão de gente contribuía em larga medida para a perturbação de meu temperamento; pois eu procurava ansiosamente (que me seja permitido não revelar o indigno motivo) a jovem, alegre e linda esposa do velho e tolo Di Broglio. Com confiança mais do que inescrupulosa ela me fizera comunicar previamente o segredo dos trajes com que estaria fantasiada, e agora, após avistar

44

sua pessoa, eu tentava apressadamente abrir caminho até sua presença. — Nesse momento senti o toque leve de uma mão pousando em meu ombro, e aquele inesquecível, grave e execrável *sussurro* em meu ouvido.

Num absoluto frenesi de ira, virei-me na mesma hora para aquele que desse modo me interrompera e agarrei-o violentamente pelo colarinho. Estava vestido, como era de esperar, com uma fantasia em tudo similar à minha; trajava uma capa espanhola de veludo azul, cingida em torno da cintura por um cinto escarlate sustentando uma rapieira. Uma máscara de sede negra cobria inteiramente seu rosto.

"Canalha!", exclamei, numa voz rouca de fúria, e cada sílaba pronunciada parecia renovar o ardor de minha cólera, "canalha! impostor! vilão amaldiçoado! não irás — *não irás* me caçar até a morte! Segue-me, ou provarás minha lâmina aqui mesmo!" — e abri caminho do salão de baile até uma pequena antecâmara anexa — arrastando-o irresistivelmente comigo conforme o fazia.

Ao entrar, empurrei-o furiosamente para longe de mim. Ele cambaleou contra a parede, enquanto eu fechava a porta com uma imprecação e lhe ordenava que desembainhasse sua arma. Ele hesitou por um instante; depois, com um ligeiro suspiro, puxou a espada em silêncio e se pôs em guarda.

O duelo foi breve deveras. Eu estava desvairado com todo tipo de agitação selvagem e senti em um único braço a energia e o poder de uma multidão. Em poucos segundos empurrei-o à pura força contra os lambris e desse modo, tendo-o à minha mercê, cravei a espada com brutal ferocidade, repetidamente, por todo o seu peito.

Nesse instante alguém tentou abrir a porta. Apressei-me a impedir qualquer intromissão e depois imediatamente voltei ao meu antagonista moribundo. Mas que linguagem humana pode retratar adequadamente *aquele* espanto, *aquele* horror que se apossaram de mim diante do espetáculo que então se apresentou aos meus olhos? O breve momento em que desviei a atenção havia sido suficiente para produzir, aparentemente, uma mudança palpável no canto superior ou mais distante do quarto. Um grande espelho — assim de início me pareceu, em minha confusão — agora se via onde antes nada disso era perceptível; e, quando caminhei em sua direção tomado por extremos de terror, minha própria imagem,

mas com as feições pálidas e salpicadas de sangue, avançou para ir ao meu encontro com um andar débil e vacilante.

Assim me parecia, afirmei, mas não. Era meu antagonista — era Wilson, que então se punha de pé diante de mim, sofrendo as agonias da morte. Sua máscara e a capa jaziam onde ele as jogara, sobre o piso. Não havia sequer um fio em todo o seu traje — sequer uma linha em todos os marcados e singulares contornos de seu rosto que não fossem, mesmo na mais absoluta identidade, *os meus próprios!*

Era Wilson; porém não mais falava num sussurro, e eu poderia ter imaginado que era eu mesmo quem falava quando disse:

"*Venceste, e me rendo. E contudo, daqui por diante também estás morto — morto para o Mundo, para o Céu e para a Esperança! Em mim existias — e, em minha morte, vê por esta imagem, que é a tua própria, quão absolutamente assassinaste a ti mesmo.*"

O POÇO E O PÊNDULO

Aqui por muito tempo os impiedosos torturadores nutriram
o insaciável furor da turba pelo sangue dos inocentes.
Agora que a pátria está a salvo, e o antro fúnebre foi destruído,
onde antes havia morte surgem vida e bem-estar.

(Quadra composta para os portões de um mercado a ser erguido
no local onde ficava o Clube dos Jacobinos, em Paris.)

Eu estava esgotado — mortalmente esgotado por aquela longa agonia; e quando enfim me desataram, e foi-me dada a permissão de sentar, percebi que os sentidos me faltavam. A sentença — a pavorosa sentença de morte — foi a última de distinta articulação a chegar aos meus ouvidos. Depois disso, o som das vozes inquisitoriais pareceu fundir-se em um único murmúrio vago e onírico. Ele transmitia à alma a ideia de *rotação* — talvez por associar-se em minha imaginação ao rumor de uma roda de moinho. Isso por um curto período, apenas; pois em breve nada mais ouvi. E contudo, por um tempo, eu vi; mas com que terrível exagero! Vi os lábios dos juízes em seus mantos negros. Pareceram-me brancos — mais brancos que a folha em que traço estas palavras — e finos ao ponto mesmo do grotesco; finos com a intensidade de suas expressões de intransigência — de inamovível determinação — de austero desprezo pelo suplício humano. Vi que os decretos do que para mim era o Destino ainda saíam por aqueles lábios. Vi que se contorciam em mortal elocução. Vi que formavam as sílabas do meu nome; e estremeci, pois som nenhum adveio. Vi também, por alguns momentos de horror delirante, a suave e quase imperceptível ondulação dos reposteiros cor de sable que revestiam as paredes da sala. E então meu olhar recaiu sobre as sete velas altas em cima da mesa. No início, exibiam o aspecto da caridade, e pareciam esguios anjos brancos que me salvariam; mas então, de repente, a náusea mais mortífera tomou conta de meu espírito, e senti cada fibra do corpo vibrar como se

eu houvesse tocado o fio de uma pilha galvânica, enquanto as formas angelicais tornavam-se espectros sem sentido, com cabeças de fogo, e vi que dali nenhum conforto adviria. E então insinuou-se em minha imaginação, como uma rica nota musical, o pensamento do doce descanso que devia ser o túmulo. O pensamento se insinuou vagaroso e furtivo, e pareceu transcorrer longo tempo antes que atingisse a plena apreciação; mas no exato momento em que meu espírito enfim o sentiu e o acolheu propriamente, as figuras dos juízes desvaneceram, como que por mágica, diante de meus olhos; as longas velas mergulharam no vazio; suas chamas se extinguiram por completo; o negror das trevas sobreveio; todas as sensações pareceram tragadas num assalto violento e furioso como o da alma pelo Hades. Então o universo se tornou silêncio, imobilidade e noite.

Desmaiara; mas mesmo assim não direi que perdi de todo a consciência. O que dela restava não tentarei definir, nem sequer descrever; contudo, nem tudo estava perdido. No sono mais profundo — não! No delírio — não! Em um desmaio — não! Na morte — não! até mesmo no túmulo, *nem tudo* está perdido. Despertando do mais profundo dos sonos, rompemos a teia diáfana de *algum* sonho. E contudo, um segundo depois (por mais frágil que pudesse ser a teia), não lembramos de ter sonhado. No regresso à vida após o desfalecimento há dois estágios; primeiro, o da sensação de existência mental ou espiritual; segundo, o da sensação de existência física. Parece provável que, ao atingir esse segundo estágio, se pudéssemos recordar as impressões do primeiro, deveríamos julgar essas impressões eloquentes em lembranças do abismo que jaz além. E esse abismo é — o quê? Como de algum modo distinguir suas sombras daquelas que há na tumba? Mas e se as impressões do que denominei como primeiro estágio não são, voluntariamente, recordadas, acaso, após um longo intervalo, elas não voltam mesmo sem ser convidadas, enquanto imaginamos admirados de onde podem ter surgido? Aquele que jamais desfaleceu, não é ele que encontra palácios estranhos e rostos perturbadoramente familiares nas brasas incandescentes; não é ele que contempla, flutuando em pleno ar, as tristes visões que à maioria são vedadas; não é ele que pondera sobre o perfume de alguma flor incomum — não é ele cujo cérebro fica mais e mais atônito com o significado de alguma cadência musical que nunca antes prendeu sua atenção.

Em meio aos frequentes e diligentes esforços por lembrar; em meio às obstinadas lutas para recuperar alguma recordação do estado de aparente inexistência em que minha alma mergulhara, houve momentos em que sonhei com o êxito; houve períodos breves, muito breves, em que conjurei lembranças que, segundo me assegura a razão lúcida de uma época posterior, poderiam referir-se apenas àquela condição de aparente inconsciência. Essas sombras de memória evocam, vagamente, figuras altas que me ergueram e me carregaram em silêncio, descendo — descendo — descendo mais —, até que uma medonha vertigem me oprimiu ante a mera ideia da natureza interminável da descida. Evocam também um vago horror em meu coração, por conta da anormal tranquilidade desse mesmo coração. Então segue-se uma sensação de súbita imobilidade de todas as coisas; como se aqueles que me carregavam (um cortejo espectral!) houvessem ultrapassado, em sua descida, os limites do ilimitado, e parado com a exaustão do esforço hercúleo. Depois disso vêm-me à mente horizontalidade e umidade; e então tudo é *insanidade* — a insanidade de uma lembrança se insinua em meio a coisas proibidas.

Muito subitamente regressaram-me à alma movimento e som — o tumultuoso movimento do coração e, aos meus ouvidos, o som de seu batimento. Então uma pausa em que tudo é vácuo. Então outra vez som, e movimento, e tato — uma sensação de formigamento permeando meu corpo. Então a mera consciência da existência, sem pensamento — condição que durou longamente. Então, muito subitamente, *pensamento*, e trêmulo terror, e obstinado esforço de compreender meu verdadeiro estado. Então um forte desejo de mergulhar na insensibilidade. Então uma violenta reanimação da alma e um vitorioso esforço de me mover. E depois a completa lembrança do julgamento, dos juízes, dos negros reposteiros, da sentença, do esgotamento, do desfalecimento. Então o total esquecimento de tudo que se seguiu; de tudo que um dia posterior e grande obstinação de esforço possibilitaram-me vagamente recordar.

Até esse momento, eu não abrira os olhos. Senti que jazia de costas, desatado. Estiquei a mão, e ela caiu pesadamente sobre alguma coisa úmida e dura. Deixei-me aí ficar por vários minutos, enquanto me empenhava em imaginar onde e *no que* podia estar. Ansiava, e contudo não ousava, empregar a visão. Aterrorizava-me o impacto inicial dos objetos em torno de mim. Não que eu temesse ver coisas horríveis, mas fui invadido por um crescente pavor de não haver *nada* para ver. Finalmente, com descontrolado desespero no coração, abri rapidamente os olhos. Meus piores pensamentos foram, então, confirmados. O negror da noite eterna me engolfava. Lutei para respirar. A intensidade das trevas parecia me oprimir e sufocar. A atmosfera era intoleravelmente opressiva. Continuei deitado, imóvel, e esforcei-me por exercitar a razão. Evoquei em minha mente o processo inquisitorial, e tentei a partir desse ponto inferir minha real condição. A sentença fora proferida; e a mim me pareceu que um intervalo muito longo de tempo transcorrera desde então. Contudo, nem sequer por um momento supus que estivesse morto de fato. Tal suposição, não obstante o que lemos na ficção, é completamente inconsistente com a existência real; — mas onde e em que estado eu me encontrava? Os condenados à morte, eu sabia, eram normalmente executados nos autos de fé, e um desses fora realizado na exata noite de meu julgamento. Estaria eu sendo mantido sob custódia em meu calabouço, a fim de aguardar o sacrifício seguinte, que não teria lugar senão dali a muitos meses? Percebi na mesma hora que tal não podia ser. As vítimas haviam sido reclamadas de imediato. Além do mais, meu calabouço, assim como as celas de todos os condenados em Toledo, tinha piso de pedra, e a luz não era completamente excluída.

Uma assustadora ideia agora de repente fez o sangue fluir incontrolavelmente em meu coração e, por um breve período, mais uma vez recaí na insensibilidade. Assim que me recuperei, fiquei de pé na mesma hora, tremendo convulsivamente em cada fibra. Agitei os braços freneticamente acima e em torno de mim, em todas as direções. Nada senti; contudo, hesitava em dar um passo, com receio de ser bloqueado pelas paredes de uma *tumba*. O suor brotava de cada poro, e formava grossas gotas em minha fronte. A agonia do suspense cresceu até se tornar intolerável e cuidadosamente me movi para a frente, com os braços estendidos, e meus olhos esforçando-se em suas órbitas, na esperança de captar algum débil raio de luz. Avancei vários passos; mas o negror e o vazio continuaram. Respirei mais facilmente. Parecia evidente que o meu não era, ao menos, o mais hediondo dos destinos.

CONTOS DE IMAGINAÇÃO E MISTÉRIO

E então, conforme continuava a andar cautelosamente adiante, invadiu-me a memória, num tropel, uma infinidade de vagos rumores sobre os horrores de Toledo. Daqueles calabouços estranhas coisas se contavam — fábulas, eu sempre as reputara —, porém por demais estranhas, e por demais macabras, para serem repetidas, salvo num sussurro. Teria sido eu deixado para morrer de fome nesse mundo subterrâneo de trevas; ou que destino, talvez ainda mais assustador, me aguardava? Que o resultado seria a morte, e morte de uma pungência mais do que costumeira, eu conhecia bem demais o caráter de meus juízes para duvidar. O modo e o momento eram tudo que me ocupava ou distraía.

Minhas mãos estendidas enfim encontraram alguma obstrução sólida. Era uma parede, em alvenaria de pedra, aparentemente — muito lisa, musgosa e fria. Acompanhei sua superfície; pisando com toda a cuidadosa desconfiança que determinados relatos antigos haviam me inspirado. Esse processo, entretanto, não me possibilitou meio algum de averiguar as dimensões de meu calabouço; uma vez que podia completar seu circuito, e regressar ao ponto onde começara, sem dar-me conta do fato; tão perfeitamente uniforme parecia a parede. Procurei desse modo a faca que havia em meu bolso, quando levado à câmara inquisitorial; mas ela se fora; minhas roupas haviam sido trocadas por um camisolão de sarja grosseira. Meu pensamento fora forçar a lâmina em alguma minúscula fenda da alvenaria, de modo a identificar o ponto de partida. A dificuldade, todavia, era apenas trivial; muito embora, na desordem de minha imaginação, parecesse em princípio insuperável. Rasguei um pedaço da bainha em meu robe e dispus a tira de comprido, em ângulo reto com a parede. Ao tatear meu caminho em torno da prisão, não teria como deixar de encontrar o trapo quando completasse o circuito. Assim, ao menos, raciocinei: mas eu não contara com a extensão do calabouço, ou com minha própria debilidade. O chão era úmido e escorregadio. Cambaleei para a frente por algum tempo, até pisar em falso e cair. Minha fadiga excessiva induziu-me a permanecer prostrado; e ali deitado o sono em breve se apossou de mim.

Ao despertar, e esticando um braço, encontrei ao meu lado um pão e uma jarra com água. Estava exausto demais para refletir sobre essa circunstância, mas comi e bebi com avidez. Pouco depois, retomei meu re-

54

conhecimento do circuito da prisão, e com grande labor, cheguei enfim ao pedaço de sarja. Até o momento de minha queda, eu contara cinquenta e dois passos, e, após retomar minha caminhada, contara quarenta e oito mais — quando cheguei ao pedaço de pano. Havia ao todo, desse modo, cem passos; e, considerando cada dois passos como um metro, inferi que o calabouço tinha um perímetro de cem metros. Eu havia topado, entretanto, com muitos ângulos na parede, e assim não podia formar suposição alguma sobre o formato da cripta; pois uma cripta era o que eu não podia deixar de supor que fosse.

Eu tinha pouco propósito — certamente nenhuma esperança — nessas investigações; mas uma vaga curiosidade impeliu-me a continuá-las. Deixando por ora a parede, decidi cruzar a área de meu cárcere. No início, procedi com extrema cautela, pois o chão, embora aparentemente de material sólido, era traiçoeiro devido ao musgo. Finalmente, entretanto, tomei coragem, e não hesitei em pisar com firmeza — empenhando-me em atravessar numa linha a mais reta possível. Avançara dez ou doze passos dessa maneira quando o que restava da bainha rasgada em meu robe enroscou-se entre minhas pernas. Pisei nela e caí violentamente de bruços.

Na confusão, preocupando-me com minha queda, não me dei conta imediatamente de uma circunstância um tanto alarmante, que contudo, poucos segundos depois, e enquanto eu ainda jazia prostrado, prendeu minha atenção. Foi o seguinte: meu queixo estava pousado no chão da prisão, mas meus lábios, e a parte superior de minha cabeça, embora aparentemente com uma elevação inferior à do queixo, não tocavam coisa alguma. Ao mesmo tempo, minha testa parecia banhada em um vapor viscoso, e o odor peculiar de fungo em decomposição subia às minhas narinas. Estiquei o braço, e estremeci ao descobrir que caíra bem na beirada de um poço circular, cuja extensão, é claro, eu não tinha meios de averiguar no momento. Tateando a alvenaria logo abaixo da extremidade, consegui deslocar um pequeno fragmento, e deixei que caísse no abismo. Por vários segundos, estiquei os ouvidos para suas reverberações conforme colidia contra as laterais da garganta em sua queda: finalmente, sobreveio um lúgubre mergulho na água, seguido de ecos elevados. No mesmo instante, escutei um ruído similar ao de uma porta no alto sendo rapidamente aberta, e prontamente fechada, enquanto um tênue raio de luz tremeluziu subitamente através da escuridão, e subitamente sumiu.

Enxerguei claramente a sina que me havia sido preparada e dei graças em silêncio pelo oportuno acidente que me possibilitara dela escapar. Mais um passo antes de minha queda, e o mundo não mais me veria. E a morte que acabara de evitar era exatamente o que eu costumava encarar como a típica história fantasiosa e pitoresca relativa à Inquisição. Às vítimas de sua tirania cabia a escolha da morte com suas mais desesperadoras agonias ou da morte com seus mais hediondos horrores morais. A mim fora reservada esta última. O longo sofrimento abalara meus nervos, a ponto de eu estremecer ao som de minha própria voz e me tornar em todos os aspectos uma vítima sob medida para as variedades de tortura que me aguardavam.

Tremendo em cada membro do corpo, tateei meu caminho de volta à parede — determinado a aí perecer, em lugar de me arriscar aos terrores dos poços cuja existência eu agora imaginava haver em variados pontos espalhados pelo calabouço. Em outras condições de espírito, talvez tivesse a coragem de dar cabo de minha miséria na mesma hora, mergulhando num daqueles abismos; mas nesse momento eu era o mais rematado dos covardes. E tampouco esquecia o que havia lido a respeito desses poços — que a extinção *súbita* da vida não fazia parte de seu mais horrendo desígnio.

A agitação de espírito manteve-me acordado por muitas horas intermináveis; mas finalmente voltei a adormecer. Ao despertar, descobri ao meu lado, como antes, um pão e uma jarra de água. Uma sede excruciante me consumia, e esvaziei o recipiente de um só trago. Devia haver alguma droga ali — pois, mal terminei de beber, senti um torpor irresistível. Um sono profundo se apossou de mim — um sono que era como a morte. Quanto tempo durou é algo que decerto não sei dizer; mas quando, mais uma vez, abri os olhos, os objetos em torno de mim estavam visíveis. Por meio de uma fulguração difusa e sulfurosa, cuja origem não pude inicialmente determinar, fui capaz de ver a extensão e o aspecto da prisão.

Quanto ao tamanho eu me equivocara redondamente. O perímetro completo de suas paredes não excedia os vinte e cinco metros. Por alguns minutos, o fato ocasionou-me um mundo de vãs preocupações; vãs, de fato — pois o que podia ser menos importante, nas terríveis circunstâncias em que me encontrava, do que as meras dimensões de meu calabouço? Mas minha alma assumiu um descontrolado interesse em banalidades e concentrei-me diligentemente em esclarecer o erro que havia cometido ao fazer minhas medições. A verdade enfim se me afigurou. Em minha primeira tentativa de exploração, eu contara cinquenta e dois passos até o momento da queda: eu devia ali estar a um ou dois passos do pedaço de sarja; na verdade, eu praticamente completara o perímetro da cripta. E então adormeci — e, ao acordar, devo ter refeito meus passos —, pressupondo assim o perímetro como tendo quase o dobro do que de fato tinha. Minha confusão mental impediu-me de observar que iniciei o percurso tendo a parede à esquerda, e que o terminei com a parede à minha direita.

Eu havia sido iludido, também, com respeito à forma do cárcere. Tateando meu caminho, topara com diversos ângulos, e assim inferi uma ideia de grande irregularidade; tão poderoso é o efeito da escuridão absoluta ao despertarmos da letargia ou do sono! Os ângulos nada mais eram que umas poucas depressões ligeiras, ou nichos, a intervalos variáveis. O formato geral da prisão era quadrado. O que eu tomara por alvenaria parecia agora ser ferro, ou algum outro metal, em imensas placas, cujas suturas ou junções ocasionavam a depressão. A superfície inteira do recinto de metal estava grosseiramente pintada com todas essas lucubrações hediondas e repulsivas às quais a sepulcral superstição dos monges havia dado origem. Figuras diabólicas em posturas ameaçadoras, com formas esqueléticas e outras imagens de fato ainda mais assustadoras, espalhavam-se e desfiguravam as paredes. Observei que os contornos das monstruosidades eram suficientemente distintos, mas que as cores pareciam esmaecidas e borradas, como que por efeito da umidade da atmosfera. Eu agora notava também o chão, que era de pedra. No centro esbeiçava-se o poço circular de cujas mandíbulas eu escapara; mas era o único no calabouço.

Tudo isso enxerguei indistintamente e com grande esforço — pois minha situação pessoal se alterara grandemente durante o sono. Eu agora jazia deitado de costas, e com o corpo inteiro, em algum tipo de estrutura de madeira pouco elevada. Prendia-me fortemente a isso uma longa correia parecida com uma sobrecilha. Ela passava em muitas voltas pelos meus membros e meu corpo, deixando em liberdade apenas minha cabeça, e meu braço esquerdo, numa extensão tal que eu pudesse, por meio de enorme esforço, servir-me da comida em um prato de cerâmica que jazia ao meu lado no chão. Vi, para meu horror, que a jarra fora retirada. Digo para meu horror — pois a mim me consumia uma sede intolerável. Sede que aparentemente era parte do plano de meus algozes estimular — pois a comida no prato era uma carne de tempero pungente.

Olhando para cima, perscrutei o teto de minha prisão. Ficava a cerca de dez ou doze metros de altura, e era construído bem à feição das paredes. Em um de seus painéis uma figura muito singular captou minha completa atenção. Era a figura pintada do Tempo como é normalmente representado, salvo que, em lugar da foice, segurava o que, a um olhar casual, supus ser a imagem pintada de um imenso pêndulo, tal como se veem em relógios antigos. Havia alguma coisa, entretanto, na aparência dessa máquina que me levou a olhar para ela mais atentamente. Enquanto eu a fitava diretamente (pois sua posição era imediatamente acima de onde me encontrava), julguei vê-la se movimentar. Um instante depois minha imaginação foi confirmada. Seu vaivém foi breve, e, é claro, vagaroso. Fiquei olhando por alguns minutos para aquilo, em certa medida com medo, porém antes admirado. Cansando-me enfim de observar seu moroso movimento, desviei os olhos para os outros objetos na cela.

Um ligeiro ruído chamou minha atenção e, olhando para baixo, vi inúmeros ratos enormes passando pelo chão. Haviam saído do poço, que eu mal podia enxergar à minha direita. Mesmo então, enquanto os observava, eles subiam aos bandos, apressados, com olhos famintos, atiçados pelo cheiro da carne. Desse momento em diante foi-me exigido tremendo esforço e concentração para espantá-los.

Isso talvez tenha se dado meia hora antes, ou quem sabe uma hora (pois me era impossível manter uma percepção senão imperfeita do tempo), que eu me pegasse dirigindo o olhar outra vez para o alto. O que vi nesse momento ocasionou-me confusão e assombro. O vaivém do pêndulo aumentara em cerca de um metro de extensão. Como consequência natural, sua velocidade era também muito maior. Mas o que mais me perturbou foi a ideia de que havia perceptivelmente *descido*. Eu observava agora — com que horror é desnecessário dizer — que sua extremidade inferior era formada por um crescente de aço cintilante, com cerca de trinta centímetros de extensão de um corno a outro; os cornos curvados para o alto, e a parte de baixo evidentemente tão afiada quanto uma navalha de barbeiro. Como uma navalha igualmente, parecia maciça e pesada, afilando-se a partir do gume em uma sólida e larga estrutura acima. O instrumento era afixado a uma pesada barra de bronze e a peça toda *sibilava* em suas oscilações através do ar.

Não havia mais como duvidar da sina para mim preparada pela engenhosidade em tortura dos monges. Minha descoberta do poço chegara ao conhecimento dos inquisidores — *o poço*, cujos horrores haviam sido destinados a um herege ousado como eu —, *o poço*, emblemático do inferno, e disseminado de boca em boca como a Ultima Thule de todas suas punições. O mergulho nesse poço, eu o evitara apenas pelo mais casual dos acidentes, e tinha consciência de que a surpresa, ou uma armadilha de tormento, compunha importante elemento de todo o grotesco dessas mortes no calabouço. Tendo-me furtado à queda, não fazia parte dos planos do demônio empurrar-me para o abismo; e assim (por não haver alternativa) uma aniquilação diferente e mais branda me aguardava. Mais branda! Quase sorri em minha agonia ao pensamento de aplicar dessa forma um tal termo.

De que adianta contar sobre as horas intermináveis de horror mais do que mortal, durante as quais fiquei a enumerar as sibilantes oscilações do aço! Polegada por polegada — linha por linha — com um avanço descendente apreciável apenas a intervalos que se davam como eras — descendo, descendo! Dias se passaram — podia ter acontecido de muitos dias terem se passado — até se deslocar tão próximo de mim que me abanava com seu acre hálito. O odor do aço afiado invadiu-me as narinas. Orei — enfastiei os céus de tanto orar por uma descida mais rápida. A fúria da loucura se apossou progressivamente de mim e lutei para forçar o corpo contra o vaivém da temível cimitarra. E então fiquei subitamente calmo, e aguardei sorrindo a morte cintilante, como uma criança diante de algum raro bibelô.

Houve mais um outro intervalo de total insensibilidade; foi breve; pois, ao voltar de novo à vida, mais nenhuma descida perceptível do pêndulo se fazia notar. Mas podia acontecer de ter sido longo — pois eu sabia haver demônios observando meu desfalecimento, e que poderiam se comprazer em deter as oscilações. Ao recobrar os sentidos, também, senti-me deveras — ah, indizivelmente — esgotado e fraco, como que a voltar de longa inanição. Mesmo em meio às agonias desse período, a natureza humana clamava por alimento. Com doloroso esforço, estendi o braço esquerdo o mais longe que minhas correias permitiam, e me apossei da pequena sobra que os ratos haviam me deixado. Ao enfiar a porção entre meus lábios, invadiu-me a mente um pensamento incipiente de alegria — de esperança. E contudo, o que queria *eu* com a esperança? Foi, como disse, um pensamento incipiente — o homem tem tantos desses que jamais são completados. Senti que era de alegria — de esperança; mas senti também que havia perecido já ao se formar. Em vão lutei por completá-lo — por recuperá-lo. O sofrimento prolongado quase aniquilara todas as minhas faculdades comuns de pensamento. Eu era um imbecil — um idiota.

A oscilação do pêndulo se dava em ângulo reto com o comprimento de meu corpo. Vi que o crescente estava destinado a cruzar a região do coração. Iria desfiar a sarja de meu robe — iria voltar e repetir a operação — outra vez — e outra vez. Não obstante o vaivém terrivelmente extenso (cerca de dez metros ou mais) e o vigor sibilante de sua descida, suficiente para cindir as próprias paredes de ferro, ainda assim o esfiapar de minha roupa seria tudo que, por vários minutos, ele realizaria. E, ao me sobrevir esse pensamento, hesitei. Não ousava ir além dessa reflexão. Demorei-me nele com uma atenção obstinada — como se, ao fazê-lo, pudesse manter *aí* a descida do aço. Forcei-me a ponderar sobre o som do crescente quando passasse através do pano — sobre a peculiar sensação de estremecimento que a fricção de tecido produz nos nervos. E ponderei sobre toda essa frivolidade até ficar com os nervos à flor da pele.

Descendo — descendo lenta e regularmente. Extraí um prazer maníaco de contrastar seu movimento para baixo com sua velocidade lateral. Para a direita — para a esquerda — por toda parte — guinchando como um espírito maldito! em meu íntimo, com o passo furtivo do tigre! E alternadamente ria e gemia, conforme uma ou outra ideia ganhava a predominância.

60

O POÇO E O PÊNDULO

Descendo — resolutamente, descendo inexoravelmente! Ele vibrava a um palmo de meu peito! Lutei violentamente — furiosamente — para liberar meu braço esquerdo. Estava livre apenas do cotovelo à mão. Eu conseguia esticá-la, pegando do prato ao meu lado e levando-a à boca, com grande esforço, mas nada além disso. Pudesse eu ter rompido as amarras acima do cotovelo, teria agarrado e tentado deter o pêndulo. Poderia perfeitamente ter tentado deter uma avalanche!

Descendo — ainda incessantemente — ainda descendo, implacavelmente! Eu ofegava e me contorcia a cada vibração. Encolhia convulsivamente a cada oscilação. Meus olhos acompanhavam esses ciclos para os lados ou para cima com a avidez do mais absurdo desespero; cerravam-se espasmodicamente ao vê-lo descer, embora a morte teria sido um alívio, ah, quão inefável! Mesmo assim, eu estremecia em cada nervo de pensar quão insignificante bastava ser a descida do maquinário para precipitar aquele machado afiado e cintilante contra meu peito. Era a *esperança* que impelia os nervos a tremer — o corpo a encolher. Era a *esperança* — a esperança que triunfa na tortura — que sussurra para o condenado à morte até mesmo nos calabouços da Inquisição.

Percebi que mais dez ou doze oscilações tra+iam a lâmina a um contato efetivo com meu robe — e ao observar isso de repente baixou sobre meu espírito toda a tranquilidade lúcida, serena, do desespero. Pela primeira vez em muitas horas — ou talvez dias — eu *pensava*. Agora me ocorria que a amarra, ou sobrecilha, que me cingia era *a única coisa*. Eu não estava preso por nenhuma outra atadura. O primeiro golpe transversal daquela navalha em meia-lua contra qualquer parte da cinta a soltaria de tal modo que talvez eu pudesse livrá-la de meu corpo com o uso da mão esquerda. Mas quão terrível, nesse caso, a proximidade da lâmina! O resultado do mais leve esforço, quão mortal! Seria plausível, além do mais, que os subordinados do torturador não tivessem previsto e se precavido contra essa possibilidade? Haveria alguma probabilidade de que a faixa cruzasse meu peito no trajeto do pêndulo? Receando ver minha débil e, ao que tudo indicava, derradeira esperança frustrada, ergui ao máximo a cabeça para obter uma visão desobstruída de meu tórax. A sobrecilha envolvia estreitamente meus membros e meu corpo em todas as direções — *exceto no caminho do crescente aniquilador*.

61

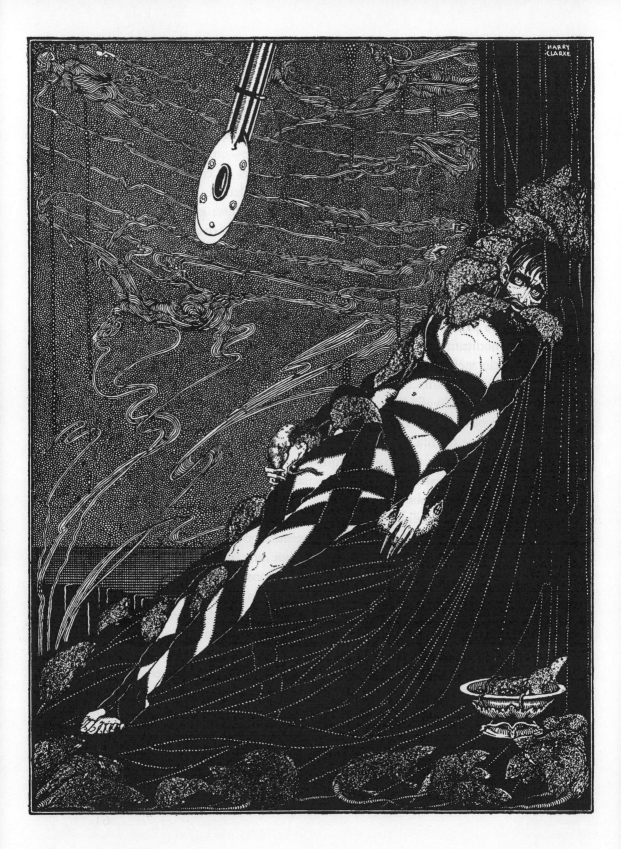

O POÇO E O PÊNDULO

Mal deixara cair a cabeça para trás em sua posição original, quando lampejou em minha mente o que não posso descrever melhor do que a metade informe daquela ideia de libertação à qual aludi previamente, e da qual apenas uma metade flutuava incertamente por meu cérebro quando eu levava a comida aos meus lábios em fogo. O pensamento todo agora se me apresentava — fraco, no limiar da insanidade, no limiar da materialidade — mas ainda assim completo. Procedi de pronto a tentar sua execução, com a energia nervosa do desespero.

Havia horas que a proximidade imediata da estrutura baixa de madeira na qual eu jazia literalmente enxameava de ratos. Selvagens, ousados, famintos — seus olhos vermelhos brilhando em minha direção como se só esperassem a imobilidade de minha parte para tornar-me sua presa. "Com que alimento", pensei eu, "acostumaram-se eles no poço?"

Haviam devorado, a despeito de todos os meus esforços para impedi-los, tudo, exceto um pequeno resto do que continha o prato. Eu me habituara a um movimento de sobe e desce, um abano de mão, na imediação do prato; e, com o tempo, a uniformidade inconsciente do movimento privou-o de seu efeito. Em sua voracidade, as criaturas daninhas frequentemente cravavam suas presas afiadas em meus dedos. Com as partículas da vianda gordurosa e condimentada que ainda restavam, esfreguei exaustivamente a correia em todos os pontos que fui capaz de alcançar; então, removendo a mão do piso, permaneci imóvel, quase sem respirar.

No início, os animais famintos ficaram sobressaltados e atemorizados com a mudança — com a cessação de movimento. Recuaram alarmados; muitos buscaram o poço. Mas isso durou apenas um instante. Eu não contara em vão com sua voracidade. Observando que continuava imóvel, um ou dois mais audaciosos saltaram sobre o estrado e farejaram a sobrecilha. Isso pareceu a deixa para um tropel generalizado. Vieram correndo do poço em novos bandos. Agarraram-se à madeira — correram sobre ela e pularam às centenas em cima de mim. O movimento rítmico do pêndulo não os perturbou nem um pouco. Evitando seus golpes, ocupavam-se com a amarra besuntada. Pululando — enxameando sobre mim em amontoados cada vez maiores. Contorcendo-se por minha garganta; seus lábios frios tocando os meus; eu quase sufocava com suas hordas fervilhantes;

um asco para o qual o mundo não tem nome intumesceu meu peito e enregelou, com uma pesada viscosidade, meu coração. Contudo, mais um minuto e eu sentia que a luta chegaria ao fim. Percebi claramente o afrouxamento da amarra. Sabia que em mais de um ponto ela já devia estar partida. Com resolução mais do que humana permaneci *imóvel*.

Eu não havia errado em meus cálculos — eu não havia suportado aquilo em vão. Finalmente, senti que estava *livre*. A sobrecilha pendeu em tiras de meu corpo. Mas os golpes do pêndulo já se precipitavam sobre meu peito. O instrumento atravessara a sarja do robe. Cortara até a camisa de linho que eu vestia por baixo. Duas vezes mais oscilou, e uma aguda sensação de dor espicaçou cada nervo. Mas o momento da fuga chegara. Ao abanar a mão, meus libertadores fugiram em tumulto. Com um movimento confiante — cauteloso, lateral, contido e vagaroso — deslizei do abraço da correia e para fora do alcance da cimitarra. Naquele momento, ao menos, *eu estava livre*.

Livre! — e nas garras da Inquisição! Nem bem deixei a madeira em meu leito de horror e passei ao piso de pedra da prisão, o movimento da máquina infernal cessou, e fiquei assistindo, conforme se recolhia, por alguma força invisível, para dentro do teto. Foi uma lição que aprendi em desespero. Cada movimento meu era sem dúvida observado. Livre! — eu apenas escapara da morte em uma forma de agonia para ser confiado a uma outra qualquer pior que a morte. Com esse pensamento passeei os olhos nervosamente em torno pelas barreiras de ferro que me cercavam. Alguma coisa incomum — alguma mudança que, de início, não pude perceber distintamente —, isso era óbvio, havia ocorrido no ambiente. Por diversos minutos absorto em um transe trêmulo entreguei-me a conjecturas vãs e desconexas. No transcorrer desse período tomei consciência, pela primeira vez, da origem da luz sulfúrea que alumiava a cela. Ela provinha de uma fissura, com cerca de um dedo de largura, que se estendia por todo o perímetro da prisão na base das paredes, que desse modo pareciam, e de fato estavam, completamente separadas do piso. Tentei, mas certamente em vão, olhar através da abertura.

Quando me levantava após a tentativa, o mistério da alteração na câmara veio-me subitamente à compreensão. Eu observara que, embora os

64

contornos das figuras nas paredes fossem suficientemente nítidos, as cores contudo pareciam borradas e indefinidas. Mas essas cores haviam assumido agora, e assumiam progressivamente, a cada momento, um brilho assustador e mais intenso, que emprestava às imagens espectrais e diabólicas um aspecto que teria talvez abalado nervos até mais firmes que os meus. Olhos demoníacos, de vivacidade selvagem e macabra, fuzilavam-me de mil direções, quando nenhum havia sido visível antes, e cintilavam com o fantasmático fulgor de um fogo que eu era incapaz de forçar minha imaginação a interpretar como ilusão.

Ilusão! — No momento em que respirei penetrou em minhas narinas o vapor do ferro aquecido! Um odor asfixiante tomou conta da prisão! Uma incandescência mais profunda ardia a cada momento naqueles olhos que se arregalavam para minhas agonias! Um matiz mais rico de escarlate se difundia pelos horrores de sangue ali retratados. Eu ofegava! Tentava respirar! Não restava dúvida quanto ao que tramavam meus carrascos — ah! os mais implacáveis! ah! os mais demoníacos dos homens! Recuei do metal incandescente em direção ao centro da cela. Em meio aos pensamentos da iminente destruição pelo fogo, a ideia do frescor do poço invadiu minha alma como um bálsamo. Aproximei-me rapidamente de sua beirada mortal. Lancei o olhar para suas profundezas. O fulgor do teto inflamado iluminava seus recessos mais ocultos. E contudo, em um momento de desvario, meu espírito se recusou a compreender o significado do que vi. Após um instante enfim aquilo se impôs — aquilo abriu caminho à força até minha alma — aquilo ficou marcado a ferro e fogo em minha razão trêmula. Ah! quem dera eu tivesse voz para falar! — ah! horror! — ah! qualquer outro horror que não aquilo! Com um uivo, fugi da beirada, e enterrei o rosto nas mãos — chorando amargamente.

O calor aumentou rápido, e mais uma vez ergui o rosto, tremendo como que num acesso de febre. Uma segunda mudança se efetuara na cela — e agora a mudança era obviamente na *forma*. Como antes, foi em vão que de início empenhei-me em avaliar ou compreender o que estava ocorrendo. Mas a dúvida não persistiu por muito tempo. A vingança dos inquisidores fora precipitada por minha dupla fuga, e pusera um basta ao meu flerte com o Rei dos Terrores.[8] O recinto, antes, era quadrado.

65

CONTOS DE IMAGINAÇÃO E MISTÉRIO

Agora eu via que dois de seus ângulos de ferro estavam agudos — os outros dois, consequentemente, obtusos. A assustadora diferença aumentava rapidamente com uma reverberação grave, um som de gemido. Em um instante o ambiente alterara seu formato para o de um losango. Mas a mudança não parou por aí — eu não esperava nem tampouco desejava que o fizesse. Eu teria sido capaz de estreitar as paredes vermelhas junto ao peito como se fossem as vestes da paz eterna. "Morte", eu disse, "qualquer morte exceto o poço!" Tolo! como podia eu ignorar que era para *dentro do poço* que o ferro em brasa visava me impelir? Seria eu capaz de resistir a sua incandescência? ou, mesmo que pudesse, como conseguiria resistir a sua pressão? E então, cada vez mais achatado se tornava o losango, com uma rapidez que não me deixava mais tempo algum para a contemplação. Seu centro e, é claro, sua maior largura, debruçavam-se na beira da bocarra escancarada. Recuei — mas as paredes se fechando me empurravam para a frente, era inútil resistir. Até que por fim, para o meu corpo queimado e contraído, já não havia mais do que uma polegada onde pisar no sólido chão da prisão. Desisti de lutar, mas a agonia de minha alma buscou desafogo em um agudo, prolongado e derradeiro grito de desespero. Senti que cambaleava sobre a borda — desviei os olhos…

De repente o burburinho dissonante de vozes humanas! De repente o sopro estridente de inúmeras cornetas! De repente o rangido áspero como de mil trovões! As paredes ardentes recuaram! Um braço se esticou para agarrar o meu quando eu tombava, desfalecendo, dentro do abismo. Era o do general Lasalle. O exército francês entrara em Toledo. A Inquisição caíra nas mãos de seus inimigos.

66

MANUSCRITO
ENCONTRADO NUMA GARRAFA

Aquele a quem não resta senão um momento de vida
Nada mais tem a esconder.

Quinault, *Atys*

De meu país e de minha família pouco tenho a dizer. Maus costumes e o passar dos anos afastaram-me de um e distanciaram-me da outra. A riqueza herdada proporcionou-me uma educação acima da média e uma disposição de espírito contemplativa permitiu-me sistematizar os tesouros que um estudo precoce muito diligentemente armazenou. Mais do que quaisquer outras, as obras dos moralistas alemães ocasionaram-me grande deleite; não devido a uma mal-avisada admiração de sua eloquente loucura, mas pela facilidade com que meus hábitos de rígido pensamento capacitaram-me a detectar suas falsidades. Muitas vezes fui censurado pela aridez de meu intelecto; uma deficiência de imaginação já me foi imputada como um crime; e o pirronismo de minhas opiniões trouxe-me notoriedade em toda e qualquer circunstância. Na verdade, receio que um forte apetite pela filosofia física tenha impregnado minha mente com um equívoco muito comum de nossos tempos — refiro-me ao fato de relacionar os acontecimentos, até mesmo o menos suscetível de tal relação, aos princípios dessa ciência. Consideradas todas as coisas, não existe pessoa menos inclinada do que eu a se afastar da austera jurisdição da verdade pelos *ignes fatui* da superstição. Julguei apropriado postular tudo isso de antemão ou de outro modo a incrível história que tenho para contar seria considerada antes a demência de uma imaginação desabrida do que a experiência positiva de uma mente para a qual as quimeras da fantasia têm constituído letra morta e nulidade.

Após muitos anos passados em viagens pelo estrangeiro, parti no ano de 18— do porto de Batávia, na rica e populosa ilha de Java, com destino ao arquipélago das ilhas da Sonda. Fui na condição de passageiro — não tendo nenhum outro incentivo que não uma espécie de inquietude excitável que me perseguia como um demônio.

Nossa embarcação era um lindo navio de cerca de quatrocentas toneladas, feito com cavilhas de cobre e construído em Bombaim com teca de Malabar. Ia carregado de algodão em rama e óleo, das ilhas Laquedivas. Levávamos a bordo também fibra de coco, jagra, manteiga *ghee*, cocos e algumas caixas de ópio. A estiva fora malfeita e a embarcação consequentemente tendia a adernar.

Pusemo-nos a caminho com uma mera brisa e durante muitos dias permanecemos ao largo da costa oriental de Java sem qualquer outro incidente para fazer esquecer a monotonia de nosso curso além do ocasional encontro com alguma das pequenas embarcações do arquipélago para o qual rumávamos.

Certo dia, ao anoitecer, apoiando-me no balaústre de popa, observei uma nuvem deveras singular e isolada a noroeste. O que havia de notável, além de sua cor, era o fato de ser a primeira que avistávamos desde a partida de Batávia. Observei-a atentamente até o sol se pôr, quando ela se esparramou inteira de repente no sentido leste–oeste, cingindo o horizonte com uma estreita faixa vaporosa e assumindo a aparência de uma longa linha de praia baixa. Minha atenção foi pouco depois atraída pelo aspecto vermelho e crepuscular da lua e pelo peculiar caráter do oceano. Este último passava por rápida mudança, e a água parecia de uma transparência acima do normal. Embora pudesse enxergar nitidamente o fundo, ao içar o prumo descobri que o navio se encontrava a uma profundidade de quinze braças. O ar agora tornava-se intoleravelmente quente e carregado de exalações espiraladas semelhantes às que sobem do ferro aquecido. Quando a noite chegou, todo sopro de ar desapareceu, e uma calmaria mais completa é impossível de se conceber. A chama de uma vela ardia sobre a popa sem o menor movimento perceptível, e um longo fio de cabelo, seguro entre o indicador e o polegar, pairava sem que fosse possível detectar qualquer vibração. Entretanto, conforme afirmou o capitão, ele não conseguia perceber nenhum indício de perigo e, como éramos levados na direção da costa, ordenou o ferrar dos panos e que a âncora fosse lançada. Nenhum quarto de vigia foi determinado, e a tripulação, consistindo principalmente de malaios, largou-se deliberadamente pelo convés. Desci — não sem um pressentimento muito forte de algum infortúnio. Na verdade, todas as aparências me autorizavam a recear um simum. Relatei meus temores ao capitão; mas ele não prestou a menor atenção no que eu disse e deixou-me sem se dignar a me conceder resposta. Meu desconforto, entretanto, impediu-me de pegar no sono, e por volta da meia-noite subi para o convés. Ao pisar no último degrau da escada de tombadilho, sobressaltei-me com um zumbido alto como o que é ocasionado pela rápida rotação de uma roda de moinho e, antes que fosse capaz de averiguar seu significado, percebi que o centro do navio vibrava. No instante seguinte, um vasto manto espumante fez a embarcação adernar acentuadamente e, rugindo sobre nós por toda a sua extensão, varreu todos os conveses de proa a popa.

A fúria extrema da borrasca se provou, em grande medida, ser a salvação do navio. Embora completamente cheio d'água, como, além disso, seus mastros haviam caído pela amurada, ele, após um minuto, ergueu-se pesadamente do oceano e, oscilando um pouco sob a imensa pressão da tempestade, finalmente se endireitou.

Mediante que milagre escapei do fim é impossível dizer. Atordoado pelo choque da água, dei comigo mesmo, ao me recobrar, enfiado entre o cadaste e a roda do leme. Com grande dificuldade me pus de pé e, olhando em torno, a cabeça girando, fui inicialmente tomado pela ideia de que nos encontrávamos em meio à rebentação de rochedos; tão terrível, além da imaginação mais desbragada, era o turbilhão oceânico montanhoso e espumante que nos engolfara. Após algum tempo, escutei a voz de um velho sueco que subira a bordo no momento em que deixávamos o porto. Saudei-o com todas as forças e não tardou para que se dirigisse à popa, cambaleante. Logo descobrimos ser os únicos sobreviventes do navio. Todos sobre o convés, com exceção de nós mesmos, foram varridos para o mar; o capitão e os imediatos deviam ter perecido enquanto dormiam, pois as cabines haviam sido inundadas. Sem auxílio, não podíamos esperar

CONTOS DE IMAGINAÇÃO E MISTÉRIO

fazer muita coisa pela segurança da embarcação e nossos esforços ficaram inicialmente paralisados com a expectativa momentânea de ir a pique. Nosso cabo da âncora havia, é claro, se partido como barbante de embrulho ao primeiro sopro do furacão, ou de outro modo teríamos sucumbido instantaneamente. Singrávamos o oceano com velocidade assombrosa e a água abria visíveis brechas por toda parte. A estrutura à popa estava extremamente danificada e, em quase todos os aspectos, havíamos sofrido consideráveis avarias; mas para nossa suprema alegria demos com as bombas desobstruídas e vimos que nosso lastro não saíra demasiado do lugar. O pior da fúria da borrasca já amainara e entendíamos haver pouco perigo na violência do vento; mas antecipávamos sua total cessação com desalento; acreditando piamente que em nossa condição avariada pereceríamos inevitavelmente nas tremendas vagas da ressaca que se seguiria. Mas essa bem fundada apreensão não pareceu de modo algum perto de se verificar. Durante cinco dias e cinco noites — nos quais nosso único meio de subsistência foi uma pequena quantidade de jagra, resgatada a grande custo do castelo de proa —, nossa precária nau deslizou a uma velocidade que desafia o cálculo, sob uma rápida sucessão de súbitas ventanias, que, embora não se igualando em violência à rajada inicial do simum, foram ainda assim mais terríveis do que qualquer outra tempestade por mim presenciada. Nosso curso ao longo dos quatro primeiros dias foi, com variações desprezíveis, sudeste a um quarto de sul; e devemos ter descido pela costa da Nova Holanda. No quinto dia o frio tornou-se extremo, embora o vento houvesse passado a soprar um ponto mais para o norte. O sol despontou com um brilho amarelo fraco e subiu muitos poucos graus acima do horizonte — sem emitir nenhuma luz determinada. Não havia nuvens à vista, e contudo o vento ganhava cada vez mais força, soprando em furiosas rajadas irregulares, intermitentes. Perto do meio-dia, o mais próximo disso que podíamos supor, nossa atenção foi mais uma vez atraída pelo surgimento do sol. Ele não emitia luz alguma propriamente dita, mas um fulgor baço e sem reflexo, como se todos os seus raios estivessem polarizados. Pouco antes de afundar no mar túrgido, seu clarão central subitamente se extinguiu, como que apagado às pressas por algum poder inexplicável. E não passava de um aro esmaecido com o lustro da prata ao afundar no oceano insondável.

70

Esperamos em vão pela chegada do sexto dia — dia que para mim ainda não chegou — e que para o sueco jamais chegará. Daí em diante fomos envolvidos por trevas negras como breu, a ponto de não conseguirmos enxergar um objeto a vinte passos[9] da embarcação. Seguimos mergulhados em uma noite eterna que não era abrandada nem pelo fosfórico brilho marinho a que estamos habituados nos trópicos. Observamos também que, embora a tempestade continuasse a se enfurecer com violência implacável, não mais nos deparávamos com a usual aparência de rebentação, ou espuma, que até então nos havia acompanhado. Tudo em torno era horror, e trevas espessas, e um negro e opressivo deserto de ébano. O terror supersticioso insinuou-se gradativamente no espírito do velho sueco, e minha própria alma permanecia envolta em silenciosa estupefação. Deixamos de lado todo o cuidado com o navio, como coisa mais do que inútil, e, prendendo-nos o melhor possível ao toco remanescente do mastro da mezena, contemplamos amargamente a imensidade oceânica. Não tínhamos meio algum de calcular o tempo, tampouco podíamos conjecturar de algum modo nossa localização. Tínhamos, entretanto, plena consciência de ter ido mais longe na direção sul do que quaisquer navegadores precedentes, e ficamos grandemente admirados de não colidir com os usuais obstáculos de gelo. Nesse meio-tempo, cada momento ameaçava ser nosso último — cada monstruoso vagalhão precipitando-se para nos emborcar. As ondas ultrapassavam qualquer coisa que eu imaginava possível e o fato de não submergirmos imediatamente era um milagre. Meu companheiro falou da leveza de nossa carga e lembrou-me das excelentes qualidades do navio; mas eu não conseguia deixar de sentir a completa inutilidade de qualquer esperança e preparei-me sombriamente para a morte que a meu ver nada podia protelar em mais de uma hora, à medida que, a cada nó avançado pelo navio, a descomunal elevação dos mares negros tornava-se mais desoladoramente apavorante. Ora o ar nos faltava, ao cavalgar vagas que ascendiam para além do albatroz — ora éramos acometidos pela vertigem, com a velocidade de nossa descida em algum inferno líquido onde o ar ficava cada vez mais estagnado e onde som algum perturbava o sono do Kraken.

Estávamos no fundo de um desses abismos quando um breve grito de meu companheiro rasgou angustiadamente a noite. "Ali! ali!", berrou estridente em meus ouvidos, "Deus Todo-Poderoso! ali! ali!" Enquanto ele falava, tomei consciência de uma luminescência vermelha, embaciada e lúgubre que vertia pelas paredes da vasta garganta onde nos achávamos e lançava um brilho intermitente sobre nosso convés. Voltando meus olhos para o alto, contemplei um espetáculo que gelou o sangue em minhas veias. A uma terrível altura, diretamente acima de nós, e bem na beirada do declive escarpado, pairava um navio gigantesco, de talvez quatro mil toneladas. Embora empinando no cume de uma onda com mais de cinquenta vezes sua própria altura, seu tamanho aparente ainda assim excedia o de qualquer navio de linha ou embarcação da Companhia das Índias Orientais existente. Seu imenso casco era de um negro profundo e fuliginoso não atenuado por nenhum desses costumeiros entalhes de um navio. Uma única fileira de canhões de bronze se projetava de suas portinholas abertas, desferindo das superfícies polidas o fogo de inumeráveis lanternas de combate que oscilavam de um lado para outro entre o cordame. Mas o que mais nos encheu de horror e assombro foi que velejava a todo pano na plena fúria daquele mar sobrenatural e daquele furacão desgovernado. No momento em que o avistamos, inicialmente, a curvatura de seu beque era a única parte visível, conforme o navio ascendia vagarosamente do abismo escuro e tenebroso atrás de si. Por um momento de intenso terror ele ficou imóvel sobre o vertiginoso pináculo, como que a contemplar a própria sublimidade, então estremeceu, oscilou — e precipitou-se.

Nesse instante, não sei que súbito autocontrole se apossou de meu espírito. Cambaleando em direção à popa o máximo que pude, aguardei sem medo o desastre prestes a se abater. Nossa própria embarcação havia enfim cessado de lutar e mergulhava a vante no oceano. O choque da massa despencando atingiu-a, consequentemente, na parte de sua estrutura que já se encontrava sob a água e o resultado inevitável foi me lançar, com violência irresistível, sobre o cordame da outra nau.

Conforme eu caía, o navio deu uma guinada e virou de bordo; e à confusão que se seguiu atribuo o fato de ter escapado à atenção da tripulação. Não me foi difícil chegar sem ser percebido à escotilha principal, que estava parcialmente aberta, e logo encontrar uma oportunidade de me esgueirar em segredo para dentro do porão. Por que fiz tal coisa não sei dizer ao certo. Uma sensação indefinida de assombro, que a um primeiro exame dos navegadores a bordo se apossou de meu espírito, foi talvez o motivo de minha ocultação. Não me senti inclinado a confiar minha pessoa a uma raça de gente que oferecia, ao olhar superficial que eu lhes lançara, tantos aspectos de vaga novidade, dúvida e apreensão. Desse modo julguei por bem conceber um esconderijo no porão. Para isso, removi uma pequena parte das anteparas, de modo a proporcionar para mim um refúgio conveniente em meio ao imenso cavername do navio.

Mal completara minha obra quando o som de passos no porão forçou-me a dela lançar mão. Um homem passou próximo de meu esconderijo com um andar débil e vacilante. Não pude ver seu rosto, mas tive oportunidade de observar sua aparência geral. Nela se evidenciava idade avançada e uma condição enfermiça. Seus joelhos bambeavam sob o fardo dos anos, e todo o seu ser estremecia em suportá-lo. Murmurava consigo mesmo, em um tom baixo e alquebrado, palavras de uma língua que não pude compreender, e tateou até um canto entre uma pilha de instrumentos de aparência singular e velhas cartas de navegação deterioradas. Seus modos eram uma mistura desconcertante de malcriação da segunda infância e da solene dignidade de um Deus. Até que finalmente subiu para o convés e não mais o vi.

***

Um sentimento para o qual não tenho nome apossou-se de minha alma — uma sensação que não admitirá quaisquer análises, para a qual as lições do tempo passado são inadequadas, e de cuja compreensão receio nem sequer o próprio futuro detém alguma chave. Para uma mente constituída como a minha, esta última consideração é uma desgraça. Jamais — sei que jamais — me darei por satisfeito com respeito à natureza de minhas impressões. E contudo, não é de admirar que essas impressões sejam indefinidas, uma vez que se originam de fontes tão completamente inéditas. Uma nova percepção — uma nova entidade passou a integrar minha alma.

***

Já é decorrido um longo tempo desde que pisei pela primeira vez nos deques deste terrível navio, e os raios de meu destino estão, creio, convergindo em um foco. Homens incompreensíveis! Absortos em meditações de um tipo que me é vedado intuir, passam por mim sem me notar. Esconder-me foi uma completa tolice de minha parte, pois essa gente *não* me enxerga. Agora mesmo passei diretamente diante dos olhos do imediato; isso foi pouco depois de haver me aventurado pela cabine particular do próprio capitão, apropriando-me ali dos materiais com que ora escrevo, e tenho escrito. Continuarei a retomar esse diário de tempos em tempos. É verdade que provavelmente não encontrarei oportunidade de transmiti-lo ao mundo, mas não pretendo abrir mão de tentar. No último momento, tratarei de encerrar o manuscrito numa garrafa, e vou lançá-la ao mar.

***

Ocorreu um incidente que me proporcionou novo ensejo para reflexão. São tais coisas o incontrolado acaso em operação? Aventurei-me pelo convés e larguei-me, sem atrair qualquer atenção, entre uma pilha de cabos de enfrechates e velas usadas, no fundo do escaler. Enquanto cismava na singularidade de meu destino, aplicava pinceladas distraídas com uma brocha alcatroada às beiradas de um cutelo cuidadosamente dobrado sobre um barril perto de mim. Essa vela está agora envergada no alto do navio e as irrefletidas pinceladas da brocha formaram a palavra Descoberta.

Tenho feito muitas observações ultimamente sobre a estrutura da embarcação. Embora bem armada, ela não é, creio eu, uma belonave. Seu cordame, feitio e aparelhamento geral constituem todos uma negativa a suposições nesse sentido. O que ela *não é* eu o posso perceber facilmente; o que ela *é* receio ser impossível dizer. Não sei como isso se dá, mas ao escrutinizar seu estranho modelo e singular disposição de vergas, seu tamanho imenso e velame prodigioso, sua proa austeramente simples e popa antiquada, ocasionalmente cruza minha mente a sensação de coisas familiares, e sempre vem misturada a essas sombras indistintas da memória uma inexplicável lembrança de antigas narrativas estrangeiras e de eras perdidas no tempo.

***

Tenho estado a observar o arcabouço do navio. É construído de um material que desconheço. Há qualquer coisa de peculiar no caráter da madeira que a meu ver parece torná-la extremamente imprópria para o uso a que foi destinada. Refiro-me a sua extrema *porosidade*, considerada independentemente da condição carcomida que advém de navegar por esses mares, e à parte a podridão que seria de esperar da idade. Parecerá talvez uma observação até certo ponto curiosa, mas esse madeirame apresentaria todas as características do carvalho espanhol, pudesse o carvalho espanhol ser dilatado por quaisquer meios não naturais.

Lendo o período acima, um curioso apotegma de um curtido navegador holandês me volta subitamente à memória. "É tão certo", costumava ele dizer quando alguma dúvida era lançada sobre seu apego à verdade, "tão certo quanto existe um oceano onde o próprio navio cresce em tamanho como o corpo vivente de um marujo."

***

Há mais ou menos uma hora, tomei coragem e fui me enfiar entre um grupo da tripulação. Não prestaram a menor atenção em mim e, embora eu ficasse bem no meio deles todos, pareciam completamente alheios à minha presença. Como aquele primeiro que vi no porão, ostentavam todos as marcas encanecidas de uma velhice provecta. Seus joelhos tremiam de enfermidade; seus ombros vergavam acentuadamente de decrepitude; suas peles enrugadas repercutiam com o vento; suas vozes eram baixas, trêmulas e alquebradas; seus olhos luziam com a reuma dos anos; e seus cabelos grisalhos desgrenhavam-se terrivelmente na tempestade. Em torno deles, por toda parte no convés, jaziam espalhados instrumentos matemáticos da construção mais antiquada e obsoleta.

MANUSCRITO ENCONTRADO NUMA GARRAFA

***

Mencionei, faz algum tempo, o envergamento de um cutelo. Desse período em diante, o navio, com vento à popa arrasada, prosseguiu em seu terrível curso rumo sul, com cada farrapo de pano enfunado sobre ele, desde suas pegas até os mais baixos botalós de cutelo, e mergulhando a todo momento os lais das vergas de seus joanetes no mais apavorante inferno líquido que a mente humana jamais pôde conceber. Acabo de deixar o convés, onde me é impossível continuar de pé, embora a tripulação pareça experimentar pouco inconveniente. A mim parece um milagre dos milagres que nosso maciço volume não tenha sido tragado de uma vez para todo o sempre. Estamos decerto condenados a continuar flutuando no limiar da eternidade, sem nunca dar esse derradeiro mergulho no abismo. De vagalhões mil vezes mais estupendos do que qualquer um que algum dia já vi afastamo-nos deslizando com o desembaraço da célere gaivota; e as águas colossais erguem suas cabeças acima de nós como demônios das profundezas, mas como demônios restritos a simplesmente ameaçar, e proibidos de destruir. Sou levado a atribuir essas evasões frequentes à única causa natural capaz de explicar tal efeito. Devo supor que o navio esteja sob a influência de alguma forte corrente oceânica, ou de uma impetuosa contracorrente de fundo.

***

Vi o capitão frente a frente, e em sua própria cabine — porém, como esperado, ele não prestou a menor atenção em mim. Embora em sua aparência não haja, para o observador casual, nada capaz de indicar alguém acima ou abaixo do comum dos homens, ainda assim um sentimento de irreprimível reverência e assombro mesclou-se à sensação de portento com que o contemplei. Em compleição, é quase de minha própria estatura; ou seja, cerca de um metro e setenta. Tem o corpo bem constituído e compacto, nem robusto, nem eminentemente o contrário. Mas é a singularidade da expressão dominante em seu rosto — a intensa, prodigiosa, cativante evidência de idade provecta, tão absoluta, tão extrema, que anima em meu espírito uma sensação — um sentimento inexprimível. Sua testa, embora pouco enrugada, parece ostentar sobre si a marca de uma miríade de anos. Seus cabelos cinza são registros do passado, e seus olhos ainda mais cinzentos são sibilas do futuro. O chão da cabine estava forrado de estranhos in-fólios encadernados com dobradiças de ferro, instrumentos científicos desfeitos, mapas arcaicos e obsoletos. Sua cabeça estava curvada entre as mãos, e ele perscrutava, com um olhar febril, inquieto, um papel que julguei ser uma carta de comissão, e que, em todo caso, exibia a assinatura de um monarca. Resmungava malcriadamente consigo mesmo — assim como fazia o primeiro marujo que vi no porão — algumas palavras em uma língua estrangeira; e embora o homem estivesse a um palmo de mim, sua voz parecia chegar aos meus ouvidos da distância de uma milha.

* * *

O navio e tudo que nele vai estão imbuídos do espírito de uma era ancestral. A tripulação se move de um lado para o outro como os fantasmas de séculos sepultados; seus olhos transmitem impaciência e inquietação; e quando suas silhuetas cruzam meu caminho ao clarão fantástico das lanternas de combate, sinto algo que nunca senti antes, ainda que tenha sido um negociante de antiguidades por toda a minha vida, e me deixado embeber pelas sombras de colunas caídas em Balbec, Tadmor, Persépolis, até minha própria alma ter se tornado uma ruína.

* * *

Quando olho em torno de mim, sinto vergonha de minhas antigas apreensões. Se tremi ante a tempestade que até o momento nos acompanhou, o que devo sentir senão o mais puro terror diante de um confronto bélico entre o vento e o oceano, do qual palavras como tornado e simum transmitem apenas uma ideia limitada e imprecisa? Tudo na vizinhança imediata do navio é o negror da noite eterna e um caos de águas sem espumas; mas a cerca de uma légua de ambos os lados de nós podem ser vistos, indistintamente e a intervalos, estupendos baluartes de gelo, assomando imponentes contra o céu desolado, e parecendo as muralhas do universo.

***

Como imaginei, o navio mostra estar em uma corrente — se essa denominação pode apropriadamente ser conferida a um fluxo oceânico que, uivando e guinchando nas imediações do gelo branco, segue trovejando na direção sul com velocidade semelhante à violenta precipitação de uma catarata.

***

Conceber o horror de minhas sensações é, presumo, completamente impossível; contudo, uma curiosidade de penetrar nos mistérios dessas plagas espantosas predomina até mesmo sobre meu desespero, e me trará resignação perante o aspecto sumamente hediondo da morte. É evidente que singramos velozmente rumo a uma empolgante compreensão — algum segredo fadado a jamais ser partilhado, cujo conhecimento acarreta destruição. Talvez essa corrente nos leve ao próprio polo austral. É forçoso confessar que uma suposição aparentemente tão ousada conta com toda probabilidade a seu favor.

***

A tripulação anda de um lado a outro pelo convés com passadas trêmulas; mas observa-se em seus semblantes antes uma expressão de ansiedade esperançosa do que a apatia do desespero.

Nesse ínterim, o vento segue soprando de popa e, por carregarmos essa infinidade de velas, o navio às vezes se eleva, de casco e tudo, acima do oceano! Oh, horror sobre horror! — o gelo se abre subitamente à direita, e à esquerda, e rodopiamos vertiginosamente, em imensos círculos concêntricos, girando e girando pelas bordas de um gigantesco anfiteatro cujas paredes no alto se perdem nas trevas e na distância. Mas pouco tempo ainda me resta para refletir sobre meu destino! Os círculos rapidamente ficam cada vez menores — mergulhamos desvairadamente nas garras da voragem — e em meio aos rugidos, aos clamores, aos estrondos do oceano e da tempestade, o navio estremece — ai, Deus! e —— desce!

CONTOS DE IMAGINAÇÃO E MISTÉRIO

Nota: O "Manuscrito encontrado numa garrafa" foi originalmente publicado em 1831 [1833]; e não foi senão depois de muitos anos que tomei conhecimento das cartas de Mercator, em que o oceano é representado como correndo, por quatro bocas, para dentro do Abismo Polar (ao norte), de modo a ser engolido pelas entranhas da Terra; o próprio polo é representado por um rochedo negro, assomando a prodigiosa altura.

O GATO PRETO

Para a narrativa sumamente extravagante e contudo sumamente trivial em que tomo da pena, não espero nem peço crédito. De fato, louco seria eu de esperar tal coisa, num episódio em que até meus próprios sentidos rejeitam o que testemunharam. Contudo, não estou louco — e, decerto, tampouco estou sonhando. Mas amanhã morrerei e hoje quero desafogar minha alma. Meu propósito imediato é expor diante do mundo, de modo direto, sucinto e sem comentários, uma série de simples eventos domésticos. Por suas consequências, esses eventos me aterrorizaram — torturaram — destruíram. Contudo, não farei uma tentativa de explicá-los. Para mim, pouco representaram além do Horror — para muitos, parecerão menos terríveis do que *barrocos*. Num futuro próximo, talvez, algum intelecto haverá de surgir para reduzir minha fantasmagoria ao lugar-comum — algum intelecto mais calmo, mais lógico e muito menos excitável do que o meu, que perceberá, nas circunstâncias por mim detalhadas com assombro, nada mais do que uma ordinária sucessão de causas e efeitos perfeitamente naturais.

Desde a infância sempre me fiz notar pela docilidade e humanidade de meu temperamento. Minha ternura de coração era de fato tão evidente que me tornava objeto de troça de meus companheiros. Tinha particular afeição por animais e fui mimado por meus pais com uma grande variedade de bichos de estimação. Com eles passava a maior parte do tempo e nunca me sentia tão feliz como nas ocasiões em que os alimentava e aca-

81

riciava. Essa peculiaridade de caráter acompanhou-me ao crescer e, mais tarde, quando me tornei um homem, dela extraía uma das minhas principais fontes de prazer. Para aqueles que acalentaram afeição por um cão fiel e esperto, dificilmente preciso me dar o trabalho de explicar a natureza ou a intensidade da satisfação que disso pode advir. Há qualquer coisa no amor altruísta e abnegado de uma criatura bruta que cala fundo no coração de quem muitas vezes já teve ocasião de experimentar a amizade mesquinha e a fidelidade impalpável do mero *Homem*.

Casei-me cedo, e tive a felicidade de encontrar em minha esposa uma disposição não incompatível com a minha própria. Observando meu apreço pelos animais domésticos, ela não perdia a oportunidade de obter os tipos mais agradáveis. Tivemos pássaros, peixes dourados, um ótimo cão, coelhos, um macaquinho e *um gato*.

Este último era um animal notavelmente grande e belo, todo negro, e esperto em um grau espantoso. Falando de sua inteligência, minha esposa, que no fundo não era pouco imbuída de superstição, fazia frequente alusão à antiga crença popular que via em todos os gatos pretos bruxas disfarçadas. Não que em algum momento falasse *a sério* nesse sentido — e não toco no assunto por nenhum outro motivo além de acontecer, bem agora, de me vir à memória.

Pluto — esse o nome do gato — foi meu bicho e companheiro favorito. Somente eu o alimentava, e ele me seguia pela casa aonde quer que eu fosse. Era mesmo com dificuldade que conseguia impedi-lo de seguir-me pelas ruas.

Nossa amizade durou, desse modo, por vários anos, durante os quais meu temperamento geral e caráter — por obra do Demônio da Intemperança — experimentaram (coro em confessar) uma radical alteração para pior. Tornei-me, a cada dia, mais taciturno, mais irritável, mais sem consideração pelos sentimentos alheios. Permitia-me o uso de uma linguagem destemperada com minha mulher. Por fim, cheguei até a ameaçá-la de violência física. Meus bichos, é claro, também sofreram com minha mudança de disposição. Eu não só os negligenciava, como também os maltratava. Por Pluto, entretanto, ainda mostrava suficiente consideração para me abster de infligir-lhe maus-tratos, como fazia com os coelhos, o macaco ou mesmo o cão, quando, por acidente, ou talvez por afeto, entravam em meu caminho. Mas a doença ganhou corpo em mim — pois que doença se compara ao Álcool? — e no fim até mesmo Pluto, que a essa altura estava ficando velho e, consequentemente, um tanto malcriado — até mesmo Pluto começou a experimentar os efeitos de meu temperamento irascível.

Certa noite, voltando para casa, muito embriagado, de uma de minhas tavernas pela cidade, julguei que o gato evitava minha presença. Agarrei-o; nisso, em seu medo de minha violência, ele me infligiu um leve ferimento na mão com os dentes. A fúria de um demônio apossou-se instantaneamente de mim. Eu não mais me reconhecia. Minha alma original pareceu, na mesma hora, levantar voo de meu corpo; e uma malevolência mais do que diabólica, inflamada a gim, convulsionou cada fibra de meu corpo. Tirei do bolso do colete um pequeno canivete, abri-o, agarrei o pobre animal pela garganta e deliberadamente arranquei um de seus olhos da órbita! Coro, enrubesço, estremeço conforme descrevo a abominável atrocidade.

Quando a razão me voltou pela manhã — após ter dissipado no sono os vapores do desregramento noturno — experimentei um sentimento que era parte horror, parte remorso pelo crime do qual era culpado; mas foi, quando muito, um sentimento fraco e ambíguo, e a alma permaneceu intocada. Voltei a mergulhar em excessos e não tardei a afogar na bebida qualquer lembrança do ato.

Entrementes, o gato lentamente se recuperou. A órbita do olho perdido apresentava, é verdade, uma aparência assustadora, mas ele não parecia sentir mais dor alguma. Andava pela casa como de costume, mas, como era de esperar, fugindo aterrorizado à minha aproximação. Restava-me suficiente de minha antiga afeição para que no início ficasse magoado com esse evidente repúdio de parte de uma criatura que outrora tanto me amara. Mas esse sentimento em breve deu lugar à irritação. E então sobreveio, como que para minha ruína final e irrevogável, o espírito da Perversidade. Desse espírito a filosofia não se ocupa. Contudo, não tenho tanta convicção sobre a existência de minha alma quanto tenho de que a perversidade é um dos impulsos primitivos do coração humano — uma das indivisíveis e primordiais faculdades, ou sentimentos, que orientam o caráter do Homem. Quem nunca se pegou, uma centena de vezes, cometendo algum ato vil ou tolo sem nenhum outro motivo além de saber que *não* deveria? Não mostramos uma perpétua inclinação, malgrado todo o nosso bom-senso, a violar essa coisa que chamamos *Lei*, meramente porque a compreendemos como tal? Esse espírito de perversidade, como disse, veio para minha ruína final. Foi esse inescrutável anseio da alma *de atormentar a si mesma* — de violentar sua própria natureza — de cometer o mal em nome do mal simplesmente — que me impeliu a continuar e finalmente consumar o agravo que já infligira à inofensiva criatura. Certa manhã, a sangue frio, passei um laço em torno de seu pescoço e o enforquei no galho de uma árvore; — enforquei-o com as lágrimas brotando de meus olhos, e com o remorso mais amargo no coração; — enforquei-o *porque* sabia que me amara, e *porque* sentia que não me dera o menor motivo para ressentimento; — enforquei-o *porque* sabia que ao fazê-lo estava cometendo um pecado — um pecado mortal que poria minha alma imortal em perigo a ponto de deixá-la — se tal coisa era possível — fora de alcance até da misericórdia infinita do Deus Mais Misericordioso e Mais Terrível.

Na noite do dia em que perpetrei essa cruel infâmia, fui despertado do sono pelos gritos de fogo. As cortinas de minha cama estavam em chamas. A casa toda ardia. Foi com grande dificuldade que minha esposa, uma criada e eu próprio conseguimos escapar da conflagração. A destruição foi completa. Todas minhas posses terrenas foram consumidas e entreguei-me dali em diante ao desespero.

Não cedo à fraqueza de tentar estabelecer uma sequência de causa e efeito entre o desastre e a atrocidade. Mas estou descrevendo uma cadeia de eventos — e não desejo deixar de fora nem sequer um possível elo. Certo dia após o incêndio fiz uma visita às ruínas. As paredes, com exceção de uma só, haviam desabado. Essa exceção consistia de uma parede divisória interna, não muito grossa, mais ou menos no meio da casa, contra a qual ficava recostada a cabeceira de minha cama. O reboco havia, em grande parte, resistido à ação do fogo — ocorrência que atribuí ao fato de ter sido recentemente aplicado. Em torno dessa parede uma compacta multidão havia se reunido e muitas pessoas pareciam examinar uma área particular dela com atenção extremamente minuciosa e intensa. As palavras "estranho!", "singular!" e outras expressões similares atiçaram minha curiosidade. Acerquei-me e vi, como que gravado em *bas relief* sobre a superfície branca, a figura de um gigantesco *gato*. A imagem se estampava com uma precisão realmente maravilhosa. Havia uma corda em torno do pescoço do animal.

Quando contemplei a aparição — pois como menos que isso eu dificilmente podia encará-la — minha admiração e meu terror foram extremos. Até que enfim a reflexão veio em meu auxílio. O gato, lembrei, fora enforcado em um jardim adjacente à casa. Ao alarme de incêndio, esse jardim fora imediatamente tomado pela multidão — e alguém ali devia ter cortado a forca e jogado o animal por uma janela aberta dentro do meu quarto. Isso provavelmente fora feito com o intuito de me despertar de meu sono. A queda de outras paredes comprimira a vítima de minha crueldade na massa da alvenaria recém-aplicada; a cal do reboco, sob a ação do fogo, combinara-se ao amoníaco da carcaça para executar o esboço tal como eu o via.

Embora desse modo procurasse eu prontamente prestar contas a minha razão, quando não, na medida do possível, a minha consciência, pelo fato alarmante que acabo de descrever, isso tampouco deixou de causar uma profunda impressão em minha imaginação. Por meses não consegui me libertar da imagem fantasmagórica do gato; e, durante esse período, voltou-me ao espírito um sentimento vago que parecia, mas não era, remorso. Cheguei a ponto de lamentar a perda do animal, e de procurar, nas sórdidas tavernas que agora me habituara a frequentar, outro bichano do mesmo tipo, e de aparência algo similar, com o qual suprir seu lugar.

Certa noite, enquanto eu me sentava, meio entorpecido, num antro dos mais infames, minha atenção foi subitamente atraída por um objeto negro, repousando sobre a tampa de um imenso tonel de gim, ou rum, que constituía a principal peça de mobília do ambiente. Eu estivera a olhar fixamente para a tampa desse tonel por alguns minutos, e o que agora causava minha surpresa era o fato de não ter percebido antes o objeto que estava sobre ele. Aproximei-me e o toquei com a mão. Era um gato preto — muito grande — tão grande quanto Pluto, e muito parecido com ele em todos os aspectos, exceto um. Pluto não tinha um único pelo branco em todo o seu corpo; mas esse gato exibia uma mancha branca enorme, embora indefinida, a lhe cobrir toda a região do peito.

No momento em que o toquei, ele se levantou de imediato, ronronou audivelmente, esfregou-se em minha mão e pareceu deliciado com a atenção concedida. Aquela, então, era exatamente a criatura que eu estava procurando. Ofereci-me na mesma hora para adquiri-lo junto ao dono; mas o homem afirmou que não lhe pertencia — que nada sabia do bicho — nunca o vira antes.

Continuei com minhas carícias e quando me preparava para voltar para casa o animal evidenciou disposição de me acompanhar. Permiti que o fizesse; parando ocasionalmente e dando-lhe tapinhas carinhosos conforme andava. Quando cheguei em casa, ficou à vontade na mesma hora e imediatamente conquistou a predileção de minha mulher.

De minha parte, não demorou para que a repugnância começasse a crescer dentro de mim. Isso era precisamente o oposto do que eu havia esperado; porém — não sei dizer como nem por que — sua evidente afeição por mim antes me repelia e irritava. Gradativamente, esses sentimentos de repulsa e irritação evoluíram para a amargura do ódio. Eu evitava a criatura; uma vaga sensação de vergonha e a lembrança de meu antigo ato de crueldade impediam-me de cometer algum abuso físico. Abstive-me, por algumas semanas, de aplicar-lhe maus-tratos ou usar de violência de qualquer espécie; mas, gradualmente — muito gradualmente — comecei a lhe devotar o mais inexprimível asco, e a fugir em silêncio de sua odiosa presença como se fosse o hálito de uma pestilência.

O que contribuiu, sem dúvida, para o meu ódio do animal, foi a descoberta, na manhã subsequente à noite em que o levei para casa, de que, como Pluto, ele também fora privado de um olho. Essa circunstância, entretanto, apenas o fez crescer em afeição perante minha esposa, que, como já disse, possuía, em elevado grau, essa humanidade de sentimentos que outrora havia sido meu traço característico, e a origem de muitos de meus prazeres mais singelos e puros.

Com minha aversão, entretanto, o apreço desse gato por mim pareceu aumentar. Ele seguia meus passos com uma pertinácia que seria difícil fazer o leitor compreender. Sempre que me sentava, acomodava-se sob minha poltrona, ou pulava sobre meus joelhos, cobrindo-me com suas detestáveis carícias. Se eu me levantava para andar, metia-se entre meus pés e desse modo quase me derrubava, ou, cravando suas garras longas e afiadas em minha roupa, trepava, desse modo, até meu peito. Em momentos como esse, embora desejasse com todas as forças matá-lo de um só golpe, eu era contudo impedido de o fazer, em parte pela lembrança de meu antigo crime, mas principalmente — que eu o confesse logo de uma vez — por absoluto *pavor* da criatura.

Esse pavor não era exatamente o pavor de um mal físico — e contudo me faltariam palavras para defini-lo de outro modo. Tenho quase vergonha de confessar — sim, mesmo nesta cela de criminoso, tenho quase vergonha de confessar — que o terror e o horror que esse animal me infundia haviam sido aumentados por uma das mais simples quimeras que seria possível conceber. Minha esposa chamara minha atenção, em mais de uma ocasião, para o caráter da mancha de pelo branco, da qual falei, e que constituía a única diferença visível entre o estranho animal e o outro que eu matara. O leitor haverá de recordar que essa mancha, embora grande, havia se mostrado originalmente muito indefinida; porém, mediante vagarosas gradações — gradações quase imperceptíveis, e que por longo tempo minha Razão lutou por rejeitar como fruto da imaginação —, assumira, finalmente, uma rigorosa precisão de contornos. Era agora a representação de um objeto que tremo em nomear — e por isso, acima de tudo, nutria ódio, e pavor, e teria me livrado do monstro *caso ousasse* — era agora, afirmo, a imagem de uma coisa hedionda — de uma coisa macabra — do PATÍBULO! — ah, pesaroso e terrível maquinismo de Horror e de Crime — de Agonia e de Morte!

E agora eu estava de fato desgraçado para além da desgraça da mera Humanidade. E *uma criatura bruta* — cujo semelhante eu matara desprezivelmente — *uma criatura bruta* engendrara para *mim* — para mim, um homem, feito à imagem do Deus Altíssimo — tamanho e insuportável suplício! Ai de mim! nem de dia, nem de noite, conhecer a bênção do Descanso! Durante o dia, a criatura não me deixava mais um momento sozinho; e, à noite, eu acordava, de hora em hora, com pesadelos de indizível medo, para dar com o hálito quente da *coisa* sobre meu rosto, e seu vasto peso — a encarnação de um Súcubo que eu era impotente para repelir — oprimindo eternamente meu *coração*!

Sob a pressão de tormentos como esses, o tênue resquício do que havia de bondade em mim cedeu. Pensamentos malignos tornaram-se meus únicos companheiros — os pensamentos mais negros e malignos. Meu temperamento habitualmente taciturno evoluiu num ódio por todas as coisas e por toda a espécie humana; ao passo que das súbitas, frequentes e incontroláveis explosões de uma fúria à qual eu agora cegamente me abandonava minha resignada esposa, ai de mim!, era a mais habitual e a mais paciente das vítimas.

Certo dia ela me acompanhava, em algum serviço doméstico, ao porão da velha casa que nossa pobreza nos compelia a ocupar. O gato me seguiu pelos íngremes degraus e, quase me fazendo cair de frente, exasperou-me ao ponto da loucura. Erguendo um machado, e esquecendo, em minha ira, o pavor infantil que até então detivera minha mão, dirigi um golpe contra o animal que, sem dúvida, teria se provado instantaneamente fatal caso houvesse descido como eu desejara. Mas o golpe foi interrompido pela mão de minha esposa. Instigado por essa interferência numa fúria mais do que demoníaca, libertei meu braço e enterrei o machado em seu cérebro. Ela tombou morta imediatamente, sem um gemido.

Executado o assassinato hediondo, procedi incontinente, e com total determinação, à tarefa de ocultar o corpo. Eu sabia que não poderia removê-lo da casa, de dia ou de noite, sem o risco de ser observado pelos vizinhos. Inúmeros planos passaram por minha mente. A certa altura, pensei em cortar o cadáver em pequenos pedaços e destruí-los no fogo. Em outro momento, resolvi cavar um buraco para enterrá-lo no chão do porão. Depois, considerei a possibilidade de jogá-lo no poço do quintal — ou de fazer um embrulho e encaixotá-lo, como se fosse uma mercadoria, tomando as usuais providências, de modo que um carregador viesse levá-lo da casa. Finalmente, ocorreu-me um expediente que julguei muito melhor do que todos esses. Decidi emparedá-lo no porão — como ouvira dizer que os monges da Idade Média faziam com suas vítimas.

Para um tal propósito o porão se prestava bem. Suas paredes eram construídas sem firmeza, e haviam recentemente recebido uma camada grosseira de reboco, que a umidade do ambiente impedira de endurecer. Além do mais, numa das paredes havia uma saliência, causada por uma falsa chaminé, ou lareira, que fora preenchida, de modo a se parecer com o restante do porão. Não tive dúvida de que seria capaz de remover facilmente os tijolos nesse lugar, inserir o cadáver e reconstruir a parede como antes, de modo que olho algum detectasse algo suspeito.

E nesse cálculo não me equivoquei. Utilizando um pé de cabra, desloquei rapidamente os tijolos e, após escorar o corpo cuidadosamente contra a parede interna, mantive-o nessa posição, enquanto, com pouca dificuldade, refazia toda a estrutura como se mostrava originalmente. Tendo buscado argamassa, areia e crina, com todas as precauções possíveis, preparei um reboco que fosse indistinguível do antigo, e com ele procedi muito diligentemente à obra da nova alvenaria. Após terminar, observei satisfeito o trabalho bem-feito. A parede não apresentava o menor sinal de ter sido perturbada. Recolhi o entulho no chão com cuidado mais do que minucioso. Olhei em torno em triunfo e disse comigo mesmo — "Aí está, pronto, meu trabalho não foi em vão".

Meu passo seguinte foi procurar pelo causador de tamanha desgraça; pois eu havia, enfim, chegado à firme determinação de matá-lo. Tivesse eu sido capaz de encontrá-lo naquele momento, não resta dúvida sobre qual teria sido seu destino; mas ao que parecia a criatura astuciosa se alarmara com a violência de minha fúria precedente e evitava aparecer em meu presente estado de espírito. É impossível descrever, ou imaginar, a profunda, jubilosa, sensação de alívio que o sumiço do detestado animal ocasionou em meu peito. Ele não apareceu durante a noite — e assim, por uma noite, ao menos, desde que fora trazido à casa, dormi um sono profundo e tranquilo; sim senhor, *dormi*, mesmo com o fardo do assassinato em minha alma!

O segundo e o terceiro dia se passaram, e ainda nem sinal de meu algoz. Eu voltava a respirar como um homem livre. O monstro, aterrorizado, fugira do lugar para sempre! Eu não o veria nunca mais! Minha felicidade era suprema! A culpa por meu ato tenebroso pouco me perturbava. Umas poucas perguntas haviam sido feitas, mas foram respondidas prontamente. Até mesmo uma busca fora empreendida — mas é claro que nada se descobrira. Eu contemplava minha futura felicidade como assegurada.

No quarto dia após o crime, uma equipe policial veio, um tanto inesperadamente, ter à minha porta, e procedeu mais uma vez a uma rigorosa investigação da casa. Confiante, entretanto, na inescrutabilidade de meu esconderijo, mostrei grande desembaraço. Os policiais instaram que os acompanhasse em sua busca. Não deixaram um único vão ou recesso por examinar. Finalmente, pela terceira ou quarta vez, desceram ao porão. Não tremi um músculo sequer. Meu coração batia tão calmamente como o de alguém no sono da inocência. Andei pelo porão de ponta a ponta. Cruzei os braços sobre o peito e perambulei para cá e para lá, tranquilo. Os policiais se deram totalmente por satisfeitos e se prepararam para ir embora. A exultação em meu coração era forte demais para ser reprimida. Eu ardia por dizer nem que fosse uma palavra, a título de triunfo, e tornar duplamente garantida sua certeza de minha inocência.

"Senhores", disse eu, enfim, quando os homens subiam pela escada, "alegra-me ter-lhes aplacado as suspeitas. Desejo saúde a todos, e lhes apresento mais uma vez meus respeitos. A propósito, senhores, esta — esta é uma casa muito bem construída." (Em meu incontrolável desejo de dizer o que quer que fosse com naturalidade, eu mal fazia ideia do que falava.) — "Devo dizer, uma casa *excelentemente* bem construída. Estas paredes — já vão, senhores? — estas paredes são obra sólida"; e nisso, no pleno frenesi de minha bravata, bati fortemente, com a bengala que levava na mão, exatamente naquela parte da alvenaria atrás da qual jazia o cadáver de minha amantíssima esposa.

Mas queira Deus me proteger e livrar das presas do Príncipe das Trevas! Nem bem a reverberação de minhas batidas mergulhou no silêncio, fui atendido por uma voz vinda da tumba! — por um gemido, inicialmente abafado e fraco, como de uma criança a soluçar, e depois se dilatando rapidamente em um grito longo, elevado e contínuo, inteiramente anômalo e inumano — um uivo — um guincho lamurioso, metade horror e metade triunfo, tal como só poderia ter brotado do inferno num esforço combinado das gargantas dos condenados em sua agonia e dos demônios que exultam na danação.

De meus próprios pensamentos é tolice falar. Desfalecendo, cambaleei para a parede oposta. Por um instante, os policiais na escada perma-

neceram imóveis, num paroxismo de terror e perplexidade. No instante seguinte, uma dúzia de braços vigorosos avançava contra a parede. Ela veio toda abaixo. O cadáver, já grandemente decomposto e coberto de crostas de sangue, surgiu ereto ante os olhos dos presentes. Em sua cabeça, com a boca vermelha escancarada e um olho solitário de fogo, estava a hedionda criatura cuja astúcia me levara ao assassinato, e cuja voz delatora me condenara à corda do carrasco. Eu emparedara o monstro dentro da tumba!

OS FATOS DO CASO
DO SR. VALDEMAR

Decerto não pretendo considerar como o menor motivo de admiração que o extraordinário caso do sr. Valdemar tenha suscitado debate. Teria sido um milagre de outro modo — sobretudo, dadas as circunstâncias. Devido ao desejo de todas as partes envolvidas de manter o episódio longe do público, pelo menos por ora, ou até que tenhamos novas oportunidades de investigação — devido aos nossos esforços de empreendê-la — um relato deturpado ou exagerado chegou à sociedade e tornou-se fonte de inúmeras distorções desagradáveis e, muito naturalmente, de grande dose de incredulidade.

Faz-se necessário agora que eu forneça os *fatos* — na medida em que eu mesmo os compreenda. São, sucintamente, os seguintes:

Minha atenção, nos últimos três anos, tem sido repetidamente atraída para a questão do mesmerismo; e, cerca de nove meses atrás, ocorreu-me, muito subitamente, que na série de experimentos até então efetuados, sucedera uma omissão das mais notáveis e deveras inexplicável: — nenhuma pessoa ainda fora mesmerizada *in articulo mortis*. Permanecia por ser verificado, primeiro, se, em tais condições, existia no paciente alguma susceptibilidade à influência magnética; segundo, se, caso existisse, ela era prejudicada ou ampliada pela condição; terceiro, em que medida, ou por qual duração de tempo, os avanços da Morte podiam ser detidos pelo processo. Havia outros pontos a averiguar, mas esses foram os que mais excitaram minha curiosidade — em especial este último, pelo caráter imensamente importante de suas consequências.

CONTOS DE IMAGINAÇÃO E MISTÉRIO

Procurando à minha volta alguém por cujo intermédio eu pudesse testar essas particularidades, fui levado a pensar em meu amigo, o sr. Ernest Valdemar, o conhecido compilador da *Bibliotheca Forensica* e autor (sob o *nom de plume* de Issachar Marx) das versões polonesas de *Wallenstein* e *Gargantua*. O sr. Valdemar, que residia a maior parte do tempo no Harlem, em Nova York, desde o ano de 1839, é (ou era) particularmente notável pela extrema magreza de sua pessoa — seus membros inferiores parecendo muito com os de John Randolph; e, além disso, pela alvura de suas suíças, em violento contraste com o negror dos cabelos — estes, consequentemente, sendo no mais das vezes tomados por uma peruca. Seu temperamento era marcadamente nervoso e fazia dele um bom instrumento para o experimento mesmérico. Em duas ou três ocasiões eu o pus para dormir com pouca dificuldade, mas fiquei desapontado com outros resultados que sua peculiar constituição naturalmente me levara a antecipar. Sua vontade não ficou em período algum positivamente, ou inteiramente, sob meu controle e, com respeito a sua *clarividência*, não fui capaz de executar com ele nada que me fosse digno de confiança. Sempre atribuí meu fracasso nesses aspectos ao estado deteriorado de sua saúde. Por alguns meses antes que eu viesse a conhecê-lo, seus médicos o haviam diagnosticado com uma tísica crônica. Tinha o costume, de fato, de falar calmamente sobre seu óbito iminente, como um assunto que não era para ser evitado nem lastimado.

Quando as ideias às quais aludi me ocorreram, nada mais natural é claro que me viesse à mente o sr. Valdemar. Eu conhecia a firme filosofia do homem bem demais para recear escrúpulos *de sua parte*; e ele não tinha parentes na América que pudessem interferir. Conversamos francamente sobre o assunto; e, para minha surpresa, seu interesse pareceu vivamente despertado. Eu disse, para minha surpresa; pois, embora sempre se prestasse de boa vontade a meus experimentos, nunca antes manifestara o menor sinal de apreciação pelo que eu fazia. Sua doença era de uma espécie que admitiria o cálculo exato com respeito à época do término em morte; e foi finalmente combinado entre nós que ele mandaria me chamar cerca de vinte e quatro horas antes do período anunciado por seus médicos como sendo o de seu passamento.

94

OS FATOS DO CASO DO SR. VALDEMAR

Faz agora mais de sete meses desde que recebi, do próprio sr. Valdemar, o seguinte bilhete:

Meu caro P——,
Pode vir *agora mesmo*. D—— e F—— estão de acordo que não devo durar além de amanhã à meia-noite; e acho que acertaram o momento com bastante precisão.

Valdemar

Recebi esse bilhete cerca de meia hora após ele ter sido escrito e, quinze minutos depois, encontrava-me no quarto do moribundo. Eu não o via havia dez dias e fiquei consternado com a assustadora alteração que o breve intervalo operara em sua pessoa. Seu rosto exibia um matiz plúmbeo; os olhos estavam totalmente embaciados; e a emaciação era tão extrema que a pele fora rachada pelos ossos malares. A expectoração era excessiva. O pulso, mal perceptível. Conservava, todavia, de um modo assaz notável, tanto as faculdades mentais como um certo grau de força física. Falava com clareza — tomou alguns medicamentos paliativos sem ajuda — e, quando entrei no quarto, ocupava-se de redigir lembretes em um caderninho de bolso. Recostava na cama em travesseiros. Os doutores D—— e F—— assistiam-no.

Após apertar a mão de Valdemar, chamei esses cavalheiros à parte e obtive com eles um relato minucioso das condições do paciente. O pulmão esquerdo se encontrava havia dezoito meses em um estado semiósseo ou cartilaginoso, e estava, é claro, inteiramente inutilizado para qualquer propósito vital. O direito, em sua metade superior, também ficara parcialmente, se não por completo, ossificado, enquanto a região inferior era meramente uma massa de tubérculos purulentos, interpenetrando-se. Diversas cavernas extensas haviam se formado; e, em um ponto, ocorrera a adesão permanente às costelas. Essas ocorrências no lobo direito eram de data relativamente recente. A ossificação avançara com rapidez muito inusual; nenhum sinal dela fora detectado um mês antes, e a adesão só fora observada no decorrer dos três dias precedentes. Independentemente da tísica, suspeitavam que o paciente sofresse um aneurisma da aorta; mas

95

nesse ponto os sintomas ósseos tornavam um diagnóstico exato impossível. Era da opinião dos dois médicos que o sr. Valdemar morreria por volta da meia-noite do dia seguinte (domingo). Eram então sete horas da noite de sábado.

Ao se afastar do leito do enfermo para entreter conversa com minha pessoa, os doutores D—— e F—— haviam feito suas despedidas finais. Não tinham intenção de regressar; mas, a um pedido meu, concordaram em examinar o paciente por volta das dez horas da noite seguinte.

Depois que partiram, conversei livremente com o sr. Valdemar sobre a questão de seu óbito iminente, bem como, em maiores particularidades, sobre a experiência proposta. Reafirmou-me que continuava disposto e até ansioso para sua realização e insistiu comigo que começasse imediatamente. Um enfermeiro e uma enfermeira cuidavam dele; mas eu não me sentia inteiramente livre para empreender uma tarefa daquela natureza sem alguma testemunha mais confiável do que essas pessoas, em caso de um súbito acidente, poderiam se revelar. Logo, posterguei os procedimentos para até mais ou menos as oito horas da noite seguinte, quando a chegada de um estudante de medicina com quem eu tinha alguma familiaridade (o sr. Theodore L——l) aliviou-me de adicionais contratempos. Fora minha intenção, originalmente, aguardar pelos médicos; mas fui levado a prosseguir, primeiro, devido à insistência do sr. Valdemar e, segundo, devido a minha convicção de que não tinha um minuto a perder, pois que sua condição se deteriorava a olhos vistos.

O sr. L——l teve a gentileza de aceder ao meu desejo de que tomasse notas dos acontecimentos; e é com base em seus apontamentos que o que tenho a relatar foi, na maior parte, condensado ou copiado *verbatim*.

Faltavam cerca de cinco minutos para as oito quando, tomando a mão do paciente, instei-o a declarar, com a maior clareza de que fosse capaz, ao sr. L——l, se ele (o sr. Valdemar) estava inteiramente de acordo que eu conduzisse o experimento de mesmerização com ele em sua presente condição.

Ele respondeu debilmente, embora de forma suficientemente audível, "Sim, desejo ser mesmerizado" — acrescentando de imediato, "Receio que o senhor tenha adiado demais".

OS FATOS DO CASO DO SR. VALDEMAR

Enquanto ele assim falava, dei início aos passes que eu já percebera serem os mais eficientes em subjugá-lo. Encontrava-se evidentemente sob minha influência ao primeiro toque lateral de minha mão através de sua testa; mas, embora eu empregasse todos os meus poderes, nenhum efeito perceptível posterior foi induzido senão alguns minutos após as dez horas, quando os doutores D—— e F—— chegaram, segundo o combinado. Expliquei-lhes, em poucas palavras, o que planejava fazer, e como não ofereceram nenhuma objeção, afirmando que o paciente encontrava-se já na agonia da morte, prossegui sem hesitar — mudando, entretanto, os passes laterais para passes descendentes, e dirigindo meu olhar inteiramente ao olho direito do enfermo.

Nesse momento, seu pulso era imperceptível e ele estertorava, a intervalos de meio minuto.

Essa condição permaneceu quase inalterada por um quarto de hora. Ao esgotar-se esse período, entretanto, um suspiro natural, ainda que muito profundo, escapou do peito do paciente, e a respiração estertorosa cessou — isto é, seus estertores não mais eram perceptíveis; os intervalos haviam aumentado. As extremidades do paciente estavam geladas.

Às cinco para as onze, percebi sinais inequívocos da influência mesmérica. O movimento vítreo do olho abandonara essa expressão de inquieto exame *interior* que nunca é visto exceto em casos de sonambulismo e que é um tanto impossível de confundir. Com alguns poucos e rápidos passes laterais, fiz as pálpebras estremecerem, como que no sono incipiente, e com outros mais cerrei-as inteiramente. Não me dei por satisfeito, todavia, com isso, mas continuei as manipulações vigorosamente, e aplicando nelas toda minha força de vontade, até ter enrijecido por completo os membros do paciente adormecido, não sem antes tê-los acomodado numa posição aparentemente confortável. As pernas foram deixadas bem esticadas; os braços, um pouco menos, colocados na cama a uma distância moderada dos quadris. A cabeça ficou apenas ligeiramente elevada.

Quando completei tudo isso, era meia-noite em ponto, e pedi aos cavalheiros presentes que examinassem as condições do sr. Valdemar.

Após alguns experimentos, admitiram que se encontrava em um estado extraordinariamente perfeito de transe mesmérico. A curiosidade dos dois médicos ficou enormemente excitada. O dr. D—— resolveu na mesma hora permanecer com o paciente durante toda a noite, enquanto o dr. F—— partiu com a promessa de voltar ao raiar do dia. O sr. L——l e os enfermeiros permaneceram.

Deixamos o sr. Valdemar inteiramente imperturbado até cerca de três da manhã, quando me aproximei e o encontrei precisamente na mesma condição que estava quando o dr. F—— se foi — ou seja, permanecia na mesma posição; o pulso estava imperceptível; a respiração era suave (mal se podia notar, exceto aproximando um espelho de seus lábios); os olhos cerravam-se naturalmente; e os membros estavam rígidos e frios como mármore. Mesmo assim, a aparência geral não era a de um morto.

Quando me acerquei do sr. Valdemar fiz uma espécie de esforço leve para influenciar seu braço direito a acompanhar o meu, conforme eu o passava de um lado para outro acima de seu corpo. Em experimentos assim com esse paciente eu nunca me saíra perfeitamente bem no passado e decerto tampouco me ocorria que pudesse ser bem-sucedido agora; mas, para minha perplexidade, seu braço muito prontamente, ainda que debilmente, acompanhou cada direção que designei com o meu próprio. Decidi arriscar algumas palavras de conversa.

"Senhor Valdemar", eu disse, "está dormindo?" Ele não respondeu, mas percebi um tremor perto dos lábios, e fui assim levado a repetir a pergunta, uma vez depois mais outra. Nessa terceira tentativa, seu corpo todo foi agitado por um tremor muito ligeiro; as pálpebras se descerraram o suficiente para expor uma linha branca do globo ocular; os lábios se moveram morosamente e, do meio deles, num sussurro quase inaudível, vieram as palavras:

"Sim; — adormecido, agora. Não me acorde! — Deixe-me morrer assim!"

Nesse momento apalpei seus membros e vi que continuavam tão rígidos como antes. O braço direito, novamente, obedeceu a direção de minha mão. Questionei o noctâmbulo mais uma vez:

98

OS FATOS DO CASO DO SR. VALDEMAR

"Ainda sente dores no peito, senhor Valdemar?"

A resposta agora foi imediata, mas ainda menos audível que antes:

"Sem dor — estou morrendo."

Julguei não ser aconselhável perturbá-lo ainda mais naquele ponto, e nada mais foi dito ou feito até a chegada do dr. F——, que chegou pouco antes do nascer do sol, e expressou uma perplexidade sem limites em ver que o paciente continuava com vida. Após tomar seu pulso e aplicar-lhe um espelho aos lábios, requisitou-me que falasse com o noctâmbulo outra vez. Assim o fiz, dizendo:

"Senhor Valdemar, continua dormindo?"

Como antes, alguns minutos transcorreram até que uma resposta fosse pronunciada; e durante o intervalo o moribundo parecia juntar forças para falar. No momento em que eu repetia a pergunta pela quarta vez, disse, muito debilmente, de modo quase inaudível:

"Sim; ainda dormindo — morrendo."

Era agora a opinião, ou antes o desejo, dos médicos que ao sr. Valdemar fosse concedido permanecer imperturbado em sua condição presente aparentemente tranquila, até que a morte lhe adviesse — e isso, era o consenso geral, devia ter lugar dali a poucos minutos. Decidi, entretanto, dirigir-lhe a palavra uma vez mais, e meramente repeti minha pergunta anterior.

Enquanto eu falava, uma visível mudança se operou na fisionomia do noctâmbulo. Os olhos giraram e se abriram vagarosamente, as pupilas ocultas no alto; a pele como um todo assumiu um matiz cadavérico, parecendo-se menos com pergaminho do que com papel branco; e as manchas circulares da héctica que até então se faziam notar distintamente no centro de cada bochecha *sumiram* de repente. Uso essa expressão porque a subitaneidade com que se foram trouxe-me à mente nada menos que uma vela sendo apagada por um sopro de ar. O lábio superior, ao mesmo tempo, encolheu-se e expôs os dentes, quando antes os cobria por inteiro; ao passo que o maxilar inferior caiu com um audível tranco, deixando a boca amplamente aberta, e exibindo por inteiro a língua inchada e enegrecida. Presumo que nenhum membro do grupo presente na ocasião estivesse desacostumado aos horrores de um leito de morte; mas tão hedionda além

CONTOS DE IMAGINAÇÃO E MISTÉRIO

de qualquer noção era a aparência do sr. Valdemar nesse momento que ocorreu um recuo geral das imediações da cama.

Sinto agora que chego a um ponto desta narrativa em que o choque fará com que todo leitor se mostre positivamente descrente. É minha obrigação, entretanto, simplesmente continuar.

Já não havia o mais leve sinal vital no sr. Valdemar; e, concluindo que estava morto, ocupávamo-nos em confiá-lo aos cuidados dos enfermeiros quando um forte movimento vibratório se fez observar em sua língua. Isso prosseguiu por cerca de um minuto. Ao expirar esse período, do maxilar distendido e imóvel brotou uma voz — e uma tal que seria loucura de minha parte tentar descrever. Existem, na verdade, dois ou três epítetos que se poderiam considerar aplicáveis aqui, em parte; posso dizer, por exemplo, que o som foi áspero, alquebrado e sepulcral; mas, como um todo, foi indescritível, pelo simples motivo de que nenhum som tão terrivelmente similar jamais vibrou no ouvido humano. Houve duas particularidades, todavia, que na ocasião achei, e continuo a achar, podem ser inequivocamente apontadas como características da entonação — além de muito aptas a transmitir certa ideia de peculiaridade sobrenatural. Em primeiro lugar, a voz parecia chegar aos ouvidos — pelo menos aos meus — de uma vasta distância, ou de alguma profunda caverna no interior da terra. Em segundo lugar, ocasionou-me uma impressão (temo, de fato, que me será impossível fazer compreender) semelhante à que materiais gelatinosos ou glutinosos causam ao sentido do tato.

Falei tanto de "som" como de "voz". Quero dizer que o som foi pronunciado com extrema nitidez — com extraordinária, penetrante, nitidez —, sílaba a sílaba. O sr. Valdemar *falou* — obviamente em resposta à pergunta que eu lhe apresentara alguns minutos antes. Eu havia perguntado, é mister lembrar, se continuava dormindo. Ele agora dizia:

"Sim; — não; — eu *estava* dormindo — e agora — agora — *estou morto*."

Nenhum dos presentes sequer teve pretensão de negar, ou de tentar reprimir, o calafrio de horror inexprimível que essas poucas palavras, assim pronunciadas, tão previsivelmente provocaram. O sr. L——l (o

100

OS FATOS DO CASO DO SR. VALDEMAR

estudante) desmaiou. Os enfermeiros deixaram o quarto imediatamente e não houve como convencê-los a voltar. Quanto a minhas próprias impressões, abstenho-me de tentar torná-las inteligíveis ao leitor. Durante quase uma hora, ocupamo-nos, em silêncio — sem que ninguém pronunciasse uma única palavra —, dos procedimentos para reanimar o sr. L——l. Quando ele voltou a si, tornamos a nos concentrar em investigar a condição do sr. Valdemar.

Ela continuava em todos os aspectos como descrevi da última vez, com exceção de que o espelho não mais fornecia evidência de alento. Uma tentativa de colher sangue do braço fracassou. Devo mencionar, ainda, que esse membro não mais se encontrava submetido à minha vontade. Tentei em vão fazer com que seguisse a direção de minha mão. O único indício real, de fato, da influência mesmérica, era agora encontrado no movimento vibratório da língua, sempre que eu endereçava alguma pergunta ao sr. Valdemar. Ele parecia esforçar-se para responder, mas já não havia mais volição suficiente. A perguntas a ele apresentadas por qualquer outro que não eu mesmo parecia inteiramente insensível — embora eu me empenhasse em deixar cada membro da equipe em *comunhão* mesmérica com ele. Acredito que a essa altura já relatei todo o necessário para uma compreensão do estado do noctâmbulo nesse momento. Outros enfermeiros foram chamados; e às dez horas deixei a casa na companhia dos dois médicos e do sr. L——l.

No período da tarde, voltamos todos para visitar o paciente. Sua condição permanecia precisamente a mesma. Travamos então uma discussão acerca da propriedade ou exequibilidade de acordá-lo; mas não nos foi difícil concordar que nenhum propósito benéfico adviria de fazê-lo. Estava evidente que, no momento, a morte (ou o que normalmente chamamos de morte) fora detida pelo procedimento mesmérico. Parecia-nos indubitável que despertar o sr. Valdemar significaria meramente assegurar seu instantâneo, ou pelo menos acelerado, óbito.

Desde esse período até o encerramento da semana passada — *um intervalo de quase sete meses* — continuamos a fazer visitas diárias à casa do sr. Valdemar, acompanhados, vez por outra, de médicos e alguns amigos.

101

Todo esse tempo o noctâmbulo permaneceu *exatamente* como eu o descrevera da última vez. O cuidado dos enfermeiros era contínuo.

Foi na sexta-feira passada que finalmente resolvemos fazer o experimento de despertá-lo, ou de tentar despertá-lo; e é (talvez) o resultado infeliz desse último experimento que tem ensejado tanta discussão em círculos privados — grande parte da qual não consigo deixar de julgar como sendo de uma inclinação popular injustificável.

Com o intuito de tirar o sr. Valdemar do transe mesmérico, fiz uso dos costumeiros passes. Os quais, por algum tempo, não surtiram efeito. O primeiro indício de revivescência foi proporcionado por uma descida parcial da íris. Observou-se como uma particularidade notável o fato de que o declínio da pupila se fez acompanhar da profusa efusão de uma linfa amarelada (originada sob as pálpebras) dotada de um odor pungente e sumamente repulsivo.

Era agora sugerido que eu tentasse influenciar o braço do paciente, como dantes. Fiz uma tentativa e fracassei. O dr. F—— então expressou o desejo de que eu lhe fizesse uma pergunta. Procedi como segue:

"Senhor Valdemar, pode nos explicar o que está sentindo ou querendo nesse momento?"

Houve um ressurgimento imediato dos círculos hécticos nas bochechas; a língua estremeceu, ou antes rolou violentamente na boca (embora os maxilares e os lábios permanecessem tão rígidos quanto antes) e finalmente a mesma voz hedionda que já tive oportunidade de descrever proferiu:

"Pelo amor de Deus! — rápido! — rápido! — ponha-me para dormir — ou, rápido! — acorde-me! — rápido! — *afirmo que estou morto!*"

Fiquei profundamente perturbado e por um instante permaneci indeciso quanto ao que fazer. No início, empreendi uma tentativa de tranquilizar o paciente; mas, fracassando nesse propósito por total suspensão da volição, voltei atrás e me empenhei com igual concentração em despertá-lo. Nessa tentativa logo vi que seria bem-sucedido — ou pelo menos logo imaginei que meu êxito seria completo — e estou certo de que todos naquele quarto estavam preparados para ver o paciente voltando a si.

Para o que realmente ocorreu, entretanto, é absolutamente impossível que algum ser humano pudesse estar preparado.

Conforme eu rapidamente executava os passes mesméricos, em meio a exclamações de "morto! morto!" definitivamente *prorrompendo* da língua e não dos lábios do enfermo, seu corpo todo subitamente — no espaço de um único minuto, ou ainda menos que isso, encolheu — desintegrou-se — *se decompôs* por completo sob minhas mãos. Em cima da cama, diante de toda a equipe, nada mais havia que uma massa quase líquida de uma asquerosa — detestável — podridão.

O CORAÇÃO DENUNCIADOR[10]

Com efeito! — nervoso — tenho andado terrivelmente nervoso, ando com os nervos à flor da pele; mas por que *insistis* que estou louco? A doença intensificou meus sentidos — não os destruiu — tampouco os embotou. Acima de tudo, aguçou o sentido da audição. Escutei todas as coisas no céu e na terra. Escutei muitas coisas no inferno. Como, então, posso estar louco? Sede todo ouvidos! e observai com que sensatez — com que calma sou capaz de contar a história toda.

É impossível dizer em que momento a ideia penetrou em meu cérebro; porém, uma vez concebida, perseguiu-me dia e noite. Objetivo, não havia. Furor, não havia. Eu gostava do velho. Nunca me fizera mal. Nunca me ofendera. De seu ouro nunca tive desejo algum. Acho que era seu olho! sim, era isso! Um de seus olhos parecia o de um abutre — um olho azul-claro, velado pela catarata. Sempre que pousava sobre mim, meu sangue gelava; e assim, pouco a pouco — muito gradualmente —, tomei a decisão de tirar a vida do velho, e desse modo me livrar daquele olhar para sempre.

Ora, eis o problema. Imaginais que estou louco. Loucos nada sabem. Mas deveríeis ter me *visto*. Deveríeis ter visto quão sabiamente procedi — com que cautela — com que precaução — com que dissimulação empenhei-me na tarefa! Nunca fui tão bondoso com o velho quanto na semana toda que antecedeu seu assassinato. E toda noite, perto da meia-noite, eu girava o trinco da porta de seu quarto e a abria — ah, tão suavemente! E depois, após ter aberto uma fresta suficiente para minha cabeça, introduzia por ela uma lanterna escurecida, toda fechada, fechada, de modo que nenhuma luz dali irradiasse, e então enfiava a cabeça. Ah, teríeis rido em ver com que astúcia eu a enfiava! Eu a movia devagar — muito, muito devagar, de modo que não perturbasse o sono do velho. Levava uma hora para inserir minha cabeça inteira dentro da abertura até um ponto em que conseguisse enxergá-lo deitado em sua cama. Há! — um louco teria mostrado tamanho discernimento? E depois, quando minha cabeça estava dentro do quarto, eu abria a tampa da lanterna cautelosamente — ah, tão cautelosamente — cautelosamente (pois as dobradiças rangiam) — eu a abria o suficiente apenas para que um único facho estreito pousasse sobre o olho vulturino. E assim procedi por sete longas noites — toda noite, por volta da meia-noite —, mas encontrava o olho sempre fechado; e era impossível executar o trabalho; pois não era o velho que me perturbava, mas seu Mau-Olhado. E toda manhã, quando o dia raiava, eu entrava audaciosamente em seu aposento, e falava corajosamente com ele, chamando-o pelo nome em um tom amistoso, e lhe perguntando como passara a noite. De modo que por aí já vedes como ele precisaria ser um velho bem perspicaz, deveras, para suspeitar que toda noite, exatamente à meia-noite, eu o observava enquanto dormia.

Quando chegou a oitava noite tomei uma precaução mais do que costumeira ao abrir a porta. O ponteiro dos minutos em um relógio seria mais rápido do que minha mão. Nunca antes daquela noite eu sentira toda a extensão de minhas capacidades — de minha sagacidade. Eu mal conseguia conter meus sentimentos de triunfo. Pensar que lá estava eu, abrindo a porta, de pouco em pouco, e que ele nem sequer sonhava com meus atos ou pensamentos secretos. Cheguei até a rir com a ideia; e pode ser que houvesse me escutado; pois moveu-se no leito subitamente, como que assustado. Ora, pensaríeis talvez que recuei — mas não. Seu quarto estava escuro como breu nas trevas espessas (pois as folhas das janelas ficavam bem fechadas, por medo de ladrões), de modo que eu sabia que era incapaz de enxergar o vão da porta, e continuei a empurrá-la, mais um pouco, mais um pouco.

Eu já enfiara toda a cabeça, e estava prestes a abrir a lanterna, quando meu polegar escorregou no ferrolho e o velho se aprumou na cama, gritando — "Quem está aí?"

106

Permaneci imóvel e sem nada dizer. Por uma hora inteira não mexi um músculo e nesse meio-tempo não o ouvi voltar a se deitar. Ele continuava sentado na cama, escutando atentamente; — exatamente como eu ficava a fazer, noite após noite, de ouvidos esticados para os relógios da morte dentro das paredes.[11]

Em seguida escutei um ligeiro gemido, e soube que era o gemido do terror mortal. Não era um gemido de dor ou de pesar — oh, não! —, era o som baixo e abafado que se ergue do fundo da alma quando oprimida pelo medo. Eu conhecia o som muito bem. Inúmeras noites, à meia-noite, quando o mundo inteiro dormia, ele brotara das profundezas de meu próprio peito, intensificando, com seu pavoroso eco, os terrores que me afligiam. Digo que o conhecia bem. Eu conhecia o sentimento que inquietava o velho, e me apiedei do homem, embora em meu íntimo risse. Sabia que ele estava acordado desde o primeiro leve ruído, quando se virara na cama. Seus medos haviam a partir desse momento crescido dentro dele. Estivera tentando imaginá-los sem fundamento, mas fora incapaz. Estivera dizendo a si mesmo — "Não é nada, apenas o vento na chaminé — apenas um camundongo correndo pelo soalho" ou "foi somente um grilo que cantou uma única vez". Sim, ele estivera tentando se tranquilizar com essas suposições: mas descobrira que fora tudo em vão. *Tudo em vão*; porque a Morte, ao dele se aproximar, acossara-o com sua sombra negra, e se lançara sobre a vítima, envolvendo-a. E foi a influência fúnebre da sombra despercebida que o levou a sentir — embora sem nada ver ou escutar — a *sentir* a presença de minha cabeça dentro do quarto.

Depois de ter esperado por um longo tempo, muito pacientemente, sem ouvi-lo se deitar, resolvi abrir uma pequena — muito pequena, minúscula — fresta na lanterna. Desse modo a abri — sereis incapazes de imaginar quão furtivamente, furtivamente — até que, finalmente, um único facho tênue como um filamento de teia brilhou através da fenda e pousou sobre o olho vulturino.

O olho estava aberto — aberto, arregalado — e senti a fúria crescer dentro de mim ao fitá-lo. Enxerguei-o com perfeita nitidez — todo ele de um azul desbotado, com um véu hediondo a cobri-lo que gelou meus ossos até a medula; mas nada mais podia eu enxergar do rosto do velho ou de sua pessoa: pois dirigira o facho como que por instinto precisamente sobre o ponto maldito.

Ora, mas já não vos expliquei que o que tomais equivocadamente por loucura não é senão acuidade dos sentidos? — pois agora, digo mais, chegava aos meus ouvidos um som baixo e surdo, como o que faz um relógio envolto em algodão. *Esse* som, eu também o conhecia bem. Era o batimento do coração do velho. Isso aumentou minha fúria, como as batidas do tambor que estimulam a coragem do soldado.

Mas mesmo então me refreei e permaneci imóvel. Mal respirava. Segurava a lanterna sem um movimento. Tentava manter o mais fixamente possível a réstia sobre o olho. Nesse ínterim o infernal tamborilar do coração aumentava. Foi ficando mais rápido, mais rápido, e mais alto, mais alto a cada instante. O terror do velho *devia* ser extremo! Ficava mais alto, e digo mais, ficava mais alto a cada momento! — prestais bastante atenção em minhas palavras? Já vos expliquei como sou nervoso: sou, de fato. E agora, na calada da noite, em meio ao pavoroso silêncio daquela antiga casa, um ruído assim tão estranho enervou-me ao ponto de um terror incontrolável. E contudo, por mais alguns minutos, refreei-me e permaneci imóvel. Mas o batimento ficava mais alto, mais alto! Achei que o coração fosse explodir. E então uma nova angústia tomou conta de mim — o som alcançaria os ouvidos de algum vizinho! A hora do velho chegara! Com um poderoso urro, abri a lanterna completamente e pulei no quarto. Ele deu um grito — apenas um. Numa fração de segundo arrastei-o ao chão e puxei a pesada cama sobre ele. Então sorri alegremente, vendo a façanha até ali cumprida. Mas, por vários minutos, o coração seguiu batendo com um som abafado. Isso, entretanto, não me perturbou; não seria escutado através da parede. E enfim cessou. O velho estava morto. Removi a cama e examinei o cadáver. Sim, ele estava morto, morto como uma pedra. Pousei a mão sobre o coração e a mantive ali por vários minutos. Não havia pulsação. Ele estava morto como uma pedra. Seu olho não mais me incomodaria.

Se continuais a me reputar louco, não mais o ireis fazê-lo quando descrever as avisadas precauções que tomei para ocultar o corpo. A noite avançava e trabalhei com presteza, mas em silêncio. Antes de mais nada desmembrei o cadáver. Decepei-lhe a cabeça, os braços e as pernas.

Em seguida removi três tábuas do soalho do aposento e depositei tudo em meio aos caibros. Depois recoloquei as pranchas com tal perícia, com

tal astúcia, que nenhum olho humano — nem mesmo o *dele* — poderia ter detectado alguma coisa errada. Nada ficou por ser lavado — nenhuma mancha de espécie alguma — nenhum respingo de sangue. Eu fora extremamente cauteloso quanto a isso. Uma tina recolhera tudo — rá! Rá!

Após ter dado cabo de todas essas tarefas, eram quatro da manhã — ainda escuro como a meia-noite. Quando o sino badalou a hora, uma batida se fez ouvir na porta da rua. Desci para atender com o coração leve — pois o que tinha eu *agora* a temer? Três homens entraram, e se apresentaram, com perfeita polidez, como agentes de polícia. Um grito ouvido por um vizinho durante a noite; isso levantara a suspeita de algum crime; alguém dera queixa na delegacia e eles (os policiais) haviam sido mandados para dar uma busca na casa.

Sorri — pois *o que* tinha eu a temer? Dei as boas-vindas aos cavalheiros. O grito, expliquei, fora proferido por mim mesmo, em um sonho. O velho, acrescentei, se achava ausente, no interior. Levei meus visitantes por toda a casa. Convidei-os a investigar — investigar *bem*. Conduzi-os, enfim, ao quarto *dele*. Mostrei-lhes suas posses valiosas, em segurança, intocadas. No entusiasmo de minha confiança, trouxe cadeiras para o quarto, e insisti que ficassem *ali* descansando de sua faina, enquanto de minha parte, com a irrefreável audácia de meu triunfo perfeito, punha minha própria cadeira exatamente sobre o ponto sob o qual repousava o corpo da vítima.

Os policiais se deram por satisfeitos. Minha *conduta* os convencera. Eu estava singularmente à vontade. Sentaram e, enquanto eu respondia animadamente, conversaram sobre coisas familiares. Porém, em pouco tempo, senti que empalidecia e desejei que partissem. Minha cabeça doía e era como se um sino repicasse em meus ouvidos: mas eles continuavam sentados, conversando. O sino tornou-se mais distinto: — continuou, e tornou-se mais distinto: falei com maior desembaraço para me livrar da sensação: mas ela continuou, e ganhou materialidade — até que, finalmente, descobri que o ruído não estava *dentro* de meus ouvidos.

Sem dúvida eu agora ficava *muito* pálido; — mas falava com maior fluência, e elevando a voz. Contudo, o som aumentou — e o que podia eu fazer? Era um *som baixo, abafado, acelerado — muito parecido com o som que um relógio faz quando envolto em algodão*. Fiquei sem ar — e contudo os po-

110

liciais nada ouviam. Falei com maior rapidez — com maior veemência; mas o ruído aumentava e aumentava. Fiquei de pé e discuti trivialidades, em um tom esganiçado e gesticulando violentamente; mas o ruído aumentava e aumentava. Por que eles não *iam* embora? Andei pelo quarto de um lado ao outro com pesadas passadas, como que enervado até a fúria sob o escrutínio dos homens — mas o ruído aumentava e aumentava. Oh, Deus! o que *podia* eu fazer? Espumei — me encolerizei — praguejei! Girei a cadeira sobre a qual estivera sentado, e arrastei-a sobre as tábuas, mas o ruído se elevava acima de tudo e continuava a aumentar. Ficou mais alto — mais alto — *mais alto!* E mesmo assim os homens continuavam a conversar afavelmente, e sorriam. Era possível que não estivessem escutando? Deus Todo-Poderoso! — não, não! Eles escutavam! — eles suspeitavam! — eles *sabiam!* — estavam escarnecendo de meu horror! — isso foi o que pensei então, e isso é o que penso agora. Mas qualquer coisa era melhor do que aquela agonia! Qualquer coisa era mais tolerável do que aquela zombaria! Eu não podia suportar aqueles sorrisos de hipocrisia por mais tempo! Senti que tinha de gritar ou morrer! — e então — outra vez! — escutai! mais alto! mais alto! mais alto! *mais alto!* —

"Patifes!", urrei, "basta de dissimulações! Admito o que fiz! — arrancai as tábuas! — aqui, aqui! — é o batimento de seu odioso coração!"

UMA DESCIDA NO MAELSTRÖM

*Os caminhos de Deus na Natureza, assim como na
Providência, não são os nossos caminhos; tampouco os modelos
que concebemos são de algum modo comparáveis
à vastidão, profundeza e inescrutabilidade de
Suas obras, que contêm em si uma profundidade
maior do que o poço de Demócrito.*

Joseph Glanvill

Havíamos agora atingido o cume do mais elevado rochedo. Por alguns minutos, o velho pareceu exausto demais para falar.

"Não faz muito tempo", disse, finalmente, "eu o teria guiado por esta trilha tão bem quanto o mais novo dos meus filhos; cerca de três anos atrás, porém, ocorreu-me um acontecimento tal como jamais ocorreu antes a nenhum mortal — ou, pelo menos, tal como homem algum jamais sobreviveu para contar a respeito — e as seis horas de absoluto terror que então suportei alquebraram-me o corpo e a alma. O senhor me supõe um homem *muito* velho — mas não sou. Não levou mais do que um único dia para fazer esses cabelos cor de azeviche ficarem brancos, para enfraquecer meus membros e exaurir meus nervos, de modo que tremo com o mais leve esforço, e tenho medo até de uma sombra. Sabe que mal posso olhar por esse pequeno despenhadeiro sem sentir vertigem?"

O "pequeno despenhadeiro", em cuja borda ele se deixara cair tão negligentemente para descansar que a parte mais pesada de seu corpo ficou pendente por ela, ao passo que a única coisa que o impedia de despencar era o cotovelo apoiado nessa borda extrema e escorregadia — esse "pequeno despenhadeiro" erguia-se, um precipício perpendicular e desobstruído de rocha negra reluzente, cerca de quinhentos metros acima do mundo de rochedos abaixo de nós. Nada poderia me persuadir a ficar a meia dúzia de metros de sua beirada. Na verdade, tão profundo era meu nervosismo com a perigosa posição de meu companheiro que me lancei de corpo in-

113

teiro no chão, agarrei os arbustos em torno e não ousei sequer erguer os olhos para o céu — ao mesmo tempo que lutava em vão para afugentar a ideia de que os próprios alicerces da montanha corriam perigo com a fúria dos ventos. Um longo tempo transcorreu até que eu me acalmasse e reunisse coragem suficiente para sentar e olhar ao longe.

"O senhor deve dominar esses melindres", disse o guia, "pois eu o trouxe até aqui para que pudesse ter a melhor vista possível do cenário em que ocorreu o evento ao qual aludi — e para lhe contar a história toda com o local bem diante dos seus olhos."

"Esse ponto onde nos achamos", continuou, naquele estilo escrupuloso que o caracterizava — "esse ponto onde nos achamos fica na costa norueguesa — a sessenta e oito graus de latitude — na grande província de Nordland — no austero distrito de Lofoden. A montanha no topo da qual estamos é Helseggen, a Nublada. Agora procure se erguer mais um pouco — segure-se no capim, se sentir vertigem — assim — e olhe para lá, depois dessa faixa de névoa abaixo de nós, para o mar."

Olhei, a cabeça girando, e contemplei uma vasta extensão de oceano, cujas águas exibiam um matiz tão próximo ao do nanquim que na mesma hora veio-me à mente o relato do geógrafo núbio sobre o *Mare Tenebrarum*. Um panorama mais deploravelmente desolador imaginação humana alguma pode conceber. À direita e à esquerda, até onde o olhar alcançava, como se fossem os baluartes do mundo, estendiam-se fileiras de despenhadeiros horrivelmente negros e salientes, cujo aspecto sombrio era ainda mais reforçado pela arrebentação que estourava contra eles com sua crista de espuma branca e espectral, ululando e clamando por toda a eternidade. Bem à frente do promontório em cujo ápice nos situávamos, e a uma distância de aproximadamente dez quilômetros através do mar, podia-se divisar uma ilhota de aparência estéril; ou, mais adequadamente, sua posição era discernível em meio à vastidão de ondas que a circundava. Cerca de três quilômetros mais perto da terra avistava-se outra de menor tamanho, horrivelmente pedregosa e árida, e cingida a intervalos variados por amontoados de rochas negras.

O aspecto do oceano, no espaço entre a ilha mais distante e a costa, tinha qualquer coisa de muito incomum. Embora, nesse momento, uma ventania tão forte soprasse na direção da terra que um remoto brigue muito ao largo velejasse à capa com a latina de caranguejo duplamente rizada, e seu casco todo arfasse constantemente, sumindo de vista, ainda assim não havia nada como uma elevação regular das ondas, mas apenas uma turbulenta agitação geral das águas, curta, rápida, furiosa, em todas as direções — tanto a favor como contra o vento. Espuma quase não havia, a não ser na imediata vizinhança das rochas.

"A ilha mais distante", retomou o velho, "é chamada pelos noruegueses de Vurrgh. Aquela a média distância é Moskoe. Aquela outra uma milha ao norte é Ambaaren. Acolá estão Iflesen, Hoeyholm, Kieldholm, Suarven e Buckholm. Mais além — entre Moskoe e Vurrgh — estão Otterholm, Flimen, Sandflesen e Skarholm. Esses são os verdadeiros nomes dos lugares — mas por que se achou por bem nomear elas todas, isso é mais do que eu ou o senhor podemos compreender. Está escutando algo? Notou alguma alteração na água?"

Havia agora cerca de dez minutos que nos achávamos no topo do Helseggen, ao qual havíamos subido pelo interior de Lofoden, de modo que não captáramos nenhum vislumbre do mar até que este se descortinasse amplamente diante de nós ali do cume. Conforme o velho falava, dei-me conta de um ruído alto e cada vez mais forte, como o estrondo de uma vasta manada de bisões na pradaria americana; e nesse preciso instante percebi que o que os marujos caracterizam como um mar *encrespado*, abaixo de nós, mudava rapidamente para uma corrente na direção leste. Mesmo enquanto eu a contemplava, essa corrente ganhou monstruosa velocidade. Cada momento passado contribuía para sua aceleração — sua impetuosidade selvagem. Em cinco minutos o oceano todo, até a longínqua Vurrgh, era açoitado por uma incontrolável fúria; mas era entre Moskoe e a costa que a principal turbulência tinha lugar. Ali, o vasto manto oceânico, riscado e rasgado em uma infinidade de canais conflitantes, irrompeu subitamente numa convulsão frenética — arquejando, espumando, sibilando —, revolvendo em vórtices gigantescos e inumeráveis, e todo ele turbilhonando e arfando rumo leste com uma rapidez que a água nunca assume em parte alguma a não ser nas quedas vertiginosas.

Em poucos minutos mais, deu-se no panorama outra radical alteração. A superfície geral ficou um pouco mais lisa, e os redemoinhos, um

CONTOS DE IMAGINAÇÃO E MISTÉRIO

a um, desapareceram, enquanto prodigiosas faixas de espuma tornaram-se visíveis onde antes não havia nenhuma. Essas faixas, depois de algum tempo, esparramando-se por grande distância, e entrando em combinação, tomaram para si o movimento giratório dos vórtices aplacados, e pareceram formar o germe de outro mais vasto. Subitamente — muito subitamente — aquilo assumiu uma existência distinta e definida, em um círculo de quase um quilômetro de diâmetro. A borda do redemoinho era representada por um amplo cinturão de espuma cintilante; mas nenhuma gotícula disso deslizava pela boca do funil terrificante, cujo interior, até onde o olho podia penetrar, era um paredão liso, brilhante e cor de azeviche, inclinado para o horizonte em um ângulo de cerca de quarenta e cinco graus, acelerando vertiginosamente, girando e girando, com um movimento oscilante e opressivo, e lançando aos ventos uma voz macabra, metade guincho, metade rugido, tal como nem mesmo a poderosa catarata do Niágara em sua agonia jamais elevou ao Céu.

A própria base da montanha tremia, e a rocha vibrava. Joguei-me de bruços no chão e agarrei a erva rala num excesso de agitação nervosa.

"Isso", disse eu enfim ao velho — "isso *não pode* ser outra coisa que não o grande turbilhão do Maelström."

"Assim ele é por vezes chamado", disse ele. "Nós, noruegueses, o chamamos Moskoe-ström, por causa da ilha de Moskoe, ali no meio."

Os usuais relatos sobre esse vórtice não me prepararam de modo algum para o que vi. O de Jonas Ramus, que é talvez o mais pormenorizado de todos, é incapaz de comunicar a mais tênue ideia seja da magnificência, seja do horror da cena — ou da desconcertante e fantástica sensação *de novidade* que confunde quem a contempla. Não estou bem certo sobre de qual ponto de vista o autor em questão o observou, nem da época; mas não pode ter sido nem do pico do Helseggen, nem durante uma tempestade. Há algumas passagens de sua descrição, todavia, que talvez mereçam ser citadas por seus detalhes, embora seu efeito seja sumamente insuficiente para transmitir uma impressão do espetáculo.

"Entre Lofoden e Moskoe", diz ele, "a profundidade da água varia de trinta e seis a quarenta braças;[12] mas do outro lado, na direção do Ver (Vurrgh), essa profundidade diminui a ponto de não permitir a passagem

116

conveniente de uma embarcação sem o risco de espatifar-se nas rochas, o que ocorre até no tempo mais ameno. Quando a maré está alta, a correnteza flui na direção da terra entre Lofoden e Moskoe com tumultuosa rapidez; mas o rugido de seu refluxo impetuoso para o mar dificilmente será igualado pela mais ruidosa e pavorosa das cataratas; o barulho é ouvido a diversas léguas de distância, e os vórtices ou sorvedouros são de tal extensão e profundidade que se um navio cai em sua atração, é inevitavelmente absorvido e arrastado para o fundo, e então feito em pedaços contra as rochas; e quando as águas se aplacam, seus destroços são lançados de volta à tona. Mas esses intervalos de tranquilidade dão-se apenas na mudança entre a vazante e a preamar, e com tempo calmo, e não duram mais que um quarto de hora, com sua violência voltando gradualmente. Quando a correnteza é mais tumultuosa, e sua fúria é ampliada por uma tempestade, é perigoso acercar-se a uma milha norueguesa dela. Botes, iates e navios já foram arrastados por não se resguardarem dela antes de cair dentro de seu alcance. Similarmente, acontece com frequência de baleias aproximaram-se demasiado da correnteza, e serem subjugadas por sua violência; e então é impossível descrever seus bramidos e chamados em sua luta infrutífera para se libertar. Certa vez, um urso, tentando nadar de Lofoden para Moskoe, foi pego pela correnteza e arrastado para o fundo, urrando terrivelmente, de modo a ser escutado da praia. Enormes toras de abetos e pinheiros, após terem sido engolidas pela corrente, voltam à tona fragmentadas e esmigalhadas em tal grau que é como se nelas houvessem crescido cerdas. Isso mostra claramente que o fundo consiste de rochas pontiagudas, contra as quais elas são atiradas de um lado para outro. Essa correnteza é regulada pelo fluxo e refluxo do mar — com a maré alternando regularmente entre alta e baixa a cada seis horas. No ano de 1645, no domingo da Sexagésima, de manhã bem cedo, ela explodiu furiosamente com tal ruído e impetuosidade que até as pedras das casas no litoral tombaram ao solo."

Em respeito à profundidade da água, não pude compreender como isso poderia possivelmente ter sido avaliado na proximidade imediata do vórtice. As "quarenta braças" deviam se referir apenas a partes do tubo nas imediações da praia, tanto de Moskoe como de Lofoden. A profundidade no centro do Moskoe-ström deve ser incomensuravelmente maior; e nenhuma comprovação melhor desse fato se faz necessária além da que pode ser obtida com um relance mesmo de soslaio para o interior do abismo do turbilhão, que é possível colher do penedo mais elevado do Helseggen. Olhando do topo daquele pináculo para o Flegetonte vociferante ali embaixo não pude deixar de sorrir para a simplicidade com que o honesto Jonas Ramus registra, como coisa difícil de se dar crédito, os incidentes das baleias e dos ursos; pois a mim me pareceu, de fato, uma verdade inquestionável que até mesmo o maior navio de linha atualmente existente, caindo sob a influência daquela mortífera atração, poderia resistir tanto quanto uma pluma ao furacão, devendo desaparecer completamente no mesmo instante.

As tentativas de explicar o fenômeno — algumas das quais, assim recordo, pareciam-me suficientemente plausíveis a um exame mais detido — agora assumiam um caráter muito diverso e insatisfatório. A ideia geralmente admitida é de que, como os três vórtices menores entre as ilhas Faroe, este "não tem outra causa além da colisão de ondas se erguendo e estourando, no fluxo e no refluxo, contra um banco de rochas e saliências, confinando a água de modo que se precipite como uma catarata; e assim, quanto mais elevada a maré, mais profunda a queda, e o resultado natural de tudo isso é um turbilhão ou vórtice, cuja poderosa sucção é suficientemente conhecida mediante experimentos menores". — Essas são as palavras da *Encyclopædia Britannica*. Kircher e outros imaginam que no centro do tubo do Maelström haja um abismo penetrando o globo e dando em alguma parte muito remota — o golfo de Bótnia sendo um tanto peremptoriamente especificado, em um caso. Essa opinião, em si desprovida de fundamento, foi à qual, enquanto o contemplava, minha imaginação mais prontamente acedeu; e, mencionando-o para o meu guia, fiquei deveras surpreso de ouvi-lo dizer que, embora essa fosse a opinião mais universalmente aceita em relação ao assunto entre os noruegueses, não era, todavia, a sua. Quanto à primeira ideia, confessou sua incapacidade para compreendê-la; e nisso concordei com ele — pois, por mais conclusiva no papel, torna-se completamente ininteligível, e até absurda, em meio aos trovões do abismo.

UMA DESCIDA NO MAELSTRÖM

"O senhor deu uma boa olhada no torvelinho agora", disse o velho, "e se puder se arrastar em torno deste rochedo, de modo a se pôr ao abrigo do vento, e amortecer o rugido da água, vou lhe contar uma história que o convencerá de que devo saber alguma coisa acerca do Moskoe-ström."

Ajeitei-me conforme seu desejo, e ele prosseguiu.

"Eu e meus dois irmãos possuíamos outrora uma sumaca aparelhada como escuna com capacidade para cerca de setenta toneladas, com a qual costumávamos pescar entre as ilhas além de Moskoe, perto de Vurrgh. Em todo redemoinho muito violento no mar a pesca é boa, em oportunidades apropriadas, se o sujeito pelo menos tem a coragem de se aventurar; mas entre todos os habitantes do litoral em Lofoden, nós três éramos os únicos que nos ocupávamos regularmente de sair para as ilhas, como contei. Os pesqueiros normais ficam bem mais abaixo, para o sul. Ali se pode pegar peixe a qualquer hora, sem grande risco, e desse modo são os pontos preferidos. Os locais seletos por aqui no meio das rochas, entretanto, além de fornecer a melhor variedade, fazem-no com maior abundância; de modo que muitas vezes pegávamos em um único dia o que os mais tímidos no mister não conseguiam juntar em uma semana. De fato, fizemos disso um negócio de especulação desesperada — o risco de vida no lugar do trabalho, e a coragem fazendo as vezes de capital.

"Abrigávamos a sumaca em uma angra cerca de oito quilômetros mais adiante aqui na costa; e tínhamos por prática, com o tempo bom, tirar vantagem dos quinze minutos de calma da maré para vencer o principal canal do Moskoe-ström, bem acima do poço, e depois encontrar ancoradouro nalgum ponto próximo a Otterholm, ou Sandflesen, onde os torvelinhos não são tão violentos quanto em outras partes. Ali costumávamos ficar até pouco antes da calma da maré outra vez, quando então levantávamos ferro e zarpávamos de volta. Nunca nos aventuramos nessa expedição sem um firme vento lateral para ir e voltar — um que pudesse nos dar a certeza de que não nos faltaria antes do nosso regresso — e raramente nos equivocamos no cálculo quanto a isso. Duas vezes, em seis anos, fomos forçados a ficar a noite toda ancorados por conta de uma calmaria, coisa que é deveras rara por estas bandas; e certa vez tivemos de permanecer no pesqueiro durante quase uma semana, morrendo de fome,

119

devido a uma ventania que soprou pouco depois de nossa chegada, e tornou o canal tumultuoso demais para até mesmo considerar a ideia. Nessa ocasião, teríamos sido arrastados para o oceano a despeito de tudo (pois os turbilhões nos fizeram girar e girar com tal violência que, após algum tempo, tivemos nossa âncora enroscada e ela garrou), não fosse termos ficado à deriva em uma das inumeráveis correntes contrárias — e de tão curta duração — que nos conduziu ao abrigo de Flimen, onde, por obra da fortuna, paramos.

"Não poderia lhe contar a vigésima parte das dificuldades que enfrentamos 'no pesqueiro' — é um mau lugar para se estar, mesmo com bom tempo —, mas sempre demos um jeito de cruzar o temível corredor do próprio Moskoe-ström sem acidente; embora eu às vezes tenha ficado com o coração na boca quando acontecia de estarmos um minuto ou algo assim antes ou depois da calma do mar. O vento por vezes não era tão forte quanto pensáramos no início, e então avançávamos menos do que podíamos ter desejado, enquanto a corrente tornava a sumaca ingovernável. Meu irmão mais velho tinha um filho de dezoito anos de idade, e eu mesmo tinha dois rapazes robustos. Eles teriam sido de grande ajuda em horas como essa, empunhando os remos, bem como à popa, pescando — mas por algum motivo, embora nós mesmos corrêssemos o risco, não tínhamos coragem de permitir que os mais jovens enfrentassem o perigo —, pois, no fim das contas, *era* de fato um perigo horrível, e essa é a verdade.

"Dentro de poucos dias vão se completar três anos desde que o que vou contar ocorreu. Foi no dia 10 de julho de 18—, dia que o povo dessas paragens do mundo nunca vai esquecer — pois foi nele que soprou o furacão mais terrível que jamais desceu dos céus. E contudo durante toda a manhã, e na verdade até o fim da tarde, soprou uma brisa suave e firme vinda do sudoeste, enquanto o sol brilhava forte, de modo que nem o mais velho marujo dentre nós podia ter previsto o que iria ocorrer.

"Nós três — meus dois irmãos e eu — havíamos feito a travessia para as ilhas lá pelas duas da tarde, e não demorou para enchermos a sumaca com um ótimo peixe, que, todos comentamos, estava mais abundante nesse dia do que jamais havíamos visto. Eram apenas sete horas, *pelo meu relógio*, quando levantamos ferro e partimos de volta, de modo a cobrir o pior trecho do Ström na calma da água, que sabíamos ser às oito.

"Zarpamos com um vento fresco em nosso quarto de estibordo e, por algum tempo, deslizamos a grande velocidade, nem sequer sonhando com algum perigo, pois de fato não víamos o menor motivo para apreensão. De repente fomos surpreendidos por uma brisa vinda do Helseggen. Era coisa das mais incomuns — algo que nunca nos sucedera antes — e comecei a sentir certo desconforto, sem saber exatamente por quê. Viramos o barco na direção do vento, mas não fizemos progresso algum, devido aos torvelinhos, e eu já estava a ponto de propor que regressássemos ao ancoradouro quando, olhando à popa, vimos o horizonte todo coberto por uma singular nuvem cor de cobre que se erguia com a velocidade mais espantosa.

"Nesse meio-tempo a brisa que interceptara nosso curso arrefeceu e mergulhamos na mais absoluta calmaria, derivando em todas as direções. Esse estado de coisas, entretanto, não durou por tempo suficiente para que refletíssemos a respeito. Em menos de um minuto a tempestade se abatia sobre nós — em menos de dois, o céu ficou inteiramente encoberto — e com isso, e o violento borrifo do mar, ficou subitamente tão escuro que não podíamos enxergar uns aos outros dentro da sumaca.

"Um furacão como o que então soprou é loucura tentar descrever. Nem o mais antigo marinheiro da Noruega jamais vivenciou algo como aquilo. Havíamos soltado as velas antes que ele nos atingisse em cheio; mas, ao primeiro sopro, nossos dois mastros foram ao mar como se tivessem sido serrados — o mastro principal levando consigo meu irmão mais novo, que a ele se amarrara por segurança.

"Nosso barco era a pluma mais leve que já flutuou sobre a água. Tinha um convés corrido de fora a fora, com apenas uma pequena escotilha próxima da proa, escotilha que sempre tivéramos por costume selar com as trancas pouco antes de cruzar o Ström, a título de precaução contra o mar encrespado. Não fosse essa circunstância, teríamos ido a pique ali mesmo — pois ficamos inteiramente afundados por alguns instantes. Como meu irmão mais velho escapou à morte não sei dizer, pois nunca tive a oportunidade de descobrir. De minha parte, assim que soltei o traquete, atirei-me de bruços sobre o convés, com os pés apoiados na estreita

CONTOS DE IMAGINAÇÃO E MISTÉRIO

amurada da proa, e agarrando com as mãos um arganéu junto ao pé do mastro. Foi o mero instinto que me impeliu a fazer isso — o que sem dúvida era a melhor coisa que eu poderia ter feito —, pois estava aturdido demais para raciocinar.

"Por alguns momentos, ficamos completamente submersos, como eu disse, e durante todo esse tempo prendi a respiração, e permaneci agarrado ao anel. Quando não pude mais aguentar, ergui-me sobre os joelhos, ainda segurando forte com as duas mãos, e desse modo emergi a cabeça. Logo em seguida nosso pequeno barco se sacudiu, exatamente como faz o cão ao sair da água, e assim se libertou, até certo ponto, do mar. A essa altura eu tentava dominar o estupor que tomara conta de mim, e recuperar a presença de espírito de modo a ver o que podia ser feito, quando senti alguém agarrando meu braço. Era meu irmão mais velho, e meu coração pulou de alegria, pois eu tinha certeza de que havia caído no mar — mas no momento seguinte toda essa alegria foi transformada em horror —, pois ele aproximou a boca de meu ouvido, e gritou a palavra '*Moskoe-ström!*'.

"Ninguém jamais saberá quais foram meus sentimentos naquele momento. Estremeci da cabeça aos pés, como que sofrendo o mais violento acesso de febre. Eu sabia muito bem o que ele queria dizer com aquela única palavra — eu sabia o que ele queria me fazer compreender. Com o vento que agora nos empurrava, íamos na direção do redemoinho do Ström, e nada poderia nos salvar!

"O senhor percebe que ao cruzarmos o *canal* do Ström sempre o fazíamos muito acima do redemoinho, mesmo no tempo mais ameno, e então tínhamos de aguardar e observar cuidadosamente a calma da maré — mas agora éramos impelidos direto para o poço, e em meio a um furacão daqueles! 'Na verdade', pensei, 'devemos chegar lá no exato momento da calma — nisso reside alguma esperança' — mas no instante seguinte praguejei contra mim mesmo por ser tão tolo em sonhar com a esperança que fosse. Eu sabia perfeitamente que estávamos condenados, nem que nosso barco fosse dez vezes maior que um navio de noventa canhões.

"A essa altura a fúria inicial da tempestade se dissipara, ou talvez acontecesse de já não mais a sentirmos em toda sua intensidade conforme disparávamos através dela sem um único pano esticado, mas em todo caso o oceano, que no início o vento mantivera baixo, nivelado e espumante, assomava agora em montanhas absolutas. Uma singular mudança, também, operara-se no céu. Em torno, em todas as direções, continuava negro como piche, mas quase acima de nós abriu-se, de repente, uma fenda circular de céu limpo — o céu mais limpo que jamais vi — e de um azul profundo e brilhante — e através dela resplandecia a lua cheia com um fulgor que eu nunca a vira exibir. Ela iluminava tudo em volta de nós com perfeita nitidez — porém, oh, Deus, que cena para iluminar!

"Então fiz uma ou duas tentativas de falar com meu irmão — mas, por algum motivo que não conseguia compreender, o ruído crescera de tal modo que fui incapaz de fazê-lo escutar uma única palavra, ainda que gritasse a plenos pulmões em seu ouvido. Em seguida, ele abanou a cabeça, seu aspecto tão pálido quanto a morte, e ergueu um dedo, como que a dizer, '*ouça!*'.

"No início, não entendi a que se referia — mas logo um pensamento hediondo cruzou minha mente. Puxei meu relógio da algibeira. Estava parado. Olhei seu mostrador à luz do luar, e então prorrompi em lágrimas conforme o atirava no oceano. *Ele havia parado às sete horas! Havíamos perdido a calma da maré e o redemoinho do Ström estava em plena fúria!*

"Quando um barco é bem construído, tem velame e vergas apropriadamente dispostos e não porta carga excessiva, as ondas, em uma forte ventania, com a embarcação a todo pano, parecem sempre brotar de sob o casco — o que parece muito estranho para um homem de terra —, e a isso damos o nome de *vogar*, na linguagem marítima. Bem, até lá vínhamos vogando as ondas muito lestamente; mas em instantes aconteceu de um gigantesco oceano nos colher bem sob a almeida, e erguer-nos junto em sua ascensão — subindo — subindo — como que rumo ao céu. Eu jamais teria acreditado que um vagalhão pudesse subir tão alto. E depois lá fomos nós para baixo, descrevendo um arco, deslizando e nos precipitando num mergulho que me deixou nauseado e tonto, como se caísse do elevado cume de uma montanha em um sonho. Mas enquanto estávamos no alto, eu lançara um rápido olhar em torno — e esse único relance foi quanto bastou. Vi nossa exata posição num instante. O turbilhão do Moskoe--ström estava a cerca de meio quilômetro — mas tão parecido com o

CONTOS DE IMAGINAÇÃO E MISTÉRIO

Moskoe-ström de sempre quanto o redemoinho que o senhor agora vê se parece com a água de uma azenha. Se não soubesse onde estávamos, e o que deveríamos esperar, não teria reconhecido o lugar de modo algum. Tal como vi, fechei involuntariamente os olhos, de horror. As pálpebras se me cerraram como que num espasmo.

"Não pode ter sido mais do que dois minutos depois disso que subitamente sentimos as ondas se acalmando e fomos envolvidos pela espuma. O barco deu uma abrupta guinada a bombordo e então disparou nessa nova direção como um raio. No mesmo instante, o estrondo ensurdecedor das águas foi completamente sufocado por uma espécie de guincho estridente — para ter uma ideia, imagine o som produzido pelas válvulas de muitos milhares de navios a vapor deixando sair a pressão todas ao mesmo tempo. Estávamos agora no cinturão de espuma que sempre circunda o torvelinho; e pensei, é claro, que dali a um instante seríamos tragados pelo abismo — no fundo do qual podíamos enxergar apenas indistintamente, devido à enorme velocidade com que éramos carregados. O barco não parecia de modo algum afundar na água, mas deslizava como uma bolha de ar sobre a superfície da vaga. O lado de estibordo ficava próximo do torvelinho, e a bombordo assomava o mundo de oceano que deixáramos para trás. Era como uma imensa muralha contorcendo-se entre nós e o horizonte.

"Pode parecer estranho, mas agora, quando estávamos nas próprias garras da voragem, eu sentia maior frieza do que no momento em que apenas nos aproximávamos. Tendo me determinado a não alimentar mais qualquer esperança, livrei-me em grande parte daquele terror que me privava do brio no início. Presumo que era o desespero que me abalava os nervos.

"Pode parecer bravata — mas o que lhe digo é verdade — comecei a refletir sobre a coisa magnífica que era morrer daquela maneira, e que tolice de minha parte pensar numa consideração tão mesquinha como minha própria vida individual em vista de uma manifestação tão maravilhosa do poder de Deus. Creio até que corei de vergonha quando essa ideia cruzou minha mente. Pouco depois fui possuído da curiosidade mais intensa sobre o próprio torvelinho. Senti um positivo *desejo* de explorar suas profundezas, mesmo ao preço do sacrifício que estava prestes a fazer; e meu maior pesar era que jamais poderia contar para meus velhos companheiros em terra fir-

124

me sobre os mistérios que iria presenciar. Esses, sem dúvida, eram devaneios singulares a ocupar a mente de um homem numa situação assim tão extrema — e já pensei muitas vezes desde então que os giros do barco em torno do poço talvez houvessem me deixado um pouco delirante.

"Houve outra circunstância a contribuir para restaurar meu autocontrole; e aqui me refiro à cessação do vento, incapaz de nos alcançar em nossa presente situação — pois, como o senhor viu por si mesmo, o cinturão de espuma é consideravelmente mais baixo do que o manto geral do oceano, que nesse momento se projetava acima de nós, um maciço montanhoso negro e elevado. Se o senhor nunca esteve no mar em uma forte ventania, não pode fazer ideia da confusão mental ocasionada pelos ventos e os borrifos combinados. Eles o cegam, ensurdecem e sufocam, e levam embora todo poder de ação ou reflexão. Mas estávamos agora, em grande parte, livres desses aborrecimentos — muito similar ao modo como a malfeitores condenados à morte na prisão são concedidos pequenos luxos que se lhes vedavam quando sua sentença ainda era incerta.

"Quantas vezes cumprimos o circuito do cinturão é impossível dizer. Giramos e giramos em torno talvez por uma hora, mais voando que flutuando, chegando cada vez mais perto do meio do vagalhão, e então cada vez mais perto de sua horrível borda interior. Em nenhum momento nesse tempo todo soltei do arganéu. Meu irmão estava à popa, agarrado a um enorme barril de água vazio que havia sido fortemente preso sob a gaiola da almeida, e que era a única coisa no convés que não fora varrida para o mar quando a ventania nos tomou de assalto. Quando nos aproximávamos da beirada do precipício ele largou seu apoio e veio para o anel, do qual, na agonia de seu terror, empenhou-se em tirar minhas mãos, já que a peça não era grande o bastante para permitir a ambos prender-se de modo seguro. Nunca senti uma aflição mais profunda do que ao vê-lo intentar esse ato — embora percebesse que era um homem enlouquecido que o fazia — um maníaco, alucinando de puro pavor. Não me dei o trabalho, entretanto, de brigar com ele pela posição. Achei que não faria diferença alguma que nos agarrássemos ao que quer que fosse; de modo que lhe cedi o arganéu e dirigi-me ao barril na popa. Para tal não havia grande dificuldade; pois a sumaca voava em círculos bastante estáveis, e mantendo o casco nivelado — apenas jogando para cá e para lá com os imensos volteios e vacilações do torvelinho. Mal me agarrara eu ao meu novo ponto de apoio, demos uma violenta guinada a estibordo, e nos precipitamos abruptamente rumo ao abismo. Murmurei uma prece rápida a Deus, e julguei que era o fim.

"Ao sentir o nauseante ímpeto da descida, aumentei instintivamente a preensão com que agarrava o tonel, e fechei os olhos. Por alguns segundos não ousei abri-los — enquanto esperava a destruição instantânea, e me admirava de já não estar nos embates da morte com a água. Mas um momento se passou, e depois mais outro. Eu continuava vivo. A sensação de queda se fora; e o movimento do barco parecia-se muito com o de antes, no cinturão de espuma, a não ser que ele agora ia mais paralelo. Tomei coragem e olhei mais uma vez para a cena.

"Jamais esquecerei a sensação de assombro, horror e admiração com que olhei em torno de mim. O barco parecia pairar, como que por mágica, a meio caminho, no interior de um funil vasto em circunferência e prodigioso em profundidade, e cujos lados perfeitamente lisos poderiam ter sido tomados por ébano, a não ser pela rapidez desnorteante com que giravam, e pela radiância cintilante e espectral que emitiam, conforme os raios da lua cheia, provenientes daquela fenda circular em meio às nuvens que já descrevi, vertiam numa torrente de glória dourada ao longo das paredes negras, descendo para os recessos mais esconsos do abismo.

"No início, fiquei confuso demais para observar alguma coisa com exatidão. A explosão geral de extraordinário esplendor foi tudo que contemplei. Quando me recobrei um pouco, entretanto, meu olhar voltou-se instintivamente para baixo. Nessa direção eu podia obter uma visão desobstruída, pela maneira como a sumaca pendia da superfície inclinada do poço. Ela estava perfeitamente nivelada — ou melhor, seu convés jazia em um plano paralelo ao da água — mas esta inclinava-se em um ângulo de mais de quarenta e cinco graus, de modo que parecíamos adernar acentuadamente. Não pude deixar de observar, entretanto, que me era quase tão fácil manter o equilíbrio e o apoio dos pés nessa situação quanto se estivéssemos na horizontal; e isso, suponho, devia-se à velocidade com que girávamos.

"Os raios da lua pareciam buscar o próprio recôndito do abismo profundo; mas ainda assim eu não conseguia divisar nada distintamente, por

conta de uma névoa espessa que a tudo envolvia, e acima da qual pairava um magnífico arco-íris, como aquela ponte estreita e insegura que os muçulmanos afirmam ser a única passagem entre o Tempo e a Eternidade. Essa névoa, ou nuvem de borrifo, era sem dúvida ocasionada pelo choque das grandes paredes do funil, conforme todas elas se encontravam no fundo — mas o alarido que ascendia aos Céus saindo daquela névoa eu não ouso tentar descrever.

"Nosso primeiro deslize para o interior do próprio abismo, após o cinturão de espuma acima, carregara-nos uma grande distância pela vertente; mas nossa ulterior descida não foi de modo algum proporcional. Giramos e giramos impetuosamente — não com qualquer tipo de movimento uniforme — mas com oscilações e solavancos vertiginosos, que nos faziam por vezes avançar apenas algumas centenas de pés — por vezes quase cumprindo o circuito completo do torvelinho. Nosso progresso para baixo, a cada revolução, era lento, mas muito perceptível.

"Olhando em torno de mim para a ampla vastidão de ébano líquido sobre a qual éramos transportados, percebi que nosso barco não era o único objeto nas garras do torvelinho. Tanto acima como abaixo de nós havia fragmentos visíveis de embarcações, enormes quantidades de madeira de construção e troncos de árvores, com inúmeros objetos menores, como peças de mobília doméstica, caixas quebradas, barris e aduelas. Já descrevi a abominável curiosidade que tomara o lugar de meus terrores originais. Ela parecia crescer dentro de mim à medida que eu ficava cada vez mais próximo de minha pavorosa sina. Então comecei a observar, com estranho interesse, as numerosas coisas que flutuavam em nossa companhia. Eu *devia* estar delirante — pois até procurei me *distrair* especulando acerca das relativas velocidades de suas variadas descidas na direção da espuma abaixo. 'Aquele abeto', peguei-me dizendo a certa altura, 'certamente será o próximo a se precipitar no pavoroso mergulho e desaparecer' — e então fiquei decepcionado ao ver que os destroços de um navio mercante holandês ultrapassaram-no e foram antes para o fundo. Com o tempo, depois de inúmeros palpites dessa natureza, e vendo-me iludido em todos eles — esse fato — o fato de meu invariável erro de cálculo — lançou-me numa cadeia de reflexões que fez meus membros voltarem a tremer, e meu coração, a bater pesadamente mais uma vez.

"Não era um novo terror que assim me afetava, mas o início de uma *esperança* mais animadora. Essa esperança brotou em parte da memória, e em parte da observação presente. Veio-me à lembrança a grande variedade de materiais flutuantes que ia encalhar na costa de Lofoden, tendo sido engolidos e depois lançados de volta pelo Moskoe--ström. Sem sombra de dúvida a grande maioria dos objetos chegavam destroçados da forma mais extraordinária — arranhados e maltratados a ponto de parecer cravados de lascas —, mas então me recordei claramente que havia *alguns* deles que não se mostravam nem um pouco deformados. Nesse momento eu só podia explicar essa diferença supondo que os destroços mais maltratados haviam sido os únicos a ser *completamente engolidos* — que os demais entraram no torvelinho em um período muito tardio da maré, ou, por algum motivo, haviam descido tão vagarosamente após entrar que não atingiram o fundo antes de chegar o momento da preamar, ou da vazante, como pode ser o caso. Concebi ser possível, tanto num como no outro, que podiam desse modo ter girado de volta para o nível do oceano, sem conhecer o destino daqueles que haviam sido arrastados mais cedo, ou engolidos mais rapidamente. Fiz, também, três importantes observações. A primeira era que, como regra geral, quanto maiores os corpos, mais rápido desciam; — a segunda que, entre duas massas de igual extensão, uma esférica e a outra *de qualquer outro formato*, a superioridade em velocidade de descida cabia à esfera; — a terceira que, entre duas massas de igual tamanho, uma cilíndrica e a outra de qualquer formato, o cilindro era engolido mais vagarosamente. Desde que me salvei, entretive várias conversas sobre esse assunto com um velho mestre-escola do distrito; e foi por meio dele que aprendi o uso de palavras como 'cilindro' e 'esfera'. Ele me explicou — embora eu tenha esquecido a explicação — como o que eu observava era, na verdade, a consequência natural das formas dos fragmentos flutuantes — e mostrou-me como acontecia de um cilindro, flutuando em um vórtice, oferecer mais resistência contra sua sucção, e ser arrastado para dentro com maior dificuldade do que um corpo igualmente maciço, da forma que seja.*

"Houve uma circunstância inesperada que contribuiu imensamente para reforçar essas observações, e deixar-me ansioso em delas tirar partido, e essa circunstância foi que, a cada revolução, passávamos por algo como um barril, ou então a verga ou o mastro quebrado de um navio, enquanto inúmeras dessas coisas, que haviam estado em nosso nível quando abri os olhos pela primeira vez para os portentos do turbilhão, encontravam-se agora muito acima de nós, e pareciam ter se movido muito pouco de sua posição original.

"Não mais hesitei quanto ao que fazer. Tomei a resolução de me amarrar firmemente ao tonel em que me agarrava, soltá-lo da almeida e lançar-me na água junto com ele. Atraí a atenção de meu irmão por meio de sinais, apontei os barris flutuando que passavam perto de nós e fiz tudo em meu alcance para levá-lo a compreender o que estava prestes a fazer. Julguei enfim que compreendia meu intento — mas, fosse esse o caso ou não, ele abanou a cabeça em desespero e se recusou a deixar seu apoio no arganéu. Era impossível obrigá-lo; a urgência não admitia mais demora; e assim, com amarga relutância, abandonei-o à própria sorte, amarrei meu corpo ao barril utilizando os cabos que o prendiam à almeida e me precipitei no mar, sem hesitar sequer mais um instante.

"O resultado foi precisamente o esperado por mim. Como sou eu próprio que lhe conto esta história — como o senhor pode ver que *de fato* escapei — e como já se encontra de posse do modo pelo qual meu salvamento foi efetuado, devendo logo antecipar tudo que ainda tenho a acrescentar — trarei minha narrativa rapidamente a sua conclusão. Talvez tenha transcorrido uma hora, ou algo assim, após eu ter deixado a sumaca, que o barco, tendo descido a uma vasta distância sob mim, descreveu três ou quatro giros frenéticos em rápida sucessão e, carregando consigo meu estimado irmão, mergulhou a prumo, e por toda a eternidade, no caos de espuma abaixo. O barril ao qual eu me prendia afundou muito pouco além da metade da distância entre o fundo do abismo e o ponto em

---

* Ver Arquimedes, *De Incidentibus in Fluido*, livro 2. (N. do A.)

UMA DESCIDA NO MAELSTRÖM

que eu me lançara ao mar, quando uma grande mudança se operou no aspecto do turbilhão. As vertentes laterais do vasto funil ficaram gradativamente cada vez menos abruptas. Os giros do torvelinho tornaram-se, gradualmente, menos e menos violentos. Pouco a pouco, a espuma e o arco-íris desapareceram, e o fundo do abismo pareceu lentamente subir. O céu estava claro, os ventos haviam arrefecido, e a lua cheia pairava radiante a oeste, quando me vi na superfície do oceano, com plena visão da costa de Lofoden, e acima do ponto onde o poço do Moskoe-ström *estivera*. Era o momento da calma da maré — mas o oceano ainda arfava em vagas montanhosas pelo efeito do furacão. Fui carregado violentamente para o canal do Ström e, em poucos minutos, despejado ao largo do litoral, no 'pesqueiro' dos aldeães. Um bote me recolheu — exausto de fadiga — e (agora que o perigo se fora) emudecido com a lembrança de seus horrores. Os que me puxaram a bordo eram meus velhos amigos e companheiros de todos os dias — mas não me reconheceram mais do que teriam reconhecido um viajante da terra dos espíritos. Meu cabelo, negro como um corvo no dia anterior, ficara branco como o senhor o vê agora. Dizem também que toda a expressão de meu semblante havia mudado. Contei-lhes minha história. Não acreditaram. Agora eu a conto *ao senhor* — e dificilmente posso esperar que dê a ela mais crédito do que o fizeram os alegres pescadores de Lofoden."

O BARRIL DE AMONTILLADO

As mil injustiças de Fortunato, suportei o melhor que pude; mas quando ele se aventurou ao insulto, jurei vingança. Os senhores, que tão bem conhecem a natureza de minha alma, não irão supor, entretanto, que dei vazão a alguma ameaça. *No fim* eu teria minha vingança; quanto a isso, decididamente nenhuma dúvida — mas o próprio caráter decidido da resolução obstava a ideia de risco. Eu devia não apenas punir, mas também punir com impunidade. Um agravo permanece sem ser reparado quando a desforra recai sobre o autor da reparação. Permanece igualmente não reparado quando aquele que se vinga fracassa em se fazer ver como tal ao que cometeu o agravo.

Fique bem entendido que nem por palavras, nem por atos dei a Fortunato motivo para duvidar de minhas boas intenções. Continuei, como de costume, a sorrir em sua presença, e ele não percebeu que meu sorriso *agora* era com o pensamento de sua imolação.

Tinha um ponto fraco — esse Fortunato —, embora em outros aspectos fosse homem a ser respeitado e até temido. Orgulhava-se ele de seu conhecimento de vinhos. Poucos italianos possuem o espírito do verdadeiro virtuose. Na maioria, seu entusiasmo é adotado para se adequar ao tempo e à oportunidade — para praticar a impostura sobre britânicos e austríacos *milionários*. Na arte da pintura e no conhecimento de gemas, Fortunato, como seus conterrâneos, era um charlatão — mas, tratando-se de vinhos antigos, era genuíno. Nesse aspecto, eu mesmo não diferia dele substancialmente: era grande conhecedor dos vintages italianos e adquiria pródigas quantidades sempre que podia.

Foi ao lusco-fusco de uma tarde, durante a suprema loucura da época do carnaval, que encontrei meu amigo. Abordou-me ele com excessivo ardor, pois estivera a beber em demasia. O homem se fantasiava de bufão. Vestia um traje justo listrado e cobria-lhe a cabeça o chapéu cônico com guizos. Fiquei tão feliz ao vê-lo que achei que não conseguiria parar de apertar sua mão.

Disse-lhe — "Meu caro Fortunato, que sorte havê-lo encontrado. Como se acha em tão excelente aspecto hoje! Acontece que acabei de receber uma pipa do que se passa por amontillado, e tenho cá minhas dúvidas".

"Como?", disse ele. "Amontillado? Uma pipa? Impossível! E no meio do carnaval!"

"Tenho cá minhas dúvidas", repliquei; "e fui ingênuo o bastante de pagar o preço total do amontillado sem consultá-lo na questão. Não o pude encontrar, e receei perder uma pechincha."

"Amontillado!"

"Tenho cá minhas dúvidas."

"Amontillado!"

"E preciso satisfazê-las."

"Amontillado!"

"Como vejo que anda ocupado, estou a caminho do Luchesi. Se existe alguém com tino crítico, esse alguém é ele. Decerto saberá me dizer——"

"Luchesi não sabe diferenciar amontillado de xerez."

"E contudo haverá esses tolos afirmando que o talento dele para a degustação é páreo para o seu."

"Vamos, a caminho."

"De onde?"

"De suas caves."

"Meu amigo, não; não quero abusar da sua boa natureza. Percebo que tem algum compromisso. Luchesi——"

"Não tenho compromisso; — vamos."

"Meu amigo, não. Não se trata de compromisso, mas do grave resfriado que percebo afligi-lo. As caves são de uma umidade insuportável. Estão encrostadas de nitro."

"Pois vamos, mesmo assim. Esse resfriado não é de nada. Amontilla-do! Passaram-lhe a perna. E quanto ao Luchesi, não sabe diferenciar xerez de amontillado."

Assim falando, Fortunato segurou em meu braço. Enfiando uma máscara de seda preta, e embrulhando-me cuidadosamente em um rocló, permiti que me conduzisse apressado ao meu *palazzo*.

Não havia criadagem na casa; todos se ausentavam para os fol-guedos em comemoração da época. Eu lhes dissera que não regressaria senão pela manhã, e lhes dera ordens explícitas de que não arredassem pé do lugar. Essas ordens era quanto bastava, eu bem o sabia, para as-segurar seu imediato desaparecimento, até o último deles, assim que virasse as costas.

Tirei de suas arandelas dois archotes e, passando um a Fortunato, guiei-o curvadamente por diversos conjuntos de cômodos até a arcada que conduzia às caves. Desci por uma longa escada em caracol, instando-o a tomar cuidado ao me seguir. Chegamos então ao fim da descida e paramos lado a lado no ambiente úmido das catacumbas dos Montresor.

O andar de meu amigo era vacilante e os guizos em seu chapéu tilin-tavam conforme se movia.

"A pipa", disse ele.

"Mais adiante", disse eu; "mas observe o branco padrão de teia que cintila nas paredes desta gruta."

Ele virou para mim, e olhou dentro dos meus olhos com duas órbitas embaciadas que destilavam a reuma da embriaguez.

"Nitro?", perguntou, enfim.

"Nitro", respondi. "Há quanto tempo está com esta tosse?"

"Cof! cof! cof! — cof! cof! cof! — cof! cof! cof! — cof! cof! cof! — cof! cof! cof!"

Meu pobre amigo ficou impossibilitado de responder por vários mi-nutos.

"Não é nada", disse, finalmente.

"Vamos", disse eu, com determinação, "vamos voltar; sua saúde é preciosa. É rico, respeitado, admirado, querido; é feliz como eu já o fui outrora. É um homem cuja perda se fará sentir. Por mim, não faz diferença. Vamos voltar; vai ficar doente, e não quero ser o responsável. Além do mais, tem o Luchesi——"

"Chega", disse ele; "esta tosse não é de nada; não vai me matar. De tosse é que não vou morrer."

"Verdade — verdade", repliquei; "e de fato, não tenho intenção de alarmá-lo sem necessidade — mas deve usar de toda a devida precaução. Um trago deste Médoc nos protegerá da umidade."

Nisso destampei o gargalo de uma garrafa que puxei de uma longa fileira de outras iguais a ela que jaziam no solo do sepulcro.

"Beba", falei, oferecendo-lhe o vinho.

Ele a levou aos lábios com um lúbrico olhar de soslaio. Parou e balançou a cabeça para mim com familiaridade, os guizos tilintando.

"Bebo", disse, "aos sepultados que repousam em torno de nós."

"E eu a sua longa vida."

Voltou a segurar meu braço, e prosseguimos.

"Estas suas caves", disse, "são extensas."

"Os Montresor", repliquei, "eram uma família grande e numerosa."

"Esqueci quais são suas armas."

"Um enorme pé dourado, em um fundo blau; o pé esmaga uma serpente rampante cujas presas estão cravadas no calcanhar."

"E a divisa?"

Nemo me impune lacessit.[13]

"Magnífico!", disse ele.

O vinho rebrilhou em seus olhos e os guizos tilintaram. Minha própria imaginação se aqueceu com o Médoc. Havíamos passado por paredes de ossos empilhados, com barris e tonéis entremeados, dentro dos recessos mais recônditos das catacumbas. Parei outra vez, e dessa feita tomei a liberdade de segurar Fortunato pelo braço, acima do cotovelo.

"O nitro!", disse eu; "veja, ele aumenta. Pega como musgo pelas caves. Estamos sob o leito do rio. As gotas de umidade pingam entre os ossos. Venha, voltemos antes que seja tarde demais. Sua tosse..."

"Não é nada", disse; "vamos prosseguir. Mas primeiro, outro trago do Médoc."

O BARRIL DE AMONTILLADO

Abri e lhe estendi uma pequena garrafa de um vinho de Graves. Ele a esvaziou duma só talagada. Seus olhos luziram com um brilho intenso. Riu e ergueu a garrafa no ar com um gesto que não compreendi.

Fitei-o com expressão surpresa. Ele repetiu o movimento — um gesto grotesco.

"Não compreende?", disse.

"Não", respondi.

"Então não pertence à fraternidade."

"Como?"

"Não é membro dos maçons."

"Sou, sou", eu disse, "sou, sou."

"Você? Impossível! Um maçom?"

"Um maçom", retruquei.

"Um sinal", disse ele.

"Eis aqui", respondi, retirando uma colher de pedreiro das dobras de meu rocló.

"Está de pilhéria", exclamou ele, recuando alguns passos. "Mas prossigamos, ao amontillado."

"Que seja", eu disse, voltando a guardar a ferramenta sob o capote, e novamente lhe oferecendo meu braço. Ele aí se apoiou pesadamente. Continuamos nosso caminho em busca do amontillado. Passamos por uma série de arcos baixos, descemos, seguimos em frente e, voltando a descer, chegamos a uma cripta profunda, onde a corrupção do ar levou nossos archotes antes a brilhar do que arder.

No extremo mais remoto da cripta revelava-se uma outra, menos espaçosa. Suas paredes haviam sido forradas com restos humanos, empilhados até a abóbada acima, à maneira das grandes catacumbas de Paris. Três lados dessa cripta interior continuavam ornamentados desse modo. No quarto, os ossos haviam sido removidos e jogados negligentemente pela terra, formando em um ponto um monte de tamanho razoável. Dentro da parede assim exposta pela retirada dos ossos percebemos um recesso ainda mais interno, com cerca de um metro e pouco de profundidade, menos de um de largura, e praticamente dois de altura. Parecia construído sem nenhum propósito específico, mas formado meramente pelo intervalo entre

137

dois dos colossais apoios do teto das catacumbas, e fechado no fundo por uma das paredes que as delimitavam, de granito sólido.

Foi em vão que Fortunato, erguendo sua tocha mortiça, empenhou-se em perscrutar as profundezas do recesso. Seu término a débil luz não nos capacitava a enxergar.

"Prossiga", disse eu; "aí dentro está o amontillado. Quanto a Luchesi——"

"É um ignorante dos ignorantes", interrompeu meu amigo, dando um passo hesitante à frente, conforme eu o seguia imediatamente nos calcanhares. Num instante ele havia atingido a extremidade do nicho e, vendo seu avanço interrompido pela pedra, parou numa perplexidade estúpida. No momento seguinte eu o agrilhoara ao granito. Na superfície rochosa havia dois grampos de ferro, cerca de meio metro distantes um do outro, horizontalmente. De um deles pendia uma curta corrente, do outro, um cadeado. Passar a corrente em torno de sua cintura foi obra que não me tomou mais que alguns segundos. Ele estava atônito demais para resistir. Retirando a chave, recuei do recesso.

"Passe a mão", disse eu, "pela parede; não deixará de sentir o nitro. De fato é *muito* úmido. Mais uma vez, permita que lhe *implore* para voltar. Não? Então devo decididamente deixar sua presença. Mas, primeiro, quero lhe conceder todas as pequenas atenções ao meu alcance."

"O amontillado!", exclamou meu amigo, ainda não recobrado de sua confusão.

"É verdade", repliquei; "o amontillado."

Conforme dizia essas palavras, eu me ocupava de mexer entre a pilha de ossos que mencionei anteriormente. Jogando-os de lado, logo expus uma quantidade de pedras de cantaria e argamassa. Com esses materiais, e com o auxílio de minha colher, comecei vigorosamente a emparedar a entrada do nicho.

Mal completara a primeira fiada da alvenaria, percebi que a embriaguez de Fortunato havia em grande medida se dissipado. O primeiro indício que disso recebi foi um gemido surdo e choroso vindo do fundo do recesso. O gemido de um homem bêbado é que *não* era. Houve então um silêncio longo e persistente. Assentei a segunda fiada,

138

e depois a terceira, e a quarta; e então escutei as furiosas vibrações da corrente. O ruído durou por vários minutos, durante os quais, a fim de escutar com mais satisfação, interrompi minha obra e sentei-me sobre os ossos. Quando enfim o chocalhar arrefeceu, voltei à colher, e terminei sem interrupção a quinta, a sexta e a sétima fiadas. A parede estava agora quase na altura de meu peito. Mais uma vez fiz uma pausa e, segurando o archote acima da alvenaria, lancei alguns débeis raios sobre a figura ali dentro.

Uma sucessão de gritos altos e agudos, explodindo subitamente da garganta da forma acorrentada, como que atirou-me violentamente para trás. Por um breve momento hesitei — estremeci. Desembainhando minha rapieira, comecei a tatear com ela em torno do recesso: mas bastou-me um instante de reflexão para me tranquilizar. Pousei a mão na estrutura sólida das catacumbas e dei-me por satisfeito. Aproximei-me novamente da parede. Respondi aos clamores daquele que gritava. Fiz-lhe eco — fiz-lhe coro — suplantei-o em volume e em força. Desse modo procedi, e gradualmente o suplicante se aquietou.

Era agora meia-noite, e minha tarefa se aproximava do fim. Eu completara a oitava, a nona, a décima fiada. Finalizara parte da última e da décima primeira; restava uma única pedra a ser encaixada e assentada. Sofri com seu peso; coloquei-a parcialmente na posição destinada. Mas então brotou do nicho uma risada baixa que me deixou de cabelos em pé. A ela seguiu-se uma voz triste, que tive dificuldade em reconhecer como sendo a do nobre Fortunato. A voz disse —

"Rá! rá! rá! — rê! rê! — uma piada muito boa de fato — uma excelente pilhéria. Vamos rir à larga sobre isso lá no *palazzo* — rê! rê! rê! — tomando nosso vinho — rê! rê! rê!"

"O amontillado!", eu disse.

"Rê! rê! rê! — rê! rê! rê! — isso, o amontillado. Mas não está ficando tarde? Não me estarão esperando no *palazzo*, Lady Fortunato e os demais? Vamos andando."

"Isso", disse eu, "vamos andando."

"*Pelo amor de Deus, Montresor!*"

"Isso", disse eu, "pelo amor de Deus!"

Mas a essas palavras atentei em vão por uma resposta. Tomei-me de impaciência. Chamei alto —

"Fortunato!"

Sem resposta. Chamei outra vez —

"Fortunato!"

Ainda sem resposta. Enfiei um archote pela abertura remanescente e deixei que ali caísse. De dentro veio apenas o tilintar de guizos. Meu coração foi tomado de aflição — por conta da umidade das catacumbas. Apressei-me em encerrar minha obra. Empurrei com esforço a última pedra no lugar; completei a massa. Contra a nova alvenaria voltei a empilhar o antigo anteparo de ossos. Por meio século nenhum mortal ainda os perturbou. *In pace requiescat!*

A MÁSCARA
DA MORTE VERMELHA

A "Morte Vermelha" devastava havia muito tempo o país. Nenhuma pestilência jamais fora tão fatal, ou tão hedionda. O sangue era seu Avatar e seu sinete — a vermelhidão e o horror do sangue. Havia dores agudas, e tonturas súbitas, e depois profuso sangramento pelos poros, com o óbito final. As manchas escarlates no corpo e especialmente no rosto da vítima eram o banimento pestilente que alijava a pessoa da ajuda e solidariedade de seus semelhantes. E o processo todo de acometimento, progresso e término da doença consistia de meia hora.

Mas o príncipe Prospero era feliz, destemido, sagaz. Quando seus domínios ficaram consideravelmente despovoados, ele convocou ante sua presença mil amigos sãos e despreocupados dentre os cavaleiros e damas de sua corte, e com eles se retirou para a profunda reclusão de uma de suas abadias fortificadas. Tratava-se de uma estrutura extensa e magnífica, criação do próprio gosto excêntrico, mas augusto, do príncipe. Uma muralha forte e elevada a circundava. Essa muralha tinha portões de ferro. Os cortesãos, tendo entrado, trouxeram forjas e maciços martelos e soldaram as trancas. Decidiram não deixar meio algum de ingresso para os repentinos impulsos de desespero, e tampouco de saída para o frenesi dos de dentro. A abadia estava amplamente aprovisionada. Com tais precauções, os cortesãos podiam assim desafiar o contágio. O mundo exterior que tomasse conta de si mesmo. Nesse meio-tempo, era tolice angustiar-se, ou pensar. O príncipe providenciara todos os aparatos para diversão. Havia bufões,

CONTOS DE IMAGINAÇÃO E MISTÉRIO

havia improvisadores, havia dançarinos, havia músicos, havia a Beleza, havia vinho. Tudo isso, mais a segurança, do lado de dentro. Lá fora, a "Morte Vermelha".

Foi próximo ao final do quinto ou sexto mês de sua reclusão, e enquanto a pestilência assolava com o auge da fúria do outro lado, que o príncipe Prospero ofereceu a seus mil amigos um baile de máscaras da magnificência mais extraordinária.

Foi uma cena voluptuosa, essa mascarada. Mas, primeiro, que me seja permitido contar sobre os salões onde ela teve lugar. Havia sete deles — um conjunto majestoso. Em muitos palácios, entretanto, tais conjuntos compõem uma perspectiva longa e desobstruída, quando as portas dobráveis deslizam até quase as paredes de ambos os lados, de modo que a visão da extensão completa mal é impedida. Aqui o caso era bem diferente; como seria de esperar devido ao apreço do duque[14] pelo *bizarro*. Os apartamentos eram tão irregularmente dispostos que a visão não abarcava mais do que um de cada vez. Havia uma curva abrupta a cada vinte ou trinta metros e, a cada curva, uma sensação de novidade. À direita e à esquerda, no meio de cada parede, uma janela gótica alta e estreita dava para um corredor fechado que percorria os meandros do conjunto. Essas janelas possuíam vitrais cuja cor variava de acordo com a tonalidade predominante na decoração do ambiente para o qual abria. O da extremidade leste era composto, por exemplo, de azul — e suas janelas eram de um vívido azul. O segundo salão era púrpura em seus ornamentos e reposteiros, e aqui as vidraças eram púrpuras. O terceiro era inteiramente verde, e igualmente o eram os vidros em seus caixilhos. O quarto era mobiliado e iluminado em laranja — o quinto, em branco — o sexto, em violeta. O sétimo apartamento era densamente amortalhado em reposteiros de veludo negro pendendo por todos os lados do teto e das paredes, caindo em pesados drapejamentos sobre um tapete de mesmo material e matiz. Mas apenas nesse recinto a cor das janelas deixava de corresponder à da decoração. As vidraças eram escarlates — uma profunda cor de sangue. Ora, em nenhum dos sete aposentos havia lamparina ou candelabro em meio à profusão de ornamentos dourados que jaziam espalhados por todo o recinto ou pendurados no teto. Não havia luz de espécie alguma ema-

144

nando de lamparina ou de vela dentro do conjunto de salões. Mas nos corredores que atravessavam o conjunto ficava, diante de cada janela, um pesado tripé portando um braseiro incandescente que projetava seus raios através do vidro colorido e, desse modo, iluminava intensamente o ambiente. E assim se produzia uma variedade de fenômenos extravagantes e fantásticos. Mas no aposento oeste, ou salão negro, o efeito da luz do fogo que vertia sobre os reposteiros escuros através das vidraças tintas de sangue era macabro ao extremo e produzia uma expressão tão selvagem nos semblantes dos que ali entravam que poucos dentre os convidados eram suficientemente ousados para até mesmo pisar ali dentro.

Havia nesse aposento, ainda, encostado na parede oeste, um gigantesco relógio de ébano. Seu pêndulo oscilava de um lado para o outro com um ruído surdo, pesado, monótono; e quando o ponteiro dos minutos completava seu percurso diante do mostrador, e soava a hora, dos brônzeos pulmões do relógio brotava um som distinto, alto, profundo, extraordinariamente musical, mas vibrando com nota e ênfase tão peculiares que, ao lapso de cada hora, os músicos da orquestra eram obrigados a fazer uma pausa momentânea em sua apresentação, para escutar o som; e desse modo os valsistas forçosamente interrompiam suas evoluções; e um breve desconcerto tomava conta de toda a alegre comitiva; e, enquanto o carrilhão do relógio ainda soava, observava-se que os mais agitados iam ficando pálidos, e os mais idosos e entorpecidos passavam a mão na testa como que em confuso devaneio ou meditação. Mas quando os ecos cessavam por completo, risadas despreocupadas percorriam na mesma hora a multidão; os músicos se entreolhavam e sorriam como que de seu próprio nervosismo e tolice, e prometiam uns aos outros, sussurrando, que os próximos repiques do relógio não produziriam neles semelhante emoção; e então, transcorrido o intervalo de sessenta minutos (que compreende três mil e seiscentos segundos do Tempo que voa), seguia-se outro repique do relógio, e então o mesmo desconcerto, tremores e meditação de antes.

Mas, a despeito dessas coisas, era uma festa alegre e magnífica. Os gostos do duque eram peculiares. Ele era dono de um olho aguçado para cores e efeitos. Desprezava os *decora* da mera moda. Seus projetos eram ousados e apaixonados e suas concepções brilhavam com um esplendor bárbaro. Há esses que o teriam julgado louco. Seus admiradores não pensavam assim. Era necessário ouvi-lo, vê-lo, tocá-lo para ter *certeza* de que não o era.

Fora ele que escolhera, em sua maioria, os adornos dispostos nos sete salões, por ocasião dessa sua grande *fête*; e fora a orientação de seu próprio gosto que determinara a caracterização dos mascarados. Sem dúvida eram grotescos. Havia muito brilho, esplendor, coisas chamativas e espectrais — muito do que se tem visto desde o *Hernani*. Havia figuras arabescas vestindo peças incongruentes. Havia extravagâncias delirantes como as concebem os loucos. Havia beleza em excesso, luxúria em excesso, *bizarro* em excesso, um quê de terrível, e não pouco do que poderia ter suscitado aversão. Esgueirando-se aqui e ali pelos sete salões o que se via de fato era uma multidão de sonhos. E estes — os sonhos — se contorciam por toda parte, assumindo o matiz dos aposentos, e fazendo a frenética música da orquestra parecer um eco de seus passos. E logo badala o relógio de ébano no salão de veludo. E então, por um momento, tudo é quietude, e tudo é silêncio, salvo a voz do relógio. Os sonhos estacam em rígida imobilidade. Mas os ecos do carrilhão se desvanecem — não duraram mais que um instante —, e uma risada despreocupada, meio contida, flutua atrás deles conforme se vão. E agora mais uma vez a música se eleva, e os sonhos revivem, e se contorcem de um lado a outro com mais alegria que nunca, assumindo o matiz dos inúmeros vitrais através dos quais vertem os raios dos tripés. Mas no salão que fica mais a oeste dos sete nenhum dentre os mascarados se aventura: pois a noite se extingue lentamente; e lá flui a luz mais rubra através das vidraças tintas de sangue; e o negror dos cortinados cor de sable horroriza; e àquele cujo pé pousa no tapete cor de sable chega do relógio de ébano próximo um dobre abafado mais solenemente enfático do que qualquer um que alcança os ouvidos *deles* que se comprazem na alegria dos demais aposentos.

Mas esses outros aposentos estavam densamente abarrotados, e neles bate febrilmente o coração da vida. E a festa prosseguiu rodopiando, até que enfim começou a soar a meia-noite no relógio. E então a música cessou, como que a um comando; e as evoluções dos valsistas se aquietaram; e seguiu-se uma inquietante cessação de todas as coisas, como antes.

Mas agora havia doze badaladas a soar no sino do relógio; e desse modo aconteceu, talvez, que mais pensamentos se insinuaram, com mais tempo, nas meditações dos pensativos dentre aqueles que festejavam. E assim, também, aconteceu talvez de, antes que os últimos ecos do último toque houvessem mergulhado completamente no silêncio, haver inúmeros indivíduos na multidão que lentamente se deram conta da presença de uma figura mascarada que não chamara a atenção de um único indivíduo antes. E tendo o rumor dessa nova presença se disseminado aos sussurros pelos salões, enfim surgiu em toda a comitiva um burburinho, ou murmúrio, expressando desaprovação e surpresa — e depois, finalmente, terror, horror e aversão.

Em uma reunião de fantasmagorias tal como essa que pintei, deve-se muito bem supor que para estimular tal comoção a aparição nada tinha de ordinária. Na verdade a licença para fantasias da noite era quase ilimitada; mas a figura em questão superava em herodianismo o próprio Herodes e fora além dos limites até do indefinido decoro do príncipe. Há cordas nos corações dos mais negligentes que não podem ser tocadas sem despertar emoção. Mesmo para os irremediavelmente perdidos, para quem vida e morte são igualmente pilhérias, há assuntos sobre os quais nenhuma pilhéria pode ser feita. A comitiva toda, de fato, parecia agora sentir profundamente que no traje e na conduta do estranho não existiam nem humor, nem civilidade. A figura era alta e descarnada, e amortalhada da cabeça aos pés nas roupagens do túmulo. A máscara que ocultava as feições era feita de modo tão próximo a se assemelhar ao semblante de um cadáver enrijecido que um escrutínio mais detido teria tido dificuldade em detectar o embuste. E contudo tudo isso podia ter sido suportado, quando não aprovado, pelos burlescos foliões em torno. Mas o fantasiado chegara ao extremo de assumir a caracterização da Morte Vermelha. Sua vestimenta estava salpicada de *sangue* — e sua ampla fronte, com todas as feições do rosto, aspergida com o horror escarlate.

Quando os olhos do príncipe Prospero pousaram na espectral imagem (que com movimentos vagarosos e solenes, como que a sustentar plenamente seu papel, esgueirava-se aqui e ali entre os valsistas), viram todos que era tomado de violenta agitação, em um primeiro momento com um forte estremecimento, de terror ou aversão; mas, em seguida, sua fisionomia enrubesceu-se de fúria.

"Quem ousa?", exigiu asperamente saber dos cortesãos próximos que o cercavam, "quem ousa nos insultar assim com essa zombaria blasfema? Agarrai-o e desmascarai-o — de modo que saibamos quem haveremos de enforcar nas ameias ao amanhecer!"

Era no salão leste, ou azul, que se achava o príncipe Prospero quando pronunciou essas palavras. Elas reverberaram por todos os sete aposentos em alto e bom som — pois o príncipe era um homem bravo e robusto, e a música silenciara a um aceno de sua mão.

Era no salão azul que estava o príncipe, com um grupo de pálidos cortesãos ao seu lado. No início, quando falou, houve um ligeiro movimento farfalhante desse grupo na direção do intruso, que no momento se encontrava quase ao alcance da mão, e agora, com passos determinados e majestosos, empreendia maior aproximação daquele que falara. Mas, em virtude de um certo assombro inominável que a louca encarnação do fantasiado inspirara ao grupo todo, não houve quem se atrevesse a erguer um dedo para agarrá-lo; de modo que, desimpedido, ele passou a um metro da pessoa do príncipe; e, conforme a vasta plateia, como que a um único impulso, encolhia-se do centro dos salões para as paredes, ele abria caminho sem se deter, mas com a mesma passada solene e calculada com que se distinguira desde o início, do salão azul ao púrpura — através do púrpura para o verde — através do verde para o laranja — através desse de novo para o branco — e mesmo daí para o violeta, antes que qualquer gesto houvesse sido feito para prendê-lo. Foi então, entretanto, que o príncipe Prospero, enlouquecendo de fúria e da vergonha de sua própria covardia momentânea, disparou apressadamente pelos seis aposentos, embora ninguém o seguisse, por conta de um terror mortal que deles todos se apoderara. Brandia no alto uma adaga desembainhada, e se acercara, em rápida impetuosidade, a dois ou três passos da figura que se retirava, quando esta, tendo atingido a extremidade do salão de veludo, virou-se subitamente e confrontou seu perseguidor. Houve um grito agudo — e a adaga tombou cintilando sobre o tapete cor de sable, no qual, instantaneamente depois disso, caiu prostrado em morte o príncipe Prospero. Então, reunindo a

coragem selvagem do desespero, um bando de convivas arremeteu num tropel dentro do salão negro, e, agarrando o fantasiado, cuja figura alta permanecia ereta e imóvel à sombra do relógio de ébano, estacou ofegante de indizível horror ao descobrir que o sudário tumular e a máscara cadavérica de que se haviam apossado com tamanha brutalidade e violência não eram ocupados por nenhuma forma tangível.

E agora era reconhecida a presença da Morte Vermelha. Ela entrara como um ladrão na calada da noite. E, um a um, tombaram os festivos convivas nos salões orvalhados de sangue de sua festa, e morreram um a um na posição de desespero em que tombaram. E a vida do relógio de ébano se extinguiu junto com a do último folião. E as chamas dos tripés expiraram. E as Trevas e a Dissolução e a Morte Vermelha estenderam seus ilimitados domínios sobre eles todos.

O ENTERRO PREMATURO

Há determinados temas cujo interesse é sumamente absorvente, mas que são por demais horríveis para propósitos de ficção legítima. Deles o mero romancista deve esquivar-se, se não deseja ofender, ou causar aversão. São tratados apropriadamente apenas quando a severidade e a grandiosidade da Verdade os santificam e sustentam. Vibramos, por exemplo, com a mais intensa "dor de prazer" nos relatos da Travessia do Bérézina, do Terremoto de Lisboa, da Peste em Londres, do Massacre de São Bartolomeu ou da asfixia dos cento e vinte e três prisioneiros no Buraco Negro de Calcutá. Mas, nesses relatos, é o fato — é a realidade — é a história que empolga. Se inventados, iríamos encará-los com simples repúdio.

Mencionei algumas das calamidades mais notórias e eminentes de que se tem notícia; mas, nelas, é a magnitude, não menos do que o caráter da calamidade, que tão vividamente impressiona a imaginação. Não preciso lembrar o leitor que, dentre o longo e esquisito catálogo de misérias humanas, eu poderia ter selecionado inúmeros exemplos individuais mais repletos de sofrimento essencial do que qualquer uma dessas vastas generalidades de desastre. A verdadeira desgraça, de fato — a suprema calamidade —, é particular, não difusa. Que os extremos macabros da agonia sejam suportados pelo homem enquanto unidade, e nunca pelo homem enquanto massa — por conta disso graças sejam dadas ao Deus misericordioso!

Ser enterrado vivo é, sem discussão, o mais medonho desses extremos que jamais se abateram sobre a casta de mera mortalidade. Que isso tenha ocorrido com frequência, com muita frequência, dificilmente poderá ser negado por aqueles que pensam. As fronteiras que dividem a Vida e a Morte são, na melhor das hipóteses, obscuras e vagas. Quem poderá dizer onde uma termina e onde a outra começa? Sabemos da existência de enfermidades em que ocorre a total cessação de todas as funções aparentes de vitalidade, e nas quais contudo essas cessações são meramente suspensões, propriamente falando. São apenas pausas temporárias no mecanismo incompreensível. Um certo período transcorre, e algum misterioso princípio mais uma vez põe em movimento os mágicos escapos e as enfeitiçadas engrenagens. O fio de prata ainda não se soltou para sempre, tampouco o cálice de ouro se quebrou irremediavelmente. Mas onde, nesse meio-tempo, ficou a alma?

À parte, entretanto, a conclusão inevitável, *a priori*, de que tais causas devem produzir tais efeitos — de que a bem conhecida ocorrência de tais casos de animação suspensa deve naturalmente ensejar, de vez em quando, sepultamentos prematuros — à parte essa consideração, contamos com o testemunho direto da experiência médica e comum para provar que um vasto número de tais sepultamentos efetivamente aconteceu. Posso fazer referência imediata, se necessário, a uma centena de exemplos devidamente certificados. Um de caráter deveras notável, e cujas circunstâncias devem estar bem frescas na memória de alguns de meus leitores, teve lugar, há não muito tempo, na cidade vizinha de Baltimore, onde ocasionou uma comoção dolorosa, intensa e amplamente disseminada. A esposa de um de seus mais respeitados cidadãos — advogado eminente e membro do Congresso — foi acometida de uma enfermidade súbita e desconhecida que iludiu completamente a perícia de seus médicos. Depois de muito sofrer ela morreu, ou supostamente morreu. Ninguém suspeitava, na verdade, ou tinha razão para suspeitar, que não estava morta de fato. Ela apresentava todas as características ordinárias da morte. O rosto assumira os usuais contornos aflitos e encovados. Os lábios ficaram com a usual palidez do mármore. Os olhos embaciaram. Não havia calor. A pulsação cessara. Por três dias, o corpo foi conservado insepulto, ao longo dos quais ele adquiriu uma rigidez pétrea. O funeral, em resumo, foi apressado, por conta do rápido avanço do que se supunha ser a decomposição.

O ENTERRO PREMATURO

A senhora foi depositada em sua cripta familiar, que, pelos três anos subsequentes, permaneceu imperturbada. Ao expirar esse prazo, abriram-na para que recebesse um sarcófago; — porém, *hélas*! que choque assustador aguardava o marido, que, em pessoa, abriu a galeria. Conforme as portas eram puxadas para trás, um objeto em brancas roupagens desabou ruidosamente em seus braços. Era o esqueleto de sua esposa em sua mortalha ainda não deteriorada.

Uma cuidadosa investigação evidenciou que havia revivido dois dias após o sepultamento — que sua luta dentro do ataúde o levara a tombar de uma saliência, ou prateleira, para o chão, onde se quebrou de modo a permitir que a mulher escapasse. Uma lamparina que fora acidentalmente deixada, cheia de óleo, dentro da tumba, foi encontrada vazia; talvez houvesse se exaurido, entretanto, por evaporação. No degrau superior da escada que descia à pavorosa câmara jazia um pedaço do ataúde, com o qual aparentemente ela tentara chamar a atenção, golpeando a porta de ferro. Nesse processo, provavelmente desfalecera, ou possivelmente morrera, de puro terror; e, ao cair, sua mortalha se enganchara em algum ornamento de ferro que se projetava internamente. Desse modo permaneceu, e desse modo apodreceu, ereta.

No ano de 1810, um caso de inumação em vida ocorreu na França, cercado de circunstâncias que certificam em larga medida a afirmação de que a verdade é, de fato, mais estranha que a ficção. A heroína dessa história foi uma certa Mademoiselle Victorine Lafourcade, jovem de ilustre família, dotada de riqueza e de grande beleza pessoal. Entre seus inúmeros pretendentes estava Julien Bossuet, um pobre *littérateur*, ou jornalista, de Paris. Seus talentos e amabilidade geral haviam-no levado ao conhecimento da herdeira, por quem parecia ser genuinamente amado; mas o orgulho de seu berço a fez se decidir, no fim, a rejeitá-lo, e casar-se com um certo Monsieur Rénelle, banqueiro, e diplomata de alguma eminência. Após o casamento, entretanto, esse cavalheiro a negligenciou e, talvez até mesmo mais seguramente, a maltratou. Tendo vivido com ele alguns anos miseráveis, ela morreu — pelo menos, de tal modo sua condição se assemelhava à morte que ludibriou todos que a viram. Foi enterrada — não em uma cripta — mas em um túmulo comum, na vila de seu nascimento. Cheio de desespero,

153

e ainda inflamado pela memória de uma profunda ligação, o amado empreende a jornada da capital até a remota província onde fica a vila, com o propósito romântico de desenterrar o cadáver e se apossar de suas fartas madeixas. Ele chega ao túmulo. À meia-noite, desenterra o caixão, abre a tampa e, no preciso momento em que corta os cabelos, fica paralisado pelo abrir dos adorados olhos. Na verdade, a mulher fora enterrada viva. A vitalidade não a deixara por completo; e ela foi despertada, por meio das carícias de seu amado, da letargia que fora tomada por morte. Ele a carregou febrilmente para seus próprios aposentos na vila. Empregou certos poderosos fortificantes sugeridos por seus nada desprezíveis conhecimentos médicos. Finalmente, ela reviveu. Reconheceu seu salvador. Permaneceu com ele até que, passo a passo, recuperasse a saúde original. Seu coração de mulher não era feito de pedra e essa última demonstração de amor bastou para suavizá-lo. Ela o entregou a Bossuet. Não voltou mais para o marido, mas ocultou dele sua ressurreição, fugiu com seu amado para a América. Vinte anos depois, ambos regressaram à França, persuadidos de que o tempo operara uma mudança tão grande na aparência da mulher que seus amigos seriam incapazes de reconhecê-la. Entretanto, equivocaram-se; pois, na primeira vez em que a viu, Monsieur Rénelle de fato a reconheceu e reclamou a esposa de volta. Ela resistiu a isso; e um tribunal respaldou-a em sua oposição; decidindo que as peculiares circunstâncias, com o prolongado lapso de anos, extinguiram não apenas por uma questão de justiça, como também legalmente, a autoridade do marido.

O *Jornal Cirúrgico* de Leipzig — periódico de grande autoridade e mérito, que algum livreiro americano deveria por bem traduzir e publicar — registra, em número recente, um evento deveras perturbador do singular comportamento em questão.

Um oficial de artilharia, homem de estatura gigantesca e saúde robusta, sendo derrubado de um cavalo indomável, sofreu grave concussão na cabeça, que, na mesma hora, deixou-o insensível; o crânio foi levemente fraturado; mas nenhum dano imediato se receou. A trepanação foi executada com sucesso. Procederam à sangria, e inúmeros outros meios usuais de alívio foram adotados. Gradualmente, entretanto, ele caiu cada vez mais num estado irreversível de estupor; até que finalmente foi dado como morto.

154

Fazia calor; e ele foi enterrado com pressa indecente, num dos cemitérios públicos. Seu funeral teve lugar na quinta-feira. No domingo seguinte, o cemitério, como de costume, estava abarrotado de visitantes; e, por volta do meio-dia, uma intensa comoção foi criada pela afirmação de um camponês de que, ao sentar no túmulo do oficial, sentira nitidamente uma movimentação na terra, como que provocada por algo se debatendo sob ela. De início, pouca atenção se prestou ao testemunho do sujeito; mas seu evidente terror, e a teimosa obstinação com que insistiu na história, tiveram, finalmente, seu efeito natural sobre a multidão. Acorreram todos a procurar pás, e a cova, que era vergonhosamente rasa, foi, em poucos minutos, aberta de tal modo que a cabeça de seu ocupante surgiu. Estava, aparentemente, morto; mas jazia quase ereto dentro de seu caixão, cuja tampa, em sua furiosa luta, ele erguera parcialmente.

Foi transportado de imediato para o hospital mais próximo e ali diagnosticaram-no como ainda vivo, embora em condição de asfixia. Depois de algumas horas reviveu, reconheceu indivíduos de seu conhecimento e, com frases entrecortadas, contou de suas agonias no túmulo.

Pelo que relatou, ficou claro que devia ter permanecido consciente de estar vivo por mais de uma hora, enquanto inumado, antes de mergulhar na insensibilidade. O túmulo foi descuidada e frouxamente enchido com um solo excessivamente poroso; e assim algum ar foi necessariamente admitido. Ele escutou os passos da multidão acima e empenhou-se por sua vez em se fazer ouvir. Foi o tumulto no interior do campo-santo, disse, que aparentemente o despertou de seu sono profundo — mas nem bem acordou tomou plena consciência dos pavorosos horrores de sua condição.

Esse paciente, informa o relato, passava bem, e pareceu bem encaminhado para a plena recuperação, mas caiu vítima das charlatanices da experimentação médica. A pilha galvânica lhe foi aplicada; e ele de repente expirou num desses paroxismos extáticos que, ocasionalmente, essa bateria induz.

A menção à pilha galvânica, todavia, me traz à memória um caso bem conhecido e dos mais extraordinários em que o procedimento se revelou eficaz em devolver à animação um jovem advogado de Londres que ficara enterrado por dois dias. Isso ocorreu em 1831, e criou, na época, uma sensação das mais profundas onde quer que o assunto fosse feito objeto de conversa.

O paciente, o sr. Edward Stapleton, morrera, aparentemente, de febre tifoide, acompanhada de determinados sintomas anômalos que haviam excitado a curiosidade dos médicos que o atenderam. Por ocasião de seu aparente falecimento, solicitou-se a seus amigos que autorizassem um exame *post mortem*, mas eles se negaram a fazê-lo. Como tão frequentemente acontece quando essas recusas são apresentadas, os doutores resolveram exumar o corpo e dissecá-lo com vagar, em segredo. Os arranjos foram facilmente providenciados com um dos inúmeros bandos de ladrões de cadáveres que abundam em Londres; e, na terceira noite após o funeral, o suposto morto foi desenterrado de um túmulo com oito pés de profundidade, e depositado na sala de operações de um dos hospitais particulares.

Uma incisão de determinada extensão fora efetivamente feita no abdômen quando o aspecto fresco e incorrupto do paciente sugeriu uma aplicação da pilha. Um experimento seguiu-se ao outro, e os costumeiros efeitos sobrevieram, com nada a caracterizá-los em nenhum particular a não ser, em uma ou duas ocasiões, um grau um pouco acima do comum de vivacidade na ação convulsiva.

A hora ia adiantada. O dia estava prestes a raiar; e julgou-se apropriado, enfim, proceder de uma vez à dissecção. Um aluno, entretanto, estava especialmente desejoso de testar uma teoria sua e insistiu em aplicar a pilha a um dos músculos peitorais. Um rude talho foi aberto e um fio apressadamente conectado; e nisso o paciente, com um movimento rápido mas não convulsivo, ergueu-se da mesa, parou no meio da sala, olhou em torno com inquietação por alguns segundos e depois — falou. O que disse foi ininteligível; mas palavras foram pronunciadas; e as sílabas eram distintas. Tendo falado, ele desabou pesadamente no chão.

Por alguns momentos todos ficaram paralisados de assombro — mas a urgência do caso logo lhes restituiu a presença de espírito. Foi percebido que o sr. Stapleton estava vivo, embora desfalecido. Ao ser exposto ao éter ele reviveu e teve sua saúde rapidamente restaurada, e assim voltou à companhia de seus amigos — diante dos quais, entretanto, todo conhecimento de sua ressuscitação foi ocultado até que uma recaída deixasse de ser motivo de apreensão. Pode-se imaginar a estupefação deles — sua enlevada perplexidade.

A mais empolgante peculiaridade desse incidente, todavia, reside no que o próprio sr. Stapleton afirma. Ele declara que em momento algum esteve inteiramente insensível — que de um modo entorpecido e confuso permaneceu consciente de tudo que lhe ocorria, do instante em que foi declarado *morto* por seus médicos até aquele em que tombou desfalecido no chão do hospital. "Estou vivo" foram as palavras incompreendidas que, ao reconhecer a localidade da sala de dissecção, esforçara-se, em sua hora de extrema aflição, por pronunciar.

Seria coisa fácil multiplicar histórias como essas — mas abstenho-me —, pois, na verdade, não temos necessidade de outras nesse teor para determinar o fato de que sepultamentos prematuros ocorrem. Quando refletimos com que raridade, dada a natureza do caso, está ao nosso alcance detectá-los, devemos admitir que devem ocorrer *frequentemente* sem que deles tomemos conhecimento. Dificilmente, com efeito, um cemitério é objeto de intromissão, com qualquer propósito, seja em que extensão o for, sem que esqueletos não sejam encontrados em posturas que sugerem a mais assustadora das suspeitas.

Assustadora com efeito a suspeita — porém, mais assustadora a sina! Pode-se afirmar, sem hesitação, que *nenhum* evento é tão terrivelmente capaz de inspirar a suprema angústia do corpo e da mente quanto o enterro antes da morte. A insuportável opressão dos pulmões — os sufocantes vapores da terra úmida — o estorvo das vestes fúnebres — o abraço rígido da morada estreita — as trevas da Noite absoluta — o silêncio opressivo como um oceano — a presença invisível mas palpável do Verme Vencedor — essas coisas, com pensamentos do ar e da relva acima, com a lembrança dos amigos queridos que viriam voando em nosso socorro se ao menos soubessem de nosso destino, e com a consciência de que sobre esse destino eles *nunca* saberão — de que a desesperançada quota que nos cabe é a dos verdadeiramente mortos — tais considerações, afirmo, trazem ao coração, que ainda palpita, um grau de horror consternado e intolerável perante o qual a imaginação mais ousada só consegue se encolher. Não sabemos

CONTOS DE IMAGINAÇÃO E MISTÉRIO

de nada tão agonizante na face da terra — não somos capazes de sonhar com nada que seja nem a metade tão hediondo nos domínios do Inferno mais subterrâneo. E desse modo toda narrativa a respeito desse assunto guarda um interesse profundo; interesse, todavia, que, por intermédio do sagrado assombro do assunto em si, mui apropriada e mui peculiarmente, depende de nossa convicção sobre a *veracidade* do caso narrado. O que agora tenho a relatar é de meu próprio conhecimento efetivo — de minha própria experiência incontestável e pessoal.

Por vários anos tenho sido sujeitado a ataques da singular desordem que os médicos acharam por bem chamar de catalepsia, na falta de denominação mais precisa. Embora tanto as causas imediatas como as que predispõem à doença, e até seu efetivo diagnóstico, continuem sendo mistérios, seu caráter óbvio e aparente é suficientemente bem compreendido. Suas variações parecem ser principalmente de grau. Às vezes o paciente cai, por apenas um dia, ou até período mais curto, numa espécie de exagerada letargia. Ele fica sem sentidos e externamente paralisado; mas a pulsação do coração permanece debilmente perceptível; alguns vestígios de calor continuam; uma ligeira coloração segue aflorando ao centro das maçãs; e, ao se aplicar um espelho diante dos lábios, podemos detectar uma ação entorpecida, desigual e vacilante dos pulmões. Ou então, por outro lado, a duração do transe é de semanas — até meses; enquanto o escrutínio mais detido, e os testes médicos mais rigorosos, fracassam em determinar qualquer distinção material entre o estado do paciente e o que concebemos como a morte absoluta. Muito normalmente, ele é salvo do enterramento prematuro unicamente pelo conhecimento que tem seus amigos de já ter sido previamente vítima da catalepsia, pela consequente desconfiança suscitada e, acima de tudo, pela inexistência de decomposição. O progresso da enfermidade é, felizmente, gradual. As primeiras manifestações, embora marcadas, são inequívocas. Os acessos vão ficando sucessivamente cada vez mais distintos e cada um dura um período maior do que o precedente. Nisso reside a principal garantia contra a inumação. O desafortunado cujo *primeiro* ataque fosse do caráter extremo que ocasionalmente é visto seria quase inevitavelmente consignado ainda em vida à tumba.

158

Meu próprio caso não diferia em nenhuma particularidade importante dos que são mencionados nos tomos médicos. Às vezes, sem qualquer causa aparente, eu mergulhava, pouco a pouco, em uma condição de semissíncope, ou de quase desfalecimento; e, nessa condição, sem dor, sem capacidade para me mexer ou, estritamente falando, pensar, exceto por uma consciência letárgica de estar vivo e da presença daqueles em torno de meu leito, aí permanecia, até que a crise da enfermidade me restaurasse, subitamente, a uma perfeita sensação. Em outras vezes era rápida e impetuosamente arrebatado. Ficava cada vez mais doente, entorpecido, gelado, tonto, e desse modo caía prostrado quase imediatamente. Então, por semanas tudo era vazio, escuro, silêncio, e o Nada se transformava no universo. A total aniquilação não teria ido além. Desses últimos ataques eu despertava, entretanto, com uma gradação em vagar que era proporcional à subitaneidade do acometimento. Assim como o dia alvorece para o mendigo sem amigos e sem morada que perambula pelas ruas durante a longa e desolada noite de inverno — igualmente tão tardia — igualmente tão extenuada — igualmente tão jubilosa regressava a luz de minha Alma.

À parte a tendência ao transe, entretanto, minha saúde geral parecia bem; tampouco podia eu sentir que fosse de algum modo afetada pela presente moléstia — a menos, de fato, que uma idiossincrasia em meu *sono* usual pudesse ser encarada como dela derivada. Acordando de um cochilo, eu nunca conseguia, de imediato, tomar posse de meus sentidos, e sempre permanecia, durante alguns minutos, em grande desnorteamento e perplexidade; — as faculdades mentais em geral, mas a memória em particular, ficando em uma condição de absoluta suspensão.

Em tudo que eu suportava não havia sofrimento físico, mas a aflição moral era de caráter infinito. Meus pensamentos eram cada vez mais fúnebres. Eu falava "de vermes, de tumbas, de epitáfios".[15] Perdia-me em devaneios de morte, e a ideia de enterro prematuro se apossara de forma definitiva de meu cérebro. O macabro Perigo ao qual me sujeitava assombrava-me dia e noite. No primeiro, a tortura da meditação era excessiva — no segundo, suprema. Quando as Trevas austeras se espalhavam pela Terra, nesse momento, com o próprio horror do pensamento eu tremia — tremia como as plumas trêmulas sobre o carro funerário. Quando a Natureza já não mais podia suportar a vigília, era relutante que eu consentia em adormecer — pois calafrios me percorriam ao refletir que, ao acordar, talvez me visse como o ocupante de um túmulo. E quando, finalmente, mergulhava no sono, era apenas para precipitar-me repentinamente num mundo de fantasmagorias, acima do qual, com amplas asas negras, eclipsantes, pairava, predominante, aquela Ideia sepulcral.

Das inumeráveis imagens de melancolia que desse modo me opri-miam em sonhos, escolho para relatar apenas uma visão solitária. Parece--me que tal se deu quando me encontrava imerso em um transe cataléptico de duração e profundidade mais do que usuais. De repente senti aquela mão gelada em minha testa e uma voz impaciente, balbuciante, sussurrou em meu ouvido, "Ergue-te!".

Sentei-me ereto. As trevas eram absolutas. Não podia enxergar a figura daquele que me despertara. Não era capaz de evocar na mente sequer o período em que caíra no transe, tampouco o lugar onde agora jazia. Enquanto permanecia imóvel, e me ocupava laboriosamente de ordenar meus pensamentos, a mão fria agarrou-me ferozmente pelo pulso, sacu-dindo-o com insolência, enquanto a voz balbuciante disse outra vez:

"Ergue-te! acaso não te ordenei que te erguesses?"

"E quem és?", protestei.

"Não tenho nome nestas plagas que habito", replicou a voz, pesaro-samente; "fui mortal, mas sou demônio. Fui impiedoso, mas sou digno de pena. Sentes como tremo. Meus dentes batem quando falo, e contudo, não é pela frialdade da noite — da noite sem fim. Mas essa hediondez é insuportável. Como podes *tu* dormir assim tranquilamente? Não encon-tro repouso com o clamor dessas enormes agonias. Essas visões são mais do que posso suportar. Levanta-te! Acompanha-me pela Noite lá fora e deixa-me que te exponha os túmulos. Não é um espetáculo calamitoso? — Contempla!"

Olhei; e a figura invisível, que continuava a me agarrar pelo pulso, fez com que se escancarassem os túmulos de toda a humanidade; e de cada um se projetou a tênue radiância fosfórica da podridão; de modo que pude enxergar seus recessos mais recônditos, e ali espreitar os cor-pos amortalhados em seu sono triste e solene com o verme. Porém, ai de

O ENTERRO PREMATURO

mim! os genuinamente adormecidos eram em número muitos milhões de vezes menor do que aqueles que não dormiam em absoluto; e houve um débil debater; e houve um desassossego geral e triste; e das profundezas das incontáveis covas brotou um farfalhar melancólico dos vestuários dos inumados. E dentre os que pareciam repousar tranquilamente percebi um vasto número que mudara, em maior ou menor grau, da posição rígida e desconfortável em que haviam sido originalmente sepultados. E a voz mais uma vez me disse, enquanto eu contemplava:

"Não é mesmo — oh, não é *mesmo* uma visão deplorável?" — mas, antes que eu encontrasse palavras para responder, a figura deixara de segurar meu pulso, as luzes fosfóricas expiraram e os túmulos cerraram com violência súbita, conforme de dentro deles erguia-se um tumulto de lamentos desesperados, dizendo outra vez — "Não é mesmo — oh, Deus! não é *mesmo* uma visão assaz deplorável?"

Fantasias tais como essas, apresentando-se à noite, estendiam sua influência terrificante a minha vigília por horas a fio. Meus nervos ficaram completamente em frangalhos e caí vítima de um horror perpétuo. Eu hesitava em cavalgar, ou caminhar, ou me entregar a qualquer exercício que me afastasse de casa. De fato não mais ousava deixar a presença imediata daqueles que tinham consciência de minha propensão para a catalepsia, por receio de, sofrendo um de meus costumeiros acessos, ser enterrado antes que minha real condição pudesse ser averiguada. Eu duvidava dos cuidados, da fidelidade de meus amigos mais caros. Temia que, em um transe de duração mais do que costumeira, pudessem se persuadir de que meu estado era irrecuperável. Cheguei mesmo a ponto de recear que, por ocasionar tantos problemas, pudessem de bom grado considerar qualquer ataque mais prolongado como justificativa suficiente para se livrar de mim de uma vez por todas. Era em vão que se empenhavam em me tranquilizar mediante as mais solenes promessas. Eu lhes arrancava as juras mais sagradas de que sob nenhuma circunstância procederiam ao meu enterro até que a decomposição estivesse materialmente adiantada de tal forma a tornar a preservação por mais tempo impossível. E, mesmo então, meus terrores mortais não escutavam razão alguma — não aceitavam consolo algum. Comecei a empreender uma série de elaboradas precauções. Entre outras coisas, mandei reformar a cripta da família de modo a permitir que fosse facilmente aberta do lado de dentro. A mais leve pressão sobre uma comprida alavanca que se estendia bem adentro da tumba faria com que as portas de ferro se abrissem. Providências foram tomadas também para a livre admissão de ar e luz, e o acesso a recipientes com comida e água, ao imediato alcance do caixão preparado para me receber. Esse caixão era acolchoado de modo aconchegante e macio e dotado de uma tampa feita segundo o mesmo princípio da porta da cripta, com a adoção de molas concebidas de tal modo que o mais ligeiro movimento do corpo seria suficiente para ganhar a liberdade. Além disso tudo, havia, suspenso do teto da tumba, um grande sino, cuja corda fora instalada de modo a passar por um buraco no caixão e ficar amarrada em uma das mãos do cadáver. Mas, ai de mim! de que vale a vigilância contra o Destino do homem? Nem mesmo esses dispositivos tão bem engendrados bastaram para poupar das mais extremas agonias da inumação em vida um amaldiçoado condenado de antemão a tais agonias!

Foi chegada uma época — como tantas vezes outrora chegara, em que me via emergindo da total inconsciência para uma primitiva sensação de existência tênue e indecisa. Vagarosamente — a um passo lentígrado — aproximou-se a débil aurora cinzenta do dia medianímico. Um desassossego entorpecido. A apática persistência de uma dor surda. Nenhuma apreensão — nenhuma esperança — nenhum afã. Então, após longo intervalo, um zunir nos ouvidos; então, após lapso ainda mais longo, uma sensação de formigamento ou comichão nas extremidades; então um período aparentemente eterno de prazerosa latência, durante o qual os sentimentos de despertar contendem dentro do pensamento; então uma breve reimersão no não ser; então um súbito restabelecimento. Finalmente o ligeiro estremecimento de uma pálpebra e, imediatamente em seguida, um choque elétrico de terror, letal e difuso, que lança o sangue em torrentes das têmporas para o coração. E agora o primeiro positivo esforço de pensar. E agora o primeiro empenho em lembrar. E agora um êxito parcial e evanescente. E agora a memória recuperou de tal forma seu domínio que, em certa medida, tenho ciência de meu estado. Sinto que não estou despertando do sono ordinário. Recordo que fui vítima da catalepsia. E agora, enfim, como que invadido por um oceano, meu espírito trêmulo é subjugado por aquele Perigo austero — por aquela Ideia espectral e onipresente.

Por alguns minutos depois que essa quimera me possuiu, permaneci imóvel. E por quê? Era incapaz de reunir coragem de me mover. Não ousava empreender o esforço para me certificar de meu destino — e contudo havia algo em meu íntimo sussurrando que *ele era certo*. O desespero — tal como nenhuma outra espécie de infortúnio jamais traz à existência —, somente o desespero instou-me, após prolongada irresolução, a erguer as pesadas pálpebras de meus olhos. Ergui-as. Estava escuro — tudo escuro. Eu sabia que o acometimento terminara. Eu sabia que a crise de meu distúrbio passara havia muito. Eu sabia que havia agora recuperado plenamente o uso de minhas faculdades visuais — e contudo estava escuro — tudo escuro — a intensa e completa tenebrosidade da Noite que dura para todo o sempre.

Empenhei-me em gritar; e meus lábios e minha língua ressecada moveram-se juntos convulsivamente na tentativa — mas voz alguma deixou os cavernosos pulmões, que, opressos como que pelo peso de uma montanha esmagadora, arquejaram e palpitaram, com o coração, a cada inspiração laboriosa e difícil.

O movimento dos maxilares, nesse esforço de gritar em voz alta, revelou-me que estavam atados, como é de costume proceder com os mortos. Senti ainda que jazia sobre alguma dura substância; e por matéria similar meus lados estavam, também, estreitamente comprimidos. Até lá, não me aventurara ainda a mexer nenhum de meus membros — mas agora os braços, que antes repousavam de comprido, com os pulsos cruzados, eu os agitava violentamente. Eles se chocaram contra uma sólida substância de madeira, que se estendia acima de mim a uma elevação de não mais que um palmo de meu rosto. Não podia mais duvidar que repousava dentro de um caixão, enfim.

E nisso, em meio a todas as minhas infinitas misérias, surgiu docemente o querubim Esperança — pois pensei em minhas precauções. Contorci-me, e empreendi espasmódicas diligências para forçar a tampa a abrir: ela não se moveu. Tateei os pulsos à procura da corda do sino: não a encontrei. E agora o Paracleto me deixava para sempre, e um Desespero

ainda mais austero imperava triunfante; pois eu não podia deixar de perceber a ausência dos estofamentos que tão cuidadosamente preparara — e então, além disso, penetrou repentinamente em minhas narinas o odor fortemente peculiar de terra úmida. A conclusão era inescapável. Eu *não* estava dentro da cripta. Caíra em um transe quando me ausentava de casa — quando me encontrava entre estranhos — quando, ou como, era incapaz de lembrar — e haviam sido esses que me enterraram como um cão — encerrado a pregos em um caixão comum — e atirado, fundo, fundo, e para sempre, em algum ordinário e anônimo *túmulo*.

Conforme essa pavorosa convicção assim se entranhava nos recessos mais interiores de minha alma, eu mais uma vez lutava por gritar muito alto. E nessa segunda tentativa fui bem-sucedido. Um longo, selvagem e contínuo lamento, ou urro, de agonia ressoou pelos domínios da Noite subterrânea.

"Ei! ei, aqui!", disse uma rude voz em resposta.

"Qual o problema agora, com os diabos?", disse uma segunda.

"Fora já daí!", disse uma terceira.

"Que negócio é esse, de guinchar assim desse jeito, como um gato selvagem?", disse uma quarta; e nisso fui agarrado e sacudido sem cerimônia, durante vários minutos, por um bando de indivíduos do aspecto mais rústico. Não foram eles que me despertaram de meu sono — pois eu estava plenamente acordado quando gritei —, mas eles me devolveram à plena posse de minha memória.

Essa aventura ocorreu perto de Richmond, na Virginia. Na companhia de um amigo, eu descera, em uma expedição de caça, algumas milhas pelas margens do rio James. A noite se aproximava, e fomos surpreendidos por uma tempestade. A cabine de uma pequena chalupa ancorada no rio, e carregada com terra para jardim, constituía o único abrigo disponível. Ajeitamo-nos o melhor possível e passamos a noite a bordo. Dormi em um dos dois únicos beliches que havia no barco — e os beliches de uma chalupa de sessenta ou setenta toneladas dificilmente precisam ser descritos. O que ocupei não tinha acolchoamento de espécie alguma. Sua largura mais ampla não ultrapassava meio metro. A distância entre seu estrado e o convés acima era precisamente a mesma. Julguei uma tarefa de extrema dificuldade me espremer ali. Todavia, adormeci pesadamente; e toda a minha visão — pois não era sonho, nem pesadelo — surgiu naturalmente das circunstâncias de minha posição — de minha usual inclinação de pensamento — e da dificuldade, à qual já aludi, em recobrar os sentidos, e sobretudo em recuperar a memória, por um longo tempo após despertar do sono. Os homens que me sacudiram eram a tripulação da chalupa, e alguns trabalhadores encarregados de descarregá-la. Da própria carga veio o cheiro de terra. A atadura em meus maxilares era um lenço de seda em que eu envolvera a cabeça, na falta de meu costumeiro gorro de dormir.

As torturas que vivenciei, entretanto, foram indubitavelmente iguais, no momento, às de uma autêntica sepultura. Eram assustadoramente — inconcebivelmente hediondas; mas há Males que vêm para Bem; pois seu próprio excesso operou em meu espírito uma inevitável revulsão. Minha alma adquiriu tônus — adquiriu têmpera. Viajei ao estrangeiro. Exercitei-me com vigor. Inalei o ar livre do Céu. Pensei em outros assuntos que não a Morte. Desfiz-me de meus livros de medicina. Queimei meu Buchan. Nada mais de ler *Night Thoughts* — nada mais de aranzéis sobre cemitérios — nada mais de histórias de bichos-papões — *como esta*. Em resumo, tornei-me um novo homem, e vivi a vida de um homem. A partir dessa noite memorável, desfiz-me para sempre de minhas apreensões sepulcrais, e com elas desapareceu o distúrbio cataléptico, do qual, provavelmente, haviam sido menos a consequência do que a causa.

Há momentos em que, mesmo aos olhos sóbrios da Razão, o mundo de nossa triste Humanidade pode assumir a similitude do Inferno — mas a imaginação do homem não é nenhuma Carathis para explorar impunemente cada caverna que ele contém. Ai de mim! a austera legião de terrores funestos não pode ser encarada como puro produto da fantasia — mas, como os Demônios em cuja companhia Afrasiab empreendeu sua viagem a jusante do Oxus, eles devem dormir, ou irão nos devorar — devem estar sujeitos ao sono, ou nós perecemos.

O ENCONTRO MARCADO[16]

> *Espera por mim lá! Não deixarei de*
> *te encontrar naquele vale profundo.*
>
> (Exéquias pela morte de sua esposa,
> por Henry King, bispo de Chichester)

Malfadado e misterioso homem! — desnorteado no brilho de tua própria imaginação, e caído nas chamas de tua própria juventude! Mais uma vez em minha mente te contemplo! Novamente tua forma assoma perante mim! — não — oh, não como estás — no vale frio e na sombra — mas como *deverias estar* — dissipando uma vida de magnífica meditação naquela cidade de turvas visões, tua própria Veneza — esse Elísio, essa estrela adorada dos oceanos, e cujas janelas amplas em seus palácios palladianos fitam com deliberação profunda e acerba os segredos de suas águas silentes. Sim! Repito — como *deverias estar*. Há decerto outras palavras além dessa — outros pensamentos que não os pensamentos da multidão — outras especulações que não as especulações do sofista. Quem desse modo questionará tua conduta? quem te inculpará por tuas horas visionárias, ou denunciará aquelas ocupações como um definhamento da vida, que não foram senão os transbordamentos de tuas perpétuas energias?

Foi em Veneza, sob a cobertura do arco que chamam de Ponte di Sospiri, que encontrei pela terceira ou quarta vez a pessoa de quem falo. É com uma recordação confusa que trago à memória as circunstâncias desse encontro. E contudo me lembro — ah! como poderia esquecer? — a calada da noite, a Ponte dos Suspiros, a beleza da mulher, o Gênio do Romance que espreitava e descia o estreito canal.

Era uma noite de inusual escuridão. O grande relógio da Piazza soara a quinta hora da noite italiana. A praça do Campanário estava silenciosa e deserta e as luzes no antigo Palácio do Doge se apagavam rapidamente. Eu voltava da Piazetta, navegando pelo Grande Canal. Mas quando minha gôndola chegou do outro lado da foz do canal San Marco, uma voz feminina oriunda de seus recessos rompeu a noite subitamente, com um grito descontrolado, histérico, prolongado. Alarmado pelo som, pus-me de pé imediatamente: ao passo que o gondoleiro, deixando escorregar seu único remo, perdeu-o naquele negror de breu sem qualquer chance de recuperá-lo, de modo que consequentemente fomos levados ao sabor da corrente, que nesse ponto flui do canal maior para o menor. Como um condor imenso de negras plumagens, íamos lentamente à deriva na direção da Ponte dos Suspiros quando uma infinidade de tochas brilhando nas janelas e descendo pelas escadarias do Palácio do Doge transformaram subitamente a profunda escuridão em um dia lívido e prematuro.

Uma criança, escorregando dos braços de sua própria mãe, caíra de uma janela superior da elevada estrutura nas profundezas do turvo canal. As águas tranquilas envolveram placidamente sua vítima; e, conquanto minha própria gôndola fosse a única à vista, inúmeros arrojados nadadores, já na água, buscavam em vão pela superfície o tesouro que esperava por ser encontrado, *hélas!* apenas dentro do abismo. Sobre as amplas lajes de mármore negro na entrada do palácio, e a poucos passos da água, estava uma figura que nenhum dos que então a contemplou nunca mais a pôde esquecer. Era a marquesa Afrodite — a joia de toda Veneza — a mais jubilosa dentre as jubilosas — a mais adorável onde tudo era beleza — mas ainda assim a jovem esposa do velho e intrigante Mentoni, e mãe da bela criança, sua primeira e única, que agora, nas profundezas das águas sombrias, pensava com amargura de coração nas doces carícias maternas, consumindo sua pequena vida no esforço de chamar seu nome.

Estava só. Os pés pequenos, descalços, prateados brilhando no espelho negro do mármore sob si. Seus cabelos, ainda apenas parcialmente soltos para a noite após o penteado feito para o salão de baile, encimavam, entre uma torrente de diamantes, com voltas e mais voltas, sua cabeça de clássico feitio, em cachos como os de um viçoso jacinto. Uma veste da brancura da neve, etérea como gaze, parecia ser quase a única coisa a recobrir sua forma delicada; mas o ar de meados do verão, em plena noite, estava quente, lúgubre e parado, e nenhum movimento na própria figura escultórica agitava sequer as dobras daquele traje de pura névoa que lhe pendia em torno assim como o sólido mármore pende em torno de Níobe. E contudo — estranho dizer! — seus olhos grandes e brilhantes não se voltavam para baixo na direção do túmulo onde sua esperança mais luminosa jazia sepultada — mas estavam cravados em uma direção inteiramente diferente! A prisão da Antiga República é, creio eu, o edifício mais majestoso em toda Veneza — mas como podia ser de o olhar da senhora se fixar ali quando sob ela jazia sufocando seu único filho? Àquele nicho escuro, soturno, ademais, opõe-se diretamente a janela de seu aposento — o que, então, *podia* haver em suas sombras — em sua arquitetura — em suas cornijas solenes, festonadas de hera — sobre o qual a marquesa di Mentoni já não houvesse cismado mil vezes antes? Tolice! — Quem se esquecerá que, em momentos como esse, o olho, como um espelho estilhaçado, multiplica as imagens de sua tristeza, e vê em inumeráveis lugares distantes o desconsolo imediatamente próximo?

Muitos degraus acima da marquesa, e sob o arco do pórtico junto ao canal, apontava, em plenos trajes, a figura como de um Sátiro de Mentoni em pessoa. Ocupava-se ocasionalmente de dedilhar um violão e parecia *ennuyé* como a própria morte, conforme a intervalos distribuía ordens para o resgate de seu filho. Pasmo e aterrorizado, estava além de minhas capacidades mover-me da posição ereta que eu assumira ao escutar o grito, e devo ter representado aos olhos do agitado grupo uma aparição espectral e ominosa, enquanto, com pálido semblante e rígidos membros, flutuava entre eles naquela gôndola funérea.

Todos os esforços se revelaram baldados. Vários dentre os mais diligentes na busca diminuíam seu empenho, e entregavam-se a uma melancólica tristeza. Muito pouca esperança parecia restar para a criança; (e quão menos para a mãe!), mas agora, do interior daquele escuro nicho já mencionado como formando uma parte da velha prisão republicana, e como ficando de frente para a gelosia da marquesa, uma figura encapotada em um manto deu um passo avançando para a luz e, parando por um instante na beirada da queda vertiginosa, mergulhou de cabeça no canal. Quando, um instante depois, estando de pé com a criança ainda viva e respirando em seu poder, sobre as lajes de mármore ao lado da marquesa, seu manto, pesado da água que o encharcava, abriu-se e, caindo em pregas a seus pés, revelou para os

CONTOS DE IMAGINAÇÃO E MISTÉRIO

espectadores tomados de admiração a pessoa graciosa de um jovem, o som de cujo nome na época ressoava pela maior parte da Europa.

Nenhuma palavra disse seu salvador. Mas a marquesa! Ela anseia então receber sua criança — anseia pressioná-la junto ao coração — anseia agarrar sua pequena forma e sufocá-la com suas carícias. *Hélas*! *outros* foram os braços que a tomaram do estranho — *outros* os braços que a seguraram e a carregaram dali, indiferentes, para o interior do palácio! E a marquesa! Seus lábios — seus lindos lábios tremem: lágrimas acumulam-se em seus olhos — esses olhos que, como os acantos de Plínio, são "suaves e quase líquidos". Sim! lágrimas acumulam-se nesses olhos — e vejam! a mulher estremece até o fundo da alma, e a estátua começa a ganhar vida! A palidez do semblante marmóreo, a dilatação do seio marmóreo, a imaculada pureza dos pés marmóreos contemplamos sendo subitamente invadidas pela maré vermelha de um rubor incontrolável; e um ligeiro tremor brinca em sua silhueta delicada, como o suave ar de Nápoles soprando pelos perfumados lírios prateados entre a relva.

Por que motivo cora essa dama? Não há resposta para a pergunta — a não ser que, tendo deixado, com a precipitação e o terror zelosos de um coração materno, a privacidade de seu próprio *boudoir*, descuidou-se de envolver os pezinhos em suas pantufas, e se esqueceu completamente de lançar sobre os ombros venezianos os panejamentos de que é mister se cobrir. Que outro motivo possível haveria para que de tal modo enrubescesse? — para a expressão daqueles olhos aflitos, ansiosos? — para o inusual tumulto daquele seio palpitante? — para a pressão convulsa daquela mão trêmula? — aquela mão que pousou, quando Mentoni voltou ao palácio, acidentalmente, sobre a mão do estranho. Que motivo poderia ter havido para o tom de voz baixo — o tom de voz singularmente baixo daquelas palavras sem significado que a dama pronunciou apressadamente ao dele se despedir? "Venceste" — disse, ou os murmúrios da água me enganaram — "venceste — uma hora após o raiar do dia — encontrar-nos-emos — que seja!"

***

O tumulto apaziguara, as luzes haviam se extinguido no interior do palácio e o estranho, que agora eu reconhecia, permaneceu solitário sobre as lajes. Tremia de inconcebível agitação e seu olhar relanceou em torno à procura de uma gôndola. Não poderia eu me abster de lhe oferecer os serviços de minha própria; e ele aceitou a cortesia. Tendo conseguido um remo no pórtico, seguimos juntos até sua residência, enquanto rapidamente recobrava o autocontrole, e mencionou nosso breve contato no passado em termos de grande cordialidade aparente.

Há alguns assuntos sobre os quais tenho prazer em ser minucioso. A pessoa do estranho — deixem-me chamar por esse título aquele que para o mundo todo ainda era um estranho — a pessoa do estranho é um desses assuntos. Em estatura devia situar-se antes abaixo do que acima da altura média: embora houvesse momentos de intensa paixão em que seu corpo todo efetivamente *expandisse* e desmentisse tal assertiva. A ligeira, quase esguia simetria de sua figura prometia mais dessa pronta atividade que ele evidenciou na Ponte dos Suspiros do que daquela força hercúlea que notoriamente exibira, com mínimo esforço, em ocasiões da mais temerária urgência. Com a boca e o maxilar de uma deidade — olhos singulares, selvagens, cheios, líquidos, cujas sombras variavam do puro avelã ao azeviche intenso e brilhante — e uma profusão de cabelos negros cacheados emoldurando uma fronte de inusual amplitude que brilhava a intervalos com luminosidade pura e marfim — as suas eram feições cuja regularidade clássica de traços eu jamais presenciara, excetuando, talvez, as de mármore do imperador Cômodo. E contudo seu semblante era, todavia, um desses que todo homem já viu em algum momento de sua vida, e depois disso nunca voltou a ver. Não exibia qualquer peculiaridade — não exibia qualquer expressão decididamente determinante a ficar gravada na memória; uma fisionomia vista e instantaneamente esquecida — mas esquecida com um desejo vago e incessante de trazer de volta à lembrança. Não que o espírito de cada rápida paixão deixasse, a todo momento, de lançar sua própria imagem distinta sobre o espelho daquele rosto — mas era que o espelho, por sua própria natureza, não retinha nenhum vestígio da paixão quando esta havia partido.

Ao nos despedirmos na noite de nossa aventura, solicitou-me ele, no que julguei ser um tom carregado de urgência, que o visitasse *muito* cedo na manhã seguinte. Pouco após o nascer do sol, desse modo, vi-me diante de seu Palazzo, uma dessas imensas edificações de pompa sombria porém fantástica que se ergue junto às águas do Grande Canal nas imediações do Rialto. Indicaram-me uma ampla escada em caracol, de mosaicos, que dava em um apartamento cujo esplendor sem paralelos, ao ser aberta a porta, irradiou com autêntico fulgor, deixando-me cego e atordoado de suntuosidade.

Eu sabia que meu companheiro era rico. Notícias contavam de suas posses em termos que eu chegara a censurar como sendo de um ridículo exagero. Mas ao olhar em torno de mim, não conseguia me levar a crer que a riqueza de algum outro súdito na Europa pudesse se equiparar à magnificência principesca que ardia resplandecente à nossa volta.

Embora, como eu disse, o sol já houvesse despontado, o aposento continuava brilhantemente aceso. Julguei dessa circunstância, bem como de um ar de exaustão na fisionomia de meu amigo, que não havia se retirado para a cama durante toda a noite precedente. Na arquitetura e nos adornos do lugar, a evidente intenção fora de ofuscar e pasmar. Pouca atenção fora dada aos *decora* ou ao que é tecnicamente chamado de *harmonia*, ou às normas apropriadas de caráter nacional. O olho errava de objeto em objeto, sem se deter em nenhum — nem nos grotescos dos pintores gregos, nem nas esculturas do melhor período italiano, nem tampouco nos imensos entalhes do inculto Egito. Ricos reposteiros por toda parte no ambiente tremulavam à vibração de uma música baixa, melancólica, cuja origem não se podia adivinhar. Os sentidos eram oprimidos por perfumes misturados e conflitantes, recendendo de estranhos incensórios convolutos, junto com uma infinidade de línguas flamejantes e bruxuleantes de chamas esmeraldas e violetas. Os raios do sol recém-surgido filtravam por toda parte através de janelas constituídas cada uma de uma vidraça inteiriça de vitral escarlate. Cintilavam aqui e ali, em mil reflexos, de cortinas descendo de suas sanefas como cataratas de prata derretida, os dardejares de glória natural acabando por se mesclar erraticamente à luz artificial, para pousar confusamente em massas atenuadas sobre o tapete magnífico de um tecido como que líquido, dourado-malagueta.

"Rá! rá! rá! — rá! rá! rá!" — riu o proprietário, sinalizando que me sentasse quando entrava no aposento, e atirando-se de comprido numa otomana. "Vejo", disse, percebendo como eu era incapaz de me ajustar de

174

imediato à *bienséance* de uma acolhida tão singular — "vejo que está perplexo com meu apartamento — com minhas estátuas — minhas pinturas — minha originalidade de concepção em arquitetura e tecidos — absolutamente embriagado, hein? com minha magnificência. Mas perdoe-me, meu caro senhor (aqui seu tom de voz desceu ao exato espírito da cordialidade), perdoe-me por minhas rudes risadas. O senhor parecia tão *completamente* atônito. Além do mais, certas coisas são tão absolutamente ridículas que um homem *só pode* rir ou morrer. Morrer de rir deve ser a mais gloriosa dentre todas as mortes gloriosas! Sir Thomas More — um homem deveras excelente, Sir Thomas More —, Sir Thomas More morreu rindo, o senhor deve se recordar. Ainda, no *Absurdities* de Ravisius Textor, há uma longa lista de tipos que conheceram o mesmo fim esplêndido. Sabe o senhor, entretanto", continuou, pensativamente, "que em Esparta (a atual Palæochori), em Esparta, digo, a oeste da cidadela, entre um caos de ruínas pouco visíveis, há uma espécie de soclo sobre o qual ainda são legíveis as letras ΛΑΞΜ. São indubitavelmente parte de ΓΕΛΑΞΜΑ.[17] Ora, em Esparta havia mil templos e santuários de mil divindades distintas. Que coisa mais extraordinariamente estranha que o altar do Riso tenha sobrevivido a todos os demais! Mas no presente caso", retomou, com singular alteração de voz e modos, "não tenho o menor direito de me divertir às suas custas. Tem toda razão em se mostrar perplexo. A Europa é incapaz de aparecer com qualquer coisa tão primorosa quanto isso, meu pequeno gabinete régio. Meus outros apartamentos não são de modo algum da mesma natureza; meros excessos de elegante insipidez. Este está acima do bom gosto — não é mesmo? Contudo, não pode ser visto senão como o último grito da moda — quer dizer, entre aqueles capazes de se dar a esse luxo ao custo de seu inteiro patrimônio. Precavi-me, entretanto, contra uma tal profanação. Com uma só exceção, o senhor é o único ser humano, além de mim próprio e de meu pajem, a ter sido admitido nos mistérios desse recinto imperial, desde que foi ornamentado tal como vê!"

Curvei-me em reconhecimento: pois a opressiva sensação de esplendor e perfume, e música, junto com a excentricidade inesperada de seu discurso e seus modos, impediu-me de expressar, em palavras, minha apreciação do que posso ter interpretado como um cumprimento.

"Aqui", retomou ele, levantando-se e apoiando-se em meu braço conforme andava pelo apartamento, "aqui há pinturas que vão dos gregos a Cimabue, e de Cimabue aos dias de hoje. Muitas escolhidas, como o senhor vê, prestando pouca deferência aos juízos da Virtù. Constituem todas, entretanto, mosaico apropriado para um ambiente como este. Aqui, ainda, há algumas *chef d'oeuvres* de eminentes desconhecidos — e aqui esboços inacabados feitos por homens celebrados em seu próprio tempo, cujos verdadeiros nomes a perspicácia das academias relegou ao silêncio e a mim. O que pensa o senhor", disse ele, virando-se abruptamente ao falar — "o que pensa o senhor dessa Madonna della Pietà?"

"É do próprio Guido!", exclamei, com todo o entusiasmo de minha natureza, pois estivera a examinar intensamente seu inexcedível encanto. "É do próprio Guido — como é *possível* que a tenha obtido? — ela sem dúvida é para a pintura o que a Vênus é para a escultura."

"Rá!", disse ele, pensativo, "a Vênus — a linda Vênus? — a Vênus dos Medici? — aquela de cabeça diminuta e cabelos dourados? Parte do braço esquerdo (aqui sua voz baixou de modo a ser escutada com dificuldade) e todo o direito são restauros, e no coquete daquele braço direito reside, a meu ver, a quintessência de toda afetação. Dê a *mim* o Canova! O Apolo, também! — é uma cópia — não há dúvida a respeito — tolo cego que sou, incapaz de contemplar a alardeada inspiração do Apolo! Não consigo deixar — tenha dó! — não consigo deixar de preferir o Antínoo. Não foi Sócrates quem disse que o estatuário encontrou sua estátua no bloco de mármore? Então Michelangelo não foi de modo algum original em seu *couplet* —

> '*Non ha l'ottimo artista alcun concetto*
> *Chè un marmo solo in sé non circonscriva.*'"[18]

Já se observou, ou é mister fazê-lo, que, nos modos do autêntico cavalheiro, temos sempre consciência de uma diferença da conduta do vulgo, sem que sejamos capazes de determinar de imediato precisamente em que consiste tal diferença. Admitindo que a observação se aplicasse na mais rigorosa acepção ao comportamento aparente de meu colega, senti, naquela manhã memorável, que se aplicava ainda mais plenamente a seu temperamento moral e caráter. Tampouco sou capaz de definir melhor essa peculiaridade de espírito que parecia situá-lo tão essencialmente à parte de todos os demais seres humanos, a não ser chamando-a de um *hábito* de pensamento intenso e contínuo, a permear até suas ações mais triviais — intrometendo-se em seus momentos de ociosidade — e entretecendo-se a seus lampejos mais extremos de alegria — como serpentes que saem se contorcendo pelos olhos das máscaras sorridentes nas cornijas em torno dos templos de Persépolis.

Não pude deixar de repetidamente observar, porém, entre o tom misto de leviandade e solenidade com que rapidamente discursava sobre assuntos de trivial importância, um certo ar de apreensão — um grau de afetado *ardor* em ações e palavras — uma inquieta excitabilidade de modos que me parecia inteiramente inexplicável, e que em algumas ocasiões até mesmo me encheu de alarme. Frequentemente, também, hesitando no meio de uma sentença cujo início aparentemente esquecera, parecia pôr-se à escuta com a mais profunda atenção, como que na expectativa de alguma visita, ou atento a sons que deviam conhecer existência apenas em sua imaginação.

Foi durante um desses devaneios ou pausas de aparente abstração que, ao virar uma página da linda tragédia do poeta e erudito Poliziano, *Orfeo* (a primeira tragédia italiana nativa), que estava ao meu alcance sobre uma otomana, descobri uma passagem sublinhada a lápis. Era uma passagem perto do fim do terceiro ato — passagem da mais exaltada agitação amorosa — passagem que, embora maculada de impureza, nenhum homem é capaz de ler sem uma palpitação de renovada emoção — nenhuma mulher, sem um suspiro. A página inteira estava manchada de lágrimas frescas e, na folha branca oposta, liam-se os seguintes versos em inglês, escritos numa caligrafia tão marcadamente incompatível com o temperamento de meu companheiro que tive alguma dificuldade em reconhecê-los como seus.

> "Foste tudo para mim, meu amor,
> Foste o anelo de minh'alma —
> Uma ilha verde no mar, meu amor,
> Uma fonte e um santuário,
> Todo ele agrinaldado de belos frutos e flores,
> E todas as flores eram minhas.

Ah, sonho por demais auspicioso para durar!
Ah, estrelada Esperança! que surgiu
Apenas para se toldar!
Uma voz do Futuro roga,
'Adiante! adiante!' — mas no Passado
(Negro abismo!) paira meu espírito,
Mudo, inerte, consternado!

Pois *hélas*! *hélas*! para mim
A luz da vida se apagou.
'Não mais — não mais — não mais'
(Eis o que diz o oceano solene
Para as areias da praia)
Medrará a árvore destruída pelo raio,
Nem planará a combalida águia!

Agora todos os meus dias são transes,
E todos os meus sonhos à noite
Residem onde pousam teus olhos cinzentos,
E onde cintilam teus passos —
Em que etéreas danças,
Por que riachos italianos.

Ai daquele momento maldito
Em que te carregaram sobre a onda,
Do Amor para uma velhice de sangue azul e pecado,
E para um travesseiro impuro —
De mim, e de nossos ternos climas,
Para onde chora o prateado salgueiro!"[19]

Que esses versos estivessem escritos em inglês — língua com a qual
não acreditava que seu autor tivesse familiaridade — constituiu-me pouco motivo de surpresa. Eu era demasiado consciente de suas aptidões,
e do singular prazer que extraía de ocultá-las da observação, para ficar

perplexo ante tal descoberta; mas o local de onde datava, devo confessar, não me ocasionou pequeno espanto. Estava originalmente escrito *Londres*, e, depois disso, fora cuidadosamente riscado — não, entretanto, tão eficientemente de modo a ocultar a palavra de um olhar mais clínico. Disse que não me ocasionou pequeno espanto; pois bem me recordo que, em uma anterior conversa com meu amigo, inquiri-o particularmente se tivera oportunidade de encontrar em Londres a marquesa di Mentoni (que durante alguns anos previamente a seu casamento residira nessa cidade), ocasião em que sua resposta, se não me equivoco, deu-me a entender que jamais visitara a metrópole da Grã-Bretanha. Posso também mencionar aqui que em mais de uma vez ouvi dizer (sem é claro dar crédito a um rumor envolvendo tantas improbabilidades) que a pessoa de quem falo era não só de nascimento, como também de educação, um *inglês*.

***

"Há uma pintura", disse ele, sem se dar conta de que eu notara a tragédia — "há ainda uma pintura que o senhor não viu." E jogando para o lado um cortinado, revelou um retrato de corpo inteiro da marquesa Afrodite.

A arte humana não poderia ter ido além no delineamento de sua beleza sobre-humana. A mesma figura etérea que se apresentava perante mim na noite precedente sobre os degraus do Palácio do Doge se apresentava perante mim mais uma vez. Mas na expressão do semblante, todo ele radiante de sorrisos, seguia espreitando (anomalia incompreensível!) aquela intermitente mácula de melancolia que para sempre será inseparável da perfeição dos dotados de beleza. Seu braço direito dobrava-se sobre o peito. Com o esquerdo, apontava para baixo, para um vaso curiosamente modelado. Um pequeno pé, belo, o único visível, mal tocava o chão — e, quase indiscernível na brilhante atmosfera que parecia envolver sua graça como um santuário, flutuava um par das asas mais delicadamente imaginadas. Meu olhar passou da pintura para a figura de meu amigo, e as veementes palavras do *Bussy d'Ambois* de Chapman estremeceram instintivamente em meus lábios:

"Lá está ele,
como uma estátua romana! Ali permanecerá
até que a Morte em mármore o tenha tornado!"[20]

"Venha!", disse ele enfim, virando-se na direção de uma mesa de prata maciça ricamente esmaltada, sobre a qual havia alguns cálices de vidro colorido fantasticamente trabalhados, além de dois enormes vasos etruscos, concebidos nos mesmos moldes extraordinários daquele que se via em primeiro plano no retrato, e cheios do que eu supunha ser Johannisberger. "Venha!", disse-me abruptamente, "bebamos! É cedo — mas bebamos. É *de fato* cedo", continuou, pensativo, quando um querubim com um pesado martelo dourado fez o apartamento reverberar com a primeira hora após o raiar do dia — "É *de fato* cedo, mas o que importa? bebamos! Sirvamos uma oferenda àquele sol solene acolá que essas espalhafatosas lamparinas e incensórios desejam tão avidamente ofuscar!" E, tendo-me feito com ele brindar uma taça transbordante, engoliu em rápida sucessão diversos cálices do vinho.

"Sonhar", continuou, retomando o tom de sua conversa errática, conforme erguia à rica luz de um incensório um dos magníficos vasos — "sonhar tem sido a ocupação de minha vida. De tal modo que excogitei para mim, como vê, um refúgio de sonhos. No coração de Veneza poderia eu ter erguido um melhor? O que o senhor contempla em torno, admito, é uma miscelânea de ornamentos arquitetônicos. A pureza da Jônia ultrajada por motivos antediluvianos, e as esfinges do Egito esticando-se sobre tapetes de ouro. E contudo, o efeito é incongruente apenas para o tímido. Convenções de lugar, e sobretudo de época, nada são além das abominações que insuflam terror na espécie humana, abstendo-a de contemplar a magnificência. Outrora fui eu mesmo um decorador: mas essa sublimação da tolice se exauriu em minha alma. Isso tudo é agora o mais indicado para meu propósito. Como esses incensórios arabescos, meu espírito se contorce no fogo, e o delírio dessa cena afeiçoa-me às visões mais desvairadas daquela terra de sonhos reais para a qual rapidamente parto." Nisso fez uma pausa abrupta, curvou a cabeça junto ao peito e pareceu escutar um som que não chegava aos meus ouvidos. Finalmente, aprumando sua figura, ergueu o rosto e pronunciou os versos do bispo de Chichester: —

*"Espera por mim! Não deixarei de
te encontrar neste vale profundo"*[21]

No instante seguinte, confessando a influência do vinho, largou-se de comprido sobre uma otomana.

Um rápido passo se fazia ouvir agora na escada, e uma sonora batida na porta rapidamente se sucedeu. Antevi rapidamente um novo tumulto quando um pajem da casa de Mentoni irrompeu na sala e gaguejou, numa voz estrangulada de emoção, as palavras incoerentes, "Minha senhora! — minha senhora! — envenenada! — envenenada! Oh, linda — oh, a linda Afrodite!".

Aturdido, corri para a otomana, e tentei despertar o adormecido para que recebesse as alarmantes notícias. Mas seus membros estavam rígidos — seus lábios, lívidos — seus olhos havia pouco cintilantes cravados na *morte*. Recuei cambaleante na direção da mesa — minha mão pousou sobre um cálice rachado e enegrecido — e a consciência de toda a terrível verdade lampejou subitamente em meu espírito.

MORELLA

Em si mesmo, por si mesmo, eternamente único, e sozinho.

Platão, *O banquete*

Um sentimento de profunda e contudo da mais singular afeição devotava eu a minha companheira Morella. Levado acidentalmente a conhecê-la muitos anos antes, minha alma, desde nosso primeiro encontro, ardeu com chamas que até então desconhecia; mas essas chamas não vinham de Eros, e amarga e tormentosa para meu espírito foi a convicção gradual de que eu era absolutamente incapaz de definir o incomum significado delas, ou regular sua vaga intensidade. E contudo nos conhecemos; e o destino nos uniu diante do altar; e nunca falei em paixão, tampouco pensei em amor. Ela, entretanto, afastou-se do convívio social e, ligando-se só a mim, fez-me feliz. É uma felicidade maravilhar-se; — é uma felicidade sonhar.

A erudição de Morella era profunda. Juro por minha vida que seus talentos não eram de ordem comum — a capacidade de sua mente era descomunal. Percebendo isso, eu, em inúmeros assuntos, tornei-me seu pupilo. Logo, entretanto, descobri que, talvez por conta da educação recebida em Presburg, apresentava a mim uma série desses escritos místicos que normalmente são considerados o mero rebotalho da literatura alemã primitiva. Esses, por motivos que sou incapaz de imaginar, eram seu objeto de estudo favorito e constante — e o fato de que, com o transcorrer do tempo, se tornaram também o meu deve ser atribuído à simples mas eficaz influência do hábito e exemplo.

Em tudo isso, se não me equivoco, minha razão desempenhava pequeno papel. Minhas convicções, se não me falha a memória, não eram de modo algum movidas pelo ideal e, ou muito me engano, tampouco o menor vestígio do misticismo que eu lia podia ser percebido fosse em meus atos, fosse em meus pensamentos. Convencido disso, abandonei-me tacitamente à orientação de minha esposa, e mergulhei de corpo e alma nas complexidades de seus estudos. E então — então, quando, debruçando-me sobre páginas proibidas, sentia um espírito proibido inflamar-se dentro de mim — Morella pousava sua mão sobre a minha, e revelava sob as cinzas de uma filosofia morta algumas palavras baixas, singulares, cujo estranho significado se gravava a ferro e fogo em minha memória. E então, hora após hora, eu ficava a seu lado, e me abandonava à música de sua voz — até que, após algum tempo, a melodia era contaminada pelo terror — e uma sombra descia sobre minha alma — e eu empalidecia, e estremecia por dentro ante aqueles timbres por demais sobrenaturais. E assim, a alegria subitamente esvaecia em horror, e o que era sumamente belo tornava-se sumamente hediondo, assim como o Hinnon se tornou a Geena.

É desnecessário exprimir o exato caráter dessas investigações que, nascendo dos volumes que mencionei, formou, por tanto tempo, quase que o único objeto das conversas entre mim e Morella. Por aqueles instruídos no que pode ser denominado de moralidade teológica será prontamente compreendido, e pelos que não o são, de todo modo, pouco o será. O extravagante panteísmo de Fichte; a Παλιγγενεσια modificada dos pitagóricos; e, acima de tudo, as doutrinas de *Identidade* tais como exortadas por Schelling eram de modo geral os pontos de discussão que apresentavam a maior beleza à imaginativa Morella. Essa identidade que é denominada pessoal, Locke, creio, a define acertadamente como consistindo da uniformidade de um ser racional. E uma vez que por pessoa entendemos uma essência inteligente dotada de razão, e uma vez que há uma consciência que sempre acompanha o pensamento, é ela que faz todos nós sermos isso que chamamos de *nós próprios* — desse modo distinguindo-nos de outros seres pensantes, e proporcionando-nos nossa identidade pessoal. Mas o *principium individuationis* — a noção de que essa identidade *que na morte é ou não é perdida para sempre* — era-me, o tempo todo, consideração do mais extremo interesse; menos pela natureza desconcertante e estimulante de suas consequências do que pelo modo cativante e exaltado com que Morella as mencionava.

184

Mas, na verdade, chegara agora um tempo em que o mistério da conduta de minha esposa me oprimia como um feitiço. Eu já não mais suportava o contato de seus dedos lívidos, nem o tom grave de seu falar musical, tampouco o brilho de seus olhos melancólicos. E ela sabia disso tudo, mas não me censurava; parecia consciente de minha fraqueza ou de minha insensatez e, sorrindo, chamava a isso Destino. Parecia, ainda, consciente de uma causa, por mim desconhecida, para o gradual alheamento de minha estima; mas não me dava qualquer indício ou sinal sobre a natureza disso. E contudo era mulher, e o anseio a consumia a cada dia. No fim, a mancha escarlate se fixou firmemente em sua face, e as veias azuis sobre a fronte pálida ficaram proeminentes; e, num instante, minha natureza se fundia em piedade, mas, no seguinte, eu cruzava o relance de seus olhos eloquentes, e então minha alma adoecia e ficava tonta com a tontura de quem baixa o rosto para o interior de algum abismo austero e insondável.

Devo então dizer que ansiava com um desejo sincero e ardente pelo momento do falecimento de Morella? De fato; mas o frágil espírito aferrou-se a sua morada de barro por dias a fio — por várias semanas e muitos extenuantes meses — até que meus torturados nervos ganharam o domínio sobre minha mente e fiquei cada vez mais furioso com a demora, e, com o coração de um demônio, amaldiçoei os dias, e as horas, e os amargos momentos, que pareciam se prolongar e prolongar conforme sua delicada vida definhava — como as sombras ao cair do dia.

Mas numa tarde de outono, quando os ventos permaneciam imóveis no céu, Morella chamou-me junto a seu leito. Uma bruma turva pairava por toda parte acima da terra e havia um fulgor cálido sobre as águas e, em meio à profusão de folhas de outubro na floresta, um arco-íris do firmamento sem dúvida caíra. Quando me aproximei, ela murmurava em sussurrada meia-voz, que tremia de fervor, os versos de um hino católico:

> "Santa Maria! volve teus olhos
> Para o sacrifício do pecador
> De ardorosa oração, e humilde amor,
> Em teu santo trono no céu.

Pela manhã, ao meio-dia, à penumbra crepuscular,
Maria! ouviste meu hino,
Em alegria e sofrimento, no bem e no mal,
Mãe de Deus! permanece comigo.

Quando minhas horas passam suavemente,
E não há tempestades no céu,
Minha alma, com receio de que desertasse,
Teu amor guiou para junto da tua.

Agora que as nuvens do Destino encobrem
Todo meu Presente, e meu Passado,
Deixa que meu Futuro brilhe radiante
Na doce esperança de estar junto de ti."[22]

"Eis o dia dos dias", disse ela; "o dia dentre tantos outros dias para se viver ou morrer. É um belo dia para os filhos da terra e da vida — ah, mais belo ainda para as filhas do céu e da morte!"

Beijei sua testa, e ela continuou:

"Estou morrendo, e contudo viverei."

"Morella!"

"Os dias em que pudeste me amar, estes não houve — mas aquela que em vida abominaste, na morte adorarás."

"Morella!"

"Repito que estou morrendo. Mas dentro de mim há um penhor da afeição — ah, quão pequena! — que sentiste por mim, por Morella. E quando meu espírito partir, a criança viverá — tua criança, e minha, de Morella. Mas teus dias serão dias de tristeza — essa tristeza que é a mais duradoura das impressões, tal como o cipreste é a mais duradoura das árvores. Pois as horas da tua felicidade chegaram ao fim; e a alegria não se colhe duas vezes em uma vida, tal como as rosas de Pæstum duas vezes em um ano. Não mais, desse modo, bancarás o teano[23] com tempo, mas, sendo ignorante do mirto e da vinha, carregarás contigo por onde for na terra tua mortalha, como o faz em Meca o mosleme."

186

"Morella!", gritei, "Morella! como sabes disso?" — mas ela virou o rosto no travesseiro e, com um ligeiro tremor a percorrer seus membros, desse modo morreu, e sua voz não mais escutei.

Contudo, como prenunciara, sua criança — à qual ao morrer dera à luz, e que não respirou até que a mãe não mais respirasse — sua criança, uma menina, viveu. E cresceu estranhamente em estatura e intelecto, e foi a perfeita semelhança daquela que partira, e amei-a com um amor mais fervoroso do que acreditava ser possível sentir por qualquer habitante deste mundo.

Mas não demorou para que o céu dessa pura afeição escurecesse, e as sombras, e o horror, e a aflição o cobrissem de nuvens. Disse que a criança cresceu estranhamente em estatura e inteligência. Estranho, de fato, foi seu rápido crescimento em tamanho corporal — mas terríveis, oh! terríveis eram os tumultuosos pensamentos que se acumulavam em mim enquanto observava o desenvolvimento de sua mente. De que outro modo poderia ser, conforme eu notava dia após dia nas concepções da criança as capacidades e faculdades adultas da mulher? — quando lições da experiência saíam dos lábios infantis? e quando a sabedoria ou as paixões da maturidade eu as percebia cintilando em seus olhos grandes e especulativos? Quando, repito, tudo isso ficou evidente para meus consternados sentidos? — quando não mais podia ocultar de minha alma, nem tampouco repelir dessas percepções que estremeciam ao captá-lo — é de causar admiração que essas suspeitas, de uma natureza assustadora e sugestiva, se insinuassem em meu espírito, ou que meus pensamentos retrocedessem aterrorizados às histórias fantásticas e teorias arrebatadoras da sepultada Morella? Sequestrei ao escrutínio do mundo um ser a quem o destino me compeliu a adorar, e no rigoroso isolamento de minha antiga casa ancestral, observava com agonizante ansiedade tudo que concernia à bem-amada.

E, com o passar dos anos, e conforme eu contemplava, dia após dia, seu rosto santo, meigo, eloquente, e cismava com sua forma maturescente, dia após dia eu descobria novos aspectos de semelhança entre a criança e sua mãe, a melancólica e a morta. E, hora a hora, cada vez mais escuras tornavam-se essas sombras de similitude, e mais fortes, e mais definidas, e mais desconcertantes, e mais hediondamente terríveis em seu aspecto. Que o sorriso fosse igual ao de sua mãe era algo que eu podia suportar; mas logo me advinham os calafrios por essa *identidade* ser perfeita demais — que seus olhos fossem como os de Morella eu aguentava; mas logo também eles muitas vezes perscrutavam as profundezas de minha alma com a expressão intensa e perturbadora da própria Morella. E no contorno da elevada fronte, e nos anéis do sedoso cabelo, e nos dedos lívidos que se enterravam ali, e nos tristes tons musicais de sua fala, e, acima de tudo — ai, acima de tudo — nos fraseados e elocuções da morta nos lábios da amada e vivente, encontrei alimento para um pensamento e horror que me consumiam — para um verme que *não morria*.

Desse modo se passaram dois lustros de sua vida e, apesar disso, minha filha permanecia inominada nesse mundo. "Minha criança" e "meu amor" eram os nomes normalmente suscitados pelo afeto de um pai, e a rígida reclusão de seus dias obstava qualquer outra relação. O nome de Morella morreu junto com ela no dia de sua morte. Nunca falei a respeito da mãe com a filha; — era impossível falar. De fato, durante o breve período de sua existência esta última não recebera qualquer impressão do mundo exterior salvo o que pudesse ser propiciado pelos estreitos limites de sua privacidade. Mas após algum tempo a cerimônia do batismo apresentou-se à minha mente, em sua condição perturbada e agitada, como uma pronta libertação dos terrores de meu destino. E na pia batismal hesitei por um nome. E inúmeros títulos das mais sábias e belas, de tempos antigos e modernos, de minha própria terra e alhures, afloraram aos borbotões em meus lábios, com muitos, muito belos nomes de bem-nascidas, de venturosas, de virtuosas. O que me impeliu então a perturbar a memória daquela que jazia morta e enterrada? Que demônio me impeliu a pronunciar aquele som, que, da mera lembrança, costumava fazer refluir o sangue púrpura em torrentes oriundas dos templos do coração? Que espírito maligno erguia a voz nos recessos de minha alma, quando, em meio àquelas penumbrosas naves, e no silêncio da noite, sussurrei no ouvido do homem santo as sílabas — Morella? Que outro senão satã convulsionou as feições de minha criança, e as cobriu dos matizes da morte, no momento em que, sobressaltando-se com o som quase inaudível, ela voltou os olhos

vítreos da terra para o céu e, caindo prostrada sobre as lajes negras de nossa cripta ancestral, respondeu — "Eis-me aqui!".

Distintos, fria e calmamente distintos, penetraram esses simples sons em meus ouvidos, e daí, como chumbo derretido, verteram chiando em meu cérebro. Anos — anos podem se passar, mas a lembrança dessa época — nunca! E eu não era de fato ignorante das flores e da vinha — mas a cicuta e o cipreste lançavam sua sombra sobre mim noite e dia. E não guardei cômputo algum de tempo ou lugar, e as estrelas de meu destino apagaram-se no céu, e desse modo a terra se cobriu de trevas, e seus vultos passavam por mim como sombras esvoaçantes, e dentre elas todas apenas uma eu contemplava — Morella. Os ventos do firmamento não sopravam senão um som em meus ouvidos, e as ondulações do mar encrespado murmuraram para todo o sempre — Morella. Mas ela morreu; e com minhas próprias mãos carreguei-a para a tumba; e ri uma risada longa e amarga ao não encontrar vestígio da primeira no carneiro onde depositei a segunda — Morella.

BERENICE

Diziam meus companheiros que visitando o túmulo de minha amiga encontraria alívio para meus pesares.

Ebn Zaiat

A miséria é múltipla. A desgraça do mundo é multiforme. Cingindo o vasto horizonte como o arco-íris, suas colorações são tão variadas quanto as colorações do fenômeno — e também tão distintas, e contudo tão intimamente combinadas. Cingindo o vasto horizonte como o arco-íris! Como pode ser que da beleza derivei um tipo de desencanto? — da aliança da paz um símile da tristeza? Mas assim como, em ética, o mal é consequência do bem, igualmente, com efeito, da alegria nasce a tristeza. Ou a lembrança de uma felicidade passada é a angústia do hoje, ou as agonias *existentes* têm sua origem nos êxtases *que poderiam ter existido*.

Meu nome de batismo é Egeu; omitirei o de minha família. Contudo não há torres no país que gozem de maior tradição que meus soturnos, cinzentos, hereditários aposentos. Nossa linhagem tem sido chamada de uma estirpe de visionários; e em inúmeras e admiráveis particularidades — no caráter da mansão familiar — nos afrescos do salão principal — nas tapeçarias dos dormitórios — nos cinzelamentos de certos botaréus na sala de armas — mas, mais especialmente, na galeria de quadros antigos — no estilo da biblioteca — e, por último, na natureza deveras peculiar de seu conteúdo, há evidência mais do que suficiente para justificar a crença.

As memórias de meus anos mais tenros estão ligadas a esse lugar, e a seus tomos — dos quais nada mais direi. Ali morreu minha mãe. Ali nasci. Mas é simplesmente ocioso dizer que eu não vivera antes — que a alma não possui existência prévia. Vós o negais? — não discutamos o assunto.

CONTOS DE IMAGINAÇÃO E MISTÉRIO

Convencido como estou, não procuro convencer. Há, entretanto, uma lembrança de formas aéreas — de olhos espirituais e expressivos — de sons, musicais porém tristes — uma lembrança que não se deixa elidir; uma recordação qual uma sombra, vaga, variável, indefinida, inconstante; e, qual uma sombra, também, na impossibilidade de dela me livrar enquanto o sol de minha razão continuar a existir.

Nesse lugar nasci. Desse modo despertando da longa noite do que parecia, mas não era, a não existência, subitamente mergulhado nas veras regiões do país das fadas — num palácio de imaginação — nos ermos domínios do pensamento e erudição monásticos — não causa espécie que eu contemplasse em torno de mim com um olhar espantado e ardente — que eu consumisse minha infância nos livros, e dissipasse minha juventude em devaneios; mas *é* de estranhar que, com o decorrer dos anos, e com o apogeu da virilidade colhendo-me ainda na mansão de meus pais — *é* extraordinário o modo como a estagnação se apossou de minha fontes vitais — extraordinária a completa inversão que se operou na natureza de meus pensamentos mais comuns. As realidades do mundo pareciam-me visões, e não mais do que apenas visões, ao passo que as fantásticas ideações do país dos sonhos tornaram-se, por sua vez — não a matéria mesma de minha existência cotidiana — mas completa e unicamente a própria existência em si.

***

Berenice e eu éramos primos e crescemos juntos na mansão de meus pais. E contudo foi de modo diferente que crescemos — eu, debilitado de saúde e afundado na melancolia — ela, ágil, graciosa, transbordando de energia — a ela as deambulações pela encosta da colina — a mim os estudos do claustro — eu vivendo dentro de meu próprio coração, e devotado de corpo e alma à mais intensa e dolorosa meditação — ela vagando tranquilamente pela vida sem pensamento algum para as sombras em seu caminho, ou para o voo silencioso das horas com suas asas de corvo. Berenice! — conjuro seu nome — Berenice! — e das ruínas cinzentas da memória, mil tumultuosas recordações despertam com o som! Ah! vividamente vejo sua imagem perante mim agora, como nos remotos dias de sua despreocupação e alegria! Oh! beleza deslumbrante e no entanto fantástica! Oh! sílfide entre os arbustos de Arnheim! — Oh! Náiade entre suas fontes! — e depois — depois tudo é mistério e terror, e uma história que não deveria ser contada. A doença — uma doença fatal — se abateu como um simum sobre seu corpo, e, diante de meus próprios olhos, o espírito da mudança desceu sobre ela, permeando sua mente, seus hábitos e seu caráter, e, da maneira mais sutil e terrível, perturbando até mesmo a identidade de sua pessoa! Ai de mim! o destruidor veio e partiu, e a vítima — onde estava ela? Eu não a conhecia — ou não mais a conhecia como Berenice.

Entre a numerosa série de moléstias acarretadas por aquela fatal e primordial que efetuou tão horrível reviravolta na constituição moral e física de minha prima, que seja mencionada como a de natureza mais perturbadora e renitente uma espécie de epilepsia que com não pouca frequência terminava em *transe* — um transe em quase tudo similar a um positivo óbito, e do qual o caráter de sua recuperação era, na maioria dos casos, surpreendentemente repentino. Nesse meio-tempo minha própria enfermidade — pois por nenhum outro nome deveria eu chamar aquilo, assim me foi dito — minha própria enfermidade, então, rapidamente tomou conta de minha pessoa, e assumiu no fim um caráter monomaníaco de uma forma nova e extraordinária — ganhando vigor a cada hora, a cada momento — até finalmente obter sobre mim a mais incompreensível ascendência. Essa monomania, se assim posso designá-la, consistia de uma irritabilidade mórbida dessas propriedades da mente que a ciência metafísica denomina *atentivas*. É mais do que provável que eu não esteja me fazendo entender; mas receio, na verdade, não haver modo possível de transmitir ao espírito do leitor meramente geral uma ideia adequada dessa *intensidade de interesse* nervosa com que, no meu caso, as faculdades de meditação (para me abster de termos técnicos) se ocupavam e se abandonavam na contemplação até mesmo dos mais ordinários objetos do mundo.

Cismar por longas infatigáveis horas com a atenção cravada nalgum frívolo motivo à margem, ou na tipografia, de um livro; deixar-me absorver pela maior parte de um dia de verão numa esquisita sombra caindo obliquamente sobre a tapeçaria, ou sobre o soalho; abandonar-me durante toda uma noite observando a chama firme de uma lamparina, ou as brasas de um fogo; sonhar por dias a fio com o perfume de uma flor; repetir monotonamente alguma palavra comum, até que o som, à força da frequente repetição, cesse de transmitir qualquer ideia à mente; perder toda sensação de movimento ou existência física, por meio da absoluta placidez corporal longa e obstinadamente mantida: — tais eram alguns dos mais comuns e menos perniciosos caprichos induzidos por uma condição das faculdades mentais, não, decerto, inteiramente sem paralelo, mas definitivamente desafiando toda análise ou explicação.

Contudo, evitemos mal-entendidos. — A excessiva, grave e mórbida atenção assim despertada pelos objetos por sua própria natureza triviais não deve ser confundida em caráter com a propensão a ruminações comum em toda a humanidade, e às quais mais particularmente se abandonam pessoas de imaginação ardente. Não era sequer, como se poderia de início supor, uma condição extrema, ou um exagero de tal propensão, mas, primordial e essencialmente, distinta e diferente. No exemplo em questão, o sonhador, ou entusiasta, estando interessado em um objeto geralmente *não* trivial, imperceptivelmente perde esse objeto de vista numa vastidão de deduções e sugestões dele oriundas, até que, na conclusão de um devaneio *muitas vezes repleto de riqueza*, ele percebe o *incitamentum*, ou causa primeira de suas reflexões, inteiramente desvanecido e esquecido. No meu caso o objeto primário era *invariavelmente trivial*, embora assumindo, por intermédio de minha visão perturbada, uma importância distorcida e irreal. Poucas deduções, se é que alguma, eram feitas; e essas poucas regressavam obstinadamente ao objeto original como a um centro. As meditações *nunca* eram agradáveis; e, ao término dos devaneios, a causa primeira, bem longe de estar fora de vista, atingira aquele interesse sobrenaturalmente exagerado que era o caráter predominante da doença. Numa palavra, as faculdades da mente mais particularmente exercidas eram, em mim, como disse antes, as *atentivas*, ao passo que, para aquele que costuma sonhar acordado, são as *especulativas*.

Meus livros, nessa época, se não serviam de fato para exacerbar o distúrbio, partilhavam, será percebido, largamente, por sua natureza ima-

194

ginativa e inconsequente, das qualidades características do próprio distúrbio. Lembro-me bem, entre outros, do tratado do nobre italiano Cœlius Secundus Curio, *De Amplitudine Beati Regni Dei*; da grande obra de santo Agostinho, a *Cidade de Deus*; e Tertuliano, *De Carne Christi*, em que a paradoxal sentença "*Mortus est Dei filius; credibile est quia ineptum est; et sepultus ressurrexit; certum est quia impossible est*"[24] ocupou a totalidade do meu tempo, por várias semanas de laboriosa e infrutífera investigação.

Desse modo parecerá que, tirada de seu equilíbrio apenas por coisas ínfimas, minha razão guardava semelhança com aquele rochedo oceânico mencionado por Ptolomeu Hefesto, que resistiu tenazmente aos ataques da violência humana, e à fúria ainda mais selvagem das águas e dos ventos, para estremecer ao mero contato da flor chamada *Asphodelus*. E muito embora, para um pensador desatento, possa parecer uma questão além da dúvida que a alteração produzida pela infeliz moléstia na condição *moral* de Berenice iria me ocasionar inúmeras oportunidades para o exercício dessa meditação intensa e anormal cuja natureza tenho me esforçado em certa medida por explicar, tal contudo não foi absolutamente o caso. Nos lúcidos intervalos de minha enfermidade, sua desgraça, na verdade, trazia-me sofrimento, e, testemunhando gravemente a total ruína de sua vida pura e gentil, não podia deixar de ponderar com frequência e amargura nos modos miraculosos com que tão subitamente se dera uma reviravolta tão estranha. Mas essas reflexões em nada participavam da idiossincrasia de minha doença, e eram de um tipo que teria ocorrido, sob circunstâncias similares, à massa ordinária da humanidade. Fiel a seu próprio caráter, meu distúrbio se refestelava nas mudanças menos importantes porém mais alarmantes operadas na constituição *física* de Berenice — na distorção singular e deveras consternadora de sua identidade pessoal.

Durante os dias mais brilhantes de sua beleza incomparável, sem sombra de dúvida eu jamais a amara. Na estranha anomalia de minha existência, os sentimentos, comigo, *nunca provinham* do coração, e minhas paixões *eram sempre* da mente. À luz cinzenta do início da manhã — em meio à treliça de sombras da floresta ao meio-dia — e no silêncio de minha biblioteca à noite, ela flutuara diante de meus olhos, e eu a vira — não como a Berenice que vivia e respirava, mas como a Berenice de

195

um sonho — não como um ser da terra, terreno, mas como a abstração de um tal ser — não como uma criatura a ser admirada, mas analisada — não como um objeto de amor, mas como o tema da mais abstrusa conquanto desconexa especulação. E *agora* — agora eu estremecia diante de sua presença, e era tomado pela palidez à sua aproximação; embora lamentando amargamente sua condição caída e desolada, lembrei-me do longo tempo em que me devotava seu amor e, num momento desgraçado, falei-lhe de casamento.

E enfim o período de nossas núpcias se aproximava, quando, em certa tarde no inverno desse ano — um desses dias extemporaneamente quentes, calmos, brumosos que são a ama da linda Alcyone[*] —, sentava-me eu (e sentava, assim pensei, sozinho) no gabinete interno da biblioteca. Mas, erguendo os olhos, vi Berenice diante de mim.

Era minha imaginação exaltada — ou a influência nebulosa da atmosfera — ou a vaga luz crepuscular do aposento — ou os cinzentos tecidos que caíam em torno de sua figura — que lhe emprestava um contorno de tal modo indeciso e indistinto? Não posso afirmar. Ela não disse palavra, e eu — nem por minha vida teria proferido uma sílaba que fosse. Um calafrio gelado percorria meu corpo; uma sensação de insuportável angústia me oprimia; uma curiosidade devoradora tomou conta de minha alma; e, afundando de volta na poltrona, permaneci por algum tempo imóvel e com a respiração suspensa, os olhos cravados em sua pessoa. Ai de mim! sua emaciação era excessiva e nem um único vestígio do antigo ser espreitava em uma linha sequer de seu contorno. Até que meus olhares ardentes enfim pousaram em seu rosto.

Sua fronte estava alta, e muito pálida, e singularmente plácida; e os cabelos outrora negros como azeviche caíam parcialmente sobre a testa, e toldavam as têmporas encovadas com inumeráveis anéis agora de um vívido amarelo, e em chocante discordância, por seu caráter fantástico, com a melancolia preponderante de seu semblante. Os olhos estavam sem vida,

---

[*] Pois como Júpiter, durante a estação do inverno, fornece por duas vezes sete dias de calor, os homens batizaram esse período clemente e temperado de a ama da linda Alcyone. Simônides. (N. do A.)

e sem brilho, e como que sem pupilas, e me encolhi involuntariamente ante aquele olhar vidrado e contemplei os lábios finos e enrugados. Eles se entreabriram; e num sorriso de peculiar expressão *os dentes* da transformada Berenice revelaram-se vagarosamente à minha visão. Quisera Deus que jamais os houvesse contemplado ou que, uma vez o tendo feito, houvera eu morrido!

***

A batida de uma porta me perturbou e, ao erguer o rosto, descobri que minha prima partira do aposento. Mas do desordenado aposento de minha cabeça, ai de mim!, não partira, nem era expulso, o *espectro* branco e fantasmagórico de seus dentes. Não havia mancha em sua superfície — nem sombra em seu esmalte — nem falha em suas pontas — que aquele breve período de seu sorriso não fora suficiente para gravar em minha memória. Vejo-os *agora* ainda mais inequivocamente do que os contemplei *então*. Os dentes! — os dentes! — estavam aqui, e lá, e por toda parte, e visivelmente, palpavelmente, diante de mim; longos, estreitos e excessivamente brancos, com os lábios pálidos se contraindo em torno, como no próprio momento de seu primeiro e terrível crescimento. Então seguiu-se a plena fúria de minha *monomania*, e lutei em vão contra sua estranha e irresistível influência. Dentre os múltiplos objetos do mundo externo eu não tinha pensamentos senão para os dentes. Por eles anelava com desejo maníaco. Todos os demais assuntos e todos os diferentes interesses foram absorvidos unicamente em sua contemplação. Eles — eles sozinhos apresentavam-se ao olho do espírito, e eles, em sua individualidade única, tornaram-se a essência de minha vida espiritual. Observei-os sob cada luz. Virei-os em cada posição. Perscrutei suas características. Demorei-me em suas peculiaridades. Ponderei a respeito de sua forma. Cismei com a alteração de sua natureza. Estremeci conforme lhes atribuía na imaginação um poder sensitivo e senciente, e mesmo quando desassistidos pelos lábios, uma capacidade de se expressar moralmente. De Mad'selle Sallé bem já se disse, *"que tous ses pas étaient des sentiments"*, e de Berenice eu acreditava muito seriamente *que tous ses dents étaient des idées. Des idées!* — ah, eis aí

o pensamento estúpido que me destruiu![25] *Des idées!* — ah, *era por isso* que eu os cobiçava tão loucamente! Sentia que sua posse era a única coisa que me devolveria a paz, ao restituir-me à razão.

E a noite então se fechou sobre mim — e depois vieram as trevas, e permaneceram, e partiram — e o dia raiou mais uma vez — e as brumas de uma segunda noite agora se adensavam em torno — e continuei sentado imóvel naquele gabinete solitário, e continuei mergulhado em meditações, e continuou a *fantasmagoria* daqueles dentes mantendo sua terrível ascendência sobre mim, flutuando, com a distinção mais vívida e hedionda, entre as luzes e sombras cambiantes do ambiente. Após algum tempo irrompeu em meus sonhos um grito como de horror e angústia; e então, após uma pausa, sucedeu o som de vozes aflitas, entremeadas a inúmeros gemidos surdos de pesar, ou dor. Levantei da cadeira e, abrindo abruptamente a porta da biblioteca, vi ali parada na antecâmara uma criada, às lágrimas, que me informou que Berenice — se fora. Um ataque de epilepsia a acometera no começo da manhã e agora, ao cair da noite, o túmulo estava pronto para receber sua ocupante, e todos os preparativos para o enterro foram completados.

Com o coração tomado de luto, e contudo relutante, e oprimido pelo temor, dirigi-me ao dormitório da falecida. O quarto era grande, e estava muito escuro, e a cada passo percorrido em seu interior sombrio eu me deparava com os atavios fúnebres. O caixão, assim informou-me um criado, encontrava-se além dos cortinados que cercavam a cama, e no caixão, afirmou, sussurrando, estava tudo que restava de Berenice. Quem era esse que me perguntava se eu não desejava olhar o corpo? Eu não vira se moverem os lábios de ninguém, e contudo a pergunta fora feita, e o eco das palavras continuava pairando no aposento. Foi impossível recusar; e com uma sensação de asfixia forcei-me a me aproximar do leito. Ergui brandamente os drapeamentos negros dos cortinados. Deixando que tornassem a descer sobre meus ombros, e desse modo me isolando dos vivos, encerrei-me na mais estrita comunhão com a falecida. A mera atmosfera tresandava a morte. O odor peculiar do caixão me nauseou; e imaginei que um cheiro deletério já exalava do cadáver. Eu teria dado mundos para fugir — para escapar da perniciosa influência da mortalidade — para respirar uma vez mais o puro ar dos céus eternais. Mas não estava mais em mim a capacidade de me mover — meus joelhos tremiam sob mim — e permaneci plantado no lugar, contemplando o corpo rígido em todo seu pavoroso comprimento que ali jazia estendido no caixão escuro sem tampa.

Deus do céu! — seria possível? Seria meu cérebro que variava — ou de fato o dedo da morta estremecera sob a alva mortalha que a envolvia? Paralisado de indizível temor vagarosamente ergui os olhos para o semblante do cadáver. Havia uma faixa cingindo os maxilares, mas, não sei como, ela se rompera. Os lábios lívidos entreabriam-se numa espécie de sorriso e, em meio à penumbra circundante, novamente resplandeceram diante de mim, com realidade por demais palpável, os dentes alvos, cintilantes, espectrais de Berenice. Afastei-me convulsivamente do leito e, sem pronunciar palavra, precipitei-me como um maníaco para fora daquele aposento de tríplice horror, mistério e morte.[26]

***

Quando dei por mim, estava sentado na biblioteca, e novamente sozinho. Parecia-me haver recém-despertado de um sonho confuso e tumultuoso. Sabia que era meia-noite, e tinha plena consciência de que desde o pôr do sol Berenice fora enterrada. Mas desse desolado intervalo não guardava nenhum positivo — ao menos não definido — discernimento. E contudo a lembrança dele estava repleta de horror — um horror ainda mais horrível por ser vago, e um terror ainda mais terrível pela ambiguidade. Era uma página assustadora na crônica de minha existência, escrita toda ela de memórias turvas, hediondas, ininteligíveis. Lutei por decifrá-las, mas em vão; ainda que, de vez em quando, como o espírito de um som extinto, o grito estridente e penetrante de uma voz feminina parecesse ressoar em meus ouvidos. Eu fizera algo — mas o quê? Dirigi a mim mesmo a pergunta em voz alta, e os ecos sussurrantes do ambiente me responderam — "*mas o quê?*".

Na mesa ao meu lado ardia uma lamparina, e junto dela havia uma pequena caixa. Esta nada tinha de notável e eu já a vira muitas vezes antes, pois era de propriedade do médico da família; mas como foi parar *ali*,

200

BERENICE

sobre minha mesa, e por que estremeci ao contemplá-la? Tais coisas de modo algum mereciam minha atenção, e meus olhos acabaram pousando sobre as páginas abertas de um livro, e numa frase sublinhada ali. Eram as singulares mas simples palavras do poeta Ebn Zaiat. "*Dicebant mihi sodales si sepulchrum amicae visitarem, curas meas aliquantulum fore levatas.*" Por que então, conforme sobre elas me debruçava, os cabelos em minha cabeça ficaram todo eriçados, e o sangue gelou em minhas veias?

Então uma leve batida se fez ouvir na porta da biblioteca e, pálido como o ocupante de uma tumba, entrou um criado na ponta dos pés. Tinha os olhos esgazeados de terror e falou comigo numa voz trêmula, rouca e muito baixa. O que disse? — escutei algumas sentenças entrecortadas. Informava-me de um grito agudo perturbando o silêncio da noite — de todos na casa se reunindo — de uma busca na direção do som; — e então sua voz ganhou tons cada vez mais penetrantes e distintos conforme sussurrava para mim sobre um túmulo violado — sobre um corpo amortalhado e desfigurado, e contudo ainda respirando, ainda palpitando, *ainda com vida!*

Apontou minhas roupas; — estavam sujas de lama e encrostadas de sangue. Eu nada dizia, e ele tomou minha mão delicadamente; — havia nela marcas de unhas humanas. Ele chamou minha atenção para um objeto apoiado contra a parede; — olhei aquilo por alguns minutos; — era uma pá. Com um grito, corri para a mesa, e agarrei a caixa sobre ela. Mas não consegui abri-la; e, em meu tremor, deixei que escorregasse de minhas mãos, e ela caiu pesadamente, e se fez em pedaços; e de seu interior, com estrépito, saíram rolando alguns instrumentos de cirurgia dentária, em meio a trinta e duas pequenas matérias brancas, como que de marfim, que se esparramaram aqui e ali pelo soalho.

201

LIGEIA

E a vontade aí dentro reside, e não morre.
Quem haverá de conhecer os mistérios da vontade, com seu vigor?
Pois Deus nada é senão uma grande vontade
permeando todas as coisas pela natureza de sua intencionalidade.
O homem não se entrega aos anjos,
tampouco à morte incondicionalmente, salvo
apenas pela debilidade de sua frágil vontade.

Joseph Glanvill

Não sou capaz, por minha alma, de lembrar como, quando ou mesmo precisamente onde conheci a dama Ligeia. Muitos anos se passaram desde então, e minha memória se debilitou de tamanho sofrimento. Ou talvez eu não seja mais capaz *hoje* de trazer esses detalhes à mente porque, na verdade, o caráter de minha amada, seu raro saber, o naipe singular mas plácido de sua beleza e a eloquência cativante e arrebatadora de sua entonação de voz baixa e musical abriram caminho até meu coração a passos tão firmes e furtivos que permaneceram despercebidos e incógnitos. Contudo, creio que nos encontramos pela primeira vez, e depois com mais frequência, em certa cidade grande, antiga e decadente às margens do Reno. De sua família — certamente me falou a respeito. Que esta provém de uma época das mais remotas não há dúvida. Ligeia! Ligeia! Absorto em estudos de uma natureza mais do que tudo adaptada a entorpecer as impressões do mundo exterior, é por meio dessa doce palavra apenas — Ligeia — que trago diante de meus olhos, na imaginação, a figura daquela que não existe mais. E agora, conforme escrevo, vem-me num lampejo a lembrança de que *nunca soube* o nome paterno daquela que foi minha amiga e noiva, e que se tornou a companheira de meus estudos, e finalmente minha esposa amantíssima. Terá sido alguma gracejadora imposição da parte de minha Ligeia? ou terá sido um teste para a força de minha afeição o fato de eu não instituir quaisquer inquirições acerca desse ponto? ou terá sido antes um capricho meu — uma oferenda loucamente romântica no santuário da mais apaixonada devoção? O fato em si recordo apenas vagamente — que surpresa haverá então que eu tenha esquecido completamente as circunstâncias que o originaram ou acompanharam? E, de fato, se jamais o espírito que é denominado *Romance* — se jamais ela, a pálida *Ashtophet* de asas nebulosas, do idólatra Egito, presidiu, como dizem, os casamentos malfadados, então certamente ela presidiu o meu.

Há, entretanto, um tema que me é caro e a respeito do qual a memória não me falha. É a *pessoa* de Ligeia. Sua estatura era elevada, em certa medida esguia e, em seus últimos dias, até mesmo emaciada. Eu tentaria em vão descrever a majestade, a tranquila naturalidade, de sua conduta, ou a incompreensível leveza e elasticidade de suas passadas. Ela se aproximava e partia como uma sombra. Eu nunca me dava conta de sua entrada em meu gabinete fechado salvo pela querida música de sua voz baixa e doce, quando pousava a mão de mármore sobre meu ombro. Em beleza de rosto nenhuma donzela jamais a igualou. Era a radiância de um sonho opiáceo — uma visão etérea e exaltante mais delirantemente divina que as fantasias pairando sobre as almas adormecidas das filhas de Delos. Contudo seus traços não eram daquele feitio que fomos erroneamente ensinados a venerar nas clássicas obras do paganismo. "Não existe beleza rara", afirma Bacon, Lord Verulam, falando verdadeiramente de todas as formas e gêneros de beleza, "sem alguma *estranheza* na proporção." E contudo, embora eu notasse que os traços de Ligeia não eram de uma regularidade clássica — embora eu percebesse que seu encanto era de fato "raro", e sentisse que havia demasiada "estranheza" a permeá-la, contudo eu tentara em vão detectar a irregularidade e rastrear até a origem o que percebia como "estranho". Eu examinava o contorno da fronte alta e pálida — era sem falhas — quão fria na verdade essa palavra aplicada a uma majestade tão divina! — a pele rivalizando com o mais puro marfim, a imponente extensão e compostura, a suave proeminência das regiões acima das têmporas; e então os anéis de seus cabelos, negros como o corvo, reluzentes, bastos e naturalmente cacheados, dando voz em toda a plenitude de sua força ao epíteto homérico "jacintino"! Observava o delicado desenho do nariz — e em nenhum outro lugar senão nos graciosos medalhões dos hebreus contemplara semelhante perfeição. Lá estava a mesma exuberante suavidade de superfície, a mesma tendência vagamente perceptível para o aquilino, a mesma curvatura harmoniosa de narinas a manifestar um espírito livre. Olhava para a boca adorável. Ali residia de fato o triunfo de todas as coisas celestiais — a magnífica curvatura do curto lábio superior — a suave, voluptuosa lassidão do inferior — as covinhas que brincavam, e a cor que falava — os dentes além refletindo com uma luminosidade quase alarmante cada raio da luz sacrossanta que incidia sobre eles naquele que era sereno e plácido e contudo o mais radiantemente exultante de todos os sorrisos. Eu perscrutava a conformação do queixo — e aqui, também, encontrei a delicadeza de amplitude, a suavidade e a majestade, a plenitude e a espiritualidade dos gregos — o contorno que o deus Apolo revelou somente em um sonho para Cleomenes, o filho do ateniense. E então fitava os enormes olhos de Ligeia.

Para os olhos não encontramos modelos na remota Antiguidade. Podia acontecer também de nesses olhos de minha adorada residir o segredo ao qual alude Lord Verulam. Eram, quero crer, muito maiores do que os olhos ordinários de nossa própria raça. Eram ainda mais rasgados que os mais rasgados olhos de gazela dentre a tribo do vale de Nourjahad. E contudo apenas a intervalos — em momentos de intensa excitação — essa peculiaridade se tornava mais do que ligeiramente notável em Ligeia. E em tais momentos sua beleza era — em minha febril imaginação talvez assim parecesse — a beleza de criaturas que estão acima ou fora da terra — a beleza da fabulosa huri dos turcos. O matiz de suas íris era do mais brilhante negro e, muito acima, pestanejavam os longos cílios cor de azeviche. As sobrancelhas, ligeiramente irregulares no delineamento, eram do mesmo tom. Entretanto, a "estranheza" que eu encontrava nos olhos era de uma natureza distinta de sua conformação, ou de sua cor, ou de seu brilho característicos, e deviam, afinal, ser atribuídos à *expressão*. Ah, palavra sem significado! por trás de cuja vasta latitude de mero som entrincheiramos nossa ignorância sobre tanto do espiritual. A expressão dos olhos de Ligeia! Como por longas horas ponderei acerca dela! Como, durante toda uma noite no auge do verão, laborei por sondá-los! O que era aquilo — aquela coisa mais profunda que o poço de Demócrito — que jazia entranhado nas pupilas de minha adorada? O que *era* aquilo? Eu estava possuído por um furor em descobrir. Aqueles olhos! aqueles enormes, aqueles cintilantes, aqueles divinos olhos! eles se tornaram para mim as estrelas gêmeas de Leda, e eu, deles, o mais devotado dos astrólogos.

Não existe questão, entre as inúmeras incompreensíveis anomalias da ciência da mente, mais arrebatadoramente excitante do que o fato — jamais, acredito, observado nas escolas — de que, em nossas diligências por trazer à memória alguma coisa há muito esquecida, muitas vezes nos vemos *bem à beira* da lembrança sem sermos capazes, no fim, de lembrar. E assim quão frequentemente, em meu intenso escrutínio dos olhos de Ligeia, senti acercar-me do pleno entendimento de sua expressão — senti que me ficava próximo — e contudo não completamente em minha posse — para então por fim ir-se inteiramente! E (estranho, oh, mais estranho mistério de todos!) eu descobria, nos objetos mais comuns do universo, um círculo de analogias para essa expressão. Quero dizer que, subsequentemente ao período em que a beleza de Ligeia penetrava em meu espírito, habitando-o como que num santuário, eu extraía, das inúmeras coisas existentes no mundo material, um sentimento tal como era sempre despertado dentro de mim por seus olhos grandes e luminosos. E contudo nem por isso eu seria mais capaz de definir esse sentimento, ou de analisá-lo, ou ao menos de enxergá-lo com maior segurança. Eu por vezes o reconhecia, permita-me repetir, no exame de uma hera vicejante — na contemplação de uma mariposa, uma borboleta, uma crisálida, um regato de águas rápidas. Sentia-o no oceano; na queda de um meteoro. Sentia-o nos relances de pessoas notavelmente idosas. E há uma ou duas estrelas no céu — (uma especialmente, uma estrela de sexta grandeza, dupla e mutável, que se encontra próxima à maior estrela de Lira) que um exame ao telescópio fez com que me desse conta da sensação. Fui invadido por ela ao som de determinados instrumentos de cordas e, com não pouca frequência, ante passagens de livros. Entre os inumeráveis outros exemplos, recordo-me vivamente de algo em um livro de Joseph Glanvill, que (talvez meramente por seu caráter de estranheza — quem poderá afirmar?) jamais deixou de inspirar em mim o sentimento; — "E a vontade aí dentro reside, e não morre. Quem poderá conhecer os mistérios da vontade, com seu vigor? Pois Deus nada é senão uma grande vontade permeando todas as coisas pela natureza de sua intencionalidade. O homem não se entrega aos anjos, tampouco à morte incondicionalmente, salvo apenas pela debilidade de sua frágil vontade".

O transcorrer dos anos, e a subsequente reflexão, capacitaram-me a identificar, de fato, certa conexão remota entre essa passagem do velho moralista inglês e uma parte do caráter de Ligeia. Uma *intensidade* de pensamento, ação ou fala era possivelmente, em seu caso, um resultado, ou pelo menos indício, dessa descomunal volição que, durante nossas longas relações, fracassou em fornecer uma outra e mais imediata evidência de sua existência. Dentre todas as mulheres que vim a conhecer, ela, a aparentemente calma, sempre plácida Ligeia, era a mais violentamente presa dos tormentosos abutres do furor implacável. E de tal furor eu não tinha como conceber estimativa alguma, salvo pela miraculosa dilatação daqueles olhos que ao mesmo tempo tanto me deleitavam e atemorizavam — pela quase mágica melodia, modulação, nitidez e serenidade de sua voz muito baixa — e pela feroz energia (tornada duplamente efetiva pelo contraste com seu modo de pronunciar) das palavras descontroladas que habitualmente pronunciava.

Falei do saber de Ligeia: era imenso — tal como nunca conheci em uma mulher. Nas línguas clássicas era ela largamente proficiente e, até onde se estendia minha própria familiaridade com respeito aos modernos idiomas da Europa, jamais a surpreendi em deslize. E de fato em que tema dos mais admirados justamente por serem os mais abstrusos da propalada erudição da academia eu *alguma vez* surpreendi Ligeia em deslize? Quão singularmente — quão arrebatadoramente esse único aspecto na natureza de minha esposa se impôs, apenas nesse período tardio, à minha atenção! Disse que seu conhecimento era tal que nunca presenciei em mulher alguma — mas onde respira o homem que haja transposto, e com sucesso, *todas* as vastas áreas da ciência moral, física e matemática? Eu não enxerguei na época o que hoje percebo com clareza, que as conquistas de Ligeia eram gigantescas, espantosas; contudo eu era suficientemente consciente de sua infinita supremacia para me resignar, com a confiança de um menino, a sua orientação pelo mundo caótico da investigação metafísica de que me ocupei sobremaneira durante os anos iniciais de nosso casamento. Com que vasto triunfo — com que vívido deleite — com que vasta parcela de tudo que há de etéreo na esperança — eu *sentia*, conforme ela se debruçava a meu lado em estudos tão pouco investigados — mas menos ainda conhecidos — aquele delicioso panorama se expandindo gradativamente diante de mim, por cuja senda longa, deslumbrante e inteiramente não palmilhada eu podia enfim passar adiante ao objetivo de uma sabedoria por demais divinamente preciosa para não ser proibida!

Quão pungente, então, deve ter sido o pesar com que, após alguns anos, contemplei minhas bem fundadas expectativas ganharem asas próprias e saírem voando! Sem Ligeia eu não passava de uma criança tateante nas trevas da ignorância. Sua presença, suas interpretações apenas tornavam vividamente luminosos os inúmeros mistérios do transcendentalismo em que estávamos mergulhados. Carecendo do esplendor radiante de seus olhos, a literatura luminosa e reluzente tornava-se mais baça que o chumbo saturnino. E agora aqueles olhos brilhavam com cada vez menos frequência pelas páginas sobre as quais eu me debruçava. Ligeia adoeceu. Os olhos desvairados fulgiam com um lume por demais — por demais glorioso; os dedos pálidos adquiriram o céreo matiz transparente do túmulo, e as veias azuis sobre a fronte altiva intumesciam e cediam impetuosamente com os fluxos da mais suave emoção. Percebi que a morte era iminente — e lutei desesperadamente em espírito com o austero Azrael. E as lutas de minha ardorosa esposa foram, para minha estupefação, ainda mais enérgicas do que a minha. Em sua natureza grave houvera o suficiente para afetar em mim a crença de que, para ela, a morte viria sem seus terrores; — mas tal não se deu. As palavras são impotentes para transmitir qualquer justa ideia da ferocidade de resistência com que se bateu contra a Sombra. Eu gemia de angústia ante o lastimável espetáculo. Queria confortá-la — queria dizer-lhe palavras racionais; mas, na intensidade de seu desejo descontrolado por vida — por vida — *apenas* por vida — consolo e razão eram igualmente a mais rematada das loucuras. Contudo, não foi senão no derradeiro instante, em meio às contorções mais convulsivas de seu espírito agonizante, que a placidez externa de sua conduta se mostrou abalada. Sua voz ficou mais suave — ficou mais baixa — contudo eu não desejava me deter no significado desvairado das palavras quietamente pronunciadas. Meu cérebro girava conforme eu escutava, enlevado, uma melodia além do mortal — escutava conjecturas e aspirações de que a mortalidade nunca antes tivera conhecimento.

Que me amasse eu não podia duvidar; e possivelmente eu tinha plena consciência de que, num peito como o seu, o amor não reinava como uma paixão ordinária. Mas foi na morte apenas que me impressionou profundamente toda a força de sua afeição. Por longas horas, segurando minha mão, ela vertia diante de mim o transbordar de um coração em que a devoção mais apaixonada beirava a idolatria. O que fizera eu para merecer a bênção de tais confissões? — o que fizera eu para merecer a maldição de ver minha adorada sendo levada no momento em que as fazia? Mas é insuportável para mim seguir me detendo nesse ponto. Que me seja permitido dizer apenas que no abandono mais do que feminino de Ligeia a um amor, ai de mim! de todo imerecido, de todo indignamente concedido, eu reconhecia enfim a essência de seu anseio como um desejo fervorosamente intenso pela vida que agora lhe escapava tão rapidamente. É esse anseio ardente — é essa ávida veemência de desejo pela vida — *nada além* da vida — que não tenho a capacidade de descrever — nenhuma palavra à altura de expressá-lo.

No meio da noite em que partiu, acenando, peremptoriamente, para que me achegasse ao seu lado, instou-me a repetir certos versos que ela própria compusera alguns dias antes. Obedeci. — Ei-los aqui:

"Vede! é noite de gala
Nesses anos últimos e solitários!
Uma multidão de anjos, alados, trajados
Em véus, e afogados em lágrimas,
Sentam-se em um teatro, para assistir
A uma peça de esperanças e medos,
Enquanto a orquestra sussurra vacilante
A música das esferas.

Mímicos, à feição do Deus altíssimo,
Murmuram e falam baixo,
E voam daqui para lá —
Meras marionetes que vêm e vão
Ao comando de vastas criaturas informes
Que mudam o cenário de lá para cá,
Espalhando com o bater de suas asas de Condor
Invisível Desgraça!

Esse drama variegado! oh, estai certo
Não poderá ser esquecido!
Com seu Espectro sempre perseguido,
Por uma multidão que nunca o alcança,
Em um círculo que sempre regressa
Ao lugar onde começou,
E grande dose de Loucura e mais ainda de Pecado
E de Horror é a alma da intriga.

Mas, olhai, em meio à turba de mímicos,
Uma forma rastejante se insinua!
Uma criatura vermelho-sangue que se contorcendo
Surge em sua cênica solitude!
Ela se contorce! — Ela se contorce! — com mortais espasmos
Os mímicos tornam-se seu alimento,
E os serafins soluçam ante as presas do bicho
Tingidas de sangue humano.

Apagam-se — apagam-se as luzes — apagam-se todas!
E sobre cada forma que ali estremece
A cortina, mortalha fúnebre,
Desce com o ímpeto de uma tempestade,
E os anjos, todos eles pálidos e sem forças,
Erguendo-se, desvelando-se, afirmam
Que a peça é a tragédia 'Homem'
E seu herói, o Verme Vencedor." [27]

"Ó Deus!", quase gritou Ligeia, pondo-se bruscamente de pé e lançando os braços para o alto com um movimento espasmódico assim que eu terminava esses versos — "Ó Deus! Ó Divino Pai! — deverão tais coisas ser inexoravelmente desse modo? — nem uma única vez deverá o Conquistador ser conquistado? Acaso não somos parte integrante de Ti? Quem — quem haverá de conhecer os mistérios da vontade com seu vigor? O homem não se entrega aos anjos, *tampouco à morte incondicional-mente,* salvo apenas pela debilidade de sua frágil vontade."

E então, como que esgotada pela emoção, deixou cair os alvos braços e voltou gravemente ao seu leito de Morte. E quando exalava os últimos suspiros, entremeado a eles brotou de seus lábios um surdo murmúrio. Baixei para junto deles meu ouvido e distintamente, outra vez, escutei as últimas palavras da passagem em Glanvill — *"O homem não se entrega aos anjos, tampouco à morte incondicionalmente, salvo apenas pela debilidade de sua frágil vontade".*

Ela morreu; — e eu, reduzido a mero pó pela tristeza, não mais podia suportar a solitária desolação de minha morada naquela cidade de torpor e dissolução junto ao Reno. Não carecia disso que o mundo chama riqueza. Ligeia trouxera-me mais, muito mais do que ordinariamente cabe à sorte dos mortais. Após alguns meses, portanto, de vagar exaustivamente e sem rumo, adquiri, e mandei reformar, uma abadia, cujo nome omitirei, numa das regiões mais ermas e menos frequentadas da bela Inglaterra. A soturna e desolada imponência da construção, o aspecto quase bravio da propriedade, as inúmeras memórias melancólicas e venerandas ligadas a ambas harmonizavam-se grandemente com os sentimentos de total abandono que me haviam compelido àquelas plagas remotas e antissociais do país. Não obstante, conquanto o exterior da abadia, com seu decomposto verdor a pender-lhe da estrutura, admitisse pouca mudança, dei vazão, com perversidade infantil, e porventura na débil esperança de aliviar minhas tristezas, a uma ostentação de magnificência mais do que régia em seu interior. Por tais desatinos, mesmo na infância, eu criara gosto, e agora eles voltavam a mim como que numa senilidade do pesar. Ai de mim, sinto quanto de loucura até mesmo incipiente podia ser observada nos magnificentes e fantásticos reposteiros, nas solenes esculturas do Egito, nas extravagantes cornijas e mobília, nos motivos desvairados dos tapetes com felpas de ouro! Eu me tornara um escravo compelido às peias do ópio, e meus labores e minhas ordens haviam assumido a coloração de meus sonhos. Mas não devo me deter em esmiuçar tais absurdos. Que me seja permitido falar apenas daquele aposento, para sempre amaldiçoado, ao qual em um momento de alienação mental trouxe do altar na condição de esposa — na condição de sucessora da inesquecível Ligeia — Lady Rowena Trevanion, de Tremaine, dona de louros cabelos e olhos azuis.

Não há um único detalhe individual na arquitetura e decoração daquele quarto nupcial que não esteja nesse momento bem visível diante de mim. Onde estavam as almas da orgulhosa família da noiva quando, com sua sede de ouro, permitiram que passasse pelo limiar de um aposento *de tal modo* ornamentado a donzela e filha tão adorada? Afirmei lembrar-me minuciosamente dos detalhes do ambiente — e contudo a memória tristemente me escapa acerca de pormenores de profunda significação — quando ali não havia sistema algum, harmonia alguma na fantástica ostentação que fosse capaz de se fixar na lembrança. O aposento ficava numa elevada torre da abadia acastelada, tinha a forma pentagonal e consideráveis dimensões. Ocupando toda a face sul do pentágono havia a única janela — uma imensa vidraça inquebrável de Veneza — uma lâmina de vidro inteiriça, pintada de um plúmbeo matiz, de modo que os raios, fossem do sol, fossem da lua, ao passar através dela, incidiam com um brilho fantasmagórico sobre os objetos ali dentro. Acima da parte superior dessa imensa janela estendia-se a treliça de uma vinha envelhecida que trepava pelas maciças paredes da torre. O forro, de um escuro carvalho, era excessivamente elevado, abobadado e elaboradamente ornado com os mais fantásticos e sumamente grotescos exemplos de um motivo semigótico, semidruídico. No centro dos recessos mais profundos dessa melancólica abóbada pendia, por uma única corrente de ouro com longos elos, um imenso incensório do mesmo metal, de padrão sarraceno, e com inúmeras perfurações de tal modo concebidas que através delas e delas se projetando contorcia-se, como que investida da vitalidade de uma serpente, uma contínua sucessão de chamas multicores.

Umas poucas otomanas e candelabros de ouro, de feitio oriental, eram dispostos em pontos variados — e havia também o divã — o divã nupcial — de um modelo indiano, baixo, esculpido em ébano sólido, encimado por um dossel semelhante a um pálio fúnebre. Em cada um dos cantos do aposento fora colocado de pé um gigantesco sarcófago de granito negro, das tumbas dos reis diante de Luxor, com suas tampas antiquíssimas cobertas de entalhes imemoriais. Mas era na colgadura do apartamento que residia, *hélas!* a principal fantasia de todas. As elevadas paredes, gigantescas na altura — beirando mesmo a desproporção —, cobriam-se de alto a baixo, em bastos pregueados, por uma tapeçaria pesada e de aspecto maciço — feita de um material que era igualmente encontrado como tapete no chão, como coberta para as otomanas e a cama de ébano, como dossel para a cama e como as cortinas de suntuosas volutas que tampavam parcialmente a janela. O material era um riquíssimo tecido de ouro. Pintado inteiramente, a intervalos irregulares, com padrões de arabescos, medindo cerca de trinta centímetros de diâmetro, e lavrados sobre o tecido em padrões do mais negro azeviche. Mas esses padrões partilhavam da genuína característica do arabesco apenas quando observados de um ponto de vista singular. Por um artifício hoje comum, e cujas origens na verdade remontam a um período muito longínquo da Antiguidade, eram feitos de modo a assumir um aspecto mutável. Para alguém adentrando o ambiente, exibiam a aparência de simples monstruosidades; mas ao se avançar mais além, essa aparência gradualmente desaparecia; e, passo a passo, conforme o visitante mudasse de posição no aposento, via-se cercado por uma infinita sucessão das formas espectrais pertencentes à superstição dos normandos ou surgidas nos sonos culpados do monge. O efeito fantasmagórico era vastamente ampliado pela introdução artificial de uma corrente de vento forte e persistente por trás dos reposteiros — emprestando ao todo uma animação hedionda e inquietante.

Em acomodações como essas — em um quarto nupcial como esse — passei, na companhia de Lady de Tremaine, as horas profanas do primeiro mês de nosso casamento — passei-as com quase nenhuma preocupação. Que minha esposa temesse o feroz mau humor de minha índole — que me evitasse e pouco me amasse — eu não podia deixar de perceber; mas isso me ocasionava mais prazer do que outra coisa. Eu a execrava com um ódio mais próprio de um demônio que de um homem. Minha memória retrocedia (oh, com que intensa saudade!) para Ligeia, a adorada, a augusta, a bela, a sepultada. Eu me deleitava em recordações de sua pureza, de sua sabedoria, de sua natureza altiva, etérea, de seu amor apaixonado, idólatra. Agora, pois, meu espírito ardia de modo pleno e livre com mais calor do que todas as chamas dela própria. Na excitação de meus sonhos opiáceos (pois vivia acorrentado aos grilhões da droga), eu chamava seu nome em voz alta, na

calada da noite, ou, de dia, entre os resguardados recantos dos vales, como se, mediante a ânsia desvairada, a paixão solene, o abrasivo ardor de meu anseio pela falecida, eu pudesse devolvê-la à vereda que ela havia abandonado — ah, *seria possível* que para sempre? — neste mundo.

Próximo ao início do segundo mês de casamento, Lady Rowena foi acometida por um mal súbito, do qual o restabelecimento veio lentamente. A febre que a consumia tornava suas noites inquietas; e em seu perturbado estado de semissonolência, falava de sons, e de movimentos, indo e vindo pelo aposento da torre, cuja origem concluí não ser outra senão a desordem de seus pensamentos, ou talvez as fantasmagóricas influências do ambiente em si. Em seguida passou a convalescer — até que finalmente curou-se. Contudo, apenas transcorreu o mais breve período antes que uma segunda e mais violenta agitação a lançasse de volta em um leito de sofrimento; e desse ataque seu corpo, que sempre fora frágil, jamais se recuperou por completo. Sua enfermidade foi, a partir dessa época, de um caráter alarmante, e de recorrência ainda mais alarmante, desafiando igualmente os conhecimentos e os enormes esforços de seus médicos. Com o aumento da doença crônica que desse modo, aparentemente, apoderara-se de sua constituição com firmeza demais para ser erradicada por meios humanos, não pude deixar de observar um aumento similar na irritação nervosa de seu temperamento, e em sua excitabilidade perante triviais causas de medo. Voltou a falar, e agora com mais frequência e obstinação, dos sons — dos leves sons — e dos incomuns movimentos entre as tapeçarias, aos quais aludira anteriormente.

Certa noite, lá pelos fins de setembro, ela trouxe o angustiante assunto com ênfase mais do que costumeira à minha atenção. Havia recém-despertado de um sono inquieto, e eu estivera a observar, com sentimentos em parte de ansiedade, em parte de vago terror, as agitações de sua emaciada fisionomia. Eu me sentava ao lado de sua cama de ébano, sobre uma das otomanas da Índia. Soerguendo o corpo ela falou, num sussurro fraco e solene, de sons que escutava *nesse momento*, mas que eu era incapaz de escutar — de movimentos que via *nesse momento*, mas que eu era incapaz de perceber. O vento soprava lestamente atrás das tapeçarias, e eu queria lhe mostrar (coisa na qual, que me seja permitido confessar, era incapaz de crer *inteiramente*) que aquelas respirações quase inarticuladas e aquelas oscilações muito tênues das figuras na parede nada mais eram que os efeitos naturais desse costumeiro sopro do vento. Mas uma palidez mortífera, espalhando-se por todo seu rosto, provara para mim que meus esforços por reconfortá-la seriam infrutíferos. Ela ameaçava desmaiar, e nenhum criado achava-se à disposição. Lembrei-me de onde fora deixado um *decanter* de vinho leve que havia sido receitado por seus médicos e apressei-me pelo quarto para procurar. Mas, ao passar sob a luz do incensório, duas circunstâncias de alarmante natureza chamaram minha atenção. Eu havia sentido que um objeto palpável, embora invisível, passara ligeiramente junto a minha pessoa; e vi ali jazendo sobre o tapete dourado, bem no meio do rico clarão projetado pelo incensório, uma sombra — um vulto tênue, indefinido, de angelical aspecto — tal como se poderia tomar pela sombra de uma sombra. Mas eu estava delirante com a excitação de uma imoderada dose de ópio, e prestei pouca atenção a essas coisas, tampouco as comentei com Rowena. Tendo encontrado o vinho, voltei a atravessar o aposento, e servi uma taça até a borda, que segurei junto aos lábios da senhora desfalecente. Ela agora se recobrara parcialmente, porém, e segurou o copo por si mesma, enquanto eu afundava em uma otomana próxima, com os olhos cravados em sua pessoa. Foi nesse instante que me dei conta nitidamente de um suave som de passos no tapete, perto do divã; e um segundo depois disso, quando Rowena achava-se no ato de levar o vinho aos lábios, eu vi, ou talvez tenha sonhado que vi, cair dentro da taça, como que vindas de alguma fonte invisível na atmosfera do aposento, três ou quatro grossas gotas de um líquido brilhante e rubi. Posso ter visto — mas não Rowena. Ela tragou o vinho sem hesitar, e abstive-me de lhe falar de uma circunstância que devia, afinal de contas, assim considerei, ter sido apenas a sugestão de uma imaginação muito viva e tornada morbidamente ativa pelo terror da dama, pelo ópio e pela hora.

E contudo não posso ocultar de minha própria percepção que, imediatamente após a queda das gotas cor de rubi, uma rápida mudança para pior se operou no distúrbio de minha mulher; de tal modo que, na terceira noite subsequente, as mãos de suas criadas prepararam-na para o túmulo e, na quarta, quedei-me sentado, solitário, com seu corpo amortalhado, naquele fantástico aposento que a acolhera como minha esposa. Visões delirantes, engendradas pelo ópio, adejavam, como vultos, diante de mim. Eu observava com olhos inquietos os sarcófagos nos cantos do quarto, as cambiantes figuras dos cortinados e os contorcionismos das chamas multicores no incensório acima. Meus olhos então pousaram, conforme eu trazia à memória as circunstâncias de uma noite anterior, no ponto sob o fulgor do incensório onde avistara os tênues vestígios da sombra. Não mais, entretanto, estava lá; e respirando com maior liberdade, voltei meus olhares para a pálida e rígida figura sobre a cama. Então fui invadido por mil lembranças de Ligeia — e então voltou ao meu coração, com a turbulenta violência de um dilúvio, em toda sua completude, aquela inefável angústia com que eu ficara a contemplá-la, *ela*, igualmente amortalhada. A noite avançava; e mesmo assim, com o peito opresso por pensamentos amargos daquela que fora a única e supremamente amada, permaneci contemplando o corpo de Rowena.

Pode ter sido à meia-noite, ou talvez mais cedo, ou mais tarde, pois não fazia caso da hora, quando um soluço, baixo, suave, mas muito nítido, arrancou-me de meus devaneios. Minha *sensação* foi de que viera da cama de ébano — o leito de morte. Estiquei os ouvidos numa agonia de terror supersticioso — mas nenhuma repetição do som se seguiu. Forcei a vista para tentar detectar alguma perturbação no cadáver — mas não houve sequer o mais leve movimento perceptível. E contudo era impossível que houvesse me enganado. Eu *escutara* o ruído, por mais débil que fosse, e meu espírito estava desperto dentro de mim. Resoluta e perseverantemente mantive a atenção cravada no corpo. Muitos minutos se passaram antes que alguma circunstância ocorresse de modo a lançar luz sobre o mistério. Após certo tempo ficou evidente que um tom de cor leve, muito tênue e quase imperceptível enrubescera as maçãs do rosto, ao mesmo tempo que descia pelas minúsculas veias encovadas das pálpebras. Com uma espécie de indizíveis horror e assombro, para os quais a linguagem dos mortais não possui expressão suficientemente vigorosa, fiquei ali sentindo a cabeça girar, meu coração cessar de bater, meus membros cada vez mais rígidos. Contudo, uma sensação de dever finalmente se apoderou de mim e restaurou minha presença de espírito. Não podia mais duvidar de que havíamos nos precipitado em nossos preparativos — de que Rowena ainda vivia. Era necessário que alguma imediata tentativa fosse feita; contudo a torre era completamente afastada da parte da abadia atendida pela criadagem — não havia um criado sequer ao alcance da voz — eu não tinha meios de chamá-los para acorrer em meu auxílio sem deixar o aposento por vários minutos — e isso era coisa que não podia me arriscar a fazer. Desse modo lutei sozinho em meu empenho por trazer de volta o espírito que ainda pairava. Em um curto período ficou evidente, entretanto, que uma recaída tivera lugar; a cor desapareceu tanto das pálpebras quanto das maçãs, deixando uma lividez ainda maior que a do mármore; os lábios ficaram duplamente enrugados e contraídos na macabra expressão da morte; uma repulsiva viscosidade e frieza espalhou-se rapidamente pela superfície do corpo; e toda a usual rigidez austera sobreveio imediatamente. Desabei de volta com um estremecimento no divã de onde me erguera com tamanho sobressalto e mais uma vez entreguei-me, desperto, a apaixonadas visões de Ligeia.

Uma hora assim transcorreu, até que (seria possível?) tive consciência pela segunda vez de um som vago e incerto vindo das proximidades da cama. Escutei — num extremo de horror. O som veio outra vez — era um suspiro. Correndo para o cadáver, vi — vi nitidamente — um tremor nos lábios. Um minuto depois eles relaxaram, revelando a linha brilhante dos dentes perolados. A estupefação agora lutava em meu peito com o profundo assombro que até então reinara ali sozinho. Senti que minha visão se turvava e que minha razão divagava; e foi apenas por meio de um violento esforço que enfim consegui reunir coragem para a tarefa que o dever desse modo mais uma vez se me apresentava. Havia agora um rubor parcial na fronte, nas maçãs do rosto e na garganta; um calor perceptível invadia todo seu corpo; havia até uma leve pulsação no coração. A senhora *vivia*; e com redobrado ardor entreguei-me à tarefa de seu restabelecimento. Friccionei e umedeci as têmporas e as mãos, e envidei todos os esforços que a experiência, e não pouca literatura médica, podiam sugerir. Mas em vão. Subitamente, a cor se foi, a pulsação cessou, os lábios retomaram a expressão dos mortos e, um instante depois, o corpo todo se revestiu da frieza do gelo, do lívido matiz, da intensa rigidez, do perfil encovado e de todas as repugnantes peculiaridades de alguém que fora, durante muitos dias, ocupante de uma tumba.

E mais uma vez mergulhei nas visões de Ligeia — e mais uma vez (que espanto haverá em que eu estremeça enquanto escrevo?), *mais uma vez* chegou aos meus ouvidos um soluço abafado vindo das imediações da cama de ébano. Mas por que detalhar minuciosamente os inefáveis horrores daquela noite? Por que me deter relatando o modo como, vez após outra, até quase o momento do cinzento alvorecer, esse hediondo drama de revivescência se repetiu; como cada terrível recaída era apenas para uma mais austera e aparentemente mais irremediável morte; como cada agonia portava o aspecto de uma luta com algum inimigo invisível; e como cada luta era sucedida por não sei que fantástica alteração na aparência pessoal do cadáver? Que me seja permitido apressar-me a concluir.

A maior parte da assustadora noite transcorrera, e aquela que estivera entre os mortos mais uma vez se mexia — e agora com mais vigor do que nunca, embora despertando de um óbito mais consternador por sua absoluta desesperança do que qualquer outro. Eu cessara havia muito de empreender qualquer diligência ou gesto, e permanecera sentado rigidamente na otomana, presa indefesa de um turbilhão de violentas emoções, das quais o extremo choque era talvez a menos terrível, a menos consumidora. O cadáver, repito, se moveu, e agora com mais vigor do que antes. As nuanças da vida enrubesceram com energia incomum o semblante — os membros relaxaram — e, a não ser pelas pálpebras, ainda fortemente cerradas, e pelas bandagens e atavios do túmulo, investindo de seu caráter fúnebre a figura, eu poderia ter sonhado que Rowena havia se libertado inteiramente, de fato, dos grilhões da Morte. Mas se essa ideia não foi, mesmo então, de todo aceitável, eu não mais pude duvidar quando, erguendo-se da cama, cambaleante, com passos débeis, olhos fechados e procedendo como que sob a desorientação de um sonho, a criatura amortalhada avançou em carne e osso, palpavelmente, para o centro do aposento.

Não falei — não me mexi — pois uma hoste de inefáveis fantasias ligadas à aparência, à estatura, ao comportamento da figura, percorrendo velozmente meu cérebro, haviam me paralisado — haviam me congelado e petrificado. Não me mexi — mas fitei a aparição. Uma desordem demencial tomou conta de meus pensamentos — um tumulto implacável. Podia de fato ser Rowena, *viva*, quem me confrontava? Podia de fato ser *mesmo* Rowena — Lady Rowena Trevanion, de Tremaine, dona de louros cabelos e olhos azuis? Por que, *por que* eu duvidava? A bandagem cingia tensamente sua boca — mas acaso podia não ser a boca exalante da Lady de Tremaine? E as faces — lá estava o rosado como no apogeu de sua vida — sim, aquelas podiam de fato ser as formosas faces da vivente Lady de Tremaine. E o queixo, com suas covinhas, como na saúde, podia não ser o dela? — mas *acaso ficara mais alta desde sua enfermidade*? Que inexprimível loucura apossou-se de mim com esse pensamento? De um salto, caí a seus pés! Encolhendo ao meu toque, ela se desvencilhou das macabras ataduras funerárias que confinavam sua cabeça, e dali esvoaçaram, sob o ar revolto do quarto, enormes cachos de cabelos longos e desgrenhados; *mais negros que as asas da meia-noite!* E então vagarosamente foram se abrindo *os olhos* da figura diante de mim. "Ei-los aqui, finalmente", gritei alto, "eu jamais poderia — jamais poderia me enganar — eis aqui os olhos rasgados, negros, veementes — de meu amor perdido — de minha senhora — da LADY LIGEIA!"

A QUEDA DA CASA DE USHER

Seu coração é um alaúde suspenso;
Tão logo o tocamos ele ressoa.

De Béranger

Durante todo um dia carregado, silente e soturno no outono daquele ano, quando as nuvens pairavam opressivamente baixas no firmamento, eu passava sozinho, a cavalo, por um trato de terra singularmente desalentador; e em pouco tempo me vi, ao cair das sombras do anoitecer, diante da melancólica Casa de Usher. Não sei dizer como foi — mas, ao primeiro relance do edifício, uma sensação de insuportável desespero invadiu meu espírito. Digo insuportável; pois a impressão não era atenuada por nada desse sentimento parcial de prazer, pois que poético, com que a mente normalmente recebe até mesmo as imagens mais austeras de desolação ou dissabor. Contemplei a cena diante de mim — a mera casa, e os simples aspectos panorâmicos da propriedade — as paredes nuas — as janelas vagas semelhantes a olhos — o capim esparso e espesso — uns poucos troncos esbranquiçados de árvores fenecidas — com uma depressão de alma tão absoluta que não a posso comparar mais adequadamente com nenhuma outra sensação terrena senão com o estado pós-onírico daquele que se entregou às dissipações do ópio — a amarga recaída na vida cotidiana — o hediondo cair do véu. Havia uma gelidez, uma prostração, uma repulsa no coração — uma irremediável consternação do pensamento que estímulo algum da imaginação podia instigar ao que quer que fosse de sublime. O que era isso — parei para pensar — o que era isso que me debilitava ao contemplar a Casa de Usher? Era um mistério de todo insolúvel; tampouco podia eu lutar com as sinistras quimeras que se abatiam sobre mim conforme ponderava. Vi-me forçado a recorrer à insatisfatória conclusão de que embora, sem a menor sombra de dúvida, haja *de fato* combinações de objetos muito simples dotados do poder de desse modo nos afetar, ainda assim a análise desse poder reside em considerações além de nosso alcance. Possivelmente, refleti, um mero arranjo diferente dos pormenores da paisagem, dos detalhes do quadro, bastaria para modificar, ou talvez aniquilar, sua capacidade para a pesarosa impressão; e, agindo segundo essa ideia, dirigi as rédeas de meu cavalo para a beira escarpada de um pequeno lago lúgubre e negro reluzindo placidamente nas proximidades da residência, e baixei os olhos — mas com um tremor ainda mais intenso do que antes — para as imagens remodeladas e invertidas do capim pardacento, dos fantasmagóricos troncos de árvore, das janelas vagas semelhantes a olhos.

E contudo, nesse solar da melancolia eu agora me propunha a passar algumas semanas. Seu proprietário, Roderick Usher, fora um de meus alegres companheiros na infância; mas muitos anos haviam se passado desde nosso último encontro. Uma carta, entretanto, alcançara-me recentemente em uma parte distante do país — uma carta sua — que, pela natureza febrilmente urgente, não admitira outra coisa além de uma resposta em pessoa. A caligrafia evidenciava agitação nervosa. O missivista falava de uma aguda enfermidade física — de um distúrbio mental que o oprimia — e de um desejo sincero de me ver, como seu melhor e na verdade único amigo pessoal, com vistas a ensejar, mediante a satisfação de minha companhia, algum alívio para seu mal. Foi a maneira com que tudo isso, e muito mais, se dizia — foi o aparente *ardor* que acompanhava seu pedido — que não me permitiu a menor margem para hesitação; e assim acatei incontinente o que ainda considerava um convite deveras singular.

Muito embora quando crianças houvéssemos desfrutado de alguma intimidade, eu na verdade pouco sabia de meu amigo. Sua reserva sempre fora excessiva e habitual. Eu tinha consciência, entretanto, que sua família, das mais antigas, se distinguira, desde tempos imemoriais, por uma peculiar sensibilidade de temperamento, patenteando-se através de longas eras em inúmeras obras de exaltada arte e manifestada, ultimamente, em repetidas ações de generosa e mesmo pródiga caridade, bem como em uma apaixona-

A QUEDA DA CASA DE USHER

da devoção às complexidades, talvez ainda mais do que às belezas ortodoxas e facilmente reconhecíveis, da ciência musical. Eu ficara sabendo, também, o fato deveras notável de que o tronco familiar dos Usher, a despeito da reputação inigualável desde sempre, jamais havia gerado, no período que fosse, nenhum ramo duradouro; em outras palavras, que a família inteira derivava da linha direta de descendência e desse modo se perpetuara, com variações muito insignificantes e muito efêmeras. Era essa deficiência, considerava eu, enquanto examinava em pensamentos a perfeita conformidade entre a natureza da propriedade e a reconhecida natureza das pessoas e enquanto especulava sobre a possível influência que uma, no longo intervalo dos séculos, devia ter exercido sobre a outra — era essa deficiência, talvez, de uma progênie colateral, e a consequente transmissão invariável, de pai para filho, do patrimônio acompanhado do nome, que havia, finalmente, de tal modo identificado os dois a ponto de fundir o título original da propriedade na denominação estranha e equívoca de "Casa de Usher" — denominação que parecia abranger, nas mentes dos camponeses que a usavam, tanto a família como a mansão familiar.

Eu disse que o único efeito de meu procedimento em certa medida pueril — o de contemplar o lago — fora aprofundar a singular impressão inicial. Não pode haver dúvida de que a consciência do rápido agravamento de minha superstição — pois por que não deveria chamá-la assim? — serviu principalmente para acelerar o agravamento em si. Tal, bem o sei há muito tempo, é a lei paradoxal de todas as sensações que têm o terror como base. E talvez tenha sido por essa razão unicamente que, ao voltar a erguer os olhos para a própria casa, desviando-os do reflexo na água, em minha mente cresceu uma estranha fantasia — uma fantasia tão ridícula, de fato, que a menciono apenas para mostrar a vívida força das sensações que me oprimiam. A tal ponto estimulara a imaginação que cheguei realmente a crer que por todo o entorno da mansão e do domínio pairava uma atmosfera peculiar a eles próprios e a suas imediatas redondezas — atmosfera que não guardava qualquer afinidade com o ar do céu, mas que tresandava das árvores apodrecidas, da parede cinzenta, do lago silente — um vapor pestilento e místico, pesado, letárgico, fracamente discernível, e plúmbeo.

223

Livrando meu espírito do que *devia* ter sido um sonho, perscrutei mais detidamente o verdadeiro aspecto do edifício. Sua característica principal parecia ser a excessiva antiguidade. A descoloração do tempo fora enorme. Fungos minúsculos cobriam todo o exterior, pendendo dos beirais como redes intrincadas. E no entanto tudo isso assim se dava à parte qualquer dilapidação extraordinária. Nenhuma seção da alvenaria desabara; e parecia haver uma incongruência incompreensível entre a ainda intacta adaptação de suas partes e a condição deteriorada das pedras individuais. Muita coisa naquilo me lembrava a especiosa totalidade de um madeiramento antigo apodrecendo por longos anos em alguma cripta decrépita sem nunca ter sido perturbado pelo sopro do ar exterior. Além dessa indicação de extensa decadência, entretanto, a estrutura dava pouco sinal de instabilidade. O olho de um observador atento teria talvez percebido uma fissura quase imperceptível que, estendendo-se desde o telhado do edifício, na frente, descia pela parede em um zigue-zague, até se perder nas soturnas águas do lago.

Notando essas coisas, atravessei a curta estrutura elevada de madeira que conduzia à casa. Um criado à espera tomou meu cavalo e entrei pela arcada gótica do vestíbulo. Um pajem, de furtivos passos, guiou-me a partir daí, em silêncio, por inúmeras passagens escuras e complicadas rumo ao gabinete de seu senhor. Grande parte do que encontrei no caminho contribuiu, não sei como, para intensificar os vagos sentimentos de que já falei. Embora os objetos em torno de mim — embora os entalhes dos tetos, as solenes tapeçarias das paredes, o negror de ébano dos soalhos e os fantásticos troféus armoriais que chacoalhavam à minha passagem fossem coisas com as quais, ou similares às quais, eu me acostumara desde a infância — embora eu não hesitasse em reconhecer quão familiar era aquilo tudo — eu mesmo assim me admirava em descobrir quão pouco familiares eram as fantasias que essas imagens ordinárias suscitavam em mim. Numa das escadas, encontrei o médico da família. Seu semblante, pensei, exibia uma expressão mista de vil astúcia e perplexidade. Abordou-me com ar agitado e seguiu em frente. O pajem então abriu uma porta e conduziu-me à presença de seu senhor.

O aposento onde eu me encontrava era muito amplo e elevado. As janelas eram longas, estreitas e pontudas, e a uma distância tão grande do negro soalho de carvalho que não se podiam acessar do chão. Tênues raios de uma luz avermelhada filtravam pelo padrão de treliça das vidraças e serviam para tornar suficientemente distintos os objetos mais proeminentes em torno; o olho, entretanto, lutava em vão por atingir os ângulos mais remotos do ambiente, ou os recessos do teto abobadado e ornado de frisos. Escuros reposteiros pendiam das paredes. A mobília de modo geral era profusa, desconfortável, antiquada e dilapidada. Muitos livros e instrumentos musicais jaziam espalhados aqui e ali, mas sem conseguir emprestar qualquer vitalidade à cena. Senti que respirava uma atmosfera de tristeza. Um ar de austera, profunda e irremediável melancolia pairava no ambiente, impregnando tudo.

Quando entrei, Usher levantou-se do sofá onde estivera esparramado e saudou-me com um vivo entusiasmo que tinha muito, foi o que pensei inicialmente, de cordialidade exagerada — do constrangido esforço do mundano homem *ennuyé*. Bastou-me, entretanto, um relance em sua fisionomia para me convencer de sua perfeita sinceridade. Sentamo-nos; e por alguns momentos, conforme se quedava mudo, eu o observava com um sentimento que era parte piedade, parte assombro. Homem algum decerto jamais sofrera alteração tão terrível, em tão breve período, quanto Roderick Usher! Era com dificuldade que eu podia me forçar a admitir a identidade daquele ser macilento diante de mim como sendo o companheiro de minha tenra infância. Contudo o caráter de seu rosto sempre fora notável. O semblante cadavérico; os olhos grandes, claros e luminosos, sem comparação; lábios em certa medida finos e muito pálidos, mas de curvatura insuperavelmente bela; um nariz de delicado molde hebraico, mas com amplitude de narinas incomum em formações similares; um queixo lindamente modelado, expressando, em sua falta de proeminência, falta de energia moral; cabelos mais finos e macios do que teias de aranha; esses traços, com uma imoderada expansão acima das regiões das têmporas, compunham em seu conjunto uma fisionomia que não era das mais fáceis de esquecer. E agora, no mero exagero do caráter prevalecente dessas feições, e da expressão que costumavam transmitir, residia tal mudança que eu tinha dúvidas sobre aquele com quem falava. A lividez agora espectral e o brilho agora miraculoso dos olhos, mais do que tudo, me sobressaltavam e mesmo assombravam. O cabelo sedoso, também, fora deixado crescer em absoluta negligência e na medida em que, com sua indomável textura de gaze, antes flutuava que caía em torno de seu rosto, eu não conseguia, mesmo com esforço, ligar sua expressão arabesca a qualquer ideia de simples humanidade.

Quanto aos modos de meu amigo, notei na mesma hora uma incoerência — uma inconsistência; e logo percebi que isso brotava de uma série de esforços débeis e fúteis em dominar um habitual tremor — uma excessiva agitação nervosa. Para algo dessa natureza eu havia na verdade me preparado, não só pela carta, como também pela lembrança de certos traços de meninice, e pelas conclusões deduzidas de sua peculiar conformação física e temperamento. Seus gestos eram alternadamente joviais e taciturnos. Sua voz variava rapidamente de uma indecisão trêmula (quando a vitalidade animal parecia inteiramente em suspenso) para essa espécie de concisão enérgica — essa enunciação abrupta, momentosa, calma e cavernosa — essa elocução gutural morosa, equilibrada e perfeitamente modulada que se pode observar no ébrio arruinado ou no inveterado comedor de ópio durante os períodos de sua mais intensa excitação.

Foi desse modo que falou da finalidade de minha visita, de seu sincero desejo de me ver e do conforto que esperava receber com minha presença. Demorou-se, em alguma minúcia, no que concebia ser a natureza de sua enfermidade. Era, afirmou, um mal de constituição e de família, para o qual procurava desesperadamente achar remédio — uma mera afecção nervosa, acrescentou imediatamente, que iria sem dúvida passar. Manifestava-se numa infinidade de sensações antinaturais. Algumas delas, do modo como as detalhou, ocasionaram-me interesse e perplexidade; embora, talvez, os termos que usou, e o modo geral de sua narrativa, tivessem seu peso. Sofria na maior parte de uma agudez mórbida dos sentidos; somente o alimento mais insípido era-lhe suportável; só podia usar trajes de uma determinada textura; os odores de todas as flores eram-lhe opressivos; torturava seus olhos até a mais débil luz; e havia apenas alguns sons peculiares, estes saídos de instrumentos de corda, que não o enchiam de horror.

A uma espécie anômala de terror descobri que era escravizado. "Perecerei", disse-me, "estou *fadado* a perecer nesta deplorável loucura. Desse modo, e de nenhum outro, conhecerei minha ruína. Temo os eventos do futuro não em si mesmos, mas em seus resultados. Estremeço ao pensamento de qualquer incidente, mesmo o mais trivial, que possa influenciar essa intolerável agitação de minha alma. Não abomino de fato o perigo, a não ser por seu absoluto efeito — o terror. Nessa condição perturbada — lamentável — sinto que chegará mais cedo ou mais tarde o momento em que deverei abandonar vida e razão simultaneamente, numa luta com este sinistro fantasma, o MEDO."

Percebi, além do mais, a intervalos, e por meio de alusões intermitentes e dúbias, outro traço singular de sua condição mental. Ele era prisioneiro de certas impressões supersticiosas com respeito à morada que ocupava, e a qual, por muitos anos, jamais se aventurara a deixar — com respeito a uma influência cuja força espúria era transmitida em termos obscuros demais para serem aqui reiterados — uma influência que algumas peculiaridades na mera forma e substância de sua mansão familiar haviam, por força do longo sofrimento, disse-me, obtido sobre seu espírito — um efeito que a *constituição* das paredes e torres cinzentas, e do escuro lago dentro do qual tudo isso se mirava, havia, enfim, produzido sobre o *ânimo* de sua existência.

Ele admitia, entretanto, embora com hesitação, que grande parte da peculiar melancolia que desse modo o afligia podia ser rastreada até uma origem mais natural e muito mais palpável — à enfermidade grave e prolongada — na verdade, ao óbito evidentemente próximo — de uma irmã ternamente adorada — sua única companheira por longos anos — sua última e única relação de sangue neste mundo. "Seu falecimento", disse, com um amargor que jamais esquecerei, faria dele (ele, o desesperado e frágil), "o último da antiga estirpe dos Usher." Enquanto falava, Lady Madeline (pois assim se chamava) passou vagarosamente por uma parte remota do aposento e, sem dar por minha presença, desapareceu. Observei-a com a mais absoluta perplexidade, não destituída de certa apreensão — e contudo julguei impossível justificar tais sentimentos. Uma sensação de estupor me oprimia conforme meus olhos seguiam seus passos ao se retirar. Quando uma porta, finalmente, se fechou às suas costas, meu olhar buscou instintiva e ansiosamente o semblante do irmão — mas ele havia enterrado o rosto nas mãos, e tudo que pude perceber foi que um palor mais do que ordinário se difundira pelos dedos emaciados, entre os quais escorriam muitas lágrimas apaixonadas.

CONTOS DE IMAGINAÇÃO E MISTÉRIO

A doença de Lady Madeline iludia havia muito tempo a perícia de seus médicos. Uma apatia permanente, um gradual esgotamento físico e frequentes ainda que transitórios acessos de um caráter parcialmente cataléptico eram os incomuns sintomas. Até então suportara bravamente as aflições de sua enfermidade, e não se confinara em definitivo à cama; mas ao encerrar-se o dia de minha chegada à casa, ela sucumbiu (como me relatou seu irmão, à noite, com inexprimível agitação) ao poder destruidor do algoz; e percebi que a efêmera visão que obtivera de sua pessoa teria desse modo sido a última — que a senhora, pelo menos enquanto viva, não mais seria vista por mim.

Por vários dias depois disso, seu nome não foi mencionado nem por Usher, nem por mim: e durante esse período envidei enérgicos esforços para aliviar a melancolia de meu amigo. Pintamos e lemos juntos; ou escutei, como em sonho, as delirantes improvisações de seu expressivo violão. E desse modo, à medida que uma intimidade mais e mais próxima admitia-me com cada vez menos reservas nos recessos de seu espírito, mais amargamente eu me dava conta da futilidade de qualquer tentativa em alegrar aquela mente de onde trevas, como que constituindo uma qualidade positiva inerente, vertiam sobre todos os objetos do universo moral e físico, em uma incessante radiação de negra melancolia.

Carregarei para sempre comigo a lembrança das muitas horas solenes que desse modo passei a sós com o mestre da Casa de Usher. E contudo fracassarei em qualquer tentativa de transmitir uma ideia do exato caráter dos estudos, ou das ocupações, em que me envolveu, ou por cujos caminhos me conduziu. Uma idealidade excitável e consideravelmente destemperada lançava um brilho sulfuroso sobre tudo. Suas nênias longas e improvisadas ecoarão para sempre em meus ouvidos. Entre outras coisas, retenho dolorosamente na memória uma certa singular perversão e amplificação da atmosfera exaltada da última valsa de Von Weber. Das pinturas sobre as quais sua elaborada imaginação se debruçava, e que ganhavam, a cada pincelada, uma obscuridade diante da qual eu estremecia tanto mais abalado porque estremecia sem saber por quê; — dessas pinturas (vívidas como se suas imagens estivessem nesse momento diante de mim) eu em vão me empenharia em haurir mais do que uma pequena parte capaz de caber no âmbito da palavra meramente escrita. Pela absoluta simplicidade, pela nudez dos esboços, ele

228

prendia e abismava a atenção. Se algum mortal um dia pintou uma ideia, esse mortal foi Roderick Usher. Ao menos para mim — nas circunstâncias que então me cercavam — brotava das puras abstrações que o hipocondríaco intentava lançar sobre sua tela uma intensidade de intolerável assombro, do qual o mais leve vestígio jamais senti nem na contemplação das fantasias decerto radiantes, contudo demasiado concretas, de Fuseli.

Uma das fantásticas concepções de meu amigo que não partilhava tão estritamente do espírito da abstração pode ser vagamente representada, embora debilmente, em palavras. Um pequeno quadro exibia o interior de uma cripta ou túnel imensamente longo e retangular, com paredes baixas, liso, branco e sem interrupção ou adornos. Certos pontos acessórios do desenho serviam bem para transmitir a ideia de que essa escavação ficava em uma profundidade excepcionalmente grande sob a superfície da terra. Nenhuma saída se podia observar em parte alguma de sua vasta extensão, e tocha alguma, ou qualquer outra fonte de luminosidade era discernível; contudo uma profusão de intensos raios difundia-se por toda parte e a tudo banhava num esplendor fantasmagórico e incongruente.

Contei agora há pouco daquela mórbida condição do nervo auditivo que tornava toda música intolerável para o enfermo, com exceção de certos efeitos de instrumentos de corda. Foram, talvez, os estreitos limites aos quais ele desse modo se restringiu no violão que ensejaram, em grande medida, o caráter fantástico de suas apresentações. Mas a fervorosa *facilidade* de seus improvisos nisso não encontrava explicação. Eles devem ter sido, e eram, nas notas, bem como nas palavras de suas desenfreadas fantasias (pois ele com não pouca frequência se fazia acompanhar de improvisações verbais rimadas), o resultado daquela intensa serenidade e concentração mental à qual aludi previamente como observável apenas em momentos particulares da excitação artificial mais aguda. A letra de uma dessas rapsódias veio-me facilmente à memória. Fiquei, talvez, sobremaneira impressionado com ela, conforme a entoava, porque, carregado pela correnteza subterrânea ou mística de seu significado, imaginei perceber, e pela primeira vez, uma plena consciência da parte de Usher acerca da oscilação de sua elevada razão em seu trono. Os versos, intitulados "O palácio assombrado", eram muito próximos, se não exatamente, do seguinte:

CONTOS DE IMAGINAÇÃO E MISTÉRIO

"I
No mais verdejante de nossos vales
que bons anjos têm por morada,
outrora, um nobre e majestoso palácio —
Radiante palácio — assomava.
Nos domínios do monarca Pensamento —
Era lá que ele ficava!
Serafim algum jamais esticou suas rêmiges
Sobre uma construção nem a metade tão bela.

II
Pendões amarelos, gloriosos, dourados,
No seu telhado adejavam e tremulavam;
(Isso — tudo isso — foi numa ancestral
Época, muito tempo atrás)
E cada suave sopro de ar que brincava,
Nesse doce dia,
Ao longo dos baluartes empenachados e pálidos,
Um odor alado carregava.

III
Viandantes nesse feliz vale
Por duas janelas iluminadas viram
Espíritos se movendo musicalmente
Conduzidos por um bem afinado alaúde,
Em torno de um trono, onde sentado
(Porfirogênito!)
Em magnificência, sua glória bem condizente,
O soberano do reino era visto.

IV
E toda reluzente de pérolas e rubis
Estava a bela porta do palácio,
Pela qual entrou fluindo, fluindo, fluindo,

230

E cintilando ainda mais,
Uma hoste de Ecos cujo doce dever
Era apenas cantar,
Com vozes de sobeja beleza,
A sagacidade e sabedoria de seu rei.

V
Mas criaturas malignas, em mantos de aflição,
Atacaram o venturoso solar do rei;
(Ah, pranteemos, pois nunca mais um amanhã
Alvorecerá sobre ele, desolado!)
E, à volta de seu lar, a glória
Que corava e florescia
Não é senão uma história vagamente lembrada
De uma antiga era sepultada.

VI
E viajantes agora nesse vale,
Através das janelas iluminadas de luz vermelha, veem
Vastas formas que se movem fantasticamente
A uma melodia dissonante;
Enquanto, como um rápido rio espectral,
Pela porta pálida,
Um hediondo tropel para sempre sai em debandada,
E ri — mas não mais sorri."[28]

Bem me recordo de que as sugestões brotando dessa balada condu-
ziram-nos por uma cadeia de pensamentos em que ficou manifesta uma
opinião de Usher que menciono não tanto por conta de sua novidade (pois
outros homens[*] assim o pensaram), como por conta da pertinácia com que
a mantinha. Essa opinião, em sua forma geral, era a da senciência de to-

---

[*]   Watson, dr. Percival, Spallanzani e particularmente o bispo de Landaff. Ver *Chemical Essays*,
       vol. v. (N. do A.)

das as coisas vegetais. Mas, em sua imaginação perturbada, a ideia assumira um caráter mais ousado, e invadia, sob determinadas condições, o reino do inorgânico. Careço das palavras para expressar a plena extensão, ou o severo *abandono*, de sua convicção. A crença, entretanto, estava ligada (como já aludi previamente) às pedras cinzentas do lar de seus antepassados. As condições da senciência aqui haviam sido, imaginava ele, cumpridas pelo método de colocação dessas pedras — na ordem de seu arranjo, bem como devido à infinidade de fungos que as cobriam, e às árvores definhadas que havia em torno — acima de tudo, na prolongada persistência imperturbável desse arranjo, e em sua duplicação nas águas inertes do lago. Sua evidência — a evidência desse caráter senciente — podia ser vista, ele disse (e nisso levei um susto ao ouvi-lo falar), na gradual e contudo indiscutível condensação de uma atmosfera que lhes era própria em torno das águas e das paredes. O resultado se podia descobrir, acrescentou, naquela muda e contudo insistente e terrível influência que por séculos moldara os destinos de sua família, e que o tornara *a ele* naquilo que eu agora via — o que ele era. Tais opiniões não necessitam de comentário, e não farei nenhum.

Nossos livros — os livros que, por anos, haviam composto não pequena parte da existência intelectual do inválido — estavam, como seria de se supor, em estrita consonância com essa natureza de fantasmagoria. Debruçávamo-nos juntos sobre obras tais como o *Ververt et Chartreuse*, de Gresset; o *Belfegor*, de Maquiavel; *O Céu e o Inferno*, de Swedenborg; a *Viagem subterrânea de Nicholas Klimm*, de Holberg; a *Quiromancia*, de Robert Flud, Jean D'Indaginé e De la Chambre; a *Jornada na distância azul*, de Tieck; e *A Cidade do Sol*, de Campanella. Um dos nossos livros favoritos era uma pequena edição in-oitavo do *Directorium Inquisitorium*, do dominicano Eymeric de Gironne; e havia passagens em Pomponius Mela acerca dos antigos sátiros africanos e egipãs, nos quais Usher permanecia absorvido por horas. Seu maior deleite, entretanto, era encontrado no exame de um raro e curioso in-quarto gótico — manual de uma igreja esquecida —, o *Vigiliae Mortuorum secundum Chorum Ecclesiae Maguntinae*.

Eu não conseguia deixar de pensar no extravagante ritual dessa obra e em sua provável influência sobre o hipocondríaco quando, certa noite, tendo-me informado abruptamente que Lady Madeline não mais se

A QUEDA DA CASA DE USHER

achava entre nós, ele revelou sua intenção de preservar o corpo por duas semanas (antes de seu sepultamento definitivo) numa das numerosas criptas que havia nas principais paredes da casa. A razão mundana, entretanto, apontada para esse singular procedimento era uma que não me sentia livre para questionar. O irmão fora levado a essa resolução (assim me contou) por consideração do inusual caráter da enfermidade da falecida, de certas inquirições importunas e incisivas de parte dos médicos e da localização remota e exposta do cemitério familiar. Não vou negar que ao trazer à memória a sinistra fisionomia da pessoa com quem cruzei na escada, no dia em cheguei à residência, não tive o menor desejo de obstar ao que encarava, na melhor das hipóteses, como apenas uma inofensiva, e de modo algum antinatural, precaução.

A pedido de Usher, ajudei-o pessoalmente nos arranjos do sepultamento temporário. Uma vez o corpo no ataúde, encarregamo-nos apenas os dois de carregá-lo para seu repouso. A cripta em que o depositamos (e que permanecera por tanto tempo selada que nossas tochas, semiabafadas na atmosfera opressiva, pouca oportunidade ofereciam para nossa investigação) era pequena, úmida e inteiramente destituída de qualquer meio para admitir a luz; ficava, a grande profundidade, imediatamente sob a parte do prédio onde se situavam meus próprios aposentos. Aparentemente fora utilizada, em remotos tempos feudais, com o mais vil dos propósitos, como masmorra, e, em períodos mais recentes, como um depósito para pólvora ou qualquer outra substância altamente inflamável, na medida em que uma parte de seu piso e todo o interior de uma longa arcada pela qual a acessamos haviam sido cuidadosamente revestidos de cobre. A porta, de ferro maciço, recebera também proteção equivalente. Seu peso imenso, ao girar nos gonzos, provocava um som rangente extraordinariamente cortante.

Tendo depositado nosso lutuoso fardo sobre cavaletes no interior desse espaço de horror, empurramos parcialmente para o lado a tampa ainda desatarraxada do caixão e fitamos o rosto de sua ocupante. Uma semelhança espantosa entre o irmão e a irmã agora era o que inicialmente chamava minha atenção; e Usher, adivinhando, talvez, meus pensamentos, murmurou algumas palavras pelas quais fiquei sabendo que a falecida

233

e ele eram gêmeos, e que afinidades de uma natureza dificilmente inteligível haviam sempre existido entre ambos. Nossos olhares, entretanto, não recaíram muito tempo sobre a morta — pois não podíamos encará-la sem algum temor. A doença que daquele modo sepultara a dama na flor da idade deixara, como é de praxe em qualquer enfermidade de caráter estritamente cataléptico, a caricatura de um tênue rubor no busto e nas faces, e esse sorriso suspeitosamente relutante no lábio que é tão terrível na morte. Repusemos e atarraxamos a tampa e, tendo trancado a porta de ferro, seguimos nosso caminho, morosamente, pelos aposentos quase igualmente soturnos da parte superior da casa.

E então, transcorridos alguns dias de amargo luto, uma mudança observável se operou no caráter do desarranjo mental de meu amigo. Seus modos ordinários haviam desaparecido. Suas ocupações ordinárias foram negligenciadas ou esquecidas. Ele vagava de quarto em quarto com passos apressados, desiguais e sem objetivo. A lividez de seu semblante adquirira, se é que isso era possível, um matiz ainda mais espectral — mas a luminosidade de seu olhar se fora completamente. A ocasional rouquidão de outrora em sua voz não mais se fazia ouvir; e um balbuciar trêmulo, como que de extremo terror, caracterizava habitualmente suas palavras. Havia momentos, de fato, em que eu pensava que sua mente incessantemente agitada se debatia com algum segredo opressivo, para cuja revelação ele lutava por reunir a coragem necessária. Às vezes, além disso, eu era obrigado a atribuir tudo aos meros caprichos inexplicáveis da loucura, pois o surpreendia contemplando o vazio por longas horas, numa atitude da mais profunda concentração, como que à escuta de algum som imaginário. Não admira que sua condição me aterrorizasse — me contagiasse. Senti rastejarem sobre mim, num avanço lento porém inequívoco, as tumultuosas influências de suas superstições fantásticas e contudo impressionantes.

Foi especialmente ao me retirar para a cama tarde da noite no sétimo ou oitavo dia após termos depositado Lady Madeline na masmorra que experimentei a plena força de tais sentimentos. O sono não me vinha em meu divã — ao passo que as horas eram consumidas lentamente. Eu lutava por dominar o nervosismo que se apossara de mim. Empenhava-me em acreditar que grande parte, quando não tudo que eu sentia, era devido à desconcertante influência da mobília sombria do aposento — das cortinas escuras e puídas que, em movimentos atormentados com o sopro de uma tempestade iminente, dançavam espasmodicamente junto das paredes e roçavam com ruídos inquietantes as decorações do leito. Mas meus esforços foram infrutíferos. Um irreprimível tremor gradualmente invadiu meu corpo; e, após algum tempo, instalou-se sobre meu próprio coração o íncubo de um alarme absolutamente infundado. Afastando-o dali, ofegante e agitado, soergui o corpo nos travesseiros e, perscrutando gravemente as intensas trevas do aposento, estiquei os ouvidos — não sei dizer por que, a não ser que um espírito instintivo me impeliu a fazê-lo — para determinados sons baixos e indistintos que me chegavam, entre uma e outra pausa na tempestade, a longos intervalos, não sabia dizer de onde. Subjugado por um intenso sentimento de horror, inexplicável e contudo insuportável, enfiei-me às pressas em minhas roupas (pois senti que não mais dormiria nessa noite) e esforcei-me por me desvencilhar da deplorável condição em que mergulhara, andando rapidamente de um lado para outro do quarto.

Eu dera umas poucas voltas dessa maneira quando leves passos em uma escada adjacente captaram minha atenção. Não demorei a reconhecê-los como pertencendo a Usher. Um instante depois disso ele veio, com suaves batidas, à minha porta, e entrou portando uma lâmpada. Suas feições eram, como sempre, de uma lividez cadavérica — mas, além disso, havia uma espécie de louca hilaridade em seus olhos — uma *histeria* evidentemente contida em todo seu comportamento. Fiquei apavorado com seu aspecto — mas qualquer coisa era preferível à solidão que por tanto tempo eu suportara, e acolhi sua presença até mesmo com alívio.

"Viu isso?", disse ele abruptamente, após olhar em torno de si por alguns momentos em silêncio — "viu isso? — mas, espere! já vai ver." Assim falando, e tendo cuidadosamente protegido sua lâmpada, dirigiu-se apressado a uma das janelas e escancarou-a para a tempestade.

A fúria impetuosa da rajada que entrou quase nos ergueu do chão. Era, de fato, uma noite furiosa, e contudo austeramente arrebatadora, e de uma selvageria singular em seu terror e beleza. Um remoinho aparentemente ganhara força em nossas imediações; pois ocorriam frequentes e violentas alterações na direção do vento; e a extraordinária densidade das nuvens (que pairavam tão baixas a ponto de oprimir as torres da casa) não nos impedia de perceber a velocidade manifesta com que se deslocavam rapidamente de todos os pontos na direção umas das outras, sem sumir na distância. Afirmei que mesmo sua extraordinária densidade não nos impedia de perceber isso — contudo não tínhamos visão nem da lua nem das estrelas — tampouco clarão algum relampejava dos raios. Mas as superfícies sob as imensas massas de vapor em agitação, bem como todos os objetos terrestres imediatamente em torno de nós, brilhavam com a luz antinatural de uma exalação gasosa debilmente luminosa e nitidamente visível que pairava ao redor e amortalhava a mansão.

"Não deve — não vai contemplar isso!", disse eu, tremendo, para Usher, conforme o guiava, com suave coerção, da janela para uma cadeira. "Essas manifestações que o confundem são meramente fenômenos elétricos, nada incomuns — ou talvez aconteça de deverem sua origem espectral ao fétido miasma do lago. Vamos fechar essa janela; — o ar está gelado e é perigoso para sua constituição. Eis aqui um de seus romances favoritos. Vou ler, e você escuta; — e desse modo passaremos esta terrível noite juntos."

O antigo livro que eu pegara era o *Mad Trist* de Sir Launcelot Canning; mas eu o chamara de um dos favoritos de Usher mais como um triste gracejo do que a sério; pois, na verdade, há pouca coisa em sua prolixidade deselegante e sem imaginação que teria sido capaz de interessar o idealismo elevado e espiritual de meu amigo. Era, entretanto, o único livro imediatamente à mão; e deixei-me levar por uma vaga esperança de que a excitação que ora agitava o hipocondríaco pudesse encontrar alívio (pois a história dos distúrbios mentais está cheia de anomalias semelhantes) até mesmo no grau extremo de disparates do que eu iria ler. E de fato, a julgar pelo desmesurado ar de vivacidade com que escutava, ou parecia escutar, as palavras da narrativa, eu poderia muito bem ter felicitado a mim mesmo pelo sucesso de meu intento.

Eu chegara àquela muito conhecida parte da história em que Ethelred, o herói de Trist, tendo buscado em vão ser admitido pacificamente na morada do eremita, procura fazer sua entrada à força. Aqui, como haverão de se lembrar, as palavras da narrativa dizem assim:

236

"E Ethelred, que era por natureza um coração valoroso, e que se achava agora sobremodo imbuído de vigor por conta da poderosa influência do vinho que bebera, não mais esperou por qualquer parlamentação com o eremita, que, de fato, era dono de uma índole obstinada e malevolente, mas, sentindo a chuva em seus ombros, e temendo a chegada da tempestade, ergueu de imediato sua maça e, aos golpes, rapidamente abriu um vão para sua manopla entre as tábuas da porta; e então, forçando ali com robustez, de tal modo a rachou e fendeu e fez tudo em pedaços que o alarmante ruído seco e oco da madeira repercutiu por toda a floresta."

Ao término desse período levei um susto e, por um instante, parei; pois a mim me pareceu (ainda que na mesma hora concluísse que minha excitada imaginação me tapeara) — pareceu que de alguma parte deveras remota da mansão chegava, indistintamente, aos meus ouvidos, o que podia ter sido, em sua exata similitude de natureza, o eco (mas um eco abafado e surdo, sem dúvida) desse mesmo ruído de madeira rachando e quebrando que Sir Launcelot tão enfaticamente descrevera. Era, sem a menor sombra de dúvida, apenas a coincidência que prendera minha atenção; pois, entre os caixilhos das janelas chacoalhando, e os barulhos ordinários combinados da tempestade que continuava a ganhar força, o som em si nada tinha, decerto, que pudesse ter me interessado ou perturbado. Prossegui com a história:

"Mas o bom campeão Ethelred, entrando agora pela porta, ficou louco de fúria e aturdido ao não ver sinal do malevolente eremita; mas ao dar, em seu lugar, com um dragão escamoso e de aparência prodigiosa, e de língua flamejante, que montava guarda perante um palácio de ouro, com chão de prata; e na parede pendia um escudo de latão reluzente, onde se lia a inscrição —

AQUELE QUE AQUI ENTROU, UM CONQUISTADOR TERÁ SE MOSTRADO;
AQUELE QUE MATAR O DRAGÃO, O ESCUDO TERÁ CONQUISTADO;

E Ethelred ergueu sua maça, e golpeou a cabeça do dragão, que caiu diante dele e exalou seu hálito pestilento com um guincho tão apavorante e dissonante, e sobremodo penetrante, que Ethelred viu-se compelido a tapar os ouvidos com as mãos para se proteger do pavoroso ruído, um como tal até então jamais se ouvira antes."

Aqui mais uma vez parei abruptamente, e então, com uma sensação de descontrolada perplexidade — pois não restava a menor sombra de dúvida de que, nesse caso, eu de fato escutara (embora de que direção viesse fosse-me impossível dizer) o som de algo gritando ou raspando, baixo, aparentemente distante, mas dissonante, prolongado e sumamente incomum — a exata contrapartida do que minha fantasia já havia evocado para o abominável guincho do dragão tal como descrito pelo romancista.

Oprimido, como certamente fiquei, com a ocorrência dessa segunda e mais extraordinária coincidência, por mil sensações conflitantes, em que a admiração e o extremo terror predominavam, retive ainda suficiente presença de espírito para evitar provocar, mediante qualquer observação, a sensibilidade nervosa de meu companheiro. Não estava certo de modo algum de que notara os sons em questão; embora, seguramente, uma estranha alteração houvesse, ao longo dos últimos minutos, se operado em seu comportamento. De uma posição de frente para mim, ele gradualmente havia girado a cadeira, de modo a sentar-se com o rosto voltado para a porta do aposento; e desse modo eu só podia divisar em parte suas feições, embora visse que seus lábios tremiam como se estivesse murmurando inaudivelmente. Sua cabeça pendia junto ao peito — e contudo eu sabia que não estava dormindo, pelo modo amplo e rígido com que abria um olho, e que captei ao relanceá-lo de perfil. O movimento de seu corpo, também, era algo que contradizia essa ideia — pois ele balançava de um lado para o outro com uma oscilação suave, ainda que constante e uniforme. Tendo rapidamente me apercebido disso tudo, retomei a narrativa de Sir Launcelot, que assim prosseguia:

"E agora, o campeão, tendo escapado da terrível fúria do dragão, relembrando o escudo de latão, e a quebra do encantamento que sobre ele pairava, removeu a carcaça do caminho diante de si e aproximou-se valorosamente do pavimento de prata na parte do castelo onde o escudo ficava preso à parede; o qual na realidade não aguardou sua completa aproximação, mas tombou aos seus pés sobre o chão de prata, com um som poderosamente alto e terrivelmente estrondoso."

A QUEDA DA CASA DE USHER

Nem bem essas palavras deixaram meus lábios, eis que — como se um escudo de latão houvesse de fato, naquele momento, caído pesadamente sobre um piso de prata — tomei consciência de um eco distinto, cavernoso, metálico, clangoroso e contudo aparentemente abafado. Em completa agitação, pus-me de pé; mas o cadenciado movimento oscilante de Usher permaneceu imperturbado. Corri para a cadeira onde meu amigo sentava. Seus olhos cravavam-se fixamente à frente, e todo seu semblante era dominado por uma rigidez de pedra. Mas, quando pousei a mão em seu ombro, um forte tremor percorreu toda a sua pessoa; um sorriso doentio dançou em seus lábios; e vi que falava em um murmúrio baixo, apressado e incoerente, como que alheio a minha presença. Curvando-me para bem perto dele, pude por fim absorver a hedionda significação de suas palavras.

"Não está escutando? — eu sim, eu escuto, e eu *tenho escutado*. Durante longos — longos — longos — muitos minutos, muitas horas, muitos dias, tenho escutado — e contudo, não ousei — oh, tenha piedade de mim, desgraçado miserável que sou! — não ousei — não *ousei* falar! *Nós a sepultamos viva na tumba!* Não disse eu que meus sentidos eram aguçados? Estou lhe dizendo *agora* que escutei seus primeiros débeis movimentos no cavernoso caixão. Escutei-os — muitos, muitos dias atrás — e contudo não ousei — *eu não ousei falar!* E agora — esta noite — Ethelred — rá! rá! — a destruição da porta do eremita, o grito de morte do dragão, o clangor do escudo! — digamos, antes, seu caixão sendo rachado, o rangido dos gonzos de ferro de sua prisão, sua luta dentro da arcada de cobre da masmorra! Oh, para onde fugirei? Acaso não estará aqui num segundo? Não virá correndo me censurar por minha pressa? Não escutei eu os passos na escada? Não estou captando os batimentos pesados e horríveis de seu coração? Louco!" — nisso pôs-se furiosamente de pé e gritou, destacando sílaba a sílaba, como se, no esforço, estivesse abrindo mão da própria alma — "Seu louco! Afirmo que ela está agora mesmo atrás da porta!".

Como se na energia sobre-humana dessas palavras tivesse sido encontrada a potência de um encantamento — as imensas e antigas almofadas da porta para onde apontava começaram vagarosamente a recuar, nesse exato instante, suas maciças mandíbulas de ébano. Por obra do tormentoso vendaval — porém, além daquelas portas, lá estava *de fato* a figura altiva

239

e amortalhada de Lady Madeline de Usher. Havia sangue em suas vestes brancas, e evidência da amarga luta em cada parte de seu corpo emaciado. Por um momento permaneceu ali no limiar, tremendo e oscilando de um lado para o outro — então, com um gemido baixo e atormentado, caiu pesadamente dentro do quarto sobre a pessoa de seu irmão e, em suas violentas e agora definitivas agonias da morte, prostrou-o ao chão, já um cadáver, e vítima dos terrores que ele havia antecipado.

Desse aposento, e daquela mansão, fugi consternado. A tempestade lá fora continuava em todo seu furor quando me vi atravessando o velho tablado de madeira. De repente no caminho uma luz fantástica brilhou, e virei para ver de onde um fulgor tão incomum podia provir; pois apenas a vastidão da casa e suas sombras estavam atrás de mim. O clarão vinha da lua cheia que se punha, sanguínea, e que agora irradiava vividamente através daquela fissura antes quase indiscernível a que já me referi como se estendendo desde o telhado do prédio, em um percurso de zigue-zague, até a base. Enquanto eu olhava, a fissura rapidamente se alargou — um furioso sopro do remoinho sobreveio — o completo orbe do satélite desvelou-se de uma vez diante de meus olhos — minha cabeça girou quando vi as poderosas paredes desmoronando — um tumultuoso som trovejante como o clamor de incontáveis águas assomou — e o lago fundo e humoroso aos meus pés engoliu lúgubre e silente as ruínas da *"Casa de Usher"*.

O COLÓQUIO DE MONOS E UNA

Essas coisas estão no futuro.

Sófocles, *Antígona*

Una. "Nascer outra vez?"

Monos. Sim, formosíssima e adorada Una, "nascer outra vez". Essas foram as palavras sobre cujo significado místico eu por tanto tempo ponderei, rejeitando as explicações da classe sacerdotal, até que a própria Morte resolvesse para mim o mistério.

Una. Morte!

Monos. Quão estranhamente, doce Una, ecoas minhas palavras! Observo, ainda, uma hesitação em teus passos — uma jovial inquietude em teus olhos. Estás confusa e opressa pela majestosa novidade da Vida Eterna. Sim, era da Morte que eu falava. E quão singularmente aqui soa essa palavra que costumava outrora levar terror a todos os corações — cobrindo de bolor todos os prazeres!

Una. Ah, Morte, o espectro que se sacia em todos os festins! Quantas vezes, Monos, perdemo-nos em especulações acerca de sua natureza! Quão misteriosamente agiu ela como um empecilho à felicidade humana — dizendo-lhe "até aqui, e não mais além!". Esse amor sincero e mútuo, Monos meu, que ardia em nossos peitos — quão futilmente alimentamos a ilusão de que, sentindo-nos felizes assim que ele nascia, nossa felicidade se fortaleceria com sua força! *Hélas*! à medida que crescia, igualmente crescia em nossos corações o temor daquela hora ominosa que se apressava em nos separar para sempre! Assim, com o tempo, amar tornou-se algo doloroso. O ódio então teria sido mercê.

243

Monos. Desses pesares não mais fales, querida Una — minha, agora e para sempre, minha!

Una. Mas a lembrança da tristeza passada — não é ela a alegria presente? Muito tenho a dizer ainda das coisas que se foram. Mais do que tudo, anseio saber os incidentes de tua passagem pelo Vale escuro e pela Sombra.

Monos. E quando a radiante Una pediu qualquer coisa a seu Monos em vão? Serei minucioso em relatar tudo — mas em que ponto deve essa estranha narrativa começar?

Una. Em que ponto?

Monos. Tu o disseste.

Una. Monos, eu te compreendo. Na Morte, ambos descobrimos a propensão do homem em definir o indefinível. Não direi, desse modo: começa pelo momento da cessação da vida — mas, começa por aquele triste, triste instante em que, tendo-te a febre abandonado, mergulhaste num torpor desalentado e inerte, e em que cerrei tuas pálidas pálpebras com os dedos apaixonados do amor.

Monos. Uma palavra primeiro, minha Una, com respeito à condição geral do homem dessa época. Haverás de lembrar que um ou dois sábios dentre nossos antepassados — sábios deveras, embora não aos olhos do mundo — ousaram duvidar da justeza do termo "aperfeiçoamento" quando aplicado ao progresso de nossa civilização. Houve períodos em cada um dos cinco ou seis séculos imediatamente precedentes à nossa morte em que se ergueu algum vigoroso intelecto, batendo-se audaciosamente por esses princípios cuja verdade parece agora, diante de nossa razão privada dos direitos, tão inteiramente óbvia — princípios que deveriam ter ensinado nossa raça a submeter-se à orientação das leis naturais, em lugar de tentar controlá--las. A longos intervalos algumas mentes superiores surgiram, encarando cada avanço na ciência prática como um retrocesso na genuína utilidade. Ocasionalmente o intelecto poético — esse intelecto que agora sentimos ter sido o mais sublime de todos — uma vez que aquelas verdades que para nós eram da mais duradoura importância só podiam ser alcançadas por aquela *analogia* que se expressa em timbres indeléveis à imaginação apenas e só a ela, e que para a razão desamparada significação alguma comporta — ocasionalmente aconteceu de esse intelecto poético proceder um passo adiante no desenvolvimento da vaga ideia do filosófico e descobrir na mística parábola que fala da árvore do conhecimento, e de seu fruto proibido, agente da morte, uma clara insinuação de que o conhecimento não convinha ao homem na condição infante de sua alma. E esses homens — os poetas — vivendo e perecendo sob o escárnio dos "utilitários" — de incultos pedantes, que se arrogavam um título que se teria aplicado apropriadamente apenas aos escarnecidos — esses homens, os poetas, meditaram com anelo, embora não sem argúcia, nos antigos tempos em que nossas carências eram tão mais simples quanto intensos eram nossos gozos — dias em que *alegria* era uma palavra desconhecida, tão solenemente grave era o tom da felicidade — dias sagrados, augustos, jubilosos, quando rios azuis corriam desimpedidos, entre colinas agrestes, rumo às profundezas de solitudes florestais, primevas, olorosas, inexploradas.

E contudo essas nobres exceções do desgoverno geral não serviam senão para fortalecê-lo por oposição. *Hélas*! caíramos no mais maligno dentre todos os nossos dias malignos. O grande "movimento" — tal era o jargão utilizado — seguia adiante: uma molesta comoção, moral e física. A Arte — as Artes — assomaram, supremas, e, uma vez entronizadas, lançaram grilhões sobre o intelecto que as elevara ao poder. O homem, pois que não podia senão aceder ante a majestade da Natureza, incorreu em pueril exultação pelo domínio conquistado e continuamente crescente sobre seus elementos. Mesmo quando espreitava um Deus em sua imaginação, uma imbecilidade infantil desceu sobre ele. Como se pode supor pela origem de sua afecção, ficou cada vez mais contaminado por sistemas, e por abstrações. Ele se recobriu de generalidades. Entre outras bizarras ideias, a da igualdade universal ganhou terreno: e diante da analogia e de Deus — a despeito da elevada voz admonitória das leis da *gradação*, tão conspicuamente tudo permeando, na Terra e no Céu — delirantes tentativas de uma onipresente Democracia foram feitas. E contudo esse mal brotou necessariamente do mal primeiro, o Conhecimento. O homem não podia ao mesmo tempo conhecer e sucumbir. Entrementes imensas cidades fumarentas assomaram, inumeráveis. As verdes folhas murcharam sob o hálito quente das fornalhas. O formoso rosto da Natureza foi deformado como que pela devastação de alguma repulsiva enfermidade. E parece-me, doce Una, que até mesmo nossa adormecida percepção do forçado e do artificial pode ter nos detido aqui. Mas agora ao que tudo indica operamos nossa própria ruína pela perversão de nosso *gosto*, ou, antes, pelo cego desleixo de seu cultivo nas escolas. Pois, em verdade, era nessa crise que o gosto unicamente — essa faculdade que, detendo uma posição intermediária entre o puro intelecto e o senso moral, jamais poderia, sem risco, ter sido negligenciada — era agora que o gosto unicamente poderia nos ter conduzido nobremente de volta à Beleza, à Natureza e à Vida. Mas ai do puro espírito contemplativo e da intuição majestosa de Platão! Ai da μουσική que ele justamente encarava como uma educação em si mesma suficiente para a alma! Ai dele e ai dela! — pois que ambos foram mais desesperadamente necessários quando ambos foram mais inteiramente esquecidos ou desprezados.[*]

Pascal, filósofo que ambos amamos, disse, quão verdadeiramente! — *"que tout notre raisonnement se réduit à céder au sentiment"*;[29] e não é impossível que o sentimento do natural, o tempo assim o permitisse, teria recuperado sua antiga ascendência sobre a austera razão matemática das escolas. Mas tal não era para ser. Prematuramente induzida pela intemperança do conhecimento, a velhice do mundo se aproximava. Isso não o percebeu a massa da humanidade, ou, vivendo com entusiasmo, embora sem felicidade, fingiu não perceber. Mas, quanto a mim, os anais da Terra ensinaram-me a procurar pela mais vasta ruína como o preço da mais ele-

---

[*] "Será difícil descobrir melhor [método de educação] do que esse que a experiência de tantas eras já descobriu; e isso pode ser resumido como consistindo de ginástica para o corpo e *música* para a alma." *República*, livro 2. "Por esse motivo a educação musical é de suma importância; pois faz com que o Ritmo e a Harmonia penetrem mais intimamente na alma, impressionando-a com o mais forte vigor, enchendo-a de *beleza* e emprestando ao homem *beleza de espírito*. [...] Ele louvará e admirará *o belo*; ele o receberá com alegria em sua alma, alimentar-se-á dela e *assimilará sua própria condição à dela*." Ibid., livro 3. A música (μουσική) detinha, porém, entre os atenienses, uma significação muito mais abrangente do que entre nós. Incluía não apenas as harmonias de tempo e de tom, mas a dicção poética, sentimento e criação, cada uma em seu sentido mais amplo. O estudo da *música*, para eles, era na verdade o cultivo geral do gosto — daquele que reconhece o belo —, em distinção contrastante à razão, que lida unicamente com a verdade. (N. do A.)

vada civilização. Eu absorvera a presciência de nosso Destino por comparação com a China, simples e duradoura, com a Assíria, a arquiteta, com o Egito, o astrólogo, com a Núbia, mais engenhosa do que todos estes, a tumultuosa mãe de todas Artes. Na história* dessas paragens deparei com uma luz do Futuro. As artificialidades particulares dos três últimos eram doenças locais da Terra e em suas destruições particulares conhecemos remédios locais sendo aplicados; mas para o mundo infectado como um todo eu não podia antever regeneração alguma salvo na morte. Para que o homem, como raça, não se tornasse extinto, percebi que devia "*nascer outra vez*".

E agora se dava, formosíssima e adorada, que envolvíamos nossos espíritos, diariamente, em sonhos. Agora se dava que, ao crepúsculo, tratávamos dos dias por vir, quando a superfície da Terra, riscada pelas cicatrizes da Arte, e tendo se sujeitado àquela única purificação** capaz de obliterar suas retangulares obscenidades, devia se revestir outra vez do verdor, das encostas montanhosas, das águas sorridentes do Paraíso, e ser tornada com o tempo numa justa morada para o homem: — para o homem, purgado pela Morte — para o homem cujo intelecto agora exaltado não mais devia envenenar-se no conhecimento — para o homem redimido, regenerado, bem-aventurado e agora imortal, mas ainda homem *material.*

Una. Bem me recordo dessas conversas, querido Monos; mas a época da destruição pelo fogo não estava tão próxima quanto acreditávamos, e quanto a corrupção a que aludes certamente nos autoriza a crer. Os homens viveram; e morreram individualmente. Tu próprio adoeceste, e passaste ao túmulo; e por tal vereda tua constante Una lestamente te seguiu. E embora o século que desde então transcorreu, e cujo desenlace nos põe os dois juntos uma vez mais, não torturasse nossas adormecidas percepções com a impaciência da duração, ainda assim, meu Monos, foi um século, não obstante.

---

*   "História", de ιστορειν, "contemplar". (N. do A.)
** A palavra "purificação" parece aqui ser usada com referência à sua raiz no grego πυρ, "fogo".
    (N. do A.)

Monos. Digamos, antes, um ponto no vago infinito. Inquestionavelmente, foi na decrepitude da Terra que morri. Exaurido em meu íntimo com as ansiedades que tinham sua origem no tumulto e decadência gerais, sucumbi à febre feroz. Após alguns dias de dor, e muitos de oníricos delírios plenos de êxtase, cujas manifestações tomaste por dor, em que ansiei por te tirar do engano mas estava impotente para fazê-lo — após alguns dias abateu-se sobre mim, como disseste, um torpor desalentado e inerte; e a isso foi denominado *Morte* por aqueles que estavam em torno de mim.

Palavras são coisas vagas. Minha condição não me privou da senciência. Não me pareceu muito diferente da extrema quietude daquele que, tendo adormecido longa e profundamente, jazendo imóvel e inteiramente prostrado em pleno dia de verão, principia a voltar vagarosamente a si pela mera suficiência de seu sono, e sem ter sido despertado por perturbações externas.

Meu alento se fora. Os pulsos cessaram. O coração havia parado de bater. A volição não me abandonara, mas estava impotente. Os sentidos continuavam extraordinariamente ativos, embora de um modo excêntrico — assumindo muitas vezes as funções um do outro, ao acaso. O paladar e o olfato confundiam-se inextricavelmente e tornaram-se uma única sensação, anormal e intensa. A água de rosas com a qual em tua ternura umedeceras meus lábios no momento final, em mim suscitou a doce imagem de flores — flores fantásticas, muito mais encantadoras do que qualquer uma da antiga Terra, mas cujos protótipos tivemos por aqui, desabrochando em torno de nós. As pálpebras, transparentes e exangues, não constituíam completo impedimento para a visão. Como a volição estava em suspenso, os globos eram incapazes de rolar em suas órbitas — mas todo objeto no raio de abrangência do hemisfério visual era enxergado com relativa distinção; a luz que atingia a parte exterior da retina, ou o canto do olho, produzia um efeito mais vívido do que aquela que incidia sobre a superfície frontal ou interna. Contudo, no primeiro caso, esse efeito era de tal modo anômalo que eu o apreciava apenas enquanto *som* — um som agradável ou dissonante conforme as coisas ocorrendo junto a mim fossem claras ou escuras em vulto — curvas ou angulares em contorno. A audição, ao mesmo tempo, embora excitada em grau, não estava irregular

na ação — estimando os sons reais com uma extravagância de precisão, tanto quanto de sensibilidade. O tato sofrera uma alteração mais peculiar. Suas impressões eram recebidas tardiamente, mas tenazmente retidas, e resultavam sempre no mais agudo prazer físico. De modo que a pressão de teus doces dedos sobre minhas pálpebras, de início percebida unicamente pela visão, após algum tempo, muito depois de havê-los removido, encheram todo meu ser com um incomensurável deleite sensual. Digo com um deleite sensual. *Todas* as minhas percepções eram puramente sensuais. Os materiais providos pelos sentidos ao cérebro passivo não eram em mínimo grau forjados numa forma pelo finado entendimento. De dor, pouco havia; o prazer era muito; mas de dor ou prazer moral, nem vestígio. Assim teus descontrolados soluços flutuaram aos meus ouvidos com todas suas pesarosas cadências, e foram apreciados em cada variação de suas tristes tonalidades; mas constituíam suaves sons musicais e nada mais; não transmitiam à razão extinta qualquer sugestão das tristezas que os haviam gerado; ao passo que as lágrimas copiosas e constantes que caíam sobre meu rosto, fazendo saber aos presentes de um coração partido, vibravam cada fibra de meu ser unicamente com o êxtase. E isso era na verdade a *Morte* de que os presentes reverentemente falavam, em suaves sussurros — e tu, doce Una, ofegante, em elevados lamentos.

Ataviaram-me para o caixão — três ou quatro silhuetas escuras movendo-se atarefadas de um lado para o outro. Ao cruzar diretamente a linha de minha visão suscitavam *formas* para mim; mas ao passar a meu lado suas imagens impressionavam-me com a ideia de gritos, gemidos e outras sombrias expressões de terror, ou de horror, ou de ambas as coisas. Tu somente, em teu hábito branco, passava musicalmente por mim em todas as direções.

O dia chegava ao fim; e, conforme sua luz se dissipava, fui tomado de uma vaga inquietude — uma ansiedade tal como sente quem dorme quando tristes sons reais penetram continuamente em seus ouvidos — dobres baixos e distantes, solenes, a intervalos longos mas uniformes, e fundindo-se a sonhos melancólicos. A noite chegou; e trouxe em suas sombras um pesado desconforto. O sentimento oprimiu meus membros com a opressão de um fardo entorpecedor, e era palpável. Havia também um som lamentoso, não muito diferente da distante reverberação de ondas, porém mais contínuo, que, iniciando ao cair do crepúsculo, ganhara força com o avolumar das trevas. Subitamente luzes invadiram o ambiente, e a reverberação interrompeu-se de imediato em irrupções frequentes e desiguais desse mesmo ruído, porém menos desolador e menos distinto. A ponderosa opressão foi em grande medida aliviada; e, saindo da chama de cada lâmpada (pois muitas havia), ininterruptamente fluiu para meus ouvidos uma melodiosa sucessão de sons monótonos. E quando, então, querida Una, aproximando-te do leito sobre o qual jazia eu estendido, sentaste gentilmente ao meu lado, exalando o aroma de teus doces lábios, e pressionando-os contra minha fronte, então brotou trêmulo dentro de meu peito, combinando-se às sensações meramente físicas que as circunstâncias haviam evocado, um não sei que análogo ao próprio sentimento — uma disposição que era parte apreciação, parte correspondência ao teu sincero amor e pesar; mas esse sentimento não lançou raízes no coração inerte, e pareceu de fato antes uma sombra do que uma realidade, e desvaneceu rapidamente, primeiro na placidez extrema, e depois em um prazer puramente sensual, como antes.

E então, da ruína e do caos dos sentidos normais, pareceu emanar de dentro de mim um sexto, todo perfeição. Em seu exercício conheci um incontrolado deleite — contudo, um deleite ainda físico, na medida em que o entendimento dele não tomava parte. A atividade no corpo animal cessara por completo. Músculo algum estremecia; nervo algum vibrava; artéria alguma palpitava. Mas ele parecia ter brotado no cérebro, *isso* a respeito do qual palavra alguma podia transmitir à inteligência meramente humana uma concepção até mesmo vaga. Permita-me denominá-lo uma pulsação pendular mental. Era a encarnação moral da ideia abstrata que o homem faz do *Tempo*. Pela absoluta uniformização desse movimento — ou de tais como ele — os ciclos dos próprios orbes do firmamento foram ajustados. Com seu auxílio medi as irregularidades do relógio sobre a lareira, e dos relógios de bolso dos atendentes. O tique-taque deles chegou-me sonoramente aos ouvidos. Os mais ligeiros desvios da autêntica proporção — e esses desvios predominavam em todos — afetavam-me exatamente como as violações da verdade abstrata costumavam, no mundo, afetar o senso moral. Embora não houvesse ali no aposento dois relógios capazes de dar os segundos individuais pontualmente juntos, mesmo assim não tive dificuldade em manter com firmeza em minha mente os tons e os respectivos erros momentâneos de cada um. E isso — esse penetrante, perfeito, incriado sentimento de *duração* — esse sentimento existindo (na medida em que homem algum poderia provavelmente ter concebido que existisse) independentemente de qualquer sucessão de eventos — essa ideia — esse sexto sentido, brotando das cinzas dos demais, foi o primeiro passo óbvio e certeiro da alma intemporal pelo limiar da Eternidade temporal.

Era meia-noite; e seguias sentada a meu lado. Todos os demais haviam deixado o aposento da Morte. Haviam-me depositado no caixão. As lamparinas bruxuleavam; pois que isso eu percebia pela vibração da melodia monótona. Mas de repente esses sons diminuíram em intensidade e volume. Finalmente cessaram. O perfume em minhas narinas se foi. Formas não mais imprimiram-se em minha visão. A opressão das Trevas assomou em meu peito. Um choque entorpecedor como o da eletricidade invadiu meu corpo, e foi seguido pela total perda da ideia de contato. Tudo que o homem denomina sensação fundiu-se na isolada consciência da entidade e no sentimento único e perpétuo da duração. O corpo mortal fora enfim atingido pela mão da mortífera *Decomposição*.

E contudo nem toda a senciência partira; pois a consciência e o sentimento remanescentes satisfaziam algumas de suas funções por meio de uma letárgica intuição. Apreciei a medonha mudança ora se operando na carne e, como o sonhador às vezes tem consciência da presença corpórea de alguém que se debruça sobre ele, também eu, doce Una, ainda sentia entorpecidamente que sentavas a meu lado. Assim, também, ao chegar o meridiano do segundo dia, eu não estava inconsciente daqueles movimentos que te desalojaram de junto de mim, que me confinaram dentro do caixão, que me depositaram no coche funerário, que me carregaram até o túmulo, que me baixaram ali dentro, que amontoaram laboriosamente a terra sobre mim e que desse modo me deixaram, no negror e na corrupção, entregue ao meu triste e solene sono com o verme.

E ali, na prisão que tem poucos segredos a revelar, passaram-se dias, semanas, meses; e a alma observava minuciosamente cada segundo que passava, e, sem esforço, registrava sua rápida marcha — sem esforço e sem objetivo.

Um ano se passou. A consciência de *ser* ficara a cada hora mais indistinta e a de mera *localização*, em grande medida, usurpara-lhe o posto. A ideia de ente ia se fundindo à de *lugar*. O exíguo espaço imediatamente em torno do que fora o corpo tornava-se cada vez mais o próprio corpo. Finalmente, como tantas vezes sucede àquele que dorme (somente no sono e no mundo do sono a *Morte* é excogitada) — com o tempo, como às vezes sucedia na Terra àquele que dormia profundamente, quando alguma luz efêmera parcialmente o alarmava e despertava, embora deixando-o parcialmente imerso em sonhos — igualmente para mim, no austero abraço da *Sombra*, chegou *essa* luz que, somente ela, tem o poder de alarmar — a luz do perene *Amor*. Homens laboraram no túmulo em que eu jazia em trevas. Revolveram a terra úmida. Sobre meus ossos em deterioração baixaram o caixão de Una.

E então outra vez tudo foi vazio. Aquela luz nebulosa se extinguira. Aquela débil palpitação estremecera até a placidez. Muitos lustros sobrevieram. O pó tornara ao pó. O verme não mais tinha alimento. A sensação de ser enfim partira totalmente, e reinaram em seu lugar — em lugar de todas as coisas — dominantes e perpétuos — os autocratas *Lugar* e *Tempo*. Para *aquilo* que *não era* — para aquilo que não tinha forma — para aquilo que não tinha pensamento — para aquilo que não tinha senciência — para aquilo que era sem alma, e contudo do qual a matéria não constituía parte alguma — para todo esse nada, e contudo para toda essa imortalidade, o túmulo ainda era um lar, e as corrosivas horas, parceiras e amigas.

SILÊNCIO[30]

Uma fábula

Dormem os cumes montanhosos;
vales, penhascos e cavernas estão em silêncio.

Álcman

"Escuta *bem*", disse o Demônio, pousando a mão em minha cabeça. "A região de que falo é uma região austera na Líbia, às margens do rio Zaire. E não existe quietude ali, tampouco silêncio.

"As águas do rio exibem um insalubre matiz cor de açafrão; e não correm na direção do mar, mas pulsam por toda a eternidade sob o olho vermelho do sol com um movimento tumultuoso e convulso. Por milhas e milhas em ambos os lados do leito lodoso do rio estende-se um deserto pálido de nenúfares gigantescos. Eles suspiram uns para os outros naquela solidão e esticam na direção do céu seus pescoços longos e espectrais e acenam aquiescentes suas cabeças perpétuas. E um indistinto murmúrio se eleva dentre eles como o rumor de água subterrânea. E eles suspiram uns para os outros.

"Mas há uma fronteira para seu reino — a fronteira da floresta escura, horrível, elevada. Ali, como as ondas em torno das Hébridas, os arbustos se agitam incessantemente. Mas vento algum sopra em todo o céu. E as árvores altas e primevas balançam eternamente de cá para lá com um som poderoso de galhos despedaçados. E de seus distantes cimos, uma a uma, caem perpétuas gotas de orvalho. E junto às suas raízes jazem estranhas flores venenosas contorcidas em sono inquieto. E no alto, com um ruído forte e crepitante, as nuvens cinzentas correm para sempre no rumo oeste, até despencar, uma catarata, pela muralha flamejante do horizonte. Mas não há vento algum no céu. E às margens do rio Zaire não há quietude nem silêncio.

"Era noite, e a chuva caiu; e, caindo, era chuva, mas, tendo caído, era sangue. E eu permanecia no palude entre os altos nenúfares, e a chuva caiu sobre minha cabeça — e os nenúfares suspiravam uns para os outros na solenidade de sua desolação.

"E, de repente, a lua surgiu por entre a tênue névoa espectral, e sua cor era escarlate. E meus olhos pousaram sobre uma imensa rocha cinzenta que havia à margem do rio, e que foi banhada pelo luar. E a rocha era cinzenta, espectral, alta — e a rocha era cinzenta. Em sua face de pedra havia sinais gravados; e eu caminhei entre o palude de nenúfares até me aproximar da margem, de modo a conseguir ler os sinais inscritos na pedra. Mas não pude decifrá-los. E já ia voltando ao palude quando a lua brilhou com um vermelho mais vivo, e me virei e olhei a rocha outra vez, e olhei os sinais; — e os sinais diziam DESOLAÇÃO.

"E ergui o rosto, e lá havia um homem sobre o cume da rocha; e ocultei-me entre os nenúfares de modo a espreitar as ações do homem. E o homem era alto e imponente em sua forma, e estava envolto dos ombros aos pés na toga da antiga Roma. E os contornos de sua figura eram indistintos — mas suas feições eram as feições de uma deidade; pois o manto da noite, e da névoa, e da lua, e do orvalho haviam revelado as feições de seu rosto. E sua fronte era elevada e pensativa, e seu olhar, perturbado de preocupação; e nos poucos vincos de suas faces li as fábulas de tristeza, fadiga, repúdio à humanidade e anseio pela solidão.

"E o homem sentou-se sobre a rocha, e apoiou a cabeça em sua mão, e contemplou a desolação. Ele baixou os olhos para os arbustos rasteiros e inquietos, e os ergueu para as árvores altas e primevas, e ergueu-os ainda mais para o céu crepitante, e para a lua escarlate. E eu permaneci encolhido ao abrigo dos nenúfares, e observei as ações do homem. E o homem tremia na solidão; — mas a noite declinava e ele sentava sobre a rocha.

"E o homem desviou sua atenção do céu, e contemplou o austero rio Zaire, e suas espectrais águas amarelas, e as legiões pálidas dos nenúfares. E o homem escutou os suspiros dos nenúfares, e o murmúrio que se erguia de entre eles. E eu permaneci encolhido em meu esconderijo e observei as ações do homem. E o homem tremia na solidão; — mas a noite declinava e ele sentava sobre a rocha.

SILÊNCIO — UMA FÁBULA

"Então me dirigi aos recessos do palude, e vadeei o alagadiço por entre a vastidão de nenúfares, e chamei os hipopótamos que habitavam os charcos nos recessos do palude. E os hipopótamos ouviram meu chamado, e vieram, com o beemot, até a base da rocha, e rugiram ruidosa e medonhamente sob a lua. E eu permaneci encolhido em meu esconderijo e observei as ações do homem. E o homem tremia na solidão; — mas a noite declinava e ele sentava sobre a rocha.

"Então amaldiçoei os elementos com a maldição da comoção; e uma apavorante tempestade se formou no céu onde, antes, vento algum soprava. E o céu ficou lívido com a violência da tempestade — e as pancadas de chuva se abateram sobre a cabeça do homem — e houve cheias no rio — e o rio tornou-se um tormento espumoso — e os nenúfares guincharam em seus leitos — e a floresta foi destroçada pelo vento — e o trovão reverberou — e o raio caiu — e a rocha sacudiu em suas fundações. E eu permaneci encolhido em meu esconderijo e observei as ações do homem. E o homem tremia na solidão; — mas a noite declinava e ele sentava sobre a rocha.

"Então tomei-me de fúria e amaldiçoei, com a maldição do *silêncio*, o rio, e os nenúfares, e o vento, e a floresta, e o céu, e o trovão, e os suspiros dos nenúfares. E foram amaldiçoados, e *acalmaram-se*. E a lua cessou de cambalear em seu trajeto celestial — e o trovão morreu — e o relâmpago não mais brilhou — e as nuvens pairaram imóveis — e as águas baixaram ao seu nível e aí permaneceram — e as árvores pararam de balançar — e os nenúfares não mais suspiraram — e o murmúrio entre eles não mais se fez ouvir, tampouco o menor vestígio de som em todo o deserto vasto e ilimitado. E eu contemplei os sinais na rocha, e os sinais haviam mudado; — e os sinais eram SILÊNCIO.

"E meus olhos pousaram no semblante do homem, e seu semblante estava lívido de terror. E apressadamente ergueu a cabeça da mão onde ela se apoiava, e se pôs de pé sobre o rochedo e escutou. Mas nenhuma voz se ouviu por todo o deserto vasto e ilimitado, e os sinais na rocha diziam SILÊNCIO. E o homem estremeceu convulsivamente, e virou o rosto, e fugiu para longe, de modo que não mais o avistei."

SILÊNCIO — UMA FÁBULA

***

Ora, há belas narrativas nos livros dos Magos — nos livros encadernados em ferro, os melancólicos livros dos magos. Neles, afirmo, há gloriosas histórias do Céu, e da Terra, e do poderoso oceano — e dos Gênios que governaram o oceano, e a terra, e o céu elevado. Muito saber havia também nos ditos que foram proferidos pelas Sibilas; e coisas muito sagradas foram escutadas em tempos antigos pelas folhas estioladas que tremiam nos arredores de Dodona — mas, tão certo quanto vive Alá, essa fábula que o demônio me contou quando sentávamos lado a lado à sombra da tumba, considero-a a mais maravilhosa de todas! E quando o Demônio encerrava sua história, ele caiu de costas no buraco da tumba e riu. E eu fui incapaz de rir junto com o Demônio, e ele me amaldiçoou porque fui incapaz de rir. E o lince que habita a tumba por toda a eternidade saiu dali e deitou-se junto aos pés do Demônio, e o fitou fixamente no rosto.

259

O ESCARAVELHO DE OURO

Oh! oh! esse sujeito está dançando como um louco!
Ele foi picado pela Tarântula.

All in the Wrong

Muitos anos atrás, travei amizade com um certo sr. William Legrand. Era ele de antiga família huguenote, e fora rico outrora; mas uma série de infortúnios haviam-no reduzido à penúria. Para evitar a consequente mortificação com suas calamidades, partiu de New Orleans, a cidade de seus antepassados, e se estabeleceu na ilha de Sullivan, perto de Charleston, na Carolina do Sul.

Essa ilha é das mais singulares. Consiste de pouca coisa além de areia do mar e tem cerca de cinco quilômetros de extensão. Sua largura em nenhum ponto excede o meio quilômetro. Fica separada do continente por uma laguna quase imperceptível, que corre morosa através do pantanal de caniços e lodo, refúgio favorito das aves aquáticas. A vegetação, como se pode supor, é escassa, ou, quando muito, anã. Não se vê árvore de qualquer magnitude por ali. Perto da extremidade oeste, onde se ergue Fort Moultrie, além de algumas miseráveis construções de madeira, ocupadas, durante o verão, pelos fugitivos da poeira e da febre de Charleston, pode-se encontrar, na verdade, a eriçada palmeira salba; mas a ilha toda, com exceção dessa extremidade oeste, e de uma faixa de praia dura e branca na costa, é coberta por uma densa vegetação do cheiroso mirto, tão apreciado pelos horticultores da Inglaterra. O arbusto aqui muitas vezes atinge uma altura entre cinco e seis metros e forma um matagal quase impenetrável, impregnando o ar com sua fragrância.

Nos recessos mais recônditos desse matagal, não muito longe da extremidade leste, ou a mais remota, da ilha, Legrand erguera para si uma

CONTOS DE IMAGINAÇÃO E MISTÉRIO

pequena cabana, que ocupava na ocasião em que, por mero acidente, vim a conhecê-lo. Isso logo amadureceu numa amizade — pois muito havia no recluso para suscitar o interesse e a estima. Achei-o bem-educado, dotado de incomuns faculdades espirituais, mas contaminado pela misantropia, e sujeito a perversas disposições de entusiasmo e melancolia alternadamente. Tinha consigo muitos livros, mas raramente os empregava. Seus principais passatempos eram a caça e a pesca, ou as caminhadas pela praia e através da murta, buscando conchas ou espécimes entomológicos; — sua coleção destes era digna da inveja de um Swammerdamm. Nessas excursões, ia em geral acompanhado por um preto velho, de nome Júpiter, que fora alforriado antes dos reveses da família, mas que não podia ser persuadido, fosse por meio de ameaças, fosse de promessas, a abandonar o que considerava seu direito de seguir cada passo de seu jovem "Massa Will".[31] Não é improvável que os parentes de Legrand, crendo-o dono de um intelecto razoavelmente inquieto, houvessem dado um jeito de instilar essa obstinação em Júpiter, com vistas a supervisionar e tutelar o viandante.

Os invernos na latitude da ilha de Sullivan dificilmente são severos e, no fim do ano, é um acontecimento raro de fato que um fogo seja considerado necessário. Perto de meados de outubro de 18—, ocorreu, entretanto, um dia de notável friagem. Pouco antes do pôr do sol, atravessei a custo como sempre a vegetação perene até a cabana de meu amigo, a quem não fazia uma visita havia várias semanas — minha residência ficando, nessa época, em Charleston, a uma distância de quinze quilômetros da ilha, quando as facilidades de ir e vir eram muito aquém do que são hoje. Ao chegar à cabana, bati, como de costume e, sem obter resposta, procurei pela chave que sabia estar escondida, destranquei a porta e entrei. Um belo fogo ardia na lareira. Era uma novidade, e de modo algum desagradável. Tirei meu sobretudo, acomodei-me numa poltrona junto às achas crepitantes e aguardei pacientemente a chegada de meus anfitriões.

Pouco após o escurecer eles chegaram e saudaram-me com a mais cordial das boas-vindas. Júpiter, sorrindo de orelha a orelha, atarefou-se em preparar algumas aves aquáticas para o jantar. Legrand achava-se num de seus acessos — que outro nome dar àquilo? — de entusiasmo. Havia encontrado um bivalve desconhecido, formando um novo gênero, e, mais do que isso, havia caçado e capturado, com ajuda de Júpiter, um *scarabæus* que, assim acreditava, era totalmente novo, mas a respeito do qual desejava ter minha opinião no dia seguinte.

"E por que não esta noite mesmo?", perguntei, esfregando as mãos acima do fogo e desejando que a inteira raça dos *scarabæi* fosse para o inferno.

"Ah, se ao menos eu soubesse que estava aqui!", disse Legrand, "mas já faz tanto tempo desde a última vez em que nos vimos; e como poderia eu adivinhar que justamente nesta noite me faria uma visita? Quando voltava para casa, cruzei com o tenente G——, do forte, e, muito estupidamente, emprestei-lhe o escaravelho; de modo que vai ser impossível que o veja até amanhã. Fique aqui hoje à noite, que mandarei Jup buscá-lo ao raiar do dia. É a coisa mais adorável da criação!"

"O quê? — o raiar do dia?"

"Que bobagem! não! — o escaravelho. É de uma brilhante cor dourada — mais ou menos do tamanho de uma noz grande — com duas manchas negras cor de azeviche numa ponta do dorso, e outra, um pouco mais alongada, na outra. As *antennæ* são—"

"Num tem lata *ni'uma* nelas não, Massa Will, já cansei de falar pro senhor",[32] interrompeu-o Júpiter; "o escar'vel'o é de ouro puro ele tudinho, por dentro e por fora, menos as asas — nunca segurei escar'vel'o mais pesado na minha vida."

"Bem, suponho que sim, Jup", respondeu Legrand, um pouco mais gravemente, assim me pareceu, do que a situação exigia, "há alguma razão para deixar as aves queimar? A cor" — aqui ele virou para mim — "de fato quase basta para justificar a ideia de Júpiter. Nunca se viu um lustre metálico mais brilhante do que esse emitido por sua casca — mas isso você só poderá julgar pela manhã. Entrementes, posso lhe dar uma ideia da forma." Dizendo isso, sentou-se a uma mesinha, sobre a qual havia pena e tinta, mas nada de papel. Procurou em uma gaveta, mas não encontrou nenhum.

"Não importa", disse, enfim, "isso servirá"; e sacou do bolso do colete o que tomei por um pedaço muito sujo de almaço, executando sobre ele um grosseiro esboço com a pena. Enquanto o fazia, conservei-me sentado junto ao fogo, pois continuava com frio. Quando o desenho foi completado, ele mo estendeu sem se levantar. No momento em que eu o apanhava, um audível rosnado se fez ouvir, sucedido por algo raspando a porta. Júpiter abriu-a e um enorme terra-nova, pertencente a Legrand, entrou rapidamente, saltou sobre meus ombros e cumulou-me de carinhos; pois eu lhe dedicara grande atenção em visitas anteriores. Quando cessou de fazer festas, olhei para o papel e, para falar a verdade, peguei-me deveras perplexo com o que meu amigo havia desenhado.

"Bom!", eu disse, após contemplá-lo por alguns minutos, "eis *de fato* um estranho *scarabæus*, devo confessar: para mim é novidade: nunca vi nada parecido antes — a menos que fosse um crânio, ou uma caveira — com que se parece mais do que qualquer outra coisa que *eu* já tenha observado."

"Uma caveira!", repetiu Legrand — "Oh — é — bem, guarda algo dessa aparência quando posto no papel, sem dúvida. As duas manchas negras superiores parecem ser olhos, hein? e a mais extensa na parte de baixo é como uma boca — e o formato do todo é oval."

"Talvez assim seja", disse eu; "mas, Legrand, receio que lhe faltem pendores artísticos. Devo esperar até ver o próprio besouro, se quero formar alguma ideia de sua aparência peculiar."

"Bem, não sei", disse ele, um pouco ofendido, "desenho razoavelmente — *desenharia*, pelo menos — tivesse tido eu bons professores, e posso dizer com orgulho que não sou nenhum imbecil."

"Mas, meu caro colega, então está de brincadeira", disse eu, "isso aqui é um *crânio* bastante passável — na verdade, devo dizer que é um crânio deveras *excelente*, segundo as noções vulgares sobre tais espécimes da fisiologia — e seu *scarabæus* deve ser o *scarabæus* mais estranho do mundo, se se parece com isso. Ora, podemos conceber um bocado de superstição muito emocionante com base nessa sugestão. Presumo que chamará o inseto de *scarabæus caput hominis*, ou algo dessa natureza — existem muitas designações semelhantes na História Natural. Mas onde estão as *antennæ* que mencionou?"

"As *antennæ*!", disse Legrand, que parecia cada vez mais inexplicavelmente irritado com o assunto; "estou certo de que deve ter visto as *antennæ*. Desenhei-as tão distintamente quanto aparecem no inseto original, e presumo que seja suficiente."

O ESCARAVELHO DE OURO

"Bem, bem", eu disse, "talvez o tenha feito — ainda assim não as vejo"; e estendi-lhe o papel de volta sem mais qualquer comentário adicional, não desejando perturbar seu temperamento; mas eu estava muito surpreso com o rumo que os acontecimentos haviam tomado; seu mau humor me desconcertava — e, quanto ao desenho do besouro, não havia positivamente quaisquer *antennæ* visíveis, e no todo guardava *de fato* uma semelhança muito próxima com a figura ordinária de uma caveira.

Ele recebeu o papel com grande enfado e já estava prestes a amassá-lo, aparentemente para atirá-lo ao fogo, quando um relance casual no desenho pareceu de repente prender sua atenção. Num instante, seu rosto ficou violentamente vermelho — no seguinte, excessivamente pálido. Por alguns minutos, continuou sentado examinando o esboço minuciosamente. Finalmente se levantou, pegou uma vela na mesa e foi sentar sobre uma arca de marujo no canto oposto da sala. Aí mais uma vez procedeu a um meticuloso exame do papel, virando-o em todos os sentidos. Entretanto nada disse e sua conduta causou-me imensa perplexidade; contudo, julguei prudente não exacerbar o crescente amuo de seu temperamento com qualquer comentário. Em seguida, tirou do bolso do casaco uma carteira, enfiou o papel cuidadosamente ali e guardou ambos em uma escrivaninha, que trancou. Ele agora se mostrava cada vez mais composto em seus modos; mas seu ar original de entusiasmo havia desaparecido por completo. Contudo, parecia menos taciturno do que abstraído. Com o avançar da noite mostrou-se cada vez mais absorto em devaneios, dos quais nenhum comentário espirituoso de minha parte conseguia demovê-lo. Fora minha intenção passar a noite na cabana, como frequentemente fizera antes, mas, vendo meu anfitrião naquele humor, julguei apropriado me retirar. Ele não insistiu para que eu ficasse, mas, quando eu partia, apertou minha mão com cordialidade ainda maior do que a usual.

Foi cerca de um mês depois disso (e ao longo desse intervalo não tive notícia alguma de Legrand) que recebi uma visita, em Charleston, de seu homem, Júpiter. Eu nunca vira o bom preto velho parecendo tão desconsolado, e temi que alguma grave calamidade houvesse se abatido sobre meu amigo.

265

CONTOS DE IMAGINAÇÃO E MISTÉRIO

"Bem, Jup", disse eu, "qual o problema agora? — como anda seu senhor?"

"Ora, pra falar a verdade, *massa*, ele num anda tão bem como devia."

"Não anda bem! Fico realmente triste em saber disso. Do que se queixa ele?"

"Diacho! aí é que tá! — meu senhor nunca se queixa de nada — mas ele tá muito doente."

"*Muito* doente, Júpiter! — por que não disse logo de uma vez? Ele está acamado?"

"Não, isso não! — ele num para sossegado — aí é que o sapato me aperta — tô com a cabeça inchada por causa do pobre Massa Will."

"Júpiter, eu gostaria de entender do que você está falando. Disse que seu senhor está doente. Ele não lhe contou que mal o aflige?"

"Ora, *massa*, num vale a pena se apoquentar por causa disso — Massa Will diz que num tem problema ni'um com ele não — mas então, o que faz ele ficar andando de um lado pro outro, olhando onde pisa, com a cabeça baixa e os ombros caídos, branco como um ganso? E também segurando um sifão o tempo todo —"

"Um o quê, Júpiter?"

"Um sifão com números na tabuleta — os números mais esquisitos que eu já vi na vida. Tô começando a ficar com medo, falo pro senhor. Eu tenho que ficar de olho nele o tempo todo. Outro dia ele me escapou antes do sol aparecer e sumiu o bendito dia inteiro. Eu tava com uma bela vara pronta p-pra dar um corretivo nele quando voltasse — mas sou tão molengo que num tive a coragem, no fim — ele parecia todo mazelento."

"Hein? — como? — ah, sei ! — no geral, acho que foi a melhor coisa, não ter sido severo demais com o pobre coitado — nada de chibatadas, Júpiter — pode muito bem ser que ele não aguente — mas você não faz a menor ideia do que causou essa enfermidade, ou, antes, essa mudança de comportamento? Ele não sofreu nenhum aborrecimento desde nosso último encontro?"

"Não, *massa*, num teve aborrecimento ni'um *depois* disso — é o *antes* que me preocupa — foi bem no dia que o senhor teve em casa."

"Como? O que você quer dizer?"

266

"Ai, *massa*, tô falando do escar'vel'o — pronto, taí."

"Do quê?"

"Do escar'vel'o — tenho certeza absoluta que Massa Will foi picado nalgum lugar da cabeça por aquele escar'vel'o de ouro."

"E o que o levou a supor tal coisa, Júpiter?"

"Pinças pra isso ele tem, *massa*, e também tem boca. Nunca vi um escar'vel'o assim — ele chuta e morde tudo que chega perto. Massa Will primeiro catou ele, mas teve que largar ele logo, falo pro senhor — daí foi nessa hora que ele deve ter tomado a picada. Eu mesmo num gostei nem um pouquinho do jeito daquela boca, não senhor, então eu é que não ia pôr meu dedo naquele escar'vel'o, mas daí eu peguei ele com um pedaço de papel que eu achei. Embrulhei ele no papel e enfiei um pedaço na boca dele — foi assim que eu fiz."

"E você acha, então, que seu senhor realmente foi picado pelo escaravelho, e que a picada o deixou enfermo?"

"Eu num acho coisa nenhuma — eu sei. Por que ele fica sonhando com ouro o tempo todo, se num foi porque levou uma picada do escar'vel'o de ouro? Eu já tinha ouvido falar que escar'vel'o de ouro fazia isso."

"Mas como sabe você que ele sonha com ouro?"

"Como eu sei? ah, porque ele fala dormindo — é por isso que eu sei."

"Bom, Jup, talvez tenha razão; mas a que feliz circunstância devo atribuir a honra de sua visita hoje?"

"Como assim, *massa*?"

"Você traz algum recado do senhor Legrand?"

"Recado ni'um, *massa*, mas trago aqui esse papelzinho"; e assim Júpiter estendeu-me um bilhete, que dizia o seguinte:

Meu caro ——

Por que não o vejo há tanto tempo? Espero que não tenha sido tolo a ponto de se ofender com alguma pequena *brusquerie* de minha parte; mas não, isso é improvável.

Desde nosso último encontro tenho tido grandes motivos para ansiedade. Tenho algo a lhe contar, embora mal saiba como fazê-lo, ou se é que devo fazê-lo, afinal.

CONTOS DE IMAGINAÇÃO E MISTÉRIO

Não tenho andado lá muito bem faz alguns dias, e o pobre e velho Jup me aborrece quase além do suportável com seus bem-intencionados cuidados. Pode acreditar numa coisa dessas? — ele preparou uma longa vara, outro dia, com a qual pretendia me castigar por haver escapulido e passado o dia, *solus*, entre as colinas do continente. Acredito piamente que foi somente meu aspecto enfermiço que me poupou de umas chibatadas. Nada acrescentei à minha coleção desde a última ocasião em que nos encontramos. Se puder, de algum modo, e julgar conveniente, acompanhe Júpiter até aqui. *Venha*. Gostaria de vê-lo *esta noite*, para tratar de assunto importante. Asseguro-lhe que é assunto da *maior* importância.

Sempre seu,

William Legrand

Havia alguma coisa no tom desse bilhete que me deixou incomodado. O estilo todo diferia substancialmente do de Legrand. Com que poderia estar sonhando? Que novo capricho se apoderava de seu cérebro excitável? Que "assunto da maior importância" podia *ele* ter a tratar? O relato de Júpiter a seu respeito não pressagiava nada de bom. Eu temia que a contínua pressão do infortúnio houvesse, enfim, desarranjado até certo ponto a razão de meu amigo. Sem hesitar mais um instante, então, preparei-me para acompanhar o negro.

Ao chegar no píer, notei uma gadanha e três pás, tudo aparentemente novo, no fundo do bote em que deveríamos embarcar.

"O que significa tudo isso, Jup?", perguntei.

"Gadanha, *massa*, e pá."

"De fato; mas o que essas coisas estão fazendo aqui?"

"É a gadanha e as pás que Massa Will mandou eu comprar pra ele na cidade, e precisei dar um dinheirão dos diabos por elas."

"Mas o que, em nome de tudo que há de mais misterioso, seu 'Massa Will' pretende fazer com gadanhas e pás?"

"Isso *eu* é que num sei, e o diabo me carregue se num acho que nem ele também não sabe. Mas é tudo culpa do escar'vel'o."

Percebendo que nenhuma explicação satisfatória poderia ser obtida com Júpiter, cujo intelecto parecia inteiramente absorvido no "escar'vel'o",

268

entrei no bote e estiquei a vela. Com a brisa agradável e firme logo chegamos à pequena angra a norte de Fort Moultrie, e uma caminhada de cerca de três quilômetros nos conduziu à cabana. Legrand estivera nos esperando com ansiosa expectativa. Agarrou minha mão com um *empressement* nervoso que me alarmou e fortaleceu as suspeitas que eu já acalentava. Suas feições estavam pálidas até para um fantasma e em seus olhos encovados cintilava um brilho antinatural. Após alguma inquirição acerca de seu estado de saúde, perguntei-lhe, sem imaginar coisa melhor que dizer, se obtivera de volta o *scarabæus* do tenente G——.

"Ah, claro", respondeu, corando violentamente, "peguei-o na manhã seguinte. Nada vai me separar desse *scarabæus*. Sabia que Júpiter tem toda razão acerca dele?"

"Em que sentido?", perguntei, com um triste pressentimento no coração.

"Em supor que o escaravelho é *de ouro de verdade*." Disse ele, com ar da mais profunda seriedade, com o que me senti indizivelmente chocado.

"Esse escaravelho vai fazer minha fortuna", continuou, com um sorriso triunfante, "restituir-me as posses familiares. É de causar alguma admiração, então, meu apreço por ele? Uma vez que a Fortuna achou por bem mo concedê-lo, tudo que tenho a fazer é usá-lo apropriadamente e chegarei ao ouro de que ele é o indicador. Júpiter, traga-me aquele *scarabæus*!"

"Arre! o escar'vel'o, *massa*? Prefiro não me meter com aquele bicho — melhor o senhor mesmo pegar." Nisso Legrand se levantou, com um ar grave e altivo, e trouxe-me o besouro que deixara guardado em um estojo de vidro. Era um lindo *scarabæus* e, nessa época, desconhecido dos naturalistas — sem dúvida um grande achado, do ponto de vista científico. Havia duas manchas negras arredondadas junto a uma das extremidades, no dorso, e uma mais alongada, na outra. A casca era excepcionalmente dura e reluzente, com toda a aparência de ouro polido. O peso do inseto era deveras notável e, levando tudo em consideração, dificilmente se podia culpar Júpiter por sua crença respeitante ao espécime; mas que Legrand compartilhasse dessa opinião era algo que eu não podia, sob nenhuma circunstância, admitir.

"Mandei chamá-lo", disse ele, em um tom grandiloquente, após eu ter completado meu exame do besouro, "mandei chamá-lo para que pudesse contar com seu conselho e assistência no cumprimento dos desígnios do Destino e do escaravelho"—

"Meu caro Legrand", exclamei, interrompendo-o, "certamente não está bem, e melhor seria se tomasse determinadas precauções. Deve se recolher à cama, e permanecerei a seu lado por alguns dias, até ter superado isso. Está febril e"—

"Sinta meu pulso", disse ele.

Tomei-lhe a pulsação e, para falar a verdade, não encontrei o mais leve indício de febre.

"Mas pode estar enfermo e mesmo assim não ter febre. Permita-me ao menos dessa vez lhe passar uma prescrição. Em primeiro lugar, vá para a cama. Em seguida"—

"Você se equivoca", interveio ele, "estou tão bem quanto seria de se esperar, no presente estado de empolgação em que me encontro. Se de fato quer me ver bem, deve aliviar essa empolgação."

"E como isso pode ser feito?"

"Muito fácil. Júpiter e eu estamos de partida para uma expedição pelas colinas, no continente, e, nessa expedição, precisaremos da ajuda de alguém em quem possamos confiar. É o único de nossa confiança. Sendo bem ou malsucedidos, essa empolgação que ora vê em mim será igualmente mitigada."

"Fico ansioso em obsequiá-lo da melhor maneira", repliquei; "mas está afirmando que esse besouro infernal guarda alguma ligação com sua expedição pelas colinas?"

"Isso mesmo."

"Pois nesse caso, Legrand, não posso tomar parte em procedimento tão absurdo."

"Lamento — lamento muito — então o tentaremos nós mesmos."

"Tentar por si mesmos! O homem certamente enlouqueceu! — mas espere! — quanto tempo pretendem se ausentar?"

"Provavelmente, a noite toda. Deveremos começar imediatamente, e voltar, em todo caso, ao nascer do sol."

O ESCARAVELHO DE OURO

"E me promete, por sua honra, que quando essa sua extravagância houver terminado, e o negócio do escaravelho (bom Deus!), acertado a seu contento, voltará para casa e seguirá meu conselho sem discutir, como se vindo de seu próprio médico pessoal?"

"Sim; prometo; e agora a caminho, pois não temos tempo a perder."

Com o coração pesado acompanhei meu amigo. Começamos por volta das quatro da tarde — Legrand, Júpiter, o cão e eu. Júpiter levava consigo a gadanha e as pás — insistindo em carregar tudo sozinho — mais por medo, assim me pareceu, de deixar alguma daquelas ferramentas ao alcance de seu mestre, do que por qualquer excesso de diligência ou préstimo. Sua conduta era obstinada ao extremo e "esse diacho d'escar'vel'o" foram as únicas palavras que deixaram seus lábios durante a jornada. De minha parte, eu ficara encarregado de um par de lanternas furta-fogo, enquanto Legrand se dispunha a levar o *scarabæus*, que ia preso à ponta de um pedaço de chicote; ele o girava de um lado para outro, com ares de feiticeiro, conforme caminhava. Quando observei essa última evidência indiscutível de aberração mental em meu amigo, mal pude conter as lágrimas. Achei melhor, entretanto, condescender com sua fantasia, pelo menos por ora, ou até ser capaz de adotar medidas mais enérgicas com alguma chance de sucesso. Nesse meio-tempo empenhei-me, mas em vão, em sondá-lo com respeito ao intuito da expedição. Tendo conseguido induzir-me a acompanhá-lo, parecia pouco inclinado a manter conversa sobre qualquer assunto de menor importância, e a todas minhas perguntas não se dignava a responder outra coisa além de "veremos!".

Atravessamos o braço de mar na ponta da ilha usando um esquife e, subindo pelo terreno elevado no litoral do continente, prosseguimos na direção noroeste, por uma extensão de terra excessivamente bravia e desolada, onde nenhum sinal de passadas humanas se via. Legrand ia na frente com determinação; parando apenas por um instante, aqui e ali, para consultar o que pareciam ser determinados marcos feitos por ele mesmo em uma ocasião anterior.

Desse modo excursionamos por cerca de duas horas e o sol mal começara a se pôr quando entramos numa região infinitamente mais lúgu-

271

bre do que qualquer outra que havíamos visto. Era uma espécie de platô, próximo ao cume de uma colina quase inacessível, densamente arborizada da base até o pico, e coberta de imensos rochedos que pareciam soltos no solo e que em muitos casos eram impedidos de se precipitar nos vales abaixo meramente pelo arrimo das árvores contra as quais se apoiavam. Profundas ravinas, em várias direções, emprestavam uma atmosfera ainda mais austera à solenidade do cenário.

A plataforma natural que havíamos galgado abrigava uma densa touceira de sarças, na qual logo percebemos que teria sido impossível penetrar senão com a gadanha; e Júpiter, por ordem de seu senhor, procedeu à abertura de uma picada para nós até a base de um gigantesco tulipeiro que assomava, junto com uns oito ou dez carvalhos, na elevação, e suplantava em muito todos eles, bem como todas as demais árvores que eu um dia já vira, pela beleza de sua folhagem e sua forma, pela ampla disposição de seus galhos e pela majestade geral de sua aparência. Quando chegamos a essa árvore, Legrand virou para Júpiter e lhe perguntou se achava que era capaz de trepar ali. O velho homem pareceu titubear um pouco com a pergunta, e por alguns momentos não respondeu. Após algum tempo, aproximou-se do imenso tronco, contornou-o vagarosamente e examinou-o com escrupulosa atenção. Após completar seu escrutínio, disse apenas:

"Sim, *massa*, Jup consegue trepar em qualquer árvore que ele já viu na vida."

"Então ponha-se a subir, quanto antes possível, pois logo estará escuro demais para enxergar o que estamos fazendo."

"Até onde é pra subir, *massa*?", inquiriu Júpiter.

"Suba pelo tronco principal primeiro, depois eu lhe digo por onde prosseguir — e olhe — espere! leve esse besouro com você."

"O escar'vel'o, Massa Will! — o escar'vel'o de ouro!", gemeu o negro, encolhendo-se, descorçoado — "pra que eu tenho que levar o escar'vel'o pra cima da árvore? — o diabo me carregue se vou fazer isso!"

"Se está com medo, Jup, um negro grande e forte como você, de segurar um besourinho morto inofensivo, por que não o leva com esse cordão — mas se não levar de um modo ou de outro, serei obrigado a quebrar sua cabeça com esta pá."

O ESCARAVELHO DE OURO

"O que é isso agora, *massa*?", disse Jup, evidentemente aquiescendo de pura vergonha; "o senhor tem sempre que implicar com este preto velho. Eu só tava brincando. *Eu*, com medo do escar'vel'o! e eu ligo a mínima pro escar'vel'o?" E, dizendo isso, segurou cuidadosamente a ponta do cordão e, mantendo o inseto o mais longe possível de sua pessoa que as circunstâncias o permitiam, preparou-se para subir na árvore.

Quando novo, o tulipeiro, ou *Liriodendron tulipiferum*, o mais magnífico dos habitantes da floresta, tem um tronco peculiarmente liso, e muitas vezes cresce até grandes alturas sem galhos laterais; mas, em idade madura, a casca se torna rugosa e desigual, enquanto muitos ramos curtos aparecem em seu caule. De modo que a dificuldade de escalada, no presente caso, reside mais na aparência do que na realidade. Cingindo o imenso cilindro da melhor forma possível com seus braços e pernas, agarrando certas saliências com as mãos e apoiando os dedos dos pés descalços em outras, Júpiter, após escapar de cair por muito pouco em uma ou duas ocasiões, enfim se contorceu até chegar à primeira grande forquilha, e pareceu considerar o negócio todo como virtualmente concluído. O *risco* da empresa estava, de fato, terminado agora, embora o escalador estivesse a cerca de cinco metros do chão.

"Pra que lado eu vou agora, Massa Will?", perguntou.

"Continue pelo galho mais grosso — aquele desse lado", disse Legrand. O negro obedeceu prontamente e, ao que parecia, sem maiores dificuldades; escalando cada vez mais alto, até que nenhum vislumbre de sua figura dobrada pudesse ser colhido através da densa folhagem que o envolvia. Um pouco depois sua voz foi ouvida, numa exclamação inarticulada.

"Até onde mais é pra ir?"

"Em que altura você está?", perguntou Legrand.

"Alto pra burro", replicou o negro; "dá pra ver o céu pelo topo da árvore."

"Esqueça o céu, mas preste atenção no que eu vou falar. Olhe para baixo pelo tronco e conte os galhos embaixo de você, desse lado. Por quantos galhos você passou?"

"Um, dois, três, quatro, cinco — já passei cinco galhos, *massa*, desse lado aqui."

273

"Então suba mais um."

Em alguns minutos a voz se ouviu outra vez, anunciando que o sétimo galho fora atingido.

"Agora, Jup", gritou Legrand, evidentemente muito empolgado, "quero que avance por esse galho o mais longe que puder. Se vir alguma coisa estranha, me avise."

Nesse ponto, a pouca dúvida que eu ainda pudesse alimentar acerca da insanidade de meu pobre amigo foi finalmente descartada. Não me restava alternativa senão concluir que estava tomado pela demência, e fiquei seriamente ansioso em levá-lo para casa. Enquanto refletia sobre o melhor a fazer, a voz de Júpiter se ouviu mais uma vez.

"Tô com medo de tentar ir muito longe nesse galho — o galho tá morto quase ele todinho."

"Você disse que o galho está *morto*, Júpiter?", gritou Legrand com a voz trêmula.

"É, *massa*, mortinho da silva — bateu as botas — foi dessa pra melhor."

"O que em nome dos céus devo fazer?", perguntou Legrand, parecendo sofrer de extrema aflição.

"O que fazer!", disse eu, feliz com a oportunidade de interpor uma opinião, "ora, voltar para casa e recolher-se à cama. Vamos! — seja um bom rapaz. Está ficando tarde e, além do mais, lembre do que prometeu."

"Júpiter", gritou ele, sem me dar a mínima atenção, "está me escutando?"

"Tô, Massa Will, escutando tudinho."

"Experimente o galho direito, então, com a sua faca, e veja se acha que está *muito* podre."

"Tá podre sim, *massa*, certeza 'bsoluta", respondeu o negro após alguns instantes, "mas não tão podre quanto a gente imagina. Eu posso tentar ir um pouquinho mais por esse galho se for sozinho, é verdade."

"Sozinho! — do que você está falando?"

"Estou falando do escar'vel'o. Esse escar'vel'o é *danado* de pesado. Acho que se eu soltasse ele primeiro, daí o galho não quebrava só com o peso dum negro."

"Seu patife dos infernos!", gritou Legrand, aparentemente muito aliviado, "o que está querendo dizer com uma bobagem dessas? Pode apostar que se deixar o besouro cair eu quebro seu pescoço. Olhe bem, Júpiter! — está me ouvindo?"

"Tô, *massa*, num precisa berrar com o pobre negro desse jeito."

"Bom! agora escute! — se você tentar seguir por esse galho até o mais longe que achar seguro, e não deixar o besouro cair, vai ganhar um dólar de prata assim que descer aqui embaixo."

"Já fui, Massa Will — está feito", respondeu o negro muito prontamente — "já tô quase na ponta agora."

"*Quase na ponta!*", berrou entusiasmado Legrand, "está dizendo que chegou na ponta desse galho?"

"Logo, logo, *massa* — o-o-o-o-oh! Sinhormisericordioso! que negócio é *esse* aqui em cima da árvore?"

"Então!", gritou Legrand, em júbilo, "o que é?"

"Bom, é só um crânio — alguém deixou isso aqui em cima da árvore, e os corvos limparam ele até o último pedacinho da carne."

"Um crânio, você disse! — muito bem! — como ele está preso no galho? — o que está segurando ele aí?"

"Certeza 'bsoluta, *massa*; peraí, precisa olhar. Puxa, é a coisa mais esquisita, palavra — tem um baita prego no crânio prendendo ele na árvore."

"Bom, Júpiter, agora faça exatamente como eu mandar — está escutando?"

"Tô, *massa*."

"Preste bastante atenção! — ache o olho esquerdo do crânio."

"Hum! uuh! essa é boa! arre, num tem olho esquerdo ni'um."

"Maldita seja sua estupidez! sabe diferenciar sua mão direita da esquerda?"

"Sei, isso eu sei — já aprendi isso — minha mão esquerda é o que eu uso pra cortar lenha."

"Certamente! porque você é canhoto; e o seu olho esquerdo é do mesmo lado da sua mão esquerda. Bom, agora acho que consegue encontrar o olho esquerdo do crânio, ou o lugar onde o olho esquerdo ficava. Já achou?"

Nisso houve uma longa pausa. Finalmente, o negro perguntou:

"O olho esquerdo do crânio fica do mesmo lado da mão esquerda

CONTOS DE IMAGINAÇÃO E MISTÉRIO

do crânio, também? — porque o crânio não tem nem sombra de mão pra contar história — deixa pra lá! achei o olho esquerdo agora — taqui o olho esquerdo! o que que é pra fazer com ele?"

"Deixe o besouro descer por ele, o mais longe que o cordão alcançar — mas cuidado pra não soltar o cordão."

"Prontinho, Massa Will; a coisa mais fácil, passar o escar'vel'o pelo buraco — veja se dá pra enxergar ele daí debaixo!"

Durante esse diálogo, nenhuma parte do corpo de Júpiter pôde ser vista; mas o besouro, que ele fizera descer, estava visível agora na ponta do cordão, e cintilava, como um globo de ouro polido, sob os derradeiros raios do sol poente, alguns dos quais ainda iluminavam debilmente o cume onde nos encontrávamos. O *scarabæus* pendia livre de qualquer galho e, se deixado cair, teria pousado aos nossos pés. Legrand pegou a gadanha imediatamente e abriu com ela um espaço circular, com três ou quatro metros de diâmetro, bem abaixo do inseto, e, tendo feito isso, ordenou a Júpiter que soltasse o cordão e descesse da árvore.

Cravando um pino na terra com grande cuidado, no preciso ponto onde o besouro caíra, meu amigo agora tirava do bolso uma fita métrica. Prendendo uma extremidade dela no ponto do tronco da árvore que ficava mais próximo ao pino, ele a desenrolou até chegar ao pino, e depois continuou desenrolando, na direção agora já determinada pelos dois pontos, o da árvore e o do pino, pela distância de cinquenta pés[33] — Júpiter ia carpindo os arbustos com a gadanha. No local desse modo atingido, um segundo pino foi enterrado, e em torno dele, como um centro, um círculo grosseiro, com mais de um metro de diâmetro, foi traçado. Pegando agora uma pá ele mesmo, e dando outra para Júpiter e uma para mim, Legrand instou-nos a cavar o mais depressa que conseguíssemos.

Para ser sincero, nunca foi muito de meu agrado entregar-me a passatempos desse tipo, em tempo algum, e, naquele momento em particular, eu teria de bom grado declinado da tarefa; pois a noite se aproximava, e me sentia extremamente fatigado com todo o exercício até ali empreendido; mas não via modo de escapar e receava perturbar a serenidade de meu amigo caso recusasse. Na verdade, pudesse eu ter contado com a assistência de Júpiter, teria sem hesitação tentado carregar o lunático de volta para casa à

276

força; mas tinha demasiada convicção sobre a disposição do preto velho para esperar que fosse me ajudar, sob quaisquer circunstâncias, em uma contenda pessoal com seu senhor. Não me restava dúvida de que este fora contagiado por algumas das inúmeras superstições dos sulistas acerca de dinheiro enterrado, e que sua fantasia encontrara confirmação no achado do *scarabæus*, ou, talvez, na obstinação de Júpiter em afirmar que era "um escaravelho de ouro de verdade". A mente inclinada à loucura facilmente se deixa levar por tais sugestões — sobretudo quando fazem coro a suas ideias preconcebidas —, e então veio-me à lembrança a declaração do pobre coitado de que o besouro era "o indicador de sua fortuna". Com tudo isso, sentia-me tristemente aborrecido e perplexo, mas, enfim, concluí que devia extrair o melhor da situação — cavar com toda a boa vontade e quanto antes convencer o visionário, pela evidência ocular, da falácia das opiniões por ele entretidas.

Tendo acendido as lanternas, pusemo-nos todos a trabalhar com um zelo digno de causa mais racional; e, com o clarão banhando nossas figuras e as ferramentas, não pude deixar de pensar que grupo mais pitoresco compúnhamos e quão estranhos e suspeitos nossos esforços deveriam ter parecido a qualquer intruso que, por acaso, calhasse de topar com nosso paradeiro.

Cavamos com grande determinação por duas horas. Pouco falamos; e nosso principal estorvo consistia nos ganidos do cão, que tomava extraordinário interesse em nossos afazeres. Após algum tempo, ele se mostrou tão obstinadamente ruidoso que passamos a recear que alertasse algum caminhante sem rumo que pudesse estar nos arredores; — ou melhor, essa era uma apreensão de Legrand; — quanto a mim, teria exultado com qualquer interrupção que me houvesse permitido conduzir o extraviado de volta para casa. O barulho foi enfim silenciado do modo mais eficaz por Júpiter, que, deixando o buraco com um empedernido ar de resolução, amarrou a boca do animal com um de seus suspensórios, e depois voltou, com uma risadinha gutural, a sua tarefa.

Quando o tempo mencionado expirara, havíamos atingido uma profundidade de um metro e meio, e contudo sinal algum de tesouro se manifestou. Uma pausa geral se deu e comecei a ter esperanças de que o absurdo estivesse chegando ao fim. Legrand, entretanto, ainda que evidentemente muito desconcertado, limpou a testa cuidadosamente e recomeçou. Havíamos escavado por todo o círculo de um metro e pouco de diâmetro, e agora alargávamos ligeiramente esse limite, e prosseguimos a uma profundidade de mais meio metro. Ainda nada apareceu. O caçador de ouro, de que eu sentia uma piedade sincera, enfim deixou o poço escavado, com a decepção mais amarga marcada em cada traço de seu semblante, e começou, de modo vagaroso e relutante, a vestir seu casaco, que atirara fora no início do trabalho. Entrementes, não aventei comentário algum. Júpiter, a um sinal de seu senhor, começou a juntar as ferramentas. Isso feito, e o cão tendo sido desamordaçado, retomamos em profundo silêncio o rumo de casa.

Havíamos dado, talvez, uma dúzia de passos nessa direção, quando, soltando uma sonora praga, Legrand marchou na direção de Júpiter e o agarrou pelo colarinho. O negro atônito abriu os olhos e a boca na máxima amplitude, vergou os ombros e caiu de joelhos.

"Seu patife", disse Legrand, sibilando as sílabas entre os dentes cerrados — "seu vilão preto do inferno! — diga, estou mandando! — me responda neste instante sem nenhum rodeio! — qual — qual é o seu olho esquerdo?"

"Ai, Deus meu, Massa Will! não é esse aqui meu olho esquerdo, com certeza 'bsoluta?", grunhiu o aterrorizado Júpiter, pondo a mão sobre o órgão *direito* da visão, e mantendo-a ali com uma tenacidade desesperada, como que num pavor imediato de que seu mestre tentasse arrancá-lo.

"Foi o que pensei! — eu sabia! — viva!", urrou Legrand, liberando o negro e passando a executar uma série de piruetas e cabriolas, para grande perplexidade de seu criado, que, pondo-se de pé, olhava, emudecido, de seu senhor para mim, e depois de mim para seu senhor.

"Vamos! temos de voltar", disse este, "o jogo ainda não terminou"; e mais uma vez liderou o caminho para o tulipeiro.

"Júpiter", disse, quando chegamos ao pé da árvore, "venha aqui! o crânio estava preso no galho com o rosto virado para fora ou com o rosto virado para o galho?"

"O rosto tava pra fora, *massa*, assim os corvos puderam bicar os olhos à vontade, sem dificuldade."

278

O ESCARAVELHO DE OURO

"Bom, nesse caso, foi por esse olho ou por esse que você passou o besouro?" — aqui Legrand tocou um olho e depois o outro de Júpiter.

"Foi esse, *massa* — o olho esquerdo — como o senhor falou", e dizendo isso o negro indicou seu olho direito.

"Tudo bem então — vamos tentar novamente."

Nisso meu amigo, em cuja loucura eu agora enxergava, ou imaginava enxergar, certos indícios de método, removeu o pino marcando o lugar onde o besouro caíra, para um outro ponto cerca de três polegadas[34] a oeste de sua posição anterior. Partindo agora com a fita métrica do ponto mais próximo do tronco em relação ao pino, como antes, e prosseguindo em estendê-la numa linha reta até a distância de cinquenta pés, um local foi indicado, distante, vários metros, do ponto onde estivéramos a escavar.

Em torno da nova posição um círculo, pouco maior do que o anteriormente feito, foi agora traçado, e mais uma vez pusemo-nos a trabalhar com as pás. Eu estava terrivelmente cansado, porém, mal compreendendo o que ocasionara a mudança em meus pensamentos, já não sentia grande aversão pelo trabalho imposto. Fora tomado pelo mais inexplicável interesse — não, empolgação, até. Talvez houvesse qualquer coisa, em meio a todo aquele comportamento extravagante de Legrand — algum ar de presságio, ou de deliberação, que me impressionasse. Cavei avidamente e, de vez em quando, peguei-me de fato buscando, com algo muito próximo de uma genuína expectativa, o tesouro imaginado, cujas visões haviam levado meu companheiro à demência. No momento em que tais caprichos do pensamento haviam em grande medida me possuído inteiramente, e após termos trabalhado por cerca de uma hora e meia, fomos mais uma vez interrompidos pelos uivos violentos do cão. Sua inquietude, no primeiro caso, fora, evidentemente, ocasionada por um espírito brincalhão ou impulsivo, mas ele agora assumia um tom mais austero e grave. Quando Júpiter tentou mais uma vez amordaçá-lo, opôs-se furiosamente e, pulando dentro do buraco, começou a cavar a terra freneticamente com suas patas. Em poucos segundos, havia desenterrado um amontoado de ossos humanos, compondo dois esqueletos completos, entremeados a diversos botões de metal, e o que pareciam ser restos de lã apodrecida. Um ou

279

dois golpes de pá revelaram a lâmina de uma grande faca espanhola e, ao cavarmos um pouco mais, três ou quatro moedas soltas de ouro e prata vieram à luz.

Ao ver isso a alegria de Júpiter mal pôde ser contida, mas o semblante de seu mestre exibia um ar de extremo desapontamento. Ele insistiu conosco, entretanto, que continuássemos com nossos esforços, e nem bem suas palavras foram pronunciadas eu tropecei e caí, ao prender a ponta de minha bota em um grande anel de ferro que começara a aparecer entre a terra solta.

Agora trabalhávamos com determinação e nunca passei dez minutos de excitação mais intensa. Durante esse intervalo desenterramos em boa parte uma arca oblonga de madeira, que, por sua perfeita preservação e magnífica dureza, havia sido claramente sujeitada a algum processo de mineralização — talvez o do dicloreto de mercúrio. A caixa tinha aproximadamente um metro de comprimento, noventa centímetros de largura e oitenta centímetros de altura. Estava firmemente presa por cintas de ferro fundido, rebitadas e formando uma espécie de treliça sobre toda a estrutura. Em ambas as laterais da arca, perto do topo, havia três anéis de ferro — seis ao todo —, por meio dos quais uma preensão firme seria possibilitada para seis pessoas. Nossos máximos esforços conjugados serviram apenas para deslocar o cofre muito ligeiramente em seu leito. Percebemos na mesma hora a impossibilidade de remover um peso tão grande. Felizmente, os dois únicos fechos da tampa consistiam de ferrolhos de correr. Nós os puxamos — tremendo e ofegando de ansiedade. Num instante, um tesouro de valor incalculável cintilava sob nós. A luz das lanternas que verteu dentro do poço refletiu de volta ao incidir sobre uma pilha confusa de ouro e joias, um brilho e um fulgor que ofuscaram completamente nossos olhos.

Não pretendo descrever os sentimentos com que contemplei aquilo. A estupefação era, é claro, predominante. Legrand parecia exausto pela excitação, e poucas palavras disse. As feições de Júpiter exibiram, por alguns minutos, uma lividez tão mortal quanto é possível, pela natureza das coisas, o semblante de um negro assumir. Parecia entorpecido — atônito. Pouco depois prostrou-se de joelhos no poço e, enterrando os braços nus

até os cotovelos no ouro, deixou que ali ficassem, como que apreciando o luxo de um banho. Finalmente, com um profundo suspiro, exclamou, como em um solilóquio:

"E tudo isso veio do escar'vel'o de ouro! o lindo escar'vel'o de ouro! pobrezinho do escar'vel'o de ouro, que eu tanto escul'ambei daquele jeito! Num tem vergonha de você mesmo, negro? — me responde isso!"

Fez-se necessário, enfim, que eu instigasse tanto senhor como criado para proceder à remoção do tesouro. Estava ficando tarde e convinha que puséssemos mãos à obra, de modo a transportar tudo aquilo para casa antes do raiar do dia. Era difícil dizer qual a melhor coisa a ser feita; e grande tempo foi gasto em deliberações — tão confusas estavam as ideias de todos. Então, finalmente, deixamos a arca mais leve removendo dois terços do conteúdo, o que nos possibilitou, não sem alguma dificuldade, tirá-la do buraco. Os artigos separados nós os depositamos entre os arbustos de sarças e o cão foi deixado a montar guarda, recebendo ordens estritas de Júpiter para que, sob nenhum pretexto, deixasse o local, e que também não desse um pio até nosso regresso. Seguimos então apressadamente até a casa carregando a arca; chegamos em segurança à cabana, mas após excessivo esforço, à uma da manhã. Exaustos como estávamos, seria contra a natureza humana fazer mais de imediato. Descansamos até as duas, e ceamos; partimos para as colinas logo depois, munidos de três fortes sacos, que, por uma boa sorte, ali se achavam. Pouco depois das quatro chegamos ao buraco, dividimos entre nós, o mais equanimemente possível, o restante do butim e, deixando a escavação por encher, novamente partimos para a cabana, onde, pela segunda vez, depositamos nossos fardos preciosos, no exato instante em que os primeiros feixes brilhantes da aurora roçavam o dossel das árvores a leste.

Estávamos a essa altura completamente esgotados; mas a intensa excitação do momento negou-nos repouso. Após um inquieto cochilo de umas três ou quatro horas de duração, levantamos, como que a um sinal pré-combinado, para examinar nosso tesouro.

A arca fora enchida até a borda, e passamos o dia todo, e a maior parte da noite seguinte, em um exame de seu conteúdo. Nada havia ali que se parecesse com alguma ordem de arrumação. Tudo fora amontoado indiscriminadamente. Após separar tudo com cuidado, vimo-nos de posse de uma ri-

O ESCARAVELHO DE OURO

queza ainda mais vasta da que havíamos inicialmente suposto. Em moedas, havia pouco mais de quatrocentos e cinquenta mil dólares — estimando o valor das peças, o mais acuradamente que podíamos, pelas tabelas da época. Não havia uma partícula de prata sequer. Tudo era ouro de data antiga e de grande variedade — dinheiro francês, espanhol e alemão, com alguns guinéus ingleses, e certas moedas das quais jamais havíamos visto qualquer exemplar antes. Havia inúmeras moedas muito grandes e pesadas, tão gastas que não pudemos decifrar nada da suas inscrições. Nada de dinheiro americano. O valor das joias, nós o julgamos mais difícil de estimar. Havia diamantes — alguns deles extraordinariamente grandes e belos — cento e dez no total, e nem um único pequeno; dezoito rubis de brilho notável; — trezentas e dez esmeraldas, todas lindíssimas; e vinte e uma safiras, com uma opala. Essas pedras haviam sido arrancadas de seus engastes e jaziam soltas pela arca. Os engastes de onde saíram, que achamos entre o resto do ouro, haviam sido deformados com marteladas, como que a impedir a identificação. Além disso tudo, havia uma vasta quantidade de ornamentos de ouro sólido; — quase duzentos anéis e brincos em argola maciços; — correntes suntuosas — trinta delas, se me recordo; — oitenta e três crucifixos muito grandes e pesados; — cinco incensórios de ouro de grande valor; — uma maravilhosa poncheira de ouro ornamentada com uma magnífica cinzeladura de folhas de parreira e motivos de bacanálias; dois punhos de espada com delicados relevos e mais inúmeros outros artigos menores que me escapam à memória. O peso dessas preciosidades excedia os cento e cinquenta quilos; e nessa estimativa deixei de incluir os cento e noventa e sete soberbos relógios de ouro; três deles valendo sozinhos quinhentos dólares, pelo menos. Muitos deles eram antiquíssimos e, para marcar o tempo, inúteis; seus mecanismos haviam sofrido, em maior ou menor grau, com a corrosão — mas eram todos ricamente cravejados e com estojos muito valiosos. Estimamos o conteúdo total da arca, nessa noite, como sendo de um milhão e meio de dólares; e, depois que separamos as bijuterias e outras gemas (tendo ficado com algumas delas para nosso uso pessoal), percebemos ter subestimado grandemente o tesouro.

Quando, enfim, concluímos nosso exame, e após a intensa empolgação do momento ter, em certa medida, se esvaído, Legrand, percebendo que eu

283

morria de impaciência em saber a solução daquele enigma dos mais extraordinários, entrou em escrupulosos detalhes acerca das circunstâncias a ele ligadas.

"Há de se lembrar", disse ele, "da noite em que lhe mostrei o rude esboço que fizera do *scarabæus*. Recorde-se, também, de como fiquei deveras agastado com sua insistência de que meu desenho se parecia com uma caveira. No momento em que fez essa afirmação, achei que estava brincando; mas depois disso me vieram à mente as peculiares manchas no dorso do inseto, e admiti para mim mesmo que o comentário tinha de fato algum fundamento. Mesmo assim, sua zombaria acerca de meus dotes de desenhista me irritaram — pois sou considerado um bom artista — e, desse modo, quando me estendeu o retalho do pergaminho, estive prestes a amassá-lo e atirá-lo raivosamente ao fogo."

"O pedaço de papel, quer dizer", afirmei.

"Não; parecia-se muito com papel, e inicialmente imaginei que fosse de fato, mas, quando me pus a rabiscar sobre ele, percebi, na mesma hora, que se tratava de um pedaço muito fino de pergaminho. Estava bastante sujo, deve se lembrar. Bem, no preciso momento em que ia amassá-lo, meu olhar recaiu sobre o esboço que você estivera observando, e pode bem imaginar minha perplexidade quando me dei conta, de fato, da figura de uma caveira exatamente onde, assim me parecera, eu fizera o desenho de um besouro. Por um momento, fiquei demasiado pasmo para conseguir pensar com clareza. Eu sabia que os detalhes de meu desenho diferiam muito daquilo — embora houvesse uma certa similaridade no contorno geral. Pouco depois, tomei de uma vela e, acomodando-me no outro canto da sala, passei a examinar o pergaminho mais detidamente. Ao virá-lo, vi meu próprio esboço no verso, exatamente como eu o fizera. Meu primeiro pensamento, então, foi a mera surpresa pela semelhança verdadeiramente notável de contorno — pela coincidência singular envolvida no fato, por mim ignorado, de haver um crânio do outro lado do pergaminho, imediatamente sob minha figura do *scarabæus*, e de que esse crânio, não apenas no contorno, mas também em tamanho, pudesse se assemelhar de tal modo a meu desenho. Repito, a singularidade dessa coincidência me deixou absolutamente atônito por um momento. Tal é o efeito costumeiro de coincidências como essa. O cérebro luta para estabelecer uma ligação — uma sequência de causa e efeito — e, sendo incapaz de fazê-lo, sofre uma espécie de paralisia temporária. Mas, ao me recobrar desse estupor, fui gradualmente tomado de uma convicção que me sobressaltou ainda mais do que a coincidência. Comecei a lembrar distintamente, positivamente, que não havia desenho *algum* no pergaminho quando fiz o esboço do *scarabæus*. Fiquei perfeitamente seguro disso; pois recordava-me de tê-lo virado primeiro de um lado e depois do outro à procura da área mais limpa. Caso o crânio já estivesse lá, sem dúvida não poderia ter deixado de notá-lo. Ali estava um mistério cuja explicação me parecia impossível; porém, mesmo naquele momento inicial, eu como que vislumbrei, debilmente, nos recessos mais remotos e secretos de meu intelecto, a centelha incipiente de uma ideia de cuja veracidade a aventura dessa noite deu uma demonstração tão magnífica. Levantei-me de pronto e, guardando o pergaminho em segurança, deixei de lado qualquer ulterior reflexão até que me visse sozinho.

"Depois que você partiu, e quando Júpiter dormia a sono solto, debrucei-me numa investigação mais metódica da questão. Em primeiro lugar, refleti sobre o modo como o pergaminho caíra em minha posse. O ponto onde descobrimos o *scarabæus* ficava na costa do continente, cerca de uma milha a leste da ilha, e a uma curta distância acima da linha da maré alta. Quando o peguei, levei uma dolorosa mordida, o que fez com que o deixasse cair. Júpiter, com sua cautela costumeira, antes de segurar o inseto, que voara para seu lado, olhou em torno à procura de uma folha ou qualquer coisa dessa natureza com que envolvê-lo. Foi nesse instante que seus olhos, bem como os meus, pousaram sobre o retalho de pergaminho, que então supus ser um papel. Estava semienterrado na areia, uma ponta se projetando. Junto ao ponto onde o encontramos, notei parte do casco do que parecia ter sido o escaler de algum navio. Os destroços pareciam jazer ali havia muito tempo; pois a semelhança com um madeiramento de embarcação mal se podia identificar.

"Bem, Júpiter apanhou o pergaminho, embrulhou o besouro e o deu para mim. Logo em seguida começamos a voltar e, no caminho, encontrei o tenente G——. Mostrei-lhe o inseto e ele insistiu que lhe permitisse levá-lo consigo para o forte. Quando consenti, enfiou-o na mesma hora no bolso de seu colete, sem o pergaminho em que estivera envolto, e que eu continuei a segurar na mão durante sua inspeção. Talvez tenha receado que eu mudasse de ideia e julgasse a melhor coisa assegurar logo o achado — sabe quão entusiasmado ele é acerca de qualquer assunto ligado à História Natural. Ao mesmo tempo, sem que atinasse com o fato, devo ter depositado o pergaminho em meu próprio bolso.

"Há de lembrar que no momento em que fui até a mesa com o propósito de fazer um esboço do besouro, não encontrei papel onde geralmente os guardo. Procurei na gaveta e não encontrei nenhum ali. Apalpei os bolsos, esperando encontrar talvez uma velha carta — e então minha mão tocou no pergaminho. Detalho assim o modo preciso como ele caiu em minha posse; pois as circunstâncias me impressionaram com força peculiar.

"Sem dúvida, dirá que sou dado a fantasias — mas eu já havia estabelecido um tipo de *relação*. Eu juntara dois elos de uma grande cadeia. Havia um bote enterrado no litoral e, não muito longe do bote, um pergaminho — *não um papel* — com um crânio nele representado. Com certeza vai me perguntar, 'Qual a relação?'. Respondo que o crânio, ou a caveira, é o notório emblema da pirataria. A bandeira da caveira é içada em todas as suas investidas.

"Afirmei que o retalho era de papiro, não papel. O papiro é durável — quase imperecível. Assuntos de pouca importância raramente são consignados ao papiro; uma vez que, para os propósitos meramente ordinários de desenhar ou escrever, não é nem de longe tão adequado quanto o papel. Essa consideração sugeriu algum significado — alguma relevância — na caveira. Não pude deixar de notar, além disso, a *forma* do papiro. Embora um de seus cantos tivesse sido, por algum acidente, destruído, dava para perceber que a forma original era oblonga. Era exatamente o tipo de retalho, na verdade, que poderia ter sido escolhido para documentar algo — para fazer o registro de alguma coisa a ser lembrada por muito tempo e cuidadosamente preservada."

"Mas", interpus, "você disse que o crânio *não* estava no papiro quando fez o desenho do besouro. Como, então, estabeleceu qualquer relação entre o bote e o crânio — uma vez que este, segundo você mesmo admitiu, deve ter sido desenhado (sabe Deus como ou por quem) em algum período subsequente ao seu esboço do *scarabæus?*"

"Ah, em torno disso gira todo o mistério; embora o segredo, nesse ponto, eu tivesse relativamente pouca dificuldade em solucionar. Meus

286

O ESCARAVELHO DE OURO

passos foram seguros, e só podiam conduzir a um único resultado. Raciocinei, por exemplo, assim: Quando desenhei o *scarabæus*, não havia crânio algum visível no pergaminho. Após completar meu desenho, passei-o a você, e fiquei observando atentamente até me devolvê-lo. *Você*, decerto, não desenhou o crânio, e não havia mais ninguém presente para fazê-lo. De modo que não foi feito por intervenção humana. E todavia foi feito.

"Nesse estágio de minhas reflexões, empenhei-me em me lembrar, e *de fato* lembrei-me, com perfeita nitidez, de cada incidente ocorrido no período em questão. Fazia frio (ah, que acidente raro e feliz!), e um fogo ardia na lareira. Eu estava acalorado pelo exercício e sentei-me perto da mesa. Você, entretanto, puxara uma cadeira para junto da lareira. Assim que pus o pergaminho em sua mão, e você estava no ato de inspecioná-lo, Wolf, o terra-nova, entrou e saltou sobre seus ombros. Com sua mão esquerda, o acariciou e o manteve à distância, enquanto sua mão direita, segurando o pergaminho, pôde pender frouxamente entre seus joelhos, e em estreita proximidade com o fogo. A certa altura imaginei que a chama o alcançara, e estava prestes a adverti-lo, mas, antes que pudesse falar, você o recolheu, e passou a examiná-lo. Quando considerei todas essas particularidades, não duvidei sequer por um momento que *o calor* fora o agente que trouxera à luz, sobre o pergaminho, o crânio que ali vi desenhado. Está bem ciente de que tais preparados químicos existem, e existiram desde sempre, por meio dos quais é possível escrever seja em papel, seja em velino, de modo que os sinais se tornem visíveis apenas quando submetidos à ação do fogo. A safra, macerada em *aqua regia*, e diluída a quatro vezes seu peso em água, é às vezes empregada; uma tinta verde resulta do processo. O régulo de cobalto, dissolvido em aquaforte, fornece um vermelho. Essas cores desaparecem a intervalos mais longos ou mais curtos após o material escrito esfriar, mas tornam-se aparentes com a reaplicação do calor.

"Examinei então a caveira cuidadosamente. Seus contornos exteriores — as bordas do desenho mais próximas das bordas do velino — eram muito mais *nítidas* do que as outras. Ficou claro que a ação térmica fora imperfeita ou desigual. Imediatamente acendi uma chama e submeti cada área do pergaminho a um calor ardente. No início, o único efeito foi a acentuação das fracas linhas do crânio; mas, perseverando no experimento, pouco a pouco tornou-se visível, no canto do fragmento, diagonalmente oposta ao ponto em que a caveira estava delineada, a figura do que imaginei de início ser uma cabra. Um exame mais detido, entretanto, convenceu-me de que a intenção fora desenhar um cabrito."

"Rá! rá!", exclamei, "para falar a verdade, não tenho direito algum de rir de você — um milhão e meio é assunto sério demais para achar graça — mas não tem como estabelecer um terceiro elo em sua cadeia — não encontrará qualquer ligação especial entre seus piratas e uma cabra — piratas, bem o sabe, não tem nada a ver com cabras; estas pertencem ao domínio das fazendas."

"Mas acabei de dizer que a figura *não era* de uma cabra."

"Bom, um cabrito, pois — dá no mesmo, praticamente."

"Praticamente, mas não exatamente", disse Legrand. "Deve ter ouvido falar de um certo *capitão* Kidd. Na mesma hora olhei para a figura do animal como uma espécie de trocadilho ou assinatura hieroglífica.[35] Repito, assinatura; pois sua posição no velino sugeria essa ideia. A caveira no canto diagonalmente oposto tinha, igualmente, a aparência de um timbre ou sinete. Mas fiquei extremamente incomodado com a ausência de tudo mais — do corpus de meu imaginado documento — do texto para o meu contexto."

"Presumo que esperava encontrar uma carta entre o timbre e a assinatura."

"Algo nessa linha. O fato é que me senti irresistivelmente afetado por um pressentimento de alguma vasta fortuna iminente. Mal sei dizer por quê. Talvez, afinal, fosse antes um desejo do que uma crença verdadeira; — mas sabe que as tolas palavras de Júpiter, sobre o escaravelho ser de ouro maciço, exerceram um efeito notável em minha fantasia? E então a série de acidentes e coincidências — estas foram *deveras* extraordinárias. Percebe como foi mero acidente que esses eventos tenham ocorrido no *único* dia do ano que foi, ou podia ser, suficientemente frio para o fogo, e que, sem o fogo, ou sem a intervenção do cachorro no preciso momento em que apareceu, eu jamais teria me dado conta da caveira, e assim jamais teria entrado em posse do tesouro?"

288

"Mas prossiga — sou pura impaciência."

"Bem; naturalmente já escutou os inúmeros relatos que correm — os milhares de vagos rumores que circulam sobre dinheiro enterrado, em algum ponto da costa do Atlântico, por Kidd e seus comparsas. Tais rumores decerto algum fundamento nos fatos tiveram. E que os rumores tenham existido por tanto tempo e com tal continuidade só poderia ser resultado, assim me parece, da circunstância de o tesouro enterrado ainda *continuar* sepultado. Caso Kidd houvesse ocultado sua pilhagem por algum tempo, e depois a recuperado, os rumores dificilmente teriam chegado até nós em sua presente forma invariável. Perceberá que as histórias contadas são acerca de caçadores de tesouros, não de homens que encontraram tesouros. Parecia-me que algum acidente — digamos, a perda de um documento indicando sua localização — o teria privado dos meios de resgatá-lo, e que esse acidente teria chegado aos ouvidos de seus seguidores, que de outro modo talvez nunca viessem a saber sequer que o tesouro fora escondido, e que, ocupando-se em vão de encontrá-lo, devido a suas tentativas às cegas, haviam dado origem inicialmente, e depois feito circular universalmente, os relatos que são hoje tão comuns. Já ouviu dizer de algum tesouro importante ser desenterrado ao longo do litoral?"

"Nunca."

"Mas que a fortuna amealhada por Kidd era imensa, isso é bem sabido. Desse modo supus que a terra continuava a encerrá-la; e dificilmente ficará surpreso quando eu lhe contar que senti uma esperança, beirando a certeza, de que o pergaminho tão estranhamente encontrado continha um registro perdido do local do depósito."

"Mas como prosseguiu?"

"Aproximei o velino outra vez do fogo, após aumentar o calor; mas nada apareceu. Então achei possível que a cobertura de sujeira pudesse ter alguma relação com o fracasso; de modo que lavei cuidadosamente o pergaminho derramando água quente sobre ele e, tendo feito isso, depositei-o numa frigideira de metal, com o crânio para baixo, e pus a panela sobre os carvões em brasa de um fogão. Em poucos minutos, a panela tendo ficado inteiramente aquecida, retirei o documento e, para minha inexprimível alegria, vi que estava marcado, em inúmeros lugares, com o que pareciam

CONTOS DE IMAGINAÇÃO E MISTÉRIO

ser figuras dispostas em linhas. Voltei a mergulhá-lo na panela e deixei transcorrer mais um minuto. Quando o tirei, estava tudo exatamente tal como vê agora."

Nisso Legrand, tendo reaquecido o pergaminho, submeteu-o a minha inspeção. Os seguintes caracteres estavam grosseiramente traçados, com tinta vermelha, entre a caveira e a cabra:

53‡‡†305))6*;4826)4‡.)4‡);806*;48†8¶60))85;;]8*;:‡*
8†83(88)5*†;46(;88*96*?;8)*‡(;485);5*†2:*‡(;4956*2(5
—4)8¶8;4069285);)6†8)4‡‡;1(‡9;48081;8:8‡1;48†8
5;4)485†528806*81(‡9;48;(88;4(‡?34;48)4‡;161;:188;‡?;

"Mas", disse eu, devolvendo-lhe o pedaço de pergaminho, "continuo tão no escuro quanto antes. Estivessem todas as joias de Golconda à minha espera sob a condição de que eu solucionasse esse enigma, estou certo de que seria incapaz de obtê-las."

"E contudo", afirmou Legrand, "a solução não é de modo algum tão difícil quanto você poderia imaginar a um primeiro exame apressado dos sinais. Esses sinais, como qualquer um pode facilmente deduzir, formam uma cifra — ou seja, eles transmitem um significado; porém, até onde sei sobre Kidd, não imagino que fosse capaz de construir criptograma dos mais complicados. Tive certeza, na mesma hora, de que este era de um tipo simples — de modo tal, entretanto, que pareceria, para o rude intelecto de um marujo, absolutamente insolúvel sem a chave."

"E você de fato o decifrou?"

"Prontamente; já resolvi outros dez mil vezes mais complicados. As circunstâncias, e uma certa inclinação de espírito, levaram-me a me interessar por tais quebra-cabeças, e é de se duvidar se o engenho humano consegue construir um enigma de algum tipo que o engenho humano não possa, com o devido empenho, resolver. Na verdade, uma vez tendo estabelecido os sinais ligados e legíveis, mal parei para pensar na mera dificuldade de revelar sua significação.

"No presente caso — na verdade, em todo caso de escrita secreta — a primeira questão diz respeito à *língua* em que a cifra está; pois a base da

290

solução, em certa medida, sobretudo, no que diz respeito às cifras mais simples, depende do gênio do idioma particular, variando segundo ele. Em geral, àquele que busca uma solução, não há alternativa a não ser experimentar (orientado pelas probabilidades) cada língua de seu conhecimento, até chegar à que seja verdadeira. Mas com esta cifra diante de nós, toda dificuldade some graças à assinatura. O trocadilho com a palavra 'Kidd' não faz sentido em outra língua a não ser o inglês. Não fosse esse detalhe, eu teria iniciado minhas tentativas com o espanhol e o francês, sendo as línguas em que um segredo desse tipo muito naturalmente teria sido escrito por um pirata de mares espanhóis. Do modo como era, presumi que o criptograma estivesse em inglês.

"Observe que não há divisões entre as palavras. Se houvesse, a tarefa teria sido razoavelmente fácil. Nesse caso eu teria começado com um cotejo e uma análise das palavras mais curtas, e, caso houvesse ocorrido uma palavra de uma só letra, como é deveras provável (um *a*, 'um, uma', ou um *I*, 'eu', por exemplo), teria dado a solução por assegurada. Mas não havendo tal divisão, meu primeiro passo foi determinar as letras predominantes, bem como a menos frequente. Contando todas, construí uma tabela, assim:

Do sinal 8 existem 33.

;   "   26.

4   "   19.

‡)   "   16.

*   "   13.

5   "   12.

6   "   11.

†1   "   8.

0   "   6.

92   "   5.

:3   "   4.

?   "   3.

¶   "   2.

]—.   "   1.

CONTOS DE IMAGINAÇÃO E MISTÉRIO

"Ora, em inglês, a letra que ocorre com maior frequência é o *e*. Depois dela, a sucessão é a seguinte: *a o i d h n r s t u y c f g l m w b k p q x z*. O *e*, entretanto, predomina tão notavelmente que raramente se vê uma sentença individual de qualquer extensão em que essa letra não constitua seu sinal predominante.

"Eis que temos aqui, então, logo de saída, a base para algo mais do que uma mera conjectura. O uso geral que pode ser feito da tabela é óbvio — mas, nesta cifra em particular, devemos recorrer a seu apoio apenas parcialmente. Como nosso sinal predominante é 8, começaremos presumindo que ele represente o *e* do alfabeto natural. Para verificar essa suposição, vamos observar se o 8 pode ser visto muitas vezes em duplas — pois o *e* aparece frequentemente dobrado no inglês, em palavras como '*meet*', '*fleet*', '*speed*', '*seen*', '*been*', '*agree*' etc. No presente exemplo, vemos esse caractere duplicado nada menos que cinco vezes, embora o criptograma seja breve.

"Vamos presumir que o 8, então, seja *e*. Ora, de todas as *palavras* de nossa língua, o artigo definido '*the*' é a mais usual; vamos verificar, desse modo, se não há repetições de quaisquer três sinais, na mesma ordem de colocação, o último deles sendo 8. Se descobrimos repetições de tais letras, assim arranjadas, elas muito provavelmente representarão a palavra '*the*'. A uma inspeção, encontramos não menos do que sete arranjos desse tipo, os sinais sendo ;48. Podemos presumir, desse modo, que o ponto e vírgula representa *t*, que o 4 representa *h* e que o 8 representa *e* — o último estando já bem confirmado. Assim, um grande passo foi dado.

"Porém, tendo estabelecido uma única palavra, estamos capacitados a estabelecer um ponto vastamente importante; ou seja, diversos começos e términos de outras palavras. Vamos atentar, por exemplo, ao penúltimo caso em que a combinação ;48 ocorre — não muito longe do fim da cifra. Sabemos que o ponto e vírgula imediatamente posterior é o começo de uma palavra, e, dos seis sinais sucedendo esse '*the*', temos conhecimento de não menos que cinco. Vamos então substituir esses sinais pelas letras que sabemos que eles representam, deixando um espaço para a incógnita —

t eeth.

292

O ESCARAVELHO DE OURO

"Aqui ficamos capacitados, de imediato, a descartar o '*th*' como não formando parte alguma da palavra que começa com o primeiro *t*; uma vez que, experimentando todo o alfabeto à procura de uma letra adequada à vaga, percebemos que palavra alguma pode ser formada de que esse *th* tome parte. Ficamos desse modo limitados a

t ee,

e, repassando o alfabeto, se necessário, como antes, chegamos à palavra '*tree*' como única leitura possível. Assim obtemos outra letra, *r*, representada pelo (, com as palavras '*the tree*' em justaposição.

"Observando pouco além dessas palavras, a uma curta distância, mais uma vez vemos a combinação ;48, e a empregamos a título de *encerramento* do que imediatamente a precede. Desse modo temos o arranjo:

the tree ;4(‡?34 the,

ou, substituindo as letras naturais, onde conhecidas, lê-se assim:

the tree thr‡?3h the.

"Ora, se, em lugar dos sinais desconhecidos, deixamos espaços vazios, ou os substituímos por pontinhos, assim lemos:

the tree thr...h the,

de modo que a palavra '*through*' se evidencia na mesma hora. Mas essa descoberta nos dá três novas letras, *o*, *u* e *g*, representados por ‡, ? e 3.

"Procurando agora, limitadamente, em toda a cifra por combinações de sinais conhecidos, descobrimos, não muito longe do início, esse arranjo,

83(88, ou seja, egree,

que, indubitavelmente, é a conclusão da palavra '*degree*', o que nos dá outra letra, *d*, representada por †.

293

CONTOS DE IMAGINAÇÃO E MISTÉRIO

"Quatro letras além da palavra '*degree*' percebemos a combinação

;46(;88*

"Traduzindo os caracteres conhecidos, e representando os desconhecidos por pontos, como antes, assim lemos:

th . rtee.

um arranjo imediatamente sugestivo da palavra '*thirteen*' e, mais uma vez,
nos municiando de duas novas letras, *i* e *n*, representadas por 6 e *.

"Atentando agora para o início do criptograma, vemos a combinação,

53‡‡†.

"Traduzindo, como antes, obtemos

.good,

que nos assegura que a primeira letra é *A*, e que as primeiras duas palavras
são '*A good*'.

"Para evitar confusão, é o momento agora de organizar nossa chave,
até onde desvendada, na forma de uma tabela. Desse modo:

5	representa	a
†	"	d
8	"	e
3	"	g
4	"	h
6	"	i
*	"	n
‡	"	o
(	"	r
;	"	t

294

O ESCARAVELHO DE OURO

"Temos, logo, não menos do que dez das letras mais importantes representadas, e será desnecessário prosseguir com os detalhes da solução. Disse o suficiente para convencê-lo de que cifras dessa natureza são facilmente solucionáveis, e proporcionei-lhe alguma compreensão da *rationale* envolvida em seu desenvolvimento. Mas esteja certo de que o exemplar diante de nós pertence à espécie mais simples de criptograma. Só me resta agora mostrar-lhe a tradução completa dos sinais encontrados no pergaminho, após desvendados. Ei-la aqui:

'*A good glass in the bishop's hostel in the devil's seat twenty-one degrees and thirteen minutes northeast and by north main branch seventh limb east side shoot from the left eye of the death's-head a bee-line from the tree through the shot fifty feet out.*'[36]

"Mas", disse eu, "o enigma parece ainda em tão má situação quanto antes. Como é possível extrair significado de todo esse palavreado sobre '*devil's seats*', '*death's-heads*' e '*bishop's hotels*'?"

"Confesso", respondeu Legrand, "que a questão ainda guarda um grave aspecto, quando encarada sob um olhar casual. Meu primeiro esforço foi o de dividir a sentença na divisão natural pretendida pelo autor do criptograma."

"Quer dizer, inserir a pontuação?"

"Algo do gênero."

"Mas como é possível efetuar tal coisa?"

"Refleti que o autor fizera *questão* de enfileirar as palavras todas juntas sem divisão, de modo a ampliar a dificuldade da solução. Ora, um homem não muito arguto, perseguindo um objetivo assim, quase certamente exceder-se-ia na questão. Quando, no curso de sua composição, chegasse a uma interrupção em seu assunto que requereria naturalmente uma pausa, ou um ponto, ele ficaria excessivamente inclinado a agrupar seus sinais nesse lugar mais do que a proximidade normal pediria. Se observar o manuscrito de que ora tratamos, detectará facilmente tais casos de aglutinação incomum. Agindo segundo esse palpite, fiz a divisão do seguinte modo:

"'*A good glass in the Bishop's hostel in the Devil's seat — twenty-one degrees and thirteen minutes — northeast and by north — main branch seventh limb east side — shoot from the left eye of the death's-head — a bee-line from the tree through the shot fifty feet out.*'"

295

CONTOS DE IMAGINAÇÃO E MISTÉRIO

"Mesmo essa divisão", disse eu, "ainda me deixa no escuro."

"Também eu fiquei no escuro", replicou Legrand, "por alguns dias; durante os quais fiz diligentes investigações, pelos arredores da ilha de Sullivan, de qualquer prédio atendendo pelo nome de 'Bishop's Hotel'; pois, é claro, descartei a obsoleta palavra '*hostel*'. Sem obter informação alguma a respeito, estava prestes a ampliar minha esfera de busca, e proceder de maneira mais sistemática, quando, certa manhã, veio-me à cabeça, muito repentinamente, que esse 'Bishop's Hostel' podia ser referência a uma velha família, de nome Bessop, que, em tempos imemoriais, fora possuidora de uma antiga casa-grande, cerca de seis quilômetros ao norte da ilha. De tal modo que me dirigi à fazenda e voltei a empreender minhas investigações entre os velhos negros do local. Até que finalmente uma das mulheres mais idosas afirmou ter ouvido falar de um certo lugar conhecido como Bessop's Castle e que achava ser capaz de me guiar até ele, ainda que não se tratasse de castelo nenhum, nem taverna, mas sim de um grande rochedo.

"Ofereci-me para lhe pagar uma boa recompensa pelo seu incômodo e, após algumas objeções, ela consentiu em me acompanhar até o local. Encontrando-o sem muita dificuldade, dispensei-a e procedi a um exame da paisagem. O 'castelo' consistia de uma composição irregular de penhascos e rochedos — um destes últimos sendo deveras notável por sua altura, bem como pelo aspecto isolado e artificial. Galguei-o até o topo e então me senti inteiramente perdido acerca do que fazer em seguida.

"Enquanto me entregava a reflexões, meus olhos pousaram sobre uma estreita saliência na face leste do rochedo, a cerca de um metro talvez do cume onde me encontrava. A saliência se projetava a uns cinquenta centímetros e, em largura, não excedia três palmos, ao passo que um nicho no despenhadeiro logo acima emprestava-lhe uma grosseira semelhança com uma dessas cadeiras de espaldar côncavo usadas por nossos antepassados. Não tive dúvida de que ali estava o 'assento do diabo' ao qual aludira o manuscrito, e agora eu julgava captar plenamente o segredo do enigma.

"O 'bom vidro', eu sabia, não podia se referir a outra coisa que não uma luneta; pois a palavra 'vidro' raramente é empregada em qualquer outro sentido pelos homens do mar. Ora, ali, eu o percebi na mesma hora, havia uma luneta a ser usada, e um ponto de vista preciso, *não admitindo variação*

296

alguma, de onde usá-la. Tampouco hesitei em acreditar que as expressões 'vinte e um graus e treze minutos'[37] e 'nordeste quarta a norte' eram planejadas como orientações para o nivelamento da luneta. Muito empolgado com essas descobertas, corri para casa, encontrei uma luneta e voltei para a rocha.

"Acomodei-me na saliência e descobri que era impossível manter-me sentado a não ser numa determinada posição particular. Esse fato confirmou minha ideia preconcebida. Procedi ao uso da luneta. Claro, os 'vinte e um graus e treze minutos' só podiam referir-se à elevação acima do horizonte visível, uma vez que a direção horizontal era claramente indicada pelas palavras 'nordeste quarta a norte'. Essa última direção determinei na mesma hora com o auxílio de uma bússola de bolso; então, apontando a luneta o mais próximo de um ângulo de vinte e um graus de elevação que me era possível fazer por palpite, movi o instrumento cuidadosamente para cima e para baixo, até minha atenção ser captada por uma fenda ou abertura circular na folhagem de uma enorme árvore que dominava as demais à distância. No centro da fenda percebi um ponto branco, mas não pude, inicialmente, distinguir do que se tratava. Ajustando o foco da luneta, olhei outra vez, e então percebi que era um crânio humano.

"Após essa descoberta, fiquei confiante em considerar o enigma resolvido; pois a expressão 'galho principal, sétimo ramo, lado leste' só podia aludir à posição do crânio na árvore, ao passo que 'atirar do olho esquerdo da caveira' também admitia uma única interpretação relativa à busca do tesouro enterrado. Percebi que a ideia era deixar cair uma bala pelo olho esquerdo do crânio, e que uma linha de abelha,[38] ou, em outras palavras, uma linha reta, traçada a partir do ponto mais próximo do tronco diretamente até 'o tiro' (ou o ponto onde caiu a bala), e daí esticada a uma distância de cinquenta pés, indicaria um ponto definido — e sob esse ponto achei pelo menos *possível* que algo de valor houvesse sido escondido."

"Tudo isso", disse eu, "está sumamente claro e, embora engenhoso, permanece simples e cristalino. Quando deixou o Hotel do Bispo, o que sucedeu?"

"Bom, tendo cuidadosamente memorizado a localização da árvore, tomei o rumo de casa. No instante em que deixei o 'assento do diabo', porém, a fenda circular sumiu; foi-me impossível sequer vislumbrá-la, para onde quer que me virasse. O que me parece a maior engenhosidade de todo esse negócio é o fato (pois repetidos testes convenceram-me de que *é* um fato) de que a abertura circular em questão não é visível de nenhum outro ponto de vista a não ser com o que é possibilitado pela estreita saliência na face do penhasco.

"Nessa expedição ao 'Hotel do Bispo' fui acompanhado por Júpiter, que estivera, sem dúvida, a observar, durante as semanas anteriores, o caráter abstraído de meu comportamento, e que tomava todo cuidado de não me deixar só. Mas, no dia seguinte, tendo acordado bem cedo, consegui evadir-me a sua vigilância, e saí pelas colinas à procura da árvore. Depois de grande esforço consegui encontrá-la. Quando cheguei em casa à noite, meu criado manifestou sua intenção de aplicar-me umas chibatadas. Sobre o resto da aventura, creio que está tão familiarizado quanto eu mesmo."

"Suponho", falei, "que errou o ponto na primeira tentativa de escavação devido à estupidez de Júpiter em deixar que o escaravelho descesse pelo olho direito, e não pelo esquerdo, do crânio."

"Precisamente. O equívoco ocasionou uma diferença de cerca de duas polegadas e meia[39] no 'tiro' — ou seja, na posição do pino próximo à árvore; e caso o tesouro estivesse enterrado *sob* o 'tiro', o erro teria sido de pouca importância; mas o 'tiro' combinado ao ponto mais próximo da árvore eram meramente dois pontos para a determinação de uma linha de direção; claro que o erro, embora trivial no ponto de partida, aumentou à medida que prosseguimos ao longo da linha, e no momento em que chegamos à marca de cinquenta pés, fomos despistados totalmente. Não fosse minha convicção inabalável de que o tesouro estava ali de fato enterrado em algum lugar, nosso esforço poderia ter sido todo ele em vão."

"Presumo que o capricho de usar um *crânio* — ou de deixar cair uma bala pelo olho do crânio — foi sugerido a Kidd pela bandeira pirata. Sem dúvida, ele enxergou uma espécie de coerência poética em recuperar seu dinheiro por intermédio desse símbolo ominoso."

"Pode ser; mesmo assim, não consigo deixar de pensar que o bom-senso tinha tanto a ver com a questão quanto a coerência poética. Para ser visível do assento do diabo, era necessário que o objeto, se pequeno, fosse *branco*; e não há nada como um crânio humano para reter e até acentuar sua brancura sob exposição a todas as vicissitudes do clima."

298

"Mas sua grandiloquência, e sua conduta ao balançar o besouro — que coisa mais esquisita! Tive certeza de que estava louco. E por que insistiu em deixar cair o escaravelho, em vez de uma bala, pelo crânio?"

"Bem, para ser franco, fiquei um pouco irritado com sua evidente desconfiança relativa a minha sanidade, e desse modo determinei-me a puni-lo calmamente, ao meu próprio modo, com uma dose calculada de mistificação. Por esse motivo balancei o besouro, e foi por essa razão que o fiz pender da árvore. Uma observação sua a respeito do grande peso dele sugeriu-me esta última ideia."

"Certo, entendo; e agora há apenas mais um ponto que ainda me confunde. O que pensar daqueles esqueletos encontrados no buraco?"

"Essa é uma questão que não sou mais capaz de responder do que você próprio. Parece haver, entretanto, uma única explicação plausível para ela — e contudo é pavoroso acreditar numa tal atrocidade como a que está implicada em minha sugestão. Está claro que Kidd — se Kidd de fato escondeu esse tesouro, do que não me resta dúvida — está claro que deve ter tido assistência na tarefa. Mas, uma vez concluída a escavação, pode ter julgado conveniente eliminar todos que participaram de seu segredo. Talvez um par de pancadas com a picareta tenha sido suficiente, enquanto seus assistentes se ocupavam do buraco; talvez uma dúzia — quem poderá dizer?"

OS ASSASSINATOS DA
RUE MORGUE[40]

*Que canções cantavam as Sereias, ou que nome assumiu
Aquiles quando se escondeu entre as mulheres, embora questões
enigmáticas, não estão além de toda conjectura.*

Sir Thomas Browne

As características intelectuais tidas como analíticas são, em si mesmas, pouco suscetíveis de análise. Nós as apreciamos apenas em seus efeitos. Sabemos a seu respeito, entre outras coisas, que constituem sempre para seu possuidor, quando possuídas em grau imoderado, fonte do mais intenso prazer. Assim como o homem forte exulta em sua capacidade física, deleitando-se em exercícios que exigem a ação de seus músculos, igualmente se rejubila a mente analítica na atividade moral de *deslindar* algo. Seu dono extrai prazer até mesmo das ocupações mais triviais exigindo a intervenção de seus talentos. É um apreciador de enigmas, charadas, hieróglifos; exibe na solução de cada um deles um grau de *acumen* que para a percepção comum assume ares sobrenaturais. Seus resultados, obtidos pelo próprio espírito e essência do método, têm, na verdade, todo um aspecto de intuição.

A faculdade de resolução é possivelmente bastante fortalecida pelo estudo da matemática e, sobretudo, por esse ramo mais elevado dela, que, injustamente, e meramente por conta de suas operações retrógradas, tem sido chamado, como que *par excellence*, de análise. Contudo, calcular, em si, não é analisar. O jogador de xadrez, por exemplo, faz uma coisa sem recorrer à outra. Segue-se que o jogo do xadrez, em seus efeitos sobre o caráter intelectual, é amplamente incompreendido. Não escrevo aqui um tratado, mas estou simplesmente prefaciando uma narrativa até certo ponto peculiar com observações razoavelmente aleatórias; vou, desse modo, aproveitar o ensejo para afirmar que as faculdades mais elevadas do intelecto reflexivo são mais decididamente e mais proveitosamente postas à prova pelo despretensioso jogo de damas do que por toda a elaborada frivolidade do xadrez. Neste último, em que as peças têm movimentos diferentes e *bizarros*, com valores diversos e variáveis, o que é apenas complexo é tomado (um erro nada incomum) por profundo. A *atenção* nele desempenha poderoso papel. Se ela relaxa por um instante, um descuido é cometido, resultando em prejuízo ou derrota. Os movimentos possíveis sendo não apenas variados como também intrincados, as chances de tais descuidos se multiplicam; em nove de cada dez casos é antes o jogador mais concentrado do que o mais arguto que vence. No jogo de damas, pelo contrário, em que os movimentos são *únicos* e apresentam pouca variação, em que a probabilidade de alguma inadvertência é menor e a mera atenção é comparativamente menos exigida, as vantagens conquistadas de parte a parte devem-se à superioridade de *acumen*. Para ser menos abstrato. Vamos supor um jogo de damas em que as peças ficaram reduzidas a quatro damas, e em que, decerto, nenhum descuido é de esperar. Fica óbvio aqui que a vitória só pode ser decidida (os jogadores estando absolutamente iguais) por algum movimento *recherché*,[41] resultante de uma forte aplicação do intelecto. Privada dos recursos ordinários, a mente analítica penetra no espírito de seu oponente, identifica-se com ele e não raro desse modo enxerga, de um golpe de vista, os únicos métodos (às vezes de fato absurdamente simples) mediante os quais pode induzi-lo ao erro ou precipitá-lo a dar um passo em falso.

Há muito já se observou a influência do uíste para o que denominamos capacidade do cálculo; e sabe-se que homens da mais elevada ordem de intelecto dele extraem um deleite aparentemente extraordinário, ao passo que evitam o xadrez por tê-lo como frívolo. Sem a menor sombra de dúvida não há nada de natureza similar tão enormemente desafiador para a faculdade de análise. O melhor enxadrista de toda a cristandade *talvez* seja pouco mais do que o melhor jogador de xadrez; mas proficiência no uíste implica capacidade para o sucesso em todas essas empreitadas importantes em que a mente duela contra a mente. Quando digo proficiência, refiro-me àquela perfeição no jogo que inclui uma compreensão de *todas* as fontes de onde pode ser derivada uma legítima vantagem. Essas são não apenas múltiplas, mas também multiformes, e jazem com frequência entre recessos do pensamento completamente inacessíveis ao entendimento ordinário. Observar atentamente é lembrar distintamente; e, até aí, o enxadrista concentrado se sairá perfeitamente bem no uíste; pois que as regras de Hoyle (elas próprias baseadas no mero mecanismo do jogo) são suficientemente e em geral compreensíveis. De modo que possuir uma boa memória e proceder "como reza a cartilha" são coisas comumente consideradas como o suprassumo do bem jogar. Mas é em questões que vão além dos limites da mera regra que a habilidade da mente analítica se evidencia. Seu possuidor faz, em silêncio, um sem-número de observações e inferências. Igualmente o fazem, talvez, seus colegas; e a diferença na extensão da informação obtida reside não tanto na validade da inferência quanto na qualidade da observação. O conhecimento necessário é o *do que* observar. Nosso jogador não se restringe em absoluto ao jogo; tampouco, por ser este o objeto, rejeita deduções originárias de fatores externos ao jogo. Ele examina o semblante de seu parceiro, comparando-o cuidadosamente com o de cada um dos oponentes. Considera o modo como estão dispostas as cartas em cada mão; muitas vezes calculando os trunfos e as honras de cada um pelos olhares lançados a suas próprias mãos. Observa cada variação nos rostos à medida que o jogo progride, amealhando uma reserva de pensamento pelas diferentes expressões de certeza, surpresa, triunfo ou decepção. Pelo modo como recolhe uma vaza avalia se a pessoa que o faz pode conseguir outra daquele naipe. Reconhece um blefe pela atitude com que a carta é jogada na mesa. Uma palavra casual ou inadvertida; uma carta que cai ou vira acidentalmente, com a subsequente ansiedade ou descaso no modo como é ocultada; a contagem das vazas, com a ordem de sua arrumação; constrangimento, hesitação, impaciência ou agitação — tudo proporciona, para sua percepção aparentemente intuitiva, indícios do verdadeiro estado de coisas. As duas ou três primeiras rodadas tendo sido jogadas, ele está de plena posse dos conteúdos de cada mão e, daí por diante, baixa suas cartas com uma precisão de propósito tal que é como se o restante do grupo houvesse virado seus leques para o lado contrário.

CONTOS DE IMAGINAÇÃO E MISTÉRIO

A capacidade analítica não deve ser confundida com a simples engenhosidade; pois embora o dono de uma mente analítica seja necessariamente engenhoso, o homem engenhoso é muitas vezes notavelmente incapaz de análise. A capacidade construtiva ou combinatória, mediante a qual a engenhosidade normalmente se manifesta, e à qual os frenólogos (acredito que erroneamente) atribuíram um órgão separado, supondo-a uma faculdade primitiva, tem sido tão frequentemente notada nesses cujo intelecto em tudo mais beira a idiotia que isso atraiu a atenção geral dos moralistas. Entre a engenhosidade e a competência analítica existe uma diferença ainda maior, na verdade, do que entre a fantasia e a imaginação, mas de um caráter muito estritamente análogo. Verificar-se-á, com efeito, que os dotados de engenho são sempre fantasiosos e que os *verdadeiramente* imaginativos nunca são outra coisa que não dados à análise.

A narrativa que segue irá se afigurar ao leitor mais ou menos como um comentário sobre as proposições até aqui aventadas.

Residindo em Paris durante a primavera e parte do verão de 18—, travei conhecimento com um certo Monsieur C. Auguste Dupin. Esse jovem cavalheiro era de excelente, na verdade, de ilustre família, porém, devido a uma série de adversidades, ficara reduzido a tal pobreza que a energia de seu caráter sucumbira sob o peso disso e ele desistira de se devotar ao mundo ou de procurar recuperar a fortuna perdida. Por obséquio de seus credores, continuava possuidor de um pequeno resquício de seu patrimônio; e, com a renda daí advinda, conseguia, graças a uma rigorosa economia, prover-se do necessário para viver, sem se molestar por coisas supérfluas. Os livros, na verdade, eram seu único luxo, e estes em Paris são facilmente obtidos.

Conhecemo-nos numa obscura biblioteca na Rue Montmartre, onde o acaso de estarmos ambos à procura do mesmo livro mui raro e mui notável nos uniu em mais estreita relação. Víamo-nos com frequência. Interessei-me profundamente pela breve história familiar que pormenorizou para mim com toda essa sinceridade que se permitem os franceses sempre que seu tema se resume meramente a sua pessoa. Também fiquei pasmo com a vasta amplitude de suas leituras; e, acima de tudo, entusiasmei-me vivamente com o exuberante fervor e o vívido frescor de sua imaginação.

304

OS ASSASSINATOS DA RUE MORGUE

Almejando em Paris certos objetivos tais como eu então almejava, percebi que a companhia daquele homem constituiria para mim um tesouro de valor inestimável; e confidencie-lhe esse sentimento com toda a franqueza. Após algum tempo ficou acertado que moraríamos juntos durante minha estada na cidade; e, como minhas circunstâncias mundanas eram razoavelmente menos complicadas que as dele, foi com seu consentimento que me encarreguei de alugar e decorar, em um estilo que se adequava à melancolia um tanto fantástica de nosso temperamento em comum, uma mansão dilapidada e grotesca, havia muito abandonada devido a superstições cujo teor jamais indagamos, e equilibrando-se precariamente rumo ao colapso em uma área afastada e desolada do Faubourg St. Germain.

Houvesse a rotina de nossa vida nesse lugar chegado ao conhecimento do mundo, teríamos sido reputados loucos — embora, talvez, loucos de natureza inofensiva. Nossa reclusão era absoluta. Não recebíamos visita alguma. Na verdade, a localização de nosso refúgio fora cuidadosamente mantida em segredo de meus próprios antigos companheiros; e já havia muitos anos que Dupin deixara de ver e ser visto em Paris. Vivíamos exclusivamente para nós mesmos.

Era uma excentricidade de gosto em meu amigo (pois que outro nome dar àquilo?) ser um enamorado da Noite em si mesma; e a essa *bizarrerie*, assim como a todas as demais, eu calmamente acedi; entregando-me a seus desvairados caprichos com perfeito *abandon*. Mas a negra divindade não poderia nos fazer companhia permanente; então, simulávamos sua presença. Aos primeiros raios da aurora fechávamos todas as maciças venezianas de nossa casa, acendendo um par de círios que, fortemente perfumados, lançavam apenas a luz mais débil e espectral. Com a ajuda deles enchíamos nossas almas de sonhos — lendo, escrevendo ou conversando, até sermos advertidos pelo relógio da chegada das genuínas Trevas. Então passeávamos pelas ruas, de braços dados, continuando os assuntos do dia, ou perambulando para muito longe até avançada hora, buscando, em meio às fantásticas luzes e sombras da cidade populosa, essa infinidade de excitação mental que a tranquila observação pode proporcionar.

Em momentos como esse, eu não podia deixar de notar e admirar (embora, dada sua fecunda idealidade, estivesse preparado para esperar tal coisa) uma peculiar capacidade analítica em Dupin. Ele parecia também extrair um vivo deleite em exercê-la — quando não propriamente em exibi-la —, e não hesitava em confessar o prazer que disso obtinha. Vangloriava-se para mim, com uma pequena risada, que a maioria dos homens, no que lhe dizia respeito, portava janelas em seus peitos, e costumava fazer acompanhar tais asserções de provas diretas e assaz surpreendentes de seu conhecimento sobre minha própria pessoa. Seus modos em momentos como esse eram frios e abstratos; seus olhos ficavam com uma expressão vazia; ao passo que sua voz, em geral de um melodioso tenor, erguia-se num agudo de soprano que teria soado insolente não fosse o caráter deliberado e inteiramente lúcido da enunciação. Observando-o nesses estados de espírito, eu muitas vezes me punha a meditar na antiga filosofia da Alma Biparte, e me divertia fantasiando um duplo Dupin — o criativo e o resolutivo.

Que não se julgue aqui, com base no que acabei de dizer, que estou particularizando algum mistério ou redigindo algum romance. O que recentemente descrevi no francês era apenas o resultado de uma inteligência exaltada ou, talvez, enferma. Mas do caráter de suas observações nos períodos em questão um exemplo transmitirá melhor a ideia.

Caminhávamos certa noite por uma rua suja e comprida, nos arredores do Palais Royal. Estando ambos, aparentemente, perdidos em pensamentos, nenhum de nós dissera uma palavra durante pelo menos quinze minutos. De repente Dupin quebrou o silêncio com a seguinte frase:

"Ele é de fato um sujeito bem pequeno, é verdade, e estaria melhor no Théâtre des Variétés."

"Não pode haver dúvida disso", repliquei, inadvertidamente, e sem observar de início (de tal maneira estivera absorto em reflexão) o modo extraordinário com que suas palavras fizeram coro às minhas meditações. Um instante depois caí em mim e fiquei profundamente estupefato.

"Dupin", disse eu, gravemente, "isso está além de minha compreensão. Não hesito em dizer que estou perplexo, e mal posso crer em meus sentidos. Como era possível que soubesse que eu pensava em ———?" Aqui fiz uma pausa, para verificar se realmente sabia sem sombra de dúvida quem ocupava meus pensamentos.

—— "de Chantilly", disse ele, "por que hesitou? Você refletia consigo mesmo que sua figura diminuta não era apropriada para a tragédia."

Era isso precisamente que compunha o teor de minhas reflexões. Chantilly era um *quondam*[42] sapateiro da Rue St. Denis que, tendo sido mordido pelo bicho do teatro, candidatara-se ao *rôle* de Xerxes na tragédia de Crébillon de mesmo nome, e que fora alvo de notórias pasquinadas por seus esforços dramáticos.

"Diga-me, pelo amor dos Céus", exclamei, "o método — se algum método há — que lhe possibilitou sondar minha alma nessa questão." Na verdade, eu estava ainda mais atônito do que me dispunha a demonstrar.

"Foi o fruteiro", respondeu meu amigo, "que o levou à conclusão de que o remendão de solas não tinha altura para Xerxes *et id genus omne.*"[43]

"Fruteiro! — você me deixa pasmo — não sei de fruteiro algum."

"O sujeito com quem deu um encontrão quando dobramos a rua — cerca de quinze minutos atrás, talvez."

Eu agora me recordava que, de fato, um fruteiro, carregando na cabeça um grande cesto de maçãs, quase me atirara ao chão, por acidente, quando deixávamos a Rue C—— para entrar na rua onde ora estávamos; mas o que isso tinha a ver com Chantilly era algo que eu não podia absolutamente compreender.

Não havia um isto de *charlatanerie* em Dupin. "Explicarei", disse ele, "e para que possa compreender tudo claramente, retrocederei primeiro ao longo de suas meditações, desde o momento em que lhe falei até o do *rencontre* com o referido fruteiro. Os elos principais dessa cadeia são os seguintes — Chantilly, Órion, dr. Nichol, Epicuro, estereotomia, pedras do calçamento, fruteiro."

Existem poucas pessoas que não tenham, em algum momento de suas vidas, buscado se distrair relembrando os passos ao longo dos quais particulares conclusões de suas próprias mentes foram alcançadas. O passatempo é muitas vezes bastante interessante; e aquele que o tenta pela primeira vez fica atônito com as aparentemente ilimitáveis distância e incoerência entre o ponto de partida e o objetivo final. Qual não foi então minha perplexidade quando escutei o francês dizendo o que acabara de dizer, e quando não pude deixar de admitir que dissera a verdade. Ele continuou:

307

"Estávamos falando de cavalos, se me lembro corretamente, pouco antes de deixar a Rue C——. Esse foi o último tema sobre o qual conversamos. Quando dobrávamos a esquina, um fruteiro, com um grande cesto na cabeça, passando apressadamente por nós, jogou-o contra uma pilha de pedras de pavimentação retiradas de um trecho da rua que está em obras. Você pisou numa pedra solta, escorregou, torceu ligeiramente o tornozelo, pareceu irritado ou amuado, murmurou algumas palavras, virou para olhar para a pilha e prosseguiu em silêncio. Não prestei particular atenção ao que fez; mas a observação se tornou para mim, ultimamente, uma espécie de necessidade.

"Você manteve os olhos no chão — relanceando, com expressão mal-humorada, os buracos e sulcos no calçamento (de modo que percebi que continuava pensando nas pedras), até chegarmos à pequena viela chamada Lamartine, que fora pavimentada, a título de experimento, com esses blocos justapostos e rebitados. Aqui seu semblante se desanuviou e, notando que seus lábios se moviam, não tive dúvida de que murmurava a palavra 'estereotomia', termo que muito afetadamente é aplicado a essa espécie de pavimento. Eu sabia que não era capaz de dizer a si mesmo a palavra 'estereotomia' sem ser levado a pensar em átomos, e, consequentemente, nas teorias de Epicuro; e uma vez que, ao discutirmos o assunto há não muito tempo, mencionei-lhe quão singularmente, embora quão pouco se tenha notado, as vagas hipóteses desse nobre grego encontraram confirmação na cosmogonia nebular recente,[44] imaginei que não poderia deixar de erguer os olhos para a grande *nebula* em Órion, e decerto esperava que o fizesse. Com efeito, você olhou para o alto; e nesse momento tive a convicção de que acompanhara corretamente seus passos. Mas na acerba *tirade* acerca de Chantilly, que apareceu no *Musée* de ontem, o satirista, fazendo ignominiosas alusões à mudança de nome do sapateiro ao calçar o coturno, citou um verso latino sobre o qual muitas vezes conversamos. Refiro-me ao verso: *'Perdidit antiquum litera prima sonum'*.[45] Eu havia lhe afirmado que isso era uma menção a Órion, outrora grafada Urion; e, devido a certas pungências ligadas a essa explicação, estava ciente de que não poderia tê-la esquecido. Ficou claro, desse modo, que você não deixaria de combinar as duas ideias de Órion e Chantilly. Que de fato as combinou

OS ASSASSINATOS DA RUE MORGUE

percebi pela natureza do sorriso que perpassou seus lábios. Você pensou na imolação do pobre sapateiro. Até então, seu andar era curvado; mas em seguida notei que aprumava o corpo a plena altura. Nesse instante tive certeza de que refletia sobre a figura diminuta de Chantilly. Foi aí que interrompi suas meditações para comentar que, de fato, *era mesmo* um sujeitinho pequeno — o tal Chantilly —, que estaria melhor no Théâtre des Variétés."

Não muito depois, líamos uma edição vespertina da *Gazette des Tribunaux* quando os seguintes parágrafos chamaram nossa atenção.

"Assassinatos Extraordinários. — Nessa madrugada, por volta das três da manhã, os moradores do Quartier St. Roch foram tirados de seu sono por uma sucessão de gritos aterrorizantes, provenientes, aparentemente, do quarto andar de uma casa na Rue Morgue, sabidamente ocupada apenas por Madame L'Espanaye e sua filha, Mademoiselle Camille L'Espanaye. Após alguma demora, ocasionada por uma tentativa infrutífera de conseguir passar da maneira usual, a porta do saguão foi arrombada com um pé de cabra e oito ou dez vizinhos entraram, acompanhados de dois *gendarmes*. A essa altura, os gritos haviam cessado; mas, quando o grupo subiu correndo o primeiro lance de escadas, duas ou mais vozes ríspidas, em inflamada altercação, se fizeram ouvir, e pareciam proceder da parte superior da casa. Quando o segundo patamar foi alcançado, também esses sons haviam cessado, e tudo permanecia na mais perfeita quietude. O grupo se dispersou, e correram de quarto em quarto. Ao chegarem em um grande aposento de fundos no quarto andar (cuja porta, achando-se trancada com a chave do lado de dentro, teve de ser aberta à força), presenciaram um espetáculo que encheu cada um dos ali presentes não apenas de horror como também de assombro.

"O apartamento encontrava-se na mais furiosa desordem — a mobília destruída e jogada em todas as direções. Restara uma única armação de cama; e o colchão fora removido e atirado no meio do soalho. Em uma poltrona havia uma navalha manchada de sangue. No chão da lareira jaziam duas ou três mechas de cabelos humanos grisalhos, também salpicadas de sangue, e ao que parecia arrancadas pela raiz. No chão encontraram-se quatro napoleões, um brinco de topázio, três colheres grandes

309

de prata, três menores, de *métal d'Alger*, e duas bolsas, contendo cerca de quatro mil francos em ouro. As gavetas de um *bureau* que ficava em um canto estavam abertas e haviam, aparentemente, sido vasculhadas, embora muitos artigos ainda permanecessem dentro. Um pequeno cofre de ferro foi encontrado sob o colchão (não sob a cama). Estava aberto, com a chave ainda na tampa. Não continha coisa alguma exceto algumas cartas velhas e outros documentos de pouca importância.

"De Madame L'Espanaye nenhum vestígio se via; mas uma incomum quantidade de fuligem tendo sido observada na lareira levou a que se desse uma busca na chaminé, e (coisa horrível de relatar!) dali se retirou o cadáver da filha, de cabeça para baixo; havia sido forçado pela estreita abertura até profundidade considerável. O corpo estava razoavelmente quente. Quando examinado, muitas escoriações foram notadas, sem dúvida ocasionadas pela violência empregada ao ser enfiado e depois retirado. No rosto viam-se inúmeros arranhões e, pela garganta, negros hematomas, além de marcas profundas de unhas, como se a vítima houvesse sido morta por estrangulamento.

"Após uma cuidadosa investigação em cada canto da casa, sem que mais nada se descobrisse, o grupo se dirigiu a um pequeno pátio nos fundos do edifício, onde estava o corpo da velha senhora, com a garganta tão completamente dilacerada que, ao se tentar erguê-la, a cabeça caiu. O corpo, assim como a cabeça, fora terrivelmente mutilado — o primeiro a tal ponto que mal conservava qualquer semelhança com algo humano.

"Desse horrível mistério até o momento não há, acreditamos, a mais leve pista."

O jornal do dia seguinte trazia esses pormenores adicionais.

"*A Tragédia na Rue Morgue*. Muitos indivíduos têm sido interrogados em relação a esse tão extraordinário e assombroso caso [a palavra *affaire* ainda não carrega, na França, essa leveza de significado que o inglês *affair*, caso, transmite entre nós], mas nada ainda surgiu capaz de lançar alguma luz sobre ele. Fornecemos abaixo todos os depoimentos relevantes extraídos.

"*Pauline Dubourg*, lavadeira, declara que conhecia ambas as vítimas havia três anos, tendo se encarregado de suas roupas durante esse período.

310

A velha senhora e a filha pareciam em bons termos — muito afetuosas uma com a outra. Eram excelentes pagadoras. Nada pôde informar com respeito ao modo ou aos meios de vida das duas. Acreditava que Madame L. lesse a sorte como sustento. Dizia-se que tinha dinheiro guardado em casa. Nunca encontrou ninguém na casa quando precisou buscar ou entregar as roupas. Estava certa de que não contavam com quaisquer empregados aos seus serviços. Não parecia haver mobília em parte alguma do prédio, exceto no quarto andar.

"*Pierre Moreau*, dono de tabacaria, declara que costumava vender pequenas quantidades de fumo e rapé a Madame L'Espanaye havia quase quatro anos. É nascido na vizinhança e sempre residiu ali. A falecida e sua filha ocuparam a casa onde seus corpos foram encontrados por mais de seis anos. O inquilino anterior do lugar fora um joalheiro que sublocara os quartos superiores para várias pessoas. A casa era de propriedade de Madame L. Descontente com o uso indevido do imóvel por parte de seu locatário, mudou-se para lá ela própria, recusando-se a alugar qualquer parte do prédio. A madame estava senil. A testemunha viu a filha umas cinco ou seis vezes durante os seis anos. As duas levavam uma vida excepcionalmente reclusa — supunha-se que tinham dinheiro. Ouvira dizer por alguns vizinhos que Madame L. fazia a leitura da sorte — não acreditava. Nunca vira pessoa alguma entrar por aquela porta, a não ser a própria velha senhora e sua filha, um encarregado de manutenção uma ou duas vezes e um médico, umas oito ou dez.

"Muitas outras pessoas, também vizinhos, forneceram depoimentos nesse mesmo sentido. Nenhum frequentador da casa foi mencionado. Ninguém soube dizer se havia algum parente vivo de Madame L. e sua filha. As venezianas das janelas da frente raramente eram abertas. As de trás viviam fechadas, com exceção do aposento dos fundos, no quarto andar. A casa era de boa construção — não muito velha.

"*Isidore Muset, gendarme*, declara que foi chamado à casa por volta das três da manhã, e que encontrou cerca de vinte ou trinta pessoas diante da entrada, tentando passar. Arrombou finalmente a porta do saguão com a baioneta — não com um pé de cabra. Encontrou pouca dificuldade em fazer com que abrisse, pelo fato de ser uma porta dupla, ou retrátil, e sem ferrolhos em cima ou embaixo. Os gritos continuaram até a porta

CONTOS DE IMAGINAÇÃO E MISTÉRIO

ser forçada — e depois subitamente cessaram. Pareciam os gritos de uma pessoa (ou pessoas) em grande agonia — altos e prolongados, não curtos e rápidos. A testemunha liderou o caminho pelas escadas. Ao chegar no primeiro patamar, escutou duas vozes numa altercação alta e inflamada — uma era rouca, a outra, mais esganiçada — uma voz muito estranha. Pôde discernir algumas palavras da primeira, que eram de um francês. Tinha certeza absoluta de que não era voz de mulher. Pôde discernir as palavras 'sacré' e 'diable'. A voz aguda pertencia a alguém estrangeiro. Não sabia dizer se era voz de homem ou de mulher. Não pôde distinguir o que dizia, mas acreditou que a língua fosse o espanhol. O estado do aposento e dos corpos foi descrito por essa testemunha do modo como descritos ontem.

"*Henri Duval*, vizinho, e, por ocupação, artesão de prataria, declara que tomou parte no grupo que entrou na casa. Corrobora o depoimento de Muset, de modo geral. Assim que forçaram a entrada, voltaram a fechar a porta, de modo a impedir a passagem da multidão, que se juntou muito rápido, não obstante o adiantado da hora. A voz aguda, acredita a testemunha, era de um italiano. Certamente não era francês. Não sabe dizer ao certo se era voz de homem. Podia ser de mulher. Não está familiarizado com a língua italiana. Não pôde discernir quaisquer palavras, mas ficou convencido pela entonação que foram ditas em italiano. Conhecia Madame L. e sua filha. Conversara com ambas em diversas ocasiões. Tinha certeza de que a voz aguda não era de nenhuma das falecidas.

"—— *Odenheimer, restaurateur*.[46] Essa testemunha apresentou-se voluntariamente para depor. Por não falar francês, foi inquirida mediante um intérprete. É natural de Amsterdã. Passava pela casa no momento dos gritos. Eles duraram por vários minutos — provavelmente dez. Foram longos e altos — muito apavorantes e perturbadores. Estava entre o grupo que entrou no prédio. Corroborou os depoimentos prévios em todos os aspectos menos um. Tinha certeza de que a voz aguda pertencia a um homem — a um francês. Não conseguiu discernir as palavras enunciadas. Foram altas e rápidas — desiguais — ditas aparentemente com medo, embora também com raiva. A voz era dissonante — não tão aguda, mais para dissonante. Não chamaria de uma voz aguda. A voz rouca disse repetidamente 'sacré', 'diable' e, uma vez, 'mon Dieu'.

312

"*Jules Mignaud*, banqueiro, da firma de Mignaud et Fils, Rue Deloraine. É o Mignaud pai. Madame L'Espanaye possuía algumas propriedades. Abrira uma conta em sua casa bancária na primavera do ano —— (oito anos antes). Fazia depósitos frequentes de pequenas quantias. Jamais havia sacado, até três dias antes de sua morte, quando retirou pessoalmente quatro mil francos. O valor foi pago em ouro, e um funcionário enviado a sua casa com o saque.

"*Adolphe Le Bon*, funcionário de Mignaud et Fils, declara que no dia em questão, por volta do meio-dia, acompanhou Madame L'Espanaye a sua residência com os quatro mil francos, divididos em duas bolsas. Quando a porta era aberta, Mademoiselle L. apareceu e pegou de suas mãos uma das bolsas, enquanto a velha senhora apanhava a outra. Ele então as cumprimentou e partiu. Não viu ninguém na rua nesse momento. É uma pequena travessa — muito isolada.

"*William Bird*, alfaiate, declara que estava entre o grupo que entrou na casa. É inglês. Mora em Paris há dois anos. Foi um dos primeiros a subir as escadas. Escutou as vozes se altercando. A voz rouca era de um francês. Pôde distinguir diversas palavras, mas não se recorda de todas. Ouviu distintamente '*sacré*' e '*mon Dieu*'. Houve um som no momento como que de várias pessoas lutando — um som de coisas raspando e gente se engalfinhando. A voz aguda falava muito alto — mais alto do que a rouca. Tem certeza de que não era a voz de um inglês. Parecia ser de um alemão. Podia ser voz de mulher. Não entende alemão.

"Quatro das supracitadas testemunhas, tendo sido reconvocadas, declararam que a porta do aposento em que se encontrou o corpo de Mademoiselle L. estava trancada por dentro quando o grupo chegou. Tudo no mais perfeito silêncio — nenhum grunhido ou barulho de qualquer tipo. Ao forçarem a porta, ninguém foi visto. As janelas, tanto do quarto dos fundos como do frontal, estavam abaixadas e firmemente trancadas por dentro. Uma porta entre os dois quartos estava fechada, mas não trancada. A porta que havia entre o quarto da frente e o corredor estava trancada, com a chave do lado de dentro. Um quartinho na frente da casa, no quarto andar, na extremidade do corredor, tinha a porta entreaberta. Esse cômodo estava abarrotado de camas velhas, caixas e coisas assim.

CONTOS DE IMAGINAÇÃO E MISTÉRIO

Tudo foi cuidadosamente retirado e examinado. Não havia um centímetro em parte alguma da casa que não tenha passado por uma busca cuidadosa. Varredores foram enfiados de cima a baixo nas chaminés. A casa tinha quatro andares, além de águas-furtadas (*mansardes*). Um alçapão no teto fora firmemente pregado — parecia que não era aberto havia anos. O tempo transcorrido entre a altercação de vozes que ouviram e o arrombamento da porta do aposento foi estimado com variações pelas testemunhas. Alguns disseram três minutos — outros, cinco. A porta foi aberta com dificuldade.

"*Alfonzo Garcio*, agente funerário, declara ser residente da Rue Morgue. É natural da Espanha. Tomou parte no grupo que entrou na casa. Não subiu as escadas. É nervoso, e ficou apreensivo quanto às consequências do tumulto. Escutou as vozes em altercação. A voz rouca era de um francês. Não pôde discernir o que foi dito. A voz aguda era de um inglês — tem certeza disso. Não compreende a língua inglesa, mas julga pela entonação.

"*Alberto Montani*, confeiteiro, declara que estava entre os primeiros a subir as escadas. Escutou as vozes em questão. A voz rouca era de um francês. Distinguiu diversas palavras. Seu dono parecia protestar. Não conseguiu discernir as palavras da voz aguda. Falava de modo apressado e irregular. Acha que é voz de um russo. Corrobora o testemunho geral. É italiano. Nunca conversou com alguém natural da Rússia.

"Diversas testemunhas, na reinquirição, afirmaram que as chaminés de todos os aposentos no quarto andar eram estreitas demais para admitir a passagem de um ser humano. Por 'varredores' queriam dizer escovões cilíndricos, como os que são empregados pelos limpadores de chaminés. Esses escovões foram passados de ponta a ponta em todos os ductos da casa. Não havia qualquer passagem de fundos pela qual qualquer um pudesse ter descido enquanto o grupo subia as escadas. O corpo de Mademoiselle L'Espanaye estava tão firmemente enterrado na chaminé que só conseguiram descê-lo depois que quatro ou cinco do grupo uniram forças.

"*Paul Dumas*, médico, declara que foi chamado para examinar os corpos ao nascer do dia. Haviam ambos sido colocados sobre o enxergão da cama no aposento onde Mademoiselle L. foi encontrada. O cadáver da jovem estava muito esfolado e contundido. O fato de ter sido enfiado na

314

chaminé teria sido suficiente para dar conta desse aspecto. A garganta fora gravemente esfolada. Havia inúmeros arranhões profundos pouco abaixo do queixo, junto com uma série de manchas lívidas, que eram evidentemente marcas de dedos. O rosto estava terrivelmente manchado e as órbitas oculares protraídas. A língua fora parcialmente mordida. Um enorme hematoma foi descoberto sobre a boca do estômago, produzido, aparentemente, pela pressão de um joelho. Na opinião de Monsieur Dumas, Mademoiselle L'Espanaye fora morta por estrangulamento por uma ou várias pessoas desconhecidas. O cadáver da mãe estava horrivelmente mutilado. Todos os ossos da perna e do braço direitos estavam quebrados com maior ou menor gravidade. A tíbia esquerda fora estilhaçada, bem como todas as costelas do lado esquerdo. O corpo todo horrivelmente contundido e manchado. Era impossível dizer como os ferimentos haviam sido infligidos. Um pesado porrete de madeira, ou uma grande barra de ferro — uma cadeira — qualquer arma grande, pesada e rombuda teria produzido tais resultados, se empunhada pelas mãos de um homem muito forte. Mulher alguma teria sido capaz de provocar tais ferimentos com a arma que fosse. A cabeça da vítima, quando examinada pela testemunha, estava inteiramente separada do corpo, e também gravemente fraturada. A garganta fora evidentemente cortada com algum instrumento afiado — provavelmente, uma navalha.

"*Alexandre Etienne*, cirurgião, foi chamado junto com Monsieur Dumas para examinar os corpos. Corroborou o depoimento e as opiniões do colega.

"Nenhum outro fato relevante veio a lume, embora diversas outras pessoas tenham sido interrogadas. Um assassinato tão misterioso, e tão desconcertante em todas suas particularidades, jamais foi cometido antes em Paris — se é que de fato um assassinato foi cometido. A polícia está completamente às escuras — uma ocorrência incomum em casos dessa natureza. Não há, entretanto, nem sombra de pista à vista."

A edição vespertina do jornal informava que o Quartier St. Roch continuava ainda em grande agitação — que o edifício passara por uma cuidadosa nova busca, e que novos depoimentos foram colhidos, mas tudo em vão. Uma nota de última hora porém mencionava que Adolphe Le Bon havia sido detido e feito prisioneiro — embora nenhuma evidência parecesse incriminá-lo, além dos fatos já especificados.

Dupin pareceu singularmente interessado no progresso do caso — pelo menos foi o que julguei por sua conduta, pois não fez comentário algum. Apenas após o anúncio de que Le Bon fora preso pediu minha opinião respeitando aos assassinatos.

Eu só podia concordar com toda Paris em considerá-los um mistério insolúvel. Não via meios pelos quais fosse possível rastrear o assassino.

"Não devemos julgar os meios", disse Dupin, "segundo a superfície desses depoimentos. A polícia parisiense, tão elogiada por seu *acumen*, é hábil, mas só isso. Não existe método em seus procedimentos além do método do momento. Fazem vasta ostentação de medidas; mas, não raro, estas são tão mal adaptadas aos objetivos propostos que nos vem à mente Monsieur Jourdain, pedindo seu *robe-de-chambre — pour mieux entendre la musique.*[47] Os resultados atingidos por eles são não raro surpreendentes, mas, na maior parte, obtidos pela simples diligência e atividade. Quando essas qualidades estão indisponíveis, seus esquemas fracassam. Vidocq, por exemplo, era bom em conjecturas, e perseverava. Mas, sem uma mente treinada, enganava-se continuamente pela própria intensidade de suas investigações. Ele prejudicava sua visão segurando os objetos perto demais. Podia enxergar, talvez, um ou dois pontos com clareza incomum, mas, ao fazê-lo, necessariamente perdia de vista a questão como um todo. Isso é o que podemos chamar de ser profundo demais. A verdade nem sempre está dentro de um poço. Com efeito, no que toca aos conhecimentos mais importantes, acredito de fato que ela é invariavelmente superficial. A profundidade reside nos vales onde a buscamos, e não nos cumes montanhosos onde ela é encontrada. Os modos e origens desse tipo de equívoco estão bem tipificados na contemplação dos corpos celestiais. Relancear brevemente uma estrela — observá-la obliquamente, voltando em sua direção as áreas mais exteriores da *retina* (que é mais sensível a impressões luminosas tênues do que a parte interna), é contemplá-la com nitidez — é obter a melhor apreciação de seu brilho — brilho que se turva na exata proporção em que voltamos nosso olhar *diretamente* para a estrela. Uma maior quantidade de raios de fato incide sobre o olho nesse caso, mas, no primeiro, ocorre uma capacidade de compreensão mais refinada. A profundidade indevida confunde e debilita o pensamento; e é possível

316

OS ASSASSINATOS DA RUE MORGUE

fazer com que até mesmo Vênus desapareça do firmamento por meio de uma observação demasiado prolongada, concentrada ou direta.

"Quanto a esses assassinatos, vamos proceder a um exame deles nós mesmos antes de formar qualquer opinião a respeito. Uma investigação poderá nos proporcionar boa diversão [julguei esse um termo estranho para usar aqui, mas nada disse] e, além do mais, Le Bon certa vez me prestou um serviço pelo qual não me mostrarei ingrato. Vamos ver o local com nossos próprios olhos. Conheço G——, o chefe de polícia, e não deveremos ter dificuldade em obter a permissão necessária."

A permissão foi obtida, e seguimos imediatamente para a Rue Morgue. É uma daquelas travessas muito pobres que ficam entre a Rue Richelieu e a Rue St. Roch. Já era fim de tarde quando chegamos; o bairro ficando a grande distância desse em que residíamos. Encontramos a casa prontamente; pois havia ainda inúmeras pessoas olhando para as venezianas fechadas, com uma curiosidade sem propósito, do outro lado da rua. Era uma residência parisiense comum, com um saguão de entrada, ao lado de cuja porta havia um cubículo de vidros opacos, com um painel deslizante na janela, indicando uma *loge de concierge*. Antes de entrar, andamos pela rua, dobramos uma viela e depois, entrando em outra, passamos pelos fundos do prédio — Dupin, nesse meio-tempo, examinava toda a vizinhança, bem como a casa, com uma meticulosidade de atenção para a qual não via eu objetivo possível.

Voltando por onde viéramos, fomos outra vez para a entrada da residência, tocamos a campainha e, após mostrarmos nossas credenciais, fomos admitidos pelos policiais encarregados. Subimos as escadas — até o aposento onde o corpo de Mademoiselle L'Espanaye fora encontrado, e onde ambas as falecidas continuavam. A desordem no quarto, como de costume, permanecia do jeito que fora deixada. Não vi nada além do que havia sido relatado na *Gazette des Tribunaux*. Dupin examinava cada detalhe — sem excetuar os corpos das vítimas. Depois prosseguimos para os demais quartos, e para o pátio; um *gendarme* nos acompanhou o tempo todo. A investigação nos ocupou até escurecer, quando saímos. A caminho de casa, meu companheiro se deteve por alguns instantes na redação de um dos jornais diários.

317

CONTOS DE IMAGINAÇÃO E MISTÉRIO

Já tive ocasião de dizer que os caprichos de meu amigo eram muitos e variados, e que *Je les ménageais*:[48] — para essa expressão, não existe equivalente em inglês. Agora, ele cismara de declinar qualquer conversa sobre a questão dos assassinatos até mais ou menos o meio-dia do dia seguinte. E então me perguntou, repentinamente, se eu observara algo *peculiar* na cena das atrocidades.

Houve alguma coisa no modo como enfatizou a palavra "peculiar" que me provocou calafrios, sem saber por quê.

"Não, nada *peculiar*", disse eu; "pelo menos, nada além do que ambos vimos publicado no jornal."

"Receio que a *Gazette*", replicou, "não tenha penetrado no horror insólito da coisa. Mas descartemos as fúteis opiniões desse periódico. Parece-me que o mistério é considerado insolúvel pelo mesmo motivo que deveria fazer com que fosse tido como de fácil solução — quero dizer, pelo caráter *outré* de suas circunstâncias. A polícia está perplexa com a aparente ausência de motivo — não com o crime em si — mas com a atrocidade do crime. Estão desconcertados, também, pela aparente impossibilidade de conciliar as vozes ouvidas em altercação com o fato de que ninguém foi encontrado no andar de cima além da assassinada Mademoiselle L'Espanaye, e de que não havia meios de sair sem passar pelo grupo que subia. A desordem selvagem do quarto; o cadáver enfiado, de cabeça para baixo, pela chaminé; a pavorosa mutilação do corpo da velha senhora; essas considerações, juntamente com as que acabo de mencionar, e outras a que não é necessário fazer menção, bastaram para paralisar as autoridades, deixando completamente às escuras seu tão propalado *acumen*. A polícia caiu no erro grosseiro mas comum de confundir o insólito com o abstruso. Mas é nesses desvios do plano do ordinário que a razão encontra seu caminho, se é que o encontra, na busca da verdade. Em investigações tais como as que empreendemos agora, não deve tanto ser perguntado 'o que ocorreu' como 'o que ocorreu que nunca ocorreu antes'. Na verdade, a facilidade com que chegarei, ou cheguei, à solução desse mistério está em proporção direta com sua aparente insolubilidade aos olhos da polícia."

Encarei meu colega, mudo de espanto.

"Estou à espera", prosseguiu ele, olhando para a porta de nosso apartamento — "estou à espera de uma pessoa que, embora talvez não o perpe-

318

OS ASSASSINATOS DA RUE MORGUE

trador dessa carnificina, deve em certa medida ter tido algum envolvimento em sua perpetração. Da pior parte dos crimes cometidos, é provável que seja inocente. Espero estar correto nessa suposição; pois é nisso que baseei minha expectativa de deslindar todo o enigma. Aguardo esse homem aqui — nesta sala — a qualquer momento. É verdade que pode não aparecer; mas a probabilidade é de que o faça. Caso venha, será necessário detê-lo. Eis aqui umas pistolas; e ambos sabemos como usá-las, quando a ocasião assim o exige."

Tomei as pistolas, mal sabendo o que fazia, ou tampouco acreditando no que escutava, enquanto Dupin prosseguia, muito à maneira de um solilóquio. Já tive oportunidade de comentar seus modos abstraídos em momentos assim. Seu discurso era endereçado a minha pessoa; mas sua voz, embora de modo algum elevada, exibia essa entonação que é comumente empregada ao se falar com alguém que está a grande distância. Seus olhos, com expressão vazia, fitavam apenas a parede.

"Que as vozes ouvidas em altercação", disse, "pelo grupo que subia as escadas não pertenciam às próprias mulheres ficou plenamente provado pelas evidências do caso. Isso afasta qualquer dúvida quanto à questão de saber se a velha senhora poderia primeiro ter dado cabo da filha e em seguida cometido suicídio. Menciono esse ponto puramente em nome do método; pois a força de Madame L'Espanaye teria sido absolutamente insuficiente para a tarefa de enfiar o corpo da filha na chaminé, tal como foi encontrado; e a natureza dos ferimentos sobre sua pessoa impossibilita totalmente a ideia de suicídio. O assassinato, então, foi cometido por uma terceira parte; e as vozes dessa terceira parte eram as que se escutaram em altercação. Deixe-me adverti-lo agora — não sobre todos os depoimentos no que diz respeito às vozes — mas no que havia de *peculiar* acerca dos depoimentos. Observou alguma coisa peculiar acerca deles?"

Comentei que embora todas as testemunhas concordassem em supor que a voz rouca pertencia a um francês, havia grande discordância acerca da voz aguda, ou, como um indivíduo a chamou, dissonante.

"Isso são os próprios testemunhos", disse Dupin, "mas não a peculiaridade dos testemunhos. Você não observou nada característico. Contudo, *havia* algo a ser observado. As testemunhas, como afirma, concordaram

319

CONTOS DE IMAGINAÇÃO E MISTÉRIO

quanto à voz rouca; nesse ponto foram unânimes. Mas em respeito à voz aguda, a peculiaridade não é o fato de discordarem, mas que um italiano, um inglês, um espanhol, um holandês e um francês, em sua tentativa de descrevê-la, falassem cada um como sendo *de um estrangeiro*. Cada um deles tem certeza de que não é a voz de um conterrâneo. Cada um a relaciona não à voz de um indivíduo de alguma nação de cuja língua ele próprio seja falante, muito pelo contrário. O francês supõe que é a voz de um espanhol, e que talvez pudesse ter distinguido algumas palavras, *caso tivesse alguma familiaridade com o espanhol*. O holandês sustenta que pertencia a um francês; mas, conforme lemos, *por não compreender francês, a testemunha foi inquirida mediante um intérprete*. O inglês crê que a voz era de um alemão, mas *não conhece alemão*. O espanhol 'tem certeza' de que pertencia a um inglês, mas 'julga pela entonação' e nada mais, *uma vez que não compreende nada do inglês*. O italiano acredita que é a voz de um russo, mas '*nunca conversou com alguém natural da Rússia*'. Um segundo francês, além do mais, diverge do primeiro, e afirma que a voz pertencia a um italiano; mas, *por não conhecer essa língua*, foi, como o espanhol, 'convencido pela entonação'. Ora, quão estranhamente insólita devia ser de fato essa voz para que depoimentos como esses *pudessem* ser colhidos! — em cujos *tons*, até, cidadãos das cinco grandes divisões da Europa não puderam reconhecer nada familiar! Dir-se-ia que pode ter sido a voz de um asiático — de um africano. Nem asiáticos nem africanos abundam em Paris; mas, sem negar a inferência, chamarei sua atenção agora para três pontos. A voz é descrita por uma das testemunhas como 'não tão aguda, mais para dissonante'. É caracterizada por outras duas como falando 'de modo apressado e *irregular*'. Palavra alguma — som algum que se assemelhasse a palavras — foi mencionada pelas testemunhas como discernível.

"Não sei dizer", continuou Dupin, "que impressão posso ter causado, até aqui, em seu próprio entendimento; mas não hesito em afirmar que deduções legítimas até mesmo dessa parte dos depoimentos — a parte respeitante às vozes rouca e aguda — são por si mesmas suficientes para engendrar uma suspeita capaz de orientar todo o posterior progresso da investigação desse mistério. Disse 'deduções legítimas'; mas o que quis comunicar não ficou plenamente expresso. Minha intenção foi sugerir que

320

as deduções são *as únicas* apropriadas e que a suspeita brota *inevitavelmente* delas como o resultado isolado. Qual seja essa suspeita, entretanto, ainda não vou dizer. Apenas quero que tenha em mente que, quanto a mim, foi suficientemente poderosa para dar uma forma definitiva — uma determinada tendência — às minhas investigações no aposento.

"Transportemo-nos, na imaginação, para o quarto. Qual a primeira coisa que buscaremos ali? Os meios de egressão empregados pelos assassinos. Vale dizer que nenhum de nós acredita em eventos sobrenaturais. Madame e Mademoiselle L'Espanaye não foram mortas por espíritos. Os perpetradores desse crime eram feitos de matéria, e escaparam materialmente. Então, como? Felizmente, não há senão um único modo de raciocinar sobre esse ponto, e esse modo *deve* nos conduzir a uma decisão peremptória. — Vamos examinar, um a um, os possíveis meios de fuga. Está claro que os assassinos estavam no quarto onde Mademoiselle L'Espanaye foi encontrada, ou pelo menos no quarto adjacente, quando o grupo subiu as escadas. É desse modo apenas nesses dois cômodos que devemos buscar uma rota de evasão. A polícia arrancou as tábuas do soalho, os forros do teto e a alvenaria das paredes em todas as direções. Nenhuma saída *secreta* poderia ter escapado a sua vigilância. Mas, não confiando nos olhos *deles*, procedi a um exame com os meus. Não havia, então, *nenhuma* saída secreta. As duas portas dos quartos que davam para o corredor estavam devidamente trancadas, com as chaves do lado de dentro. Voltemos às chaminés. Estas, embora da costumeira altura de uns dez metros, mais ou menos, acima das lareiras, não admitirão, em toda a sua extensão, o corpo de um gato grande. A impossibilidade de fugir, pelos meios já indicados, sendo desse modo absoluta, ficamos restritos às janelas. Por aquelas do quarto da frente ninguém poderia ter escapado sem ser visto pela multidão na rua. Os criminosos *devem* ter passado, então, por uma das janelas do quarto nos fundos. Ora, tendo chegado a essa conclusão de uma maneira tão inequívoca como chegamos, não nos cabe, como homens de raciocínio que somos, rejeitá-la por conta de aparentes impossibilidades. Só nos resta provar que essas aparentes 'impossibilidades' não são, na realidade, nada do gênero.

"Há duas janelas nesse quarto. Uma está desimpedida de qualquer mobília, e inteiramente visível. A parte inferior da outra está obstruída pela cabeceira de uma pesada cama que foi empurrada contra ela. Como se verificou, a primeira foi fortemente trancada por dentro. Resistiu aos mais enérgicos esforços de todos que tentaram erguê-la. Um grande buraco feito com uma verruma fora aberto em sua madeira do lado esquerdo e, como se viu, um prego muito grosso enfiado ali dentro, praticamente até a cabeça. Ao se examinar a outra janela, um prego similar foi encontrado; e vigorosas tentativas de erguer o caixilho desta também fracassaram. A polícia se deu então inteiramente por satisfeita de que a fuga não ocorrera por nenhuma dessas rotas. E, *logo*, julgou-se uma questão de excesso de zelo retirar os pregos e abrir as janelas.

"Minha própria investigação foi de certo modo mais minuciosa, pelo motivo recém-exposto — pois ali estava, eu sabia, uma dessas ocasiões em que se *devia* provar que todas as aparentes impossibilidades, na realidade, não são nada do gênero.

"Prossegui então em meu raciocínio — *a posteriori*. Os assassinos *escaparam* por uma dessas janelas. Tal se dando, não poderiam ter voltado a travar os caixilhos, pois que foram assim encontrados; — consideração que pôs um ponto final, devido a sua obviedade, ao exame da polícia nesse aposento. Contudo, os caixilhos *estavam* travados. Eles *deviam*, então, ter a capacidade de se travar sozinhos. Não há como furtar-se a essa conclusão. Aproximei-me do batente desobstruído, retirei o prego com alguma dificuldade e tentei abrir a janela. A guilhotina resistiu a todos os meus esforços, como previra. Uma mola oculta, eu percebia agora, devia existir; e a corroboração de minha ideia convenceu-me de que minhas premissas, ao menos, estavam corretas, por mais misteriosas que ainda parecessem as circunstâncias envolvendo os pregos. Uma busca cuidadosa logo trouxe à luz a mola oculta. Pressionei-a e, satisfeito com a descoberta, abstive-me de erguer o caixilho.

"Então voltei a enfiar o prego no lugar e observei-o atentamente. Uma pessoa que passasse por aquela janela poderia tê-la fechado, e a mola a teria travado — mas o prego não poderia ter sido novamente inserido. A conclusão era clara, e mais uma vez restringiu o campo de minhas investigações. Os assassinos *deviam* ter escapado pela outra janela. Supondo, então, que os mecanismos em ambos os caixilhos fossem iguais, como era provável, uma diferença *devia* ser encontrada entre os pregos ou, pelo menos, no modo como haviam sido fixados. Subindo no enxergão da cama, olhei por cima da cabeceira e examinei minuciosamente o segundo batente. Passando a mão por trás da cabeceira, descobri e pressionei prontamente a mola, que era, como eu presumira, de caráter idêntico à outra. Então examinei o prego. Era tão grosso quanto o outro e, aparentemente, fixo da mesma maneira — enfiado quase até a cabeça.

"Dirá você que isso me deixou desnorteado; mas, se pensa assim, deve ter compreendido mal a natureza das deduções. Para usar uma expressão pitoresca, eu não ficara 'às escuras' em momento algum. Não perdera o rastro sequer por um instante. Não havia falha em nenhum elo da cadeia. Eu farejara o segredo até seu resultado final — e esse resultado era *o prego*. Tinha, repito, em todos os aspectos, a aparência de seu semelhante na outra janela; mas esse fato foi de uma absoluta insignificância (por mais conclusivo que possa parecer) quando comparado à consideração de que ali, nesse ponto, terminava a trilha. '*Deve* haver alguma coisa errada nesse prego', falei. Toquei-o; e a cabeça, com cerca de seis milímetros da espiga, saiu entre meus dedos. O restante da espiga permaneceu no buraco de verruma, onde havia se quebrado. A fratura era antiga (pois as extremidades exibiam uma crosta de ferrugem) e fora aparentemente provocada por uma martelada, que havia cravado parcialmente, no alto do caixilho inferior, a parte do prego com a cabeça. Eu então voltei a encaixar cuidadosamente essa parte do prego com a cabeça no furo de onde ela havia saído e a semelhança com um prego perfeito era completa — a fissura era invisível. Pressionando a mola, ergui o caixilho suavemente algumas polegadas; a cabeça subiu junto, permanecendo firme em seu lugar. Fechei a janela, e a aparência de um prego inteiro era perfeita outra vez.

"O enigma, até ali, estava desvendado. O assassino escapara pela janela que ficava acima da cama. Fechando sozinha após sua fuga (ou talvez tendo sido intencionalmente fechada), ela fora travada pela ação do mecanismo; e foi a fixação por meio dessa mola que a polícia tomou equivocadamente pela do prego — considerando portanto desnecessário proceder a mais investigações.

"A questão seguinte é a do modo da descida. Acerca desse ponto, dei-me por satisfeito com minha caminhada em torno do prédio. A pouco mais de um metro e meio da janela em questão ergue-se um para-raios. De sua haste teria sido impossível para qualquer pessoa chegar à janela, quanto mais entrar por ela. Observei, entretanto, que as folhas das janelas no quarto andar eram de um tipo peculiar que os marceneiros parisienses chamam de *ferrades* — um tipo raramente empregado nos dias de hoje, mas frequentemente visto em antigas mansões de Lyons e Bourdeaux. Elas são na forma de uma porta comum (simples, e não dobrável), excetuando que a parte superior é entalhada ou trabalhada com um padrão de treliças vazadas — proporcionando desse modo um excelente ponto de apoio para as mãos. No presente caso, as folhas têm um metro de largura. Quando as vimos dos fundos da casa, estavam ambas parcialmente abertas — ou seja, ficavam em um ângulo reto com a parede. Muito provavelmente a polícia, assim como eu, examinou os fundos do prédio; mas, se o fez, ao olhar para essas *ferrades* em toda a sua largura (como deve ter feito), eles não perceberam como esta era ampla ou, em todo caso, deixaram de levar o fato em devida consideração. Na verdade, uma vez tendo se convencido de que nenhuma fuga podia ter sido empreendida por ali, naturalmente concederam ao ponto um exame assaz superficial. Ficou claro para mim, entretanto, que a folha da janela acima da cama ficaria, se aberta até o fim, rente à parede, a pouco mais de meio metro da haste do para-raios. Ficou também evidente que, exigindo um grau bastante incomum de presteza e coragem, a penetração pela janela, a partir do para-raios, podia desse modo ter sido efetuada. — Esticando o braço pela distância de uns setenta e cinco centímetros (supondo agora que a janela está aberta ao máximo), um ladrão poderia agarrar com firmeza o padrão de treliça. Soltando-se, então, do para-raios, apoiando o pé com firmeza na parede e dando um audacioso salto em seguida, pode ter balançado com a folha de modo a fechá-la e, se imaginarmos que a janela estava nesse momento aberta, pode ter até mesmo se balançado para dentro do quarto.

"Quero que tenha particularmente em mente que falo de um grau *bastante* incomum de presteza como sendo exigido para o sucesso num feito tão arriscado e difícil. É minha intenção lhe mostrar, primeiro, que

OS ASSASSINATOS DA RUE MORGUE

a coisa pode possivelmente ter sido realizada: — mas, em segundo, e *mais importante*, desejo inculcar em seu entendimento o caráter *deveras extraordinário* — o caráter quase sobrenatural dessa agilidade capaz de tê-lo executado.

"Dirá você, sem dúvida, usando o linguajar do direito, que, para 'provar meu caso', eu deveria antes negligenciar, que enfatizar, uma plena apreciação da presteza exigida nessa situação. Essa talvez seja a prática legal, mas não é desse modo que procede a razão. Meu objetivo último é a verdade. Meu propósito imediato é levá-lo a efetuar uma justaposição dessa presteza *bastante incomum* de que falei há pouco com aquela voz aguda (ou dissonante) *muito peculiar* e *irregular*, acerca de cuja nacionalidade não houve duas pessoas capazes de concordar, e em cuja pronúncia nenhuma silabação pôde ser detectada."

Ao ouvir essas palavras, uma ideia vaga e ainda não formada do que Dupin queria dizer perpassou minha mente. Eu parecia à beira da compreensão sem a capacidade de compreender — como às vezes se acham os homens, prestes a lembrar, sem serem capazes, no fim, de trazer o dado à lembrança. Meu amigo prosseguiu em seu raciocínio.

"Verá", disse, "que mudei a questão do método de evasão para o de invasão. Foi meu intento sugerir a ideia de que ambas efetuaram-se da mesma maneira, no mesmo ponto. Voltemos agora ao interior do aposento. Inspecionemos o que se apresenta ali. As gavetas do *bureau*, conforme informado, haviam sido vasculhadas, embora muitas peças de roupa continuassem dentro. A conclusão aqui é absurda. É mera conjectura — e das mais tolas — nada além disso. Como podemos saber que as peças encontradas nas gavetas não eram tudo que essas gavetas continham originalmente? Madame L'Espanaye e sua filha viviam uma vida excepcionalmente retirada — nunca recebiam visita — raramente saíam — tinham pouco uso para artigos de vestuário em grande número. Os que se encontraram eram de qualidade no mínimo tão boa quanto qualquer peça que as damas pudessem ter possuído. Se um ladrão levara alguma, por que não levou as melhores — por que não levou tudo? Numa palavra, por que abandonou ele quatro mil francos em ouro para sair carregado de artigos de linho? O ouro *foi* abandonado. Quase a quantia total mencionada por

325

Monsieur Mignaud, o banqueiro, foi encontrada, em sacolas, no chão. Desejo que você, por conseguinte, descarte de seus pensamentos a ideia precipitada de um *motivo*, engendrada na cabeça da polícia por aquela parte dos depoimentos que fala do dinheiro entregue na porta da casa. Coincidências dez vezes tão notáveis quanto essa (a entrega do dinheiro e o assassinato cometido três dias após seu recebimento) acontecem conosco a todo instante de nossas vidas sem que isso atraia atenção sequer momentânea. Coincidências, de modo geral, são o grande obstáculo no caminho dessa classe de pensadores educados no mais completo desconhecimento da teoria das probabilidades — essa teoria à qual os mais gloriosos objetos de pesquisa humana devem suas mais gloriosas elucidações. No presente caso, houvesse o ouro desaparecido, o fato de ter sido entregue três dias antes teria constituído algo mais do que uma coincidência. Teria sido uma corroboração dessa ideia de motivo. Mas, sob as reais circunstâncias do caso, se supusermos o ouro como a motivação dessa barbaridade, devemos também imaginar seu perpetrador sendo um idiota de tal forma vacilante a ponto de ter abandonado completamente tanto o ouro como o motivo.

"Conservando agora em mente de modo firme os pontos para os quais chamei sua atenção — a voz peculiar, a agilidade incomum e a espantosa ausência de motivo em um assassinato tão singularmente atroz como esse —, atentemos para a carnificina em si. Eis a mulher morta por estrangulamento à força das mãos e enfiada numa chaminé de cabeça para baixo. Homicidas ordinários jamais empregam métodos de assassínio como esse. Muito menos fazem tal coisa com o corpo da vítima. Na maneira de enfiar o cadáver pela chaminé deve você admitir que há algo de *excessivamente outré* — algo completamente incompatível com nossas noções comuns de atos humanos, até mesmo quando supomos seus autores os mais depravados dos homens. Pense, ainda, quão grande deve ter sido essa força capaz de *empurrar* o corpo por uma tal abertura de um modo tão poderoso que o esforço conjunto de diversos braços, como se viu, quase não bastou para *tirá-lo* dali!

"Atente agora para outros indícios do emprego de uma força assim portentosa. Na lareira havia mechas grossas — mechas muito grossas — de cabelos grisalhos. Haviam sido arrancados pela raiz. Sabe você perfeita-

326

mente da grande força necessária para arrancar desse modo da cabeça até mesmo vinte ou trinta fios de cabelo juntos. Viu os cachos em questão tão bem quanto eu próprio. Suas raízes (que visão hedionda!) exibiam grumos sanguinolentos com pedaços de carne do couro cabeludo — sem dúvida evidência da força prodigiosa empreendida para extirpar talvez meio milhão de fios de uma só vez. A garganta da velha senhora não estava simplesmente cortada, mas a cabeça fora seccionada por completo do corpo: o instrumento, uma mera navalha. Quero que olhe também para a ferocidade *brutal* desses atos. Dos hematomas sobre o corpo de Madame L'Espanaye nada direi. Monsieur Dumas, e seu digno ajudante, Monsieur Etienne, afirmaram que foram infligidos por algum instrumento obtuso; e até aí esses senhores estão corretos. O instrumento obtuso foi claramente o piso de pedra do pátio, sobre o qual a vítima caíra da janela que fica acima da cama. Essa ideia, por mais simples que agora possa parecer, escapou à polícia pelo mesmo motivo que a largura das folhas de janela lhes escapou — porque, com o negócio dos pregos, suas percepções ficaram hermeticamente fechadas contra a mera possibilidade de as janelas terem sido abertas.

"Se agora, além de todas essas coisas, você refletir adequadamente sobre a esquisita desordem do quarto, teremos chegado ao ponto de combinar as ideias de agilidade surpreendente, força sobre-humana, ferocidade brutal, carnificina sem motivo, uma *grotesquerie* cujo horror é absolutamente discrepante com a natureza humana e uma voz cuja entonação pareceu estrangeira aos ouvidos de homens de várias nacionalidades, bem como destituída de qualquer articulação distinta ou inteligível. Que resultado, então, se segue? Que impressão causei sobre sua imaginação?"

Senti um arrepio na carne quando Dupin me fez a pergunta. "Um louco", afirmei, "cometeu esse ato — algum maníaco desvairado fugido de uma *maison de santé* dos arredores."

"Em alguns aspectos", respondeu, "sua ideia não é irrelevante. Mas as vozes dos loucos, mesmo no paroxismo mais descontrolado, jamais se comparam a essa voz peculiar que foi escutada das escadas. Loucos alguma nacionalidade hão de ter, e sua língua, por mais incoerentes que sejam suas palavras, sempre guarda a coerência da silabação. Além do mais, os

CONTOS DE IMAGINAÇÃO E MISTÉRIO

cabelos de um louco não se parecem em nada com isso que tenho em minha mão. Soltei esse pequeno tufo dos dedos rigidamente fechados de Madame L'Espanaye. Diga-me o que acha disto."

"Dupin!", disse eu, muito agitado; "este cabelo é a coisa mais incomum — isto não é cabelo *humano*."

"Não afirmei que fosse", disse ele; "mas, antes de decidirmos esse ponto, quero que dê uma olhada no pequeno esboço que rabisquei sobre este papel. É um desenho *fac-simile* do que foi descrito em uma parte dos depoimentos como 'negros hematomas e marcas profundas de unhas' na garganta de Mademoiselle L'Espanaye e, em outra (pelos *messieurs* Dumas e Etienne), como uma 'série de manchas lívidas, evidentemente marcas de dedos'.

"Perceberá", prosseguiu meu amigo, abrindo o papel sobre a mesa diante de nós, "que o desenho dá uma ideia de preensão firme e fixa. Não há sinal aparente de dedos *escorregando*. Cada dedo se manteve — possivelmente até a morte da vítima — terrivelmente agarrado ao ponto original. Experimente agora colocar todos os seus dedos, ao mesmo tempo, nas respectivas marcas, tal como vê."

Fiz a tentativa, em vão.

"Nós, possivelmente, não estamos procedendo a um julgamento legítimo dessa questão", disse. "O papel está aberto sobre uma superfície plana; mas a garganta humana é cilíndrica. Eis aqui uma acha de lenha, cuja circunferência é aproximadamente a de uma garganta. Enrole o desenho em torno dela e tente a experiência mais uma vez."

Fiz como instruído; mas a dificuldade ficou ainda mais óbvia do que antes. "Isso", disse eu, "não é marca de nenhuma mão humana."

"Leia agora", replicou Dupin, "esta passagem de Cuvier."

Era um relato com minúcias anatômicas e descrições gerais a respeito do grande orangotango fulvo das ilhas indonésias. A estatura gigantesca, a força e agilidade prodigiosas, a ferocidade selvagem e as propensões imitativas desses mamíferos são suficientemente bem conhecidas de todos. Compreendi plenamente e na mesma hora os horrores dos assassinatos.

"A descrição dos dedos", disse eu, ao terminar de ler, "está exatamente de acordo com o desenho. Percebo que nenhum outro animal além de um orangotango da espécie aqui mencionada poderia ter deixado marcas

328

como as que rabiscou. Este tufo de pelo marrom-avermelhado, também, é idêntico em caráter ao da fera de Cuvier. Mas não consigo conceber de modo algum os detalhes desse pavoroso mistério. Além do mais, foram *duas* as vozes ouvidas em altercação, e uma delas era inquestionavelmente a de um francês.

"De fato; e você há de lembrar uma expressão atribuída quase que de forma unânime, pelos depoimentos, a essa voz — a expressão '*mon Dieu!*'. Isso, sob as circunstâncias, foi legitimamente caracterizado por uma das testemunhas (Montani, o confeiteiro) como uma exclamação de advertência ou protesto. Sobre essas duas palavras, portanto, ergui minhas principais esperanças de solucionar plenamente o enigma. Um francês tinha conhecimento do crime. É possível — na verdade, mais do que provável — que seja inocente de qualquer participação nos sangrentos acontecimentos que ali tiveram lugar. O orangotango talvez tenha lhe escapado. Pode ter acontecido de tê-lo seguido até o aposento; porém, sob as perturbadoras circunstâncias que se sucederam, talvez nunca o tenha recapturado. O animal continua à solta. Não vou prosseguir nessas conjecturas — pois nenhum direito tenho de reputá-las nada além disso —, uma vez que os vestígios de reflexão sobre os quais se assentam mal exibem profundidade suficiente para serem apreciados por meu próprio intelecto, e desse modo eu não poderia torná-las inteligíveis para a compreensão alheia. Vamos chamá-las, portanto, de conjecturas, e seguir nos referindo a elas como tal. Se o francês em questão é, de fato, como suponho, inocente dessas atrocidades, este anúncio, que deixei ontem à noite, quando voltávamos para casa, na redação do *Le Monde* (um jornal voltado a assuntos mercantis e muito procurado pelos marinheiros), o trará até nossa residência."

Estendeu-me um papel, que assim dizia:

CAPTURADO — No Bois de Boulogne, hoje cedo pela manhã do —— corrente (a manhã dos assassinatos), um enorme orangotango fulvo da espécie de Bornéu. Seu dono (que se averiguou ser um marinheiro pertencente a uma embarcação maltesa) poderá reaver o animal identificando-se de forma satisfatória e pagando algumas despesas devidas a sua captura e cuidados. Procurar o nº ——, Rue ——, Faubourg St. Germain — terceiro andar.

CONTOS DE IMAGINAÇÃO E MISTÉRIO

"Como foi possível", perguntei, "saber que o homem é um marinheiro e pertence a uma embarcação maltesa?"

"Não *sei* de fato", disse Dupin. "Não tenho *certeza* disso. Aqui está, porém, um pequeno pedaço de fita que, pela forma, e pelo aspecto encardido, tem sido evidentemente usada para amarrar o cabelo numa dessas longas *queues*[49] tão ao gosto dos marujos. Além do mais, esse nó é um que poucos senão marinheiros conseguem dar, e é peculiar aos malteses. Encontrei a fita ao pé da haste do para-raios. Não podia ter pertencido a nenhuma das vítimas. Bem, e se, afinal de contas, erro em deduzir por essa fita que o francês era um marinheiro pertencente a uma embarcação maltesa, ainda assim nenhum mal causei dizendo o que disse no anúncio. Se me equivoco, o sujeito irá meramente supor que me deixei iludir por alguma circunstância sobre a qual não se dará o trabalho de indagar. Mas, se estiver correto, um grande objetivo terá sido conquistado. Sabedor, ainda que inocente, do assassinato, o francês naturalmente hesitará em responder ao anúncio — em reclamar o orangotango. Ele assim raciocinará: — 'Sou inocente; sou pobre; meu orangotango vale muito — para alguém em minhas condições, uma verdadeira fortuna — por que deveria perdê-lo com essas fúteis apreensões de perigo? Ei-lo aqui, ao meu alcance. Foi encontrado no Bois de Boulogne — a uma enorme distância da cena da carnificina. Como se suspeitará que uma fera bruta possa ter realizado tal coisa? A polícia está às escuras — fracassaram em encontrar a mais leve pista. Mas, caso conseguissem rastrear o animal, seria impossível provar que tenho conhecimento do crime, ou imputar-me culpa por conta desse conhecimento. E, além do mais, *já se sabe de minha pessoa*. O anunciante se refere a mim como dono da criatura. Não tenho certeza sobre até onde vão suas informações. Caso deixe de reclamar uma propriedade de tão grande valor, que é sabido que possuo, corro o risco de levantar suspeitas, ao menos sobre o animal. Não é prudente de minha parte atrair a atenção seja sobre mim, seja sobre a fera. Vou atender ao anúncio, recuperar o orangotango e mantê-lo preso até o assunto ter esfriado'."

Nesse momento, escutamos passos nas escadas.

"Fique a postos", disse Dupin, "com suas pistolas, mas sem usá-las nem mostrá-las até que eu dê algum sinal."

330

OS ASSASSINATOS DA RUE MORGUE

A porta de entrada da casa fora deixada aberta e o visitante entrara, sem tocar a campainha, e já avançara vários degraus pela escada. Agora, porém, parecia hesitar. Pouco depois, nós o escutamos descendo. Dupin se dirigia rapidamente à porta quando novamente ouvimos que subia. Ele não deu meia-volta uma segunda vez, mas avançou com determinação e bateu na porta de nosso gabinete.

"Entre", disse Dupin, em um tom alegre e cordial.

Um homem entrou. Era um marinheiro, evidentemente — um sujeito alto, robusto e musculoso, com um quê de valentia no semblante, não inteiramente destituído de distinção. Mais da metade de seu rosto muito bronzeado ocultava-se sob as suíças e um *mustachio*. Portava consigo um enorme bordão de carvalho, mas parecia, de resto, desarmado. Fez uma desajeitada mesura e dirigiu-nos um "boa tarde" com sotaque francês que, embora ligeiramente tirante ao suíço de Neuchâtel, ainda assim era suficientemente indicativo de uma origem parisiense.

"Sente, meu amigo", disse Dupin. "Presumo que esteja aqui por causa do orangotango. Palavra de honra, quase chego a invejá-lo por sua posse; um animal sumamente belo e, sem dúvida, muito valioso. Que idade presume que tenha?"

O marinheiro respirou fundo, com a aparência de um homem aliviado de algum intolerável fardo, e então respondeu, em tom confiante:

"Não me é possível dizer — mas não pode ter mais de quatro ou cinco anos de idade. Estão com ele aqui?"

"Oh, não; não contávamos com instalações para mantê-lo aqui. Ele está em um estábulo de aluguel na Rue Dubourg, aqui perto. Pode buscá-lo pela manhã. Claro que está preparado para identificar sua propriedade?"

"Certamente que estou, senhor."

"Lamentarei me separar dele", disse Dupin.

"Não é minha intenção que tenha tido todo esse trabalho por nada, senhor", disse o homem. "Não poderia esperar tal coisa. Estou inteiramente disposto a pagar uma recompensa por ter encontrado o animal — quer dizer, qualquer coisa dentro do razoável."

"Bom", respondeu meu amigo, "isso tudo é muito justo, com certeza. Deixe-me pensar! — quanto devo pedir? Ah! Já lhe digo. Minha recompensa será a seguinte. Quero que me forneça todas as informações em seu poder acerca dos assassinatos na Rue Morgue."

Dupin disse essas últimas palavras em um tom muito baixo, e muito tranquilamente. Tão tranquilamente quanto, também, andou na direção da porta, trancou-a e enfiou a chave em seu bolso. Depois ele puxou a pistola de seu peitilho e a pousou, sem a mínima agitação, sobre a mesa.

O rosto do marinheiro ficou vermelho como se lutasse para não sufocar. Levantou-se de repente e agarrou seu bordão; mas, no momento seguinte, desabou de volta em sua cadeira, tremendo violentamente, e com o semblante da própria morte. Não disse uma palavra. Apiedei-me dele do fundo de meu coração.

"Meu amigo", disse Dupin, num tom bondoso, "está se alarmando desnecessariamente — de fato está. Não pretendemos lhe fazer mal algum. Dou minha palavra de cavalheiro, e de francês, que não temos a menor intenção de prejudicá-lo. Sei perfeitamente bem que é inocente das atrocidades na Rue Morgue. Entretanto, de nada adianta negar que está em certa medida implicado nelas. Pelo que já afirmei, deve saber que tenho tido meios de me informar acerca desse episódio — meios sobre os quais jamais sonharia. Agora a coisa está nesse pé. O senhor não fez nada que pudesse ter evitado — nada, decerto, que o torne culpável. Não é sequer culpado de roubo, quando poderia ter roubado impunemente. Não tem o que esconder. Nenhum motivo para se esconder. Por outro lado, está obrigado, segundo todos os princípios da honra, a confessar tudo que sabe. Um homem inocente acha-se preso neste momento, acusado do crime cujo perpetrador está em suas mãos apontar."

O marinheiro havia recobrado a presença de espírito, em grande medida, conforme Dupin pronunciava essas palavras; mas sua atitude original de audácia se fora completamente.

"Que Deus me ajude", disse ele, após breve pausa, "vou *mesmo* lhes contar tudo que sei acerca desse negócio; — mas não espero que acreditem na metade do que direi — eu seria um tolo de fato se esperasse. Mesmo assim, *sou* inocente, e vou me abrir inteiramente, ainda que isso me custe a vida."

O que ele afirmou foi, substancialmente, o seguinte. Havia recentemente empreendido uma viagem ao arquipélago indonésio. Um grupo do qual ele tomava parte desembarcou em Bornéu e saiu numa expedição pelo interior da ilha, a passeio. Ele e um colega haviam capturado o orangotango. Com a morte do amigo, o animal passou a sua posse exclusiva. Depois de grande transtorno, ocasionado pela intratável ferocidade de seu cativo durante a viagem de volta, ele enfim conseguiu alojá-lo a salvo em sua própria residência, em Paris, onde, para não atrair sobre si a incômoda curiosidade de seus vizinhos, manteve-o cuidadosamente isolado, até que se curasse de um ferimento no pé, sofrido com uma lasca de madeira, a bordo do navio. Seu objetivo era vendê-lo.

Voltando para casa após uma farra de marinheiros certa noite, ou, melhor dizendo, na manhã dos assassinatos, deu com a criatura ocupando seu próprio quarto, que invadira por um closet contíguo, onde estivera, assim ele pensara, seguramente confinado. Navalha na mão, e devidamente ensaboado, o animal sentava diante do espelho, ensaiando a operação de se barbear, na qual sem dúvida assistira seu dono pelo buraco da fechadura no closet. Aterrorizado com a visão de arma tão perigosa na posse de um animal tão feroz, e tão bem capacitado a usá-la, o homem, por alguns momentos, ficou perdido quanto ao que fazer. Havia se acostumado, entretanto, a acalmar a criatura, mesmo nos momentos em que se mostrava mais furiosa, com o uso de um chicote, e então disso lançou mão. Ao ver o instrumento, o orangotango disparou imediatamente pela porta do quarto, desceu as escadas e dali, por uma janela, desgraçadamente aberta, ganhou a rua.

O francês o seguiu em desespero; o macaco, com a navalha ainda na mão, ocasionalmente parava a fim de olhar para trás e gesticular para seu perseguidor, até este quase alcançá-lo. Depois disparava outra vez. Desse modo a caçada prosseguiu por um longo tempo. As ruas estavam profundamente tranquilas, sendo cerca de três da manhã. Ao passar por uma viela atrás da Rue Morgue, a atenção do fugitivo foi atraída por uma luz brilhando na janela aberta do aposento de Madame L'Espanaye, no quarto andar da casa. Indo na direção do prédio, percebeu o para-raios, trepou na haste com incrível agilidade, agarrou a folha da janela, que estava aberta ao máxi-

CONTOS DE IMAGINAÇÃO E MISTÉRIO

mo, rente à parede, e, por seu intermédio, balançou-se diretamente sobre a cabeceira da cama. A proeza toda não ocupou um minuto. Com o coice do orangotango ao entrar no quarto, a folha da janela voltou a se abrir.

O marinheiro, entrementes, ficou ao mesmo tempo exultante e confuso. Tinha fortes esperanças de recapturar a criatura, agora, já que dificilmente escaparia da armadilha em que se metera a não ser pelo para-raios, onde podia ser interceptado ao descer. Por outro lado, havia grandes motivos de inquietação quanto ao que o animal podia fazer dentro da casa. Este último pensamento redobrou o empenho do homem na perseguição do fugitivo. Uma haste de para-raios pode ser escalada sem dificuldade, especialmente por um marinheiro; mas, uma vez tendo chegado na altura da janela, que ficava muito longe a sua esquerda, seu avanço foi interrompido; o máximo que podia fazer era se esticar de modo a obter alguma visão do interior do aposento. E a cena que presenciou quase o fez perder o apoio e cair, tal seu horror. Foi nesse instante que se elevaram na noite os hediondos gritos que tiraram de seu sono os moradores da Rue Morgue. Madame L'Espanaye e sua filha, em roupas de dormir, aparentemente ocupavam-se de arrumar alguns papéis no cofre de ferro já mencionado, que haviam puxado para o meio do quarto. Ele estava aberto, e o conteúdo jazia ao lado, no soalho. As vítimas deviam estar de costas para a janela; e, pelo tempo transcorrido entre a invasão do animal e os gritos, parece provável que sua presença não fora notada de imediato. A batida da janela teria naturalmente sido atribuída ao vento.

Quando o marinheiro olhou ali dentro, o gigantesco animal havia agarrado Madame L'Espanaye pelo cabelo (que estava solto, pois que o estivera penteando) e executava floreios com a navalha diante de seu rosto, imitando os movimentos de um barbeiro. A filha jazia prostrada e imóvel; desmaiara. Os gritos e debatidas da velha senhora (durante os quais os cabelos foram-lhe arrancados da cabeça) tiveram por efeito mudar os propósitos provavelmente pacíficos do orangotango num ataque de fúria. Com um puxão determinado do braço musculoso quase arrancou sua cabeça do corpo. A visão do sangue inflamou sua ira ao ponto do frenesi. Rilhando os dentes, e com os olhos dardejando, ele pulou sobre o corpo da garota e cravou as temíveis garras em sua garganta, mantendo o aperto até que

334

CONTOS DE IMAGINAÇÃO E MISTÉRIO

expirasse. Seu olhar esgazeado e enlouquecido dirigiu-se nesse momento à cabeceira da cama, acima da qual se podia ver o rosto de seu dono, rígido de horror. A fúria do animal, que sem dúvida trazia ainda na lembrança o temido chicote, converteu-se instantaneamente em medo. Consciente de merecer punição, pareceu desejoso de ocultar seus feitos sanguinários, e saiu pulando pelo quarto numa agonia de agitação nervosa; derrubando e quebrando a mobília conforme se movimentava, e arrastando o colchão para fora da cama. Por fim, agarrou primeiro o cadáver da filha, e enfiou--o na chaminé, tal como foi encontrado; depois o da velha senhora, que atirou na mesma hora pela janela, de cabeça.

Quando o macaco se aproximava da janela com seu fardo mutilado, o marinheiro encolheu-se horrorizado no para-raios e, mais deslizando do que descendo, disparou imediatamente para casa — temeroso das conse-quências daquela carnificina, e de bom grado abandonando, em seu ter-ror, qualquer consideração acerca do destino do orangotango. As palavras ouvidas pelo grupo que subia as escadas eram as exclamações de horror e medo do francês, entremeadas aos diabólicos balbucios do bruto.

Quase mais nada tenho a acrescentar. O orangotango deve ter es-capado do aposento pelo para-raios pouco antes do arrombamento da porta. Deve ter fechado a janela ao passar. Foi posteriormente capturado pelo próprio dono, que obteve pelo animal uma grande quantia no Jardin des Plantes. Le Bon foi solto imediatamente, assim que relatamos as cir-cunstâncias (com algumas observações de Dupin) no *bureau* do chefe de polícia. Esse funcionário, por mais que mostrasse boa disposição em rela-ção ao meu amigo, foi incapaz de ocultar completamente sua mortificação com o rumo que os acontecimentos haviam tomado, e não pôde resistir ao gracejo de um ou dois comentários sarcásticos, no sentido de como seria melhor se cada um cuidasse da própria vida.

"Deixemos que fale", disse Dupin, que não julgara necessário res-ponder. "Deixemos que discurse; aliviará sua consciência. Fico satisfeito de tê-lo derrotado em seus próprios domínios. Todavia, que tenha fracas-sado na solução desse mistério, não é de modo algum todo esse motivo de admiração que ele supõe; pois, na verdade, nosso amigo chefe de polícia é de certa forma astuto demais para ser profundo. Em sua argúcia não há

336

qualquer *stamen*. Ela é toda cabeça e nenhum corpo, como as imagens da deusa Laverna — ou, na melhor das hipóteses, toda cabeça e ombros, como um bacalhau. Mas trata-se de um bom sujeito, afinal de contas. Gosto dele sobretudo por seu golpe de mestre em dizer platitudes, mediante as quais conquistou sua reputação de engenhosidade. Refiro-me ao modo que tem '*de nier ce qui est, et d'expliquer ce qui n'est pas*'."*

---

* "Negar o que é e explicar o que não é." Rousseau, *Nouvelle Héloïse*. (N. do A.)

O MISTÉRIO DE MARIE ROGET*

Uma continuação de "Os assassinatos da Rue Morgue"

*Há séries ideais de acontecimentos que correm paralelamente às reais.
Elas raramente coincidem. Os homens e as circunstâncias geralmente modificam a
cadeia ideal de acontecimentos, de modo que ela parece imperfeita,
e suas consequências são igualmente imperfeitas. Tal se deu com a Reforma;
em vez do protestantismo veio o luteranismo.*

Novalis [*o nom de plume* de Von Hardenburg], *Moralische Ansichten*

Existem poucas pessoas, mesmo entre os pensadores mais serenos, que não tenham sido ocasionalmente surpreendidas por uma vaga embora empolgante crença parcial no sobrenatural, devido a *coincidências* de um caráter aparentemente tão espantoso que, enquanto *meras* coincidências, o intelecto foi incapaz de apreendê-las. Tais sentimentos — pois essas crenças parciais de que falo aqui nunca têm a plena força do *pensamento* — dificilmente são reprimidos por completo a não ser quando referidos à doutrina do acaso, ou, como ela se denomina tecnicamente, ao Cálculo das Probabilidades. Ora, esse cálculo é, em sua essência, puramente matemático; e desse modo temos a anomalia do que há de mais rigorosamente exato nas ciências aplicado à obscuridade e espiritualidade do que há de mais intangível na especulação.

---

* Por ocasião da publicação original de "Marie Roget", as notas de rodapé aqui apresentadas [Na presente edição inseridas entre colchetes no corpo do texto, para facilitar a leitura. (N. do T.)] foram consideradas desnecessárias; mas o lapso de vários anos transcorrido desde a tragédia em que se baseia a narrativa torna oportuno fornecê-las, bem como algumas palavras à guisa de explicação do plano geral. Uma jovem, *Mary Cecilia Rogers*, foi assassinada nos arredores de Nova York; e embora sua morte tenha ocasionado uma intensa e duradoura comoção, o mistério que cercou o crime permanecia sem solução no período em que o presente artigo era escrito e publicado (novembro de 1842). Aqui, sob o pretexto de relatar o destino de uma *grisette* parisiense, o autor acompanhou, em minuciosos detalhes, o essencial, ao passo que meramente comparando os fatos não essenciais do real assassinato de Mary Rogers. Assim, todo argumento baseado na ficção é aplicável à verdade: e a investigação da verdade foi o objetivo.
O "Mistério de Marie Roget" foi escrito longe da cena da atrocidade e sem quaisquer outros meios de investigação além dos jornais disponíveis. Assim, muita coisa escapou ao autor que

CONTOS DE IMAGINAÇÃO E MISTÉRIO

Ver-se-á que os extraordinários detalhes que ora sou levado a tornar públicos formam, com respeito à sequência do tempo, o ramo principal de uma série de *coincidências* dificilmente inteligíveis, cujo ramo secundário ou concludente será reconhecido por todos os leitores no recente assassinato de MARY CECILIA ROGERS, em Nova York.

Quando, num artigo intitulado "Os assassinatos na Rue Morgue", empenhei-me, há cerca de um ano, em retratar alguns traços deveras notáveis no caráter mental de meu amigo, o Chevalier C. Auguste Dupin, não me passou pela cabeça que um dia retomaria meu tema. A retratação desse caráter constituía meu intento; e esse intento foi cumprido na série de circunstâncias apresentadas para exemplificar a idiossincrasia de Dupin. Eu podia ter aduzido outros exemplos, mas não teria provado nada além do que fiz. Eventos posteriores, entretanto, em seus surpreendentes desdobramentos, motivaram-me a entrar em mais detalhes, que carregarão consigo um ar de confissão arrancada à força. Tendo ouvido o que ouvi recentemente, seria de fato estranho que eu permanecesse em silêncio com respeito ao que há tanto tempo vi e ouvi.

Com o desfecho da tragédia implicada nas mortes de Madame L'Espanaye e sua filha, o Chevalier afastou o episódio imediatamente de sua atenção, e recaiu em seus antigos hábitos de temperamentais devaneios. Inclinado, a todo momento, à abstração, prontamente harmonizei-me com seu estado de espírito; e, continuando a ocupar nossas acomodações no Faubourg Saint Germain, abandonamos o Futuro ao sabor dos ventos e dormitamos tranquilamente no Presente, tecendo em sonhos a trama insípida do mundo que nos cercava.

Mas esses sonhos não foram completamente ininterruptos. Pode-se presumir facilmente que o papel desempenhado por meu amigo no drama

---

ele poderia ter obtido por conta própria caso houvesse estado na cena do crime e visitado as localidades. Talvez não seja inapropriado registrar, todavia, que as confissões de *duas* pessoas (uma delas a Madame Deluc da narrativa), feitas, em diferentes períodos, muito subsequentes à publicação, confirmaram, plenamente, não só a conclusão geral, mas também positivamente todos os principais detalhes hipotéticos pelos quais essa conclusão foi obtida. (N. do E. para Poe, E. A. *Tales*, Wiley and Putnam, Nova York/Londres, 1845, no qual a narrativa foi publicada pela primeira vez em uma única parte.)

da Rue Morgue não deixou de causar espécie na imaginação da polícia parisiense. Entre seus agentes, o nome de Dupin tornou-se menção familiar. Dado o caráter simples daquelas deduções pelas quais elucidara o mistério nunca explicado sequer para o chefe de polícia, ou para qualquer outro indivíduo senão eu mesmo, sem dúvida não é de surpreender que o episódio fosse encarado como pouco menos do que miraculoso ou que as capacidades analíticas do Chevalier houvessem lhe granjeado o crédito da intuição. Sua franqueza o teria levado a desabusar quem quer que o inquirisse com tal opinião preconcebida; mas seu estado de espírito indolente impedia qualquer ulterior agitação a respeito de um assunto cujo interesse para ele próprio havia muito deixara de existir. Desse modo aconteceu de se ver como o centro de atenções aos olhos da polícia; e não foram poucos os casos em que se fizeram tentativas de empregar seus serviços na *préfecture*.[50] Um dos mais notáveis foi o do assassinato de uma jovem chamada Marie Roget.

Esse evento ocorreu cerca de dois anos após a atrocidade na Rue Morgue. Marie, cujo nome de batismo e de família irão imediatamente chamar a atenção por sua semelhança com os da infeliz "garota dos charutos",[51] era a filha única da viúva Estelle Roget. O pai morrera quando ela era criança e, da época de sua morte, até dezoito meses previamente ao assassinato que compõe o tema de nossa narrativa, mãe e filha moraram juntas na Rue Pavée Saint Andrée [Nassau Street]; a Madame aí mantinha uma *pension*, assistida por Marie. As coisas continuaram desse modo até esta última ter completado vinte e dois anos, quando sua grande beleza atraiu a atenção de um perfumista, que ocupava uma das lojas térreas do Palais Royal, e cuja clientela se compunha sobretudo dos perigosos aventureiros que infestavam a vizinhança. Monsieur Le Blanc [Anderson] não ignorava as vantagens advindas de ter a bela Marie atendendo em sua perfumaria; e seu pródigo oferecimento foi ansiosamente acolhido pela garota, embora com um pouco mais de hesitação por parte da Madame.

O que o lojista previra se concretizou, e seu estabelecimento logo se tornou notório graças aos encantos da animada *grisette*. Ela ocupava aquele emprego havia quase um ano quando seus admiradores foram surpreendidos por seu súbito desaparecimento da loja. Monsieur Le Blanc era incapaz de explicar sua ausência e Madame Roget ficou tomada de aflição e terror. Os jornais abordaram imediatamente o assunto e a polícia estava prestes a empreender sérias investigações quando, numa bela manhã, após transcorrida uma semana, Marie, gozando de boa saúde, embora com ar um pouco entristecido, tornou a aparecer em seu costumeiro balcão na perfumaria. Toda averiguação, exceto uma de caráter privado, foi é claro imediatamente abafada. Monsieur Le Blanc professou total ignorância, como antes. Marie, assim como a Madame, responderam a todas as perguntas dizendo que a semana anterior fora passada na casa de parentes, no campo. Desse modo o assunto morreu, e foi por todos esquecido; pois a garota, alegadamente para se livrar da impertinência da curiosidade geral, pouco depois disse adeus ao perfumista e buscou refúgio na residência de sua mãe, na Rue Pavée Saint Andrée.

Foi cerca de três anos após ter voltado para casa que seus amigos ficaram alarmados com seu súbito desaparecimento pela segunda vez. Três dias se passaram sem que se tivesse qualquer notícia dela. No quarto, seu cadáver foi encontrado flutuando no Sena [Hudson], junto à margem oposta ao Quartier da Rue Saint Andrée, e num ponto não muito distante dos isolados arredores da Barrière du Roule [Weehawken].

A atrocidade desse assassinato (pois ficou imediatamente evidente que um assassinato fora cometido), a juventude e beleza da vítima e, acima de tudo, sua anterior notoriedade combinaram-se para gerar uma intensa agitação na mente dos impressionáveis parisienses. Sou incapaz de trazer à memória qualquer outra ocorrência similar que tenha produzido um efeito tão geral e intenso. Por várias semanas, na discussão desse assunto absorvente, até mesmo as importantes questões políticas foram deixadas de lado. O chefe de polícia empreendeu esforços fora do comum; e os recursos de toda a corporação parisiense foram, é claro, exigidos ao máximo.

Assim que se encontrou o cadáver, ninguém imaginava que o assassino seria capaz de se evadir, por mais do que um período muito breve, à investigação que foi imediatamente posta em ação. Somente ao final de uma semana julgou-se necessário oferecer uma recompensa; e mesmo então o prêmio se limitou a mil francos. Nesse meio-tempo, as buscas prosseguiram com vigor, ainda que nem sempre com bom-senso, e inú-

O MISTÉRIO DE MARIE ROGET

meros indivíduos foram interrogados sem resultado; ao passo que, devido à contínua ausência de quaisquer pistas para o mistério, a agitação popular só fez crescer. Ao final do décimo dia julgou-se aconselhável dobrar a quantia originalmente oferecida; e, finalmente, após transcorrer uma segunda semana sem que se chegasse a nenhuma revelação, e tendo-se dado vazão à intolerância contra a polícia que sempre existiu em Paris mediante inúmeros graves *émeutes*,[52] o chefe de polícia encarregou-se pessoalmente de oferecer a quantia de vinte mil francos "pela denúncia do assassino" ou, se mais de um se provasse envolvido, "pela denúncia de qualquer um dos assassinos". No anúncio em que se ofertou a recompensa, pleno perdão era prometido a qualquer cúmplice que apresentasse alguma evidência contra seu parceiro; e a isso tudo ia apenso, onde quer que o anúncio aparecesse, um cartaz privado de uma comissão de cidadãos oferecendo dez mil francos, além da quantia proposta pela chefatura de polícia. A recompensa toda assim chegava a não menos que trinta mil francos, o que há de se convir ser uma soma extraordinária quando consideramos a condição humilde da garota e a enorme frequência, nas cidades grandes, de tais atrocidades como a que se descreveu.

Ninguém duvidava agora que o mistério desse assassinato seria imediatamente esclarecido. Mas, embora em uma ou duas oportunidades tenham sido feitas detenções com a promessa de elucidação, ainda assim nada veio à tona capaz de implicar os indivíduos suspeitos; e estes foram liberados incontinente. Por estranho que possa parecer, a terceira semana da descoberta do corpo havia passado, e passou sem que luz alguma fosse lançada sobre o assunto, antes de até mesmo um rumor dos eventos que tanto agitavam a opinião pública chegar aos ouvidos de Dupin e aos meus. Debruçados em pesquisas que absorviam toda a nossa atenção, transcorrera quase um mês sem que nenhum de nós saísse de casa nem recebesse uma única visita, quando muito correndo os olhos pelos principais artigos políticos de um dos jornais diários. A primeira notícia do assassinato foi-nos trazida por G——, pessoalmente. Ele nos procurou no início da tarde do dia 13 de julho de 18—, e permaneceu conosco até tarde da noite. Estava indignado com o fracasso de todas suas tentativas em desentocar os assassinos. Sua reputação — conforme disse com um ar peculiarmente

343

parisiense — estava em jogo. Mesmo sua honra corria perigo. Os olhos do público estavam sobre ele; e decerto não havia sacrifício que não se dispunha a fazer por algum progresso na elucidação do mistério. Concluiu suas palavras até certo ponto risíveis com um elogio ao que tinha a satisfação de chamar de o *tato* de Dupin, e lhe fez um oferecimento direto e, certamente, pródigo cuja natureza precisa não me sinto à vontade para revelar, mas que não tem qualquer relevância para o assunto mesmo de minha narrativa.

O elogio meu amigo o refutou o melhor que pôde, mas a proposta aceitou-a na mesma hora, embora seus benefícios fossem inteiramente condicionais. Uma vez isso acertado, o chefe de polícia passou imediatamente às explanações de seus próprios pontos de vista, entremeados a longos comentários sobre os depoimentos; destes ainda não estávamos de posse. Ele falou longamente e, sem sombra de dúvida, com conhecimento de causa; quanto a mim, aventurava uma ou outra sugestão ocasional conforme a noite sonolentamente se estendia. Dupin, sentado ereto em sua poltrona costumeira, era a personificação da atenção respeitosa. Permaneceu de óculos durante toda a conversa; e um ocasional relance por baixo de seus vidros verdes bastou para me convencer de que dormiu, não menos pesadamente pois que em silêncio, durante todas as sete ou oito horas morosas imediatamente precedentes à partida do chefe de polícia.

Pela manhã, obtive, na chefatura, um relatório completo com todos os testemunhos colhidos e, nas redações dos diversos jornais, um exemplar de cada jornal em que, desde o início até o fim, fora publicada qualquer informação conclusiva sobre o triste episódio. Livre de tudo quanto estava positivamente refutado, a massa de informação era a seguinte:

Marie Roget deixou a residência de sua mãe, na Rue Pavée St. Andrée, por volta das nove horas da manhã de domingo, no dia 22 de junho de 18—. Ao sair, comunicou a um certo Monsieur Jacques St. Eustache, somente a ele e a mais ninguém, sua intenção de passar o dia com uma tia que residia na Rue des Drômes. A Rue des Drômes é uma via curta e estreita, mas movimentada, não muito longe das margens do rio, e a uma distância de uns três quilômetros, no curso mais direto possível, desde a *pension* de Madame Roget. St. Eustache era o pretendente de Marie, e se hospedava, bem como fazia suas refeições, na *pension*. Fora sua intenção buscar sua noiva ao escurecer, de modo a acompanhá-la na volta para casa. À tarde, porém, choveu pesadamente; e, supondo que ela passaria a noite na casa da tia (como fizera sob circunstâncias similares antes), não julgou necessário cumprir o combinado. Com o cair da noite, Madame Roget (que era uma velha doente, de setenta anos de idade) manifestou o receio "de que nunca veria Marie outra vez"; mas o comentário chamou pouca atenção, naquele momento.

Na segunda-feira, verificou-se que a moça não estivera na Rue des Drômes; e quando o dia passou sem que se tivesse notícia dela uma busca tardia foi instituída em diversos pontos da cidade e dos arredores. Entretanto, não foi senão no quarto dia após seu desaparecimento que alguma coisa satisfatória se verificou com respeito a ela. Nesse dia (quarta-feira, dia 25 de junho), um certo Monsieur Beauvais [Crommelin], que, junto com um amigo, estivera indagando a respeito de Marie perto da Barrière du Roule, na margem do Sena oposta à Rue Pavée St. Andrée, foi informado de que um cadáver acabara de ser retirado da água por alguns pescadores, que o haviam encontrado flutuando no rio. Ao ver o corpo, Beauvais, após alguma hesitação, identificou-o como sendo da garota da perfumaria. Seu amigo reconheceu-o mais prontamente.

O rosto estava coberto de sangue escurecido, parte dele escorrido pela boca. Não se via espuma alguma, como é o caso dos meramente afogados. Não havia descoloração do tecido celular. Perto da garganta viam-se hematomas e marcas de dedos. Os braços estavam dobrados sobre o peito e rígidos. A mão direita estava fechada com firmeza; a esquerda, parcialmente aberta. No pulso esquerdo havia duas escoriações circulares, aparentemente causadas por cordas, ou uma corda dando mais de uma volta. Uma parte do pulso direito, também, estava bastante esfolada, bem como as costas em toda a sua extensão, mas, mais particularmente, nas omoplatas. Ao puxar o corpo para a margem os pescadores haviam-no amarrado a uma corda; mas nenhuma das escoriações fora provocada por isso. A carne do pescoço estava muito inchada. Não havia cortes visíveis, ou contusões que parecessem efeito de golpes. Descobriu-se um pedaço de fita amarrado tão apertado em torno do pescoço que não podia ser visto;

estava completamente enterrado na carne, e preso por um nó logo abaixo da orelha esquerda. Só isso já teria sido suficiente para causar a morte. O laudo médico atestou com segurança o caráter virtuoso da falecida. Ela fora submetida, dizia, a uma violência brutal. Nas condições em que o corpo foi encontrado não poderia haver qualquer dificuldade em seu reconhecimento pelos amigos.

A roupa estava muito rasgada e, no mais, desfeita. No exterior do vestido, uma faixa, com cerca de trinta centímetros de largura, fora rasgada da barra inferior até a cintura, mas não arrancada. Estava enrolada três vezes em torno da cintura e presa por uma espécie de nó às costas. A roupa, imediatamente sob o vestido, era de fina musselina; e dessa parte uma faixa de quarenta e cinco centímetros fora inteiramente arrancada — arrancada muito uniformemente e com grande cuidado. Foi encontrada em torno do pescoço, enrolada de um modo frouxo, e presa com um nó cego. Sobre essa faixa de musselina e a faixa de renda estavam amarrados os cordões de um *bonnet*; o chapéu ainda pendente. O nó pelo qual os cordões desse chapéu estavam amarrados não era tipicamente feminino, mas um nó corrediço de marinheiro.

Após o reconhecimento do corpo, ele não foi levado, como de costume, para a Morgue (essa formalidade sendo supérflua), mas enterrado às pressas não muito longe do ponto onde fora resgatado das águas. Graças aos esforços de Beauvais, o assunto foi diligentemente abafado, o máximo possível; e vários dias se passaram antes que qualquer comoção pública disso adviesse. Um jornal hebdomadário [*New York Mercury*], entretanto, finalmente noticiou o caso; o cadáver foi exumado e procedeu-se a um novo exame; mas nada apareceu que já não houvesse sido antes observado. As roupas, entretanto, foram agora submetidas à mãe e aos amigos da vítima e identificadas seguramente como as que a moça usava ao sair de casa.

Entrementes, a excitação crescia hora a hora. Diversos indivíduos foram detidos e liberados. Especiais suspeitas recaíram sobre St. Eustache; e ele foi incapaz, no começo, de fornecer um relato coerente de seu paradeiro no domingo em que Marie saiu de casa. Subsequentemente, entretanto, apresentou a Monsieur G—— uma declaração juramentada prestando contas de cada hora passada no dia em questão. À medida que o tempo passava sem que nenhum avanço fosse feito no caso, um milhão de rumores circulou e os jornalistas ocupavam-se de tecer *insinuações*. Entre elas, a que atraiu maior atenção foi a ideia de que Marie Roget ainda vivia — que o cadáver encontrado no Sena era o de alguma outra infeliz. Será bom que eu apresente ao leitor alguns trechos que exemplificam a insinuação acima aludida. Esses trechos são traduções *literais* do *L'Etoile* [*New York Brother Jonathan*, editado por H. Hastings Weld, *Esq.*], jornal dirigido, em geral, com grande competência.

"Mademoiselle Roget deixou a casa de sua mãe no domingo pela manhã, dia 22 de junho de 18—, com o propósito ostensivo de visitar a tia, ou algum outro parente, na Rue des Drômes. Desse momento em diante, ninguém mais a viu, comprovadamente. Não há absolutamente qualquer rastro ou notícia dela. [...] Ninguém, seja quem for, se apresentou, até o presente instante, dando conta de tê-la visto nesse dia, depois que passou pela porta da casa de sua mãe. [...] Ora, ainda que não tenhamos qualquer evidência de que Marie Roget estivesse no mundo dos vivos após as nove horas do domingo, dia 22 de junho, temos prova de que, até essa hora, continuava com vida. Ao meio-dia da quarta-feira o corpo de uma mulher foi encontrado flutuando à beira d'água na Barrière du Roule. Isso foi, mesmo presumindo-se que Marie Roget tenha sido atirada ao rio até três horas após ter deixado a casa de sua mãe, apenas três dias a contar do momento em que saiu de casa — três dias, uma hora a mais, uma hora a menos. Mas é tolice supor que o assassinato, se um assassinato foi cometido contra seu corpo, poderia ter se consumado cedo o bastante para que os assassinos houvessem jogado o corpo no rio antes da meia-noite. Os culpados de tais crimes horrendos preferem a escuridão à luz. [...] Assim entendemos que se o corpo encontrado no rio era *de fato* o de Marie Roget ele só poderia ter ficado na água dois dias e meio, ou três, no máximo. A experiência nesses casos mostra que corpos afogados, ou corpos jogados na água imediatamente após a morte violenta, exigem de seis a dez dias de suficiente decomposição até voltarem à superfície. Mesmo se um canhão houver sido disparado no ponto onde está um cadáver, e ele subir antes de pelo menos cinco ou seis dias de imersão, voltará a afundar se deixado à própria sorte. Ora, perguntamo-nos, o que aconteceu nesse caso para provocar um desvio do curso normal da natureza? [...] Se o corpo tivesse sido mantido na margem em seu estado desfigurado até terça-feira à noite, algum vestígio dos assassinos teria sido encontrado na margem. É uma questão duvidosa, ainda, se o corpo teria vindo à tona tão cedo, mesmo tendo sido lançado na água dois dias após a morte. E, além do mais, é sumamente improvável que algum vilão que houvesse cometido tal crime como o que se supõe aqui teria jogado o corpo sem lhe atar algum peso para afundá-lo, quando tal precaução poderia facilmente ter sido tomada."

O editor então prossegue argumentando que o corpo devia ter ficado na água "não meramente três dias, mas, pelo menos, cinco vezes três dias", pois estava tão decomposto que Beauvais teve grande dificuldade em reconhecê-lo. Esse último ponto, entretanto, foi plenamente refutado. Continuo a tradução:

"Quais são então os fatos em que Monsieur Beauvais se apoia para afirmar sem dúvida que o corpo era de Marie Roget? Ele rasgou a manga do vestido e diz ter encontrado marcas que o satisfizeram acerca da identidade. O público em geral supôs que tais marcas consistiam de cicatrizes de algum tipo. Ele esfregou o braço e encontrou *cabelos* nele — algo tão impreciso, achamos, quanto se pode prontamente imaginar — tão pouco conclusivo quanto encontrar um braço dentro da manga. M. Beauvais não voltou nessa noite, mas mandou informar Madame Roget, às sete horas da noite de quarta-feira, que uma investigação com relação a sua filha continuava em curso. Se admitimos que Madame Roget, devido à idade e ao luto, não podia ter ido até lá (o que é admitir muita coisa), decerto deve ter havido alguém para achar que valia a pena comparecer a fim de auxiliar na investigação, se achavam que o corpo era de Marie. Ninguém apareceu. Nada foi dito ou ouvido sobre o assunto na Rue Pavée St. Andrée que chegasse sequer aos ocupantes do mesmo prédio. M. St. Eustache, o noivo e futuro esposo de Marie, que era inquilino na pensão de sua mãe, disse em seu depoimento que não soube da descoberta do corpo de sua noiva senão na manhã seguinte, quando M. Beauvais entrou em seu quarto e lhe comunicou a respeito. Para uma notícia como essa, parece-nos que foi muito friamente recebida."

Desse modo o jornal tentava criar uma impressão de apatia por parte das pessoas ligadas a Marie, inconsistente com a suposição de que essas pessoas acreditassem que o cadáver fosse dela. Chegava a ponto de sugerir o seguinte: — que Marie, com a conivência de seus amigos, ausentara-se da cidade por motivos ligados a uma acusação contra sua castidade; e que esses amigos, quando da descoberta de um cadáver no Sena, em certa medida parecido com o da moça, haviam se aproveitado da oportunidade para inculcar no público a crença em sua morte. Mas o *L'Etoile* foi novamente apressado demais. Ficou nitidamente demonstrado que nenhuma apatia, tal como se imaginara, existia; que a velha senhora estava extraordinariamente fraca, tão agitada a ponto de ser incapaz de cumprir qualquer obrigação; que St. Eustache, longe de receber a notícia com frieza, ficou enlouquecido de pesar, e portou-se de modo tão descontrolado que M. Beauvais persuadiu um amigo e parente a se encarregar dele, e impediu que presenciasse o exame na exumação. Além do mais, embora fosse afirmado pelo *L'Etoile* que o cadáver voltou a ser enterrado às expensas públicas — que um vantajoso oferecimento de sepultura particular foi absolutamente declinado pela família — e que nenhum membro da família compareceu ao cerimonial: — embora, repito, tudo isso tenha sido asseverado pelo *L'Etoile*, enfatizando ainda mais a impressão que o jornal objetivava transmitir — contudo, *tudo* isso foi satisfatoriamente refutado. Em um número subsequente, uma tentativa foi feita de lançar suspeita sobre o próprio Beauvais. O editor diz:

"Agora, então, uma mudança surge na questão. Fomos informados de que, em certa ocasião, enquanto uma tal de Madame B—— encontrava-se na casa de Madame Roget, M. Beauvais, que estava de saída, disse-lhe que um *gendarme* era aguardado ali, e que ela, Madame B., não devia dizer coisa alguma ao *gendarme* até seu regresso, mas que deixasse o assunto com ele. [...] Na presente situação das coisas, M. Beauvais parece ter a questão toda engatilhada na cabeça. Nem um único passo pode ser dado sem M. Beauvais; pois, independentemente do caminho escolhido, é impossível não esbarrar nele. [...] Por algum motivo, determinou que ninguém deveria ter qualquer envolvimento com os procedimentos a não ser ele mesmo, e tirou do caminho os homens da família, segundo se queixaram, de uma maneira assaz singular. Ao que parece, tem se mostrado muito avesso a permitir que os parentes vejam o corpo."

Pelo fato seguinte, alguma plausibilidade foi dada à suspeita desse modo lançada sobre Beauvais. Um visitante de seu escritório, poucos dias antes do desaparecimento da moça, e na ausência de seu ocupante, observara *uma rosa* no buraco da fechadura da porta e o nome "Marie" escrito em uma lousa pendurada bem à mão.

A impressão geral, até onde fomos capazes de extrair dos jornais, parecia ser de que Marie fora vítima de *uma gangue* de delinquentes — que haviam sido eles que a levaram para o outro lado do rio, maltrataram-na e a assassinaram. O *Le Commercial* [*Journal of Commerce* de Nova York], entretanto, periódico de extensa influência, combateu severamente essa ideia popular. Cito uma passagem ou duas de suas colunas:

"Estamos convencidos de que a perseguição até agora vem seguindo um rastro falso, na medida em que tem sido dirigida para a Barrière du Roule. É impossível que uma pessoa tão bem conhecida por milhares, como era essa jovem, tenha transposto três quadras sem que ninguém a tenha visto; e qualquer um que a tivesse visto teria se lembrado do fato, pois ela despertava interesse em todos que a conheciam. Aconteceu no momento em que as ruas estavam cheias de gente, quando ela saiu. [...] É impossível que tenha ido à Barrière du Roule, ou à Rue des Drômes, sem ser reconhecida por uma dúzia de pessoas; e contudo não apareceu ninguém que a tenha visto após ter passado pela porta da casa de sua mãe, e não há evidência, exceto o testemunho relativo a suas *intenções expressas*, de que sequer tenha saído. Seu vestido estava rasgado, enrolado em torno de seu corpo e amarrado; e, a julgar por isso, foi carregada como um fardo. Se o assassinato houvesse sido cometido na Barrière du Roule, não teria havido necessidade de tal arranjo. O fato de que o corpo foi encontrado flutuando perto da Barrière não constitui prova acerca do lugar onde foi atirado à água. [...] Um pedaço de uma das anáguas da infeliz garota, com sessenta centímetros de comprimento e trinta de largura, foi arrancado e amarrado sob seu queixo e em torno da nuca, provavelmente para impedir que gritasse. Isso foi feito por sujeitos que não carregam lenços de bolso."

Um dia ou dois antes de o chefe de polícia nos procurar, porém, chegou à polícia alguma informação importante que pareceu lançar por terra pelo menos a maior parte da argumentação do *Le Commercial*. Dois meninos, filhos de uma certa Madame Deluc, enquanto perambulavam pelos bosques nos arredores da Barrière du Roule, penetraram por acaso em uma espessa moita, no interior da qual havia três ou quatro pedras grandes, formando uma espécie de banco, com encosto e descanso para os pés. Na pedra de cima estava uma anágua branca; na segunda, uma echarpe de seda. Uma sombrinha, luvas e um lenço de bolso também foram encontrados. O lenço exibia o nome "Marie Roget". Fragmentos de vestido foram encontrados nos arbustos em torno. A terra estava pisoteada e havia galhos quebrados e sinais de luta. Entre a moita e o rio, descobriu-se que as tábuas da cerca haviam sido derrubadas e o solo mostrava evidência de que algum pesado fardo fora arrastado.

Um hebdomadário, *Le Soleil* [*Saturday Evening Post*, de Filadélfia, editado por C. J. Peterson, *Esq.*], publicou os seguintes comentários sobre essa descoberta — comentários que meramente ecoavam o sentimento de toda a imprensa parisiense:

"Os objetos evidentemente ficaram ali pelo menos por três ou quatro semanas; estavam todos fortemente embolorados pela ação da chuva, e colados com o bolor. A relva crescera em volta e cobrira alguns deles. A seda da sombrinha era resistente, mas as fibras haviam grudado por dentro. A parte de cima, onde ela fora fechada e enrolada, estava toda embolorada e podre, e rasgou quando aberta. [...] Os pedaços de seu vestido arrancados pelos arbustos tinham cerca de oito centímetros de largura e quinze de comprimento. Uma parte era a bainha do vestido, que fora remendada; a outra peça era parte da saia, não a bainha. Pareciam tiras arrancadas e estavam no arbusto espinhento, a cerca de trinta centímetros do chão. [...] Não pode haver dúvida, portanto, que o lugar dessa macabra barbaridade foi encontrado."

Como consequência dessa descoberta, novas evidências surgiram. Em seu depoimento, Madame Deluc informou que mantém uma hospedaria não muito longe da margem do rio, do outro lado da Barrière du Roule. A área é afastada — particularmente afastada. É o usual ponto de encontro aos domingos dos meliantes da cidade, que atravessam o rio em botes. Às três horas, aproximadamente, na tarde do domingo em questão, uma jovem chegou à hospedaria, acompanhada de um rapaz de tez escura.

Os dois permaneceram ali por algum tempo. Ao saírem, tomaram a trilha de um espesso bosque dos arredores. Chamou a atenção de Madame Deluc o vestido usado pela moça, devido a sua semelhança com o de uma parente sua, falecida. A echarpe foi particularmente notada. Pouco depois da partida do casal, uma gangue de malfeitores chegou, comportaram-se ruidosamente, comeram e beberam sem pagar, seguiram o caminho tomado pelo jovem e pela moça, voltaram à hospedaria ao entardecer e tornaram a cruzar o rio, aparentando grande pressa.

Pouco depois de escurecer, nessa mesma tarde, Madame Deluc, assim como seu filho mais velho, escutou gritos de mulher nos arredores da hospedaria. Os gritos foram violentos mas breves. Madame D. reconheceu não só a echarpe encontrada na moita como também o vestido que acompanhava o cadáver. Um cocheiro de ônibus, Valence [Adam], agora também testemunhava ter visto Marie Roget atravessar o Sena em uma balsa, no domingo em questão, na companhia de um jovem de tez escura. Ele, Valence, conhecia Marie, e era impossível que houvesse se equivocado em relação a sua identidade. Os objetos encontrados na moita foram positivamente identificados pelos parentes de Marie.

As evidências e as informações desse modo por mim reunidas com base nos jornais, por sugestão de Dupin, compreendiam apenas mais um ponto — mas este um ponto, ao que tudo indicava, de amplas consequências. Parece que, imediatamente após a descoberta das roupas tal como se descreveu acima, o corpo sem vida, ou quase sem vida, de St. Eustache, noivo de Marie, foi encontrado nos arredores da suposta cena do crime. Um frasco rotulado "láudano", vazio, estava ao seu lado. O hálito dava evidência do veneno. Morreu sem dizer uma palavra. Junto ao corpo foi encontrada uma carta, afirmando brevemente seu amor por Marie, e a intenção de suicídio.

"Dificilmente tenho necessidade de lhe dizer", afirmou Dupin, quando terminava de examinar minhas anotações, "que esse caso é de longe muito mais intricado que o da Rue Morgue; do qual difere num importante aspecto. Trata-se de um exemplo de crime *comum*, por mais atroz que seja. Não há nada de peculiarmente *outré* em sua natureza. Deve observar que, por esse motivo, o mistério tem sido considerado de fácil solução, quando, por esse motivo, é que deveria ser considerado difícil. Assim, no início, julgou-se desnecessário oferecer uma recompensa. Os beleguins de G—— foram capazes de compreender na mesma hora como e por que uma tal atrocidade *poderia ter sido* cometida. Conseguiam conceber em sua imaginação um modo — muitos modos — e um motivo — muitos motivos; e como não era impossível que nenhum desses numerosos modos e motivos *pudesse* ter sido o verdadeiro, chegaram à conclusão de que um deles *devia* ser. Mas a naturalidade com que foram acalentadas essas diversas fantasias e a própria plausibilidade que assumiu cada uma deve ser compreendida como um indicativo antes das dificuldades do que das facilidades que devem acompanhar a elucidação. Já tive oportunidade de observar que é alçando-se acima do plano do ordinário que a razão tateia seu caminho, se é que o faz, na busca da verdade, e que a pergunta apropriada em casos como esse não é tanto 'o que aconteceu?' como 'o que aconteceu que nunca aconteceu antes?'. Nas investigações na residência de Madame L'Espanaye [ver "Os assassinatos na Rue Morgue"], os homens de G—— ficaram desencorajados e confusos com a própria *estranheza* que, para um intelecto devidamente regulado, teria proporcionado o mais seguro prognóstico de sucesso; ao passo que esse mesmo intelecto poderia ter mergulhado no desespero com o caráter ordinário de tudo que se apresentava à observação no caso da moça da perfumaria, e contudo nada comunicava senão o fácil triunfo aos funcionários da chefatura de polícia.

"No caso de Madame L'Espanaye e sua filha, não havia, mesmo no início de nossa investigação, nenhuma dúvida de que um assassinato fora cometido. A ideia de suicídio foi excluída imediatamente. Aqui, também, estamos desobrigados, desde o começo, de fazer qualquer suposição sobre a ocorrência de suicídio. O corpo na Barrière du Roule foi encontrado em circunstâncias tais que não oferece margem alguma para dificuldade nesse importante ponto. Mas sugeriu-se que o corpo encontrado não é de Marie Roget, pela denúncia de cujo assassino, ou assassinos, a recompensa é oferecida, e respeitando ao qual, exclusivamente, nosso acordo foi firmado com o chefe de polícia. Ambos conhecemos muito bem esse senhor. Não convém confiar demais nele. Se, datando nossas investigações da descoberta do corpo, e a partir daí rastreando um assassino, no entanto descobrimos ser esse corpo de alguma outra pessoa que não Marie; ou, se começando por Marie com vida, chegamos até ela, e contudo descobrimos que não foi assassinada — tanto num caso como no outro terá sido um trabalho perdido; pois que é com Monsieur G—— que estamos lidando. Logo, em nosso próprio proveito, se não em proveito da justiça, é indispensável que nosso primeiro passo seja a determinação da identidade do cadáver como sendo o da desaparecida Marie Roget.

"Para o público, os argumentos do *L'Etoile* têm sido de peso; e que o próprio jornal está convencido da importância deles pode-se inferir pelo modo como inicia um de seus ensaios a respeito do assunto — 'Diversos matutinos de hoje', afirma, 'falam a respeito do artigo *conclusivo* saído no *Etoile* de segunda'. Para mim, esse artigo parece conclusivo sobre pouca coisa além do fervor de seu autor. Devemos ter em mente que, de modo geral, o objetivo de nossos jornais é antes criar uma sensação — vender seu peixe — que promover a causa da verdade. Este último fim só é perseguido quando parece coincidir com o primeiro. O periódico que simplesmente se adapta à opinião normal (por mais bem fundamentada que essa opinião possa ser) não conquista para si crédito algum junto ao populacho. A massa do povo vê como profunda apenas a opinião que sugere *pungentes contradições* com a ideia geral. Na arte do raciocínio, não menos do que na literatura, é o *epigrama* que é mais imediata e universalmente apreciado. Em ambas, é da mais baixa ordem de mérito.

"O que quero dizer é que foi o misto de epigrama e melodrama na ideia de que Marie Roget ainda vive, mais do que qualquer plausibilidade dessa ideia, que sugeriu isso ao *L'Etoile* e assegurou-lhe uma recepção favorável entre o público. Examinemos os principais pontos do argumento do jornal; empenhando-nos em evitar a incoerência com que é apresentado desde o início.

"O primeiro objetivo do jornalista é mostrar, pela brevidade do intervalo entre o desaparecimento de Marie e a revelação do corpo boiando, que o corpo não pode ser o de Marie. A redução desse intervalo à sua menor dimensão possível se torna assim, na mesma hora, um objetivo para o autor do artigo. Na apressada busca desse objetivo, ele se precipita na mera suposição desde o início. 'É tolice supor', diz ele, 'que o assassinato, se um assassinato foi cometido contra seu corpo, poderia ter sido consumado cedo o bastante para permitir que os assassinos jogassem o corpo no rio antes da meia-noite.' A pergunta que nos ocorre de imediato, muito naturalmente, é *por quê?* Por que é tolice supor que o crime foi cometido *cinco minutos* após a jovem ter deixado a casa de sua mãe? Por que é tolice supor que o assassinato foi cometido em um dado período do dia? Assassinatos ocorrem a qualquer hora. Porém, caso o crime houvesse ocorrido em algum momento entre as nove da manhã de domingo e quinze para a meia-noite, ainda assim teria havido tempo suficiente para ter 'jogado o corpo no rio antes da meia-noite'. Essa suposição, assim, resume-se precisamente a isso — que o assassinato não foi cometido no domingo, absolutamente — e, se permitirmos ao *L'Etoile* supor tal coisa, possivelmente estaremos lhes permitindo liberdades em tudo mais. O parágrafo que começa com 'É tolice supor que o assassinato etc.', embora apareça impresso no *L'Etoile*, pode ser imaginado como tendo existido *assim* no cérebro de seu autor — 'É tolice supor que o assassinato, se um assassinato foi cometido contra seu corpo, poderia ter sido cometido cedo o bastante para ter possibilitado a seus assassinos jogar o corpo no rio antes da meia-noite; é tolice, repetimos, supor tudo isso, e supor ao mesmo tempo (já que estamos determinados a supor) que o corpo *não* foi jogado senão *após* a meia-noite' — uma frase bastante inconsequente em si mesma, mas não tão completamente absurda quanto a que vimos impressa.

"Caso fosse meu propósito", continuou Dupin, "meramente *provar a fragilidade* do argumento nesse trecho do *L'Etoile*, eu poderia seguramente parar por aqui. Não é, entretanto, com o *L'Etoile* que temos de lidar, mas com a verdade. A frase em questão, do modo como está, significa apenas uma coisa; e esse significado eu já determinei razoavelmente: mas é de suma importância irmos além das meras palavras, em busca de uma ideia que essas palavras obviamente pretendiam transmitir, e falharam. A intenção do jornalista era dizer que, independentemente do período do dia ou da noite do domingo em que esse crime foi cometido, era improvável que os assassinos teriam se aventurado a carregar o corpo para o rio antes da meia-noite. E nisso reside, na verdade, a suposição de que me queixo. Ficou presumido que o assassinato foi cometido em tal lugar, e sob tais

CONTOS DE IMAGINAÇÃO E MISTÉRIO

circunstâncias, que *carregar o corpo* para o rio fez-se necessário. Ora, o assassinato pode ter ocorrido às margens do rio, ou no próprio rio; e, desse modo, jogar o cadáver na água pode ter constituído, a qualquer hora do dia ou da noite, o recurso mais óbvio e imediato de que lançar mão para se livrar dele. Você deve compreender que não estou sugerindo aqui algo como sendo provável ou coincidente com minha própria opinião. Minha intenção, até agora, não guarda qualquer referência com os *fatos* do caso. Desejo meramente precavê-lo contra todo o tom *sugerido* no *L'Etoile*, chamando sua atenção para a natureza *ex parte*[53] do jornal desde o princípio.

"Tendo prescrito assim um limite para acomodar suas próprias noções preconcebidas; tendo presumido que, se aquele era o corpo de Marie, não podia ter permanecido na água senão por um período muito breve; o jornal prossegue afirmando:

"'A experiência nesses casos mostra que corpos afogados, ou corpos jogados na água imediatamente após a morte violenta, exigem de seis a dez dias de suficiente decomposição até voltarem à superfície. Mesmo se um canhão houver sido disparado no ponto onde está um cadáver, e ele subir antes de pelo menos cinco ou seis dias de imersão, voltará a afundar se deixado à própria sorte.'

"Essas alegações foram tacitamente admitidas por todos os jornais de Paris, com exceção do *Le Moniteur* [*New York Commercial Advertiser*, dirigido pelo coronel Stone]. Este último se empenha em combater apenas o trecho do parágrafo que faz referência a 'corpos afogados', citando cerca de cinco ou seis casos em que os corpos de indivíduos sabidamente afogados foram encontrados flutuando após um intervalo de tempo menor do que o defendido pelo *L'Etoile*. Mas há qualquer coisa de excessivamente antifilosófica na tentativa por parte do *Le Moniteur* de refutar a asserção geral do *L'Etoile* mencionando casos particulares que militem contra tal asserção. Tivesse sido possível aduzir cinquenta em vez de cinco exemplos de corpos encontrados flutuando ao cabo de dois ou três dias, esses cinquenta exemplos ainda assim poderiam ser encarados propriamente apenas como exceções à regra do *L'Etoile*, até a chegada desse momento em que a própria regra devesse ser refutada. Admitindo-se a regra (e isso o *Le Moniteur* não nega, insistindo meramente em suas exceções), o argumento do *L'Etoile* pode per-

356

manecer com plena força; pois esse argumento não pretende envolver mais do que uma questão da *probabilidade* de o corpo ter ascendido à superfície em menos de três dias; e essa probabilidade continuará a favor da posição do *L'Etoile* até que esses casos aduzidos de modo tão pueril sejam em número suficiente para determinar uma regra antagônica.

"Você vai ver na mesma hora que todo argumento quanto a esse ponto deve ser dirigido, se o for, contra a própria regra; e com esse fim devemos examinar a *racionalidade* da regra. Ora, o corpo humano, de modo geral, não é muito mais leve nem tampouco muito mais pesado do que a água do Sena; ou seja, a gravidade específica do corpo humano, em sua condição natural, é mais ou menos igual ao volume de água doce que ele desloca. Os corpos de pessoas gordas e flácidas, com ossos pequenos, e os das mulheres em geral, são mais leves do que os de pessoas magras e de ossos grandes, e do que os dos homens; e a gravidade específica da água de um rio é em certa medida influenciada pela presença da maré vinda do mar. Mas deixando a maré fora da discussão, pode-se dizer que *pouquíssimos* corpos humanos afundarão, mesmo na água doce, *por si só*. Praticamente qualquer um, caindo em um rio, será capaz de flutuar se suportar que a gravidade específica da água seja razoavelmente aduzida em comparação com a sua própria — ou seja, se suportar que toda a sua pessoa fique submersa com a mínima exceção possível. A posição apropriada para alguém que não sabe nadar é a postura ereta de quem caminha em terra, com a cabeça jogada inteiramente para trás, e imersa; somente a boca e as narinas permanecendo acima da superfície. Nessas circunstâncias, perceberemos que flutuamos sem dificuldade e sem esforço. Fica evidente, entretanto, que as gravidades do corpo e do volume de água deslocada são muito delicadamente equilibradas e que a coisa mais ínfima levará uma das duas a preponderar. Um braço, por exemplo, erguido da água, e desse modo privado de seu apoio, é um peso adicional suficiente para submergir a cabeça toda, enquanto uma ajuda acidental do menor pedaço de madeira nos possibilita elevar a cabeça o suficiente para olhar em torno. Bem, quando alguém desacostumado a nadar se debate na água, os braços são invariavelmente projetados para cima, conforme é feita uma tentativa de manter a cabeça em sua posição perpendicular usual. O resultado é a imersão da boca e das narinas, e a introdução, durante os esforços de respirar enquanto se está sob a superfície, de água nos pulmões. Grande parte vai parar também no estômago, e o corpo todo fica mais pesado com a diferença entre o peso do ar originalmente distendendo essas cavidades e o do fluido que agora as preenche. Essa diferença, via de regra, é suficiente para fazer o corpo afundar; mas é insuficiente nos casos de indivíduos com ossos pequenos e uma quantidade anormal de matéria flácida ou gorda. Tais indivíduos flutuam mesmo depois de afogados.

"O cadáver, supondo-se que esteja no fundo do rio, permanecerá ali até que, de algum modo, sua gravidade específica mais uma vez se torne menor do que a do volume de água que ele desloca. Esse efeito é ocasionado pela decomposição ou por algum outro meio. O resultado da decomposição é a geração de gás, dilatando os tecidos celulares e todas as cavidades, e proporcionando o aspecto *inchado* que é tão horrível. Quando essa dilatação progrediu a um ponto em que o volume do corpo está materialmente aumentado sem que haja um aumento correspondente de *massa* ou peso, sua gravidade específica se torna menor do que a da água deslocada, e o corpo desse modo surge à superfície. Mas a decomposição é modificada por inúmeras circunstâncias — é acelerada ou retardada por inúmeros agentes; por exemplo, pelo calor ou frio da estação, pela impregnação mineral ou pela pureza da água, por sua maior ou menor profundidade, por ser corrente ou estagnada, pela temperatura do corpo, por alguma infecção ou pela ausência de doença antes da morte. Assim, é evidente que não temos como indicar um período, com nada que sequer se aproxime da exatidão, em que o cadáver deverá subir pela decomposição. Sob determinadas condições, esse resultado ocorreria em uma hora; sob outras, poderia nem ocorrer. Há infusões químicas mediante as quais a constituição animal pode ficar preservada *para sempre* da corrupção; o dicloreto de mercúrio é uma delas. Mas, à parte a decomposição, pode haver, e normalmente há, uma geração de gás dentro do estômago, devido à fermentação acetosa de matéria vegetal (ou dentro de outras cavidades por outros motivos) suficiente para induzir uma dilatação que levará o corpo à superfície. O efeito produzido pelo disparo de um canhão é o de simples vibração. Isso pode soltar o corpo da lama macia ou do lodo no qual ele está atolado, permitindo assim que flutue quando outros agentes já o prepararam para fazê-lo; ou pode superar a tenacidade de algumas partes apodrecidas do tecido celular; permitindo que as cavidades dilatem sob a influência do gás.

"Tendo assim diante de nós toda a filosofia do assunto, podemos facilmente testar por meio dela as afirmações do *L'Etoile*. 'A experiência nesses casos', diz o jornal, 'mostra que corpos afogados, ou corpos jogados na água imediatamente após a morte violenta, exigem de seis a dez dias de suficiente decomposição até voltarem à superfície. Mesmo se um canhão houver sido disparado no ponto onde está um cadáver, e ele subir antes de pelo menos cinco ou seis dias de imersão, voltará a afundar se deixado à própria sorte.'

"Esse parágrafo agora deve parecer em sua totalidade um emaranhado de inconsequência e incoerência. A experiência *não* mostra que 'corpos afogados' *exigem* de seis a dez dias para que suficiente decomposição tenha lugar de modo a alçá-los à superfície. Tanto a ciência como a experiência mostram que o período para subir é, e deve necessariamente ser, indeterminado. Se, além do mais, um corpo subiu à tona pelo disparo de um canhão, ele *não* 'voltará a afundar se deixado à própria sorte' até que a decomposição tenha progredido de tal modo a permitir o escape do gás gerado. Mas desejo chamar sua atenção para a distinção que é feita entre 'corpos afogados' e 'corpos jogados na água imediatamente após a morte violenta'. Embora o jornalista admita a distinção, ele mesmo assim inclui todos numa mesma categoria. Mostrei como acontece de o corpo de um homem afogado se tornar especificamente mais pesado do que o volume de água deslocado, e que ele não afundaria absolutamente, exceto pelas debatidas com que eleva os braços acima da superfície, e as tentativas de respirar quando está sob a superfície — tentativas que introduzem água no lugar do ar original, nos pulmões. Mas essa luta e essas tentativas não ocorreriam no corpo 'jogado na água imediatamente após a morte violenta'. Assim, nesse último exemplo, *o corpo, via de regra, não afundaria absolutamente* — fato que o *L'Etoile* evidentemente ignora. Quando a decomposição progrediu a um estado muito avançado — quando a carne em grande medida separou-se dos ossos — então, de fato, mas *apenas* então, deixaremos de ver o cadáver.

CONTOS DE IMAGINAÇÃO E MISTÉRIO

"E agora o que pensar do argumento de que o corpo encontrado não podia ser o de Marie Roget porque, três dias apenas tendo transcorrido, esse corpo foi encontrado flutuando? Se afogada, sendo mulher, pode acontecer de nunca ter afundado; ou, tendo afundado, pode ter reaparecido em vinte e quatro horas, ou menos. Mas ninguém supõe que tenha se afogado; e, morrendo antes de ter sido jogada no rio, pode ter sido encontrada boiando em qualquer outro período posterior.

"Mas, diz o *L'Etoile*, 'se o corpo tivesse sido mantido na margem em seu estado desfigurado até terça-feira à noite, algum vestígio dos assassinos teria sido encontrado na margem'. Aqui inicialmente é difícil perceber a intenção do jornal. Ele procura antecipar o que imagina ser uma possível objeção a sua teoria — a saber: de que o corpo foi mantido na margem por dois dias, sofrendo rápida decomposição — *mais* rápida do que se ficasse imerso na água. Supõe que, houvesse esse sido o caso, teria *talvez* vindo à tona na quarta-feira, e acha que *somente* sob tais circunstâncias poderia ter aparecido na superfície. Logo, ele se apressa em mostrar que o corpo *não foi* mantido na margem; pois, nesse caso, 'algum vestígio dos assassinos teria sido encontrado na margem'. Presumo que vai rir do *sequitur*. Não existe meio pelo qual fazê-lo ver como a mera *duração* do corpo na margem seria capaz de agir para *multiplicar os vestígios* dos criminosos. Tampouco eu consigo ver.

" 'E, além do mais, é sumamente improvável', continua nosso periódico, 'que algum vilão que houvesse cometido tal crime como o que se supõe aqui teria jogado o corpo sem lhe atar algum peso para afundá-lo, quando tal precaução poderia facilmente ter sido tomada.' Observe, aqui, a risível confusão de pensamento! Ninguém — nem mesmo o *L'Etoile* — discute o assassínio cometido *contra o corpo encontrado*. As marcas da violência são demasiado óbvias. A intenção de nosso argumentador é meramente mostrar que aquele não é o corpo de Marie. Ele deseja provar que *Marie* não foi assassinada — não que o corpo não foi. Contudo, sua observação prova apenas o último ponto. Eis ali um cadáver sem um peso atado a ele. Os assassinos, ao atirá-lo à água, nunca teriam deixado de prendê-lo a um peso. Logo, não foi jogado pelos assassinos. Isso é tudo que se provou, se é que alguma coisa foi provada. A questão da identidade

360

O MISTÉRIO DE MARIE ROGET

não é sequer abordada e o *L'Etoile* então se empenha com o maior afã em meramente negar o que admitiu apenas um momento antes. 'Estamos perfeitamente convencidos', afirma, 'de que o corpo encontrado era o de uma mulher assassinada.'

"E esse não é o único exemplo, mesmo nessa divisão de seu tema, em que nosso argumentador involuntariamente argumenta contra si mesmo. Seu objetivo evidente, como já disse, é reduzir, tanto quanto possível, o intervalo entre o desaparecimento de Marie e a descoberta do corpo. Contudo, vemos como *insiste* no ponto de que ninguém viu a moça a partir do instante em que deixou a casa de sua mãe. 'Não temos qualquer evidência', afirma, 'de que Marie Roget estivesse no mundo dos vivos após as nove horas do domingo, 22 de junho.' Na medida em que sua argumentação é obviamente *ex parte*, ele deveria, pelo menos, ter deixado esse ponto de fora; pois, caso aparecesse alguém que tivesse visto Marie, digamos na segunda, ou na terça, o intervalo em questão teria ficado muito reduzido e, por seu próprio raciocínio, a probabilidade muito diminuída de o corpo ser o da *grisette*. É todavia divertido observar que o *L'Etoile* insiste nesse ponto na plena crença de que favorece seu argumento geral.

"Reexamine agora essa parte do argumento que faz referência à identificação do corpo por Beauvais. Em relação aos *cabelos* no braço, o *L'Etoile* foi obviamente desonesto. M. Beauvais, não sendo um idiota, jamais teria frisado, numa identificação do cadáver, simplesmente *cabelos no braço*. Não existe braço *sem* cabelos. A *generalidade* com que o *L'Etoile* se expressou é uma mera deturpação da fraseologia da testemunha. Ele deve ter se referido a alguma *peculiaridade* nesses cabelos. Possivelmente uma peculiaridade de cor, quantidade, comprimento ou condições.

" 'Seu pé', afirma o jornal, 'era pequeno — assim como milhares de pés. Sua liga também não constitui prova alguma — tampouco seu sapato — pois sapatos e ligas são vendidos em embalagens.[54] O mesmo pode ser dito das flores em seu chapéu. Um dos pontos em que insiste fortemente M. Beauvais é de que a presilha da liga havia sido puxada para trás a fim de mantê-la no lugar. Isso não diz nada; pois a maioria das mulheres julga apropriado levar o par de ligas para casa e ajustá-las ao tamanho das pernas que irão cingir, em lugar de experimentá-las na própria loja onde as ad-

361

quiriram.' Aqui é difícil supor que o jornal esteja falando sério. Houvesse M. Beauvais, em sua procura pelo corpo de Marie, descoberto um corpo correspondendo em tamanho geral e aparência ao da moça desaparecida, ser-lhe-ia justificável (sem fazer qualquer referência à questão do traje) formar a opinião de que sua busca fora frutífera. Se, além do detalhe de tamanho geral e contorno, ele houvesse encontrado no braço uma característica peculiar dos pelos que tivesse observado em Marie quando viva, sua opinião poderia ter ficado, com toda justiça, fortalecida; e o aumento da convicção poderia perfeitamente ter sido proporcional à peculiaridade, ou raridade, da marca peluda. Se, os pés de Marie sendo pequenos, os do cadáver também fossem pequenos, o aumento da probabilidade de que o corpo era o de Marie não seria um aumento na proporção meramente aritmética, mas um de ordem elevadamente geométrica, ou acumulativa. Acresça-se a tudo isso sapatos como os que ela estivera sabidamente usando no dia de seu desaparecimento e, ainda que esses sapatos possam ser 'vendidos em embalagens', aumentamos nesse ponto a probabilidade de pender na direção da certeza. O que, em si mesmo, não seria qualquer evidência de identidade, torna-se, mediante sua posição corroborativa, a prova mais segura. Consideremos, então, as flores no chapéu como correspondendo às usadas pela garota desaparecida, e deixamos de procurar qualquer outra coisa. Se for apenas *uma* flor, não precisamos ir além — que dizer de duas ou três, ou mais? Cada flor sucessiva é uma evidência múltipla — não prova *adicionada* à prova, mas *multiplicada* por centenas de milhares. Descobrindo-se agora na falecida ligas como as que a moça usava em vida, é quase loucura prosseguir. Mas como se viu essas ligas estavam apertadas com um ajuste da presilha, exatamente como as da própria Marie haviam sido por esta ajustadas pouco antes de sair de casa. Nesse ponto é desatino ou hipocrisia duvidar. O que o *L'Etoile* diz com respeito a esse ajuste da liga ser uma ocorrência usual nada revela além de sua própria obstinação no erro. A natureza elástica da presilha da liga é em si uma demonstração da *raridade* do encurtamento. É inevitável que o que foi feito para se ajustar sozinho deve muito dificilmente exigir um ajuste alheio. Deve ter sido por algum acidente, em seu sentido estrito, que essas ligas de Marie precisaram do ajuste descrito. Só elas já teriam bastado amplamente para determinar sua identidade. Mas não pelo fato de o cadáver encontrado ter as ligas da moça desaparecida, ou os sapatos, ou seu chapéu, ou as flores de seu chapéu, ou seus pés, ou uma marca peculiar no braço, ou seu tamanho e aparência gerais — é o fato de o corpo ter cada uma dessas coisas, e *todas coletivamente*. Pudesse ser provado que o editor do *L'Etoile*, sob tais circunstâncias, alimentou *de fato* uma dúvida, não haveria necessidade, nesse caso, de uma autorização *de lunatico inquirendo*.[55] Ele achou sagaz arremedar a conversa mole dos advogados, que, na maior parte, se contentam em arremedar os preceitos quadrados dos tribunais. Eu observaria aqui que grande parte do que é rejeitado como evidência em um tribunal é a melhor das evidências para o intelecto. Pois o tribunal, pautando-se pelos princípios gerais da evidência — os princípios reconhecidos e *registrados nos livros* —, é avesso a guinadas perante casos particulares. E essa adesão firme ao princípio, com rigorosa desconsideração da exceção conflitante, é um modo seguro de atingir o *máximo* de verdade atingível, em qualquer longa sequência de tempo. A prática, *in mass*, é desse modo filosófica; mas não é menos certo que engendra vasto erro individual.*

"Com respeito às insinuações dirigidas contra Beauvais, você de bom grado as descartará num piscar de olhos. Já teve oportunidade de sondar o verdadeiro caráter desse bom cavalheiro. Trata-se de um *bisbilhoteiro*, com mais romance do que tino na cabeça. Qualquer um assim constituído prontamente se conduzirá, por ocasião de uma *real* comoção, de modo a se tornar sujeito a suspeitas por parte dos muito argutos ou dos mal-intencionados. M. Beauvais (ao que parece de suas anotações) entreviu-se em algumas ocasiões com o editor do *L'Etoile*, e ofendeu-o aventando a opinião de que o corpo, não obstante a teoria do editor, era, sem a menor

---

* "Uma teoria baseada nas qualidades de um objeto impedirá que seja desenvolvida segundo seus objetivos; e quem arranja tópicos em referência a suas causas deixará de valorizá-los de acordo com seus resultados. De modo que a jurisprudência de toda nação mostrará que, quando a lei se torna uma ciência e um sistema, ela deixa de ser justiça. Os erros aos quais uma devoção cega a *princípios* de classificação tem conduzido a *common law* serão vistos observando-se com que frequência a legislatura tem sido obrigada a intervir para restabelecer a equidade que seu método perdeu." [Walter Savage] Landor. (N. do A.)

sombra de dúvida, o de Marie. 'Ele insiste', diz o jornal, 'em afirmar que o cadáver era o de Marie, mas é incapaz de fornecer uma particularidade, além daquelas sobre as quais já comentamos, para fazer com que os outros acreditem.' Ora, sem voltar a aludir ao fato de que uma forte evidência 'para fazer com que os outros acreditem' *jamais* poderia ter sido aduzida, vale observar que um homem pode perfeitamente partilhar de uma crença, num caso dessa espécie, sem ser capaz de apresentar uma única razão para que uma segunda parte nela também acredite. Nada é mais vago que impressões de identidade individual. Todo homem reconhece seu próximo, contudo há poucas situações em que a pessoa está preparada para *dar um motivo* para esse reconhecimento. O editor do *L'Etoile* não tinha o menor direito de se ofender com a crença ilógica de M. Beauvais.

"Ver-se-á que as circunstâncias suspeitas que o envolvem casam-se muito melhor com minha hipótese de *bisbilhotice romântica* do que com a insinuação de culpa que faz o jornal. Uma vez adotada a interpretação mais benevolente, não encontraremos dificuldade em compreender a rosa no buraco de fechadura; o 'Marie' sobre a lousa; os homens da família tirados do caminho; a relutância em que os parentes vissem o corpo; a advertência feita a Madame B—— de que não deveria empreender qualquer conversa com o *gendarme* até seu regresso (Beauvais); e, por último, sua aparente determinação de que 'ninguém deveria ter qualquer envolvimento com os procedimentos a não ser ele mesmo'. Parece-me inquestionável que Beauvais era um pretendente de Marie; que ela flertava com ele; e que ele ambicionava dar a entender que gozava de toda sua intimidade e confiança. Nada mais direi a esse respeito; e, na medida em que os testemunhos refutam completamente as alegações do *L'Etoile*, no tocante à questão da *apatia* por parte da mãe e dos demais parentes — apatia inconsistente com a suposição de acreditarem ser aquele corpo o da moça da perfumaria —, deveremos agora passar a ver se a questão da *identidade* foi resolvida de modo plenamente satisfatório para nós."

"E o que", perguntei aqui, "pensa você sobre as opiniões do *Le Commercial*?"

"Que, em espírito, são de longe muito mais dignas de atenção que quaisquer outras já aventadas sobre o assunto. As deduções a partir das premissas são filosóficas e argutas; mas as premissas, em dois casos, pelo menos, estão fundamentadas na observação imperfeita. O *Le Commercial* quer sugerir que Marie foi capturada por alguma gangue de vis rufiões não muito longe da porta de sua mãe. 'É impossível', insiste o jornalista, 'que uma pessoa tão bem conhecida por milhares, como era essa jovem, tenha transposto três quadras sem que ninguém a tenha visto.' Essa é a ideia de um homem residindo há muito tempo em Paris — um homem público — e um cujas caminhadas pela cidade têm se limitado na maior parte às vizinhanças dos prédios públicos. Ele tem consciência de que dificilmente *ele* chega a percorrer uma dúzia de quadras de seu próprio *bureau* sem ser reconhecido e abordado. E, sabedor da extensão de sua própria familiaridade com os outros, e dos outros consigo, compara sua notoriedade com a da moça da perfumaria, não vê grande diferença entre os dois e chega na mesma hora à conclusão de que ela, em suas caminhadas, seria igualmente sujeita a reconhecimento como ele o é nas suas. Esse só poderia ser o caso se os trajetos dela fossem sempre do mesmo caráter invariável, metódico, e restritos ao mesmo *tipo* de área delimitada que os dele. Ele vai e vem, a intervalos regulares, no interior de um perímetro limitado, repleto de indivíduos que são induzidos a observá-lo pelo interesse que a natureza análoga da ocupação do jornalista com as deles próprios desperta. Mas devemos supor que as caminhadas de Marie sejam, em geral, erráticas. Nesse caso em particular, entende-se como o mais provável que ela tenha seguido um trajeto com variação em média maior do que de costume. O paralelo que imaginamos ter existido na cabeça do *Le Commercial* se sustentaria apenas na eventualidade de dois indivíduos cruzando a cidade toda. Nesse caso, admitindo-se que as relações pessoais sejam iguais, as chances também seriam iguais de que um igual número de encontros pessoais ocorresse. De minha parte, sustento ser não só possível, como também muito mais do que provável, que Marie pode ter seguido, a qualquer hora dada, por qualquer um dos inúmeros trajetos entre sua própria residência e a de sua tia, sem encontrar um único indivíduo que conhecesse, ou de quem fosse conhecida. Ao ver essa questão sob sua luz plena e apropriada, devemos ter com firmeza em mente a grande desproporção entre os conhecidos pessoais até mesmo do indivíduo mais notado de Paris e a população inteira da própria cidade.

CONTOS DE IMAGINAÇÃO E MISTÉRIO

"Mas seja qual for a eloquência que aparentemente ainda exista na insinuação do *Le Commercial*, ela ficará grandemente diminuída quando levarmos em consideração *a hora* em que a moça saiu. 'Foi no momento em que as ruas estavam cheias de gente', diz o *Le Commercial*, 'que ela saiu.' Mas não foi assim. Eram nove horas da manhã. Ora, às nove horas de qualquer dia da semana, *com exceção de domingo*, as ruas da cidade estão, de fato, repletas de gente. Às nove horas de uma manhã dominical, a população se encontra na maior parte dentro de casa, *preparando-se para ir à igreja*. Nenhuma pessoa observadora terá deixado de notar o ar peculiarmente deserto da cidade entre cerca de oito e dez da manhã todo domingo. Entre as dez e onze as ruas ficam cheias, mas não em um horário tão cedo como o que foi indicado.

"Há um outro ponto no qual parece haver uma deficiência de *observação* por parte do *Le Commercial*. 'Um pedaço', afirma, 'de uma das anáguas da infeliz garota, com sessenta centímetros de comprimento e trinta de largura, foi arrancado e amarrado sob seu queixo e em torno da nuca, provavelmente para impedir que gritasse. Isso foi feito por sujeitos que não carregam lenços de bolso.' Se essa ideia está ou não bem fundamentada é algo que nos empenharemos em ver mais adiante; mas por 'sujeitos que não carregam lenços de bolso' o editor entende a mais baixa classe de rufiões. Esses, entretanto, são exatamente o gênero de pessoas que sempre carregam consigo algum lenço, mesmo quando destituídos de camisa. Você já deve ter tido ocasião de observar quão absolutamente indispensável, em anos recentes, para esses rematados meliantes, tem se constituído o lenço de bolso."

"E o que devemos pensar", perguntei, "do artigo no *Le Soleil*?"

"É uma pena que seu editor não tenha nascido papagaio — nesse caso ele teria sido o mais ilustre papagaio de sua raça. Ele tem meramente repetido os itens individuais da opinião já publicada; coligindo-as, com louvável diligência, ora desse jornal, ora daquele. 'Os objetos estavam todos *evidentemente* ali', afirma, 'havia pelos menos três ou quatro semanas, e *não pode haver dúvida*, portanto, que o lugar dessa macabra barbaridade foi encontrado.' Os fatos aqui reafirmados pelo *Le Soleil* estão realmente muito longe de eliminar minhas dúvidas quanto a esse

366

assunto e iremos dentro em breve examiná-los com maiores particularidades em suas conexões com outra parte do assunto.

"No presente momento, devemos nos ocupar de outras investigações. Decerto você não deixou de observar a extrema negligência no exame do cadáver. Naturalmente, a questão da identidade foi prontamente determinada, ou deveria ter sido; mas havia outros pontos a serem verificados. Acaso o corpo foi em algum aspecto *despojado*? A vítima usava algum artigo de joalheria ao sair de casa? se usava, continuava com alguma joia ao ser encontrada? Essas são questões centrais absolutamente não abordadas nos testemunhos; e há outras de igual importância, que não receberam atenção alguma. Devemos nos empenhar em nos satisfazer mediante uma investigação pessoal. O caso de St. Eustache deve ser reexaminado. Não alimento a menor suspeita em relação a ele; mas procedamos com método. Vamos averiguar além da dúvida a validade da declaração juramentada respeitante a seu paradeiro no domingo. Documentos dessa espécie são facilmente tornados objeto de mistificação. Se nada errado se apresentar aí, entretanto, descartaremos St. Eustache de nossas inquirições. Seu suicídio, por mais corroborante de suspeita caso se descobrisse alguma falsidade no depoimento, de modo algum constitui, sem tal falsidade, circunstância inexplicável, ou uma a exigir que nos desviemos da linha da análise ordinária.

"Nisso que agora proponho, negligenciaremos os pontos internos dessa tragédia, e focaremos nossa atenção em seus detalhes periféricos. Não é o menor dos erros em investigações como essa restringir o escopo ao imediato, com total desprezo dos eventos colaterais ou circunstanciais. É o mau costume dos tribunais confinar a apresentação de provas e a argumentação aos limites da aparente relevância. Contudo, a experiência mostrou, e uma verdadeira filosofia sempre mostrará, que uma vasta parte da verdade, talvez a maior, surge do que é aparentemente irrelevante. É por meio do espírito desse princípio, quando não precisamente por meio de sua letra, que a ciência moderna tem optado por *calcular com base no imprevisto*. Mas talvez eu não esteja me fazendo compreender. A história do conhecimento humano tem tão ininterruptamente mostrado que a eventos colaterais, incidentais ou acidentais devemos as descober-

CONTOS DE IMAGINAÇÃO E MISTÉRIO

tas mais numerosas e valiosas, que acabou se tornando necessário, em qualquer visão em perspectiva do aperfeiçoamento, conceder não apenas vultosos, mas os mais vultosos subsídios para invenções que surgirão por acaso, e completamente fora do alcance da expectativa comum. Já não é mais filosófico basear no que foi uma visão do que será. O *acidente* é admitido como parte da subestrutura. Fazemos do acaso matéria de cálculo absoluto. Sujeitamos o inesperado e o inimaginado às fórmulas matemáticas das escolas.

"Repito que isso nada mais é que um fato, que a porção *mais ampla* de toda verdade brota do que é colateral; e não é senão de acordo com o espírito do princípio implicado neste fato que eu desviaria a investigação, no presente caso, do terreno repisado e até aqui infrutífero do próprio evento em si para as circunstâncias contemporâneas que o cercam. Enquanto você verifica a validade do depoimento juramentado, examinarei os jornais de um modo mais geral do que fez até agora. Até o momento, inspecionamos apenas o campo de investigação; mas será de fato estranho se um levantamento abrangente dos periódicos, tal como proponho, não nos proporcionar alguns pontos minuciosos que irão determinar uma *direção* para o inquérito."

Seguindo a sugestão de Dupin, procedi a um escrupuloso exame da questão do documento. O resultado foi a firme convicção de sua validade, e da consequente inocência de St. Eustache. Nesse meio-tempo, meu amigo se ocupou, com o que parecia ser uma minúcia absolutamente sem propósito, em um escrutínio dos vários jornais arquivados. Ao final da semana pôs diante de mim os seguintes trechos:

"Cerca de três anos e meio atrás, uma agitação muito semelhante à presente foi causada pelo desaparecimento dessa mesma Marie Roget da *parfumerie* de Monsieur Le Blanc no Palais Royal. Ao final de uma semana, entretanto, ela reapareceu em seu *comptoir* costumeiro, tão bem como sempre, com exceção de uma ligeira palidez não inteiramente normal. Foi dito por Monsieur Le Blanc e sua mãe que ela havia meramente visitado uma amiga no campo; e o assunto foi prontamente encerrado. Presumimos que a presente ausência seja um capricho da mesma natureza e que, ao expirar-se o prazo de uma semana, ou talvez um mês, teremos sua presença entre nós mais uma vez." Jornal vespertino [*New York Express*], segunda-feira, 23 de junho.

O MISTÉRIO DE MARIE ROGET

"Um jornal vespertino de ontem faz referência a um anterior desaparecimento misterioso de Mademoiselle Roget. É bem sabido que, durante a semana de sua ausência da *parfumerie* de Le Blanc, encontrava-se ela na companhia de um jovem oficial da marinha, muito afamado por seu comportamento dissoluto. Uma briga, supõe-se, providencialmente levou a jovem a voltar para casa. Sabemos o nome do casanova em questão, que, no presente momento, encontra-se aquartelado em Paris, mas, por motivos óbvios, abstemo-nos de tornar público." *Le Mercurie* [*New York Herald*], terça-feira, 24 de junho.

"Uma barbaridade do caráter mais atroz foi perpetrada perto desta cidade anteontem. Um cavalheiro, acompanhado de esposa e filha, requereu, ao fim do dia, os serviços de seis rapazes que remavam ociosamente um bote entre uma e outra margem do Sena, para que os transportassem até o outro lado do rio. Ao chegarem na margem oposta, os três passageiros desembarcaram e já haviam se distanciado a ponto de perder o bote de vista quando a filha percebeu que esquecera a sombrinha. Ao voltar para recuperá-la, foi dominada pela gangue, levada pelo rio, amordaçada, brutalizada e finalmente conduzida de volta à margem num ponto não muito longe daquele onde originalmente subira a bordo com seus pais. Os vilões acham-se fugidos no momento, mas a polícia está em seu rastro, e alguns deles em breve serão capturados." Jornal matutino [*New York Courier and Inquirer*], 25 de junho.

"Recebemos uma ou duas missivas cujo propósito é ligar o crime da recente atrocidade a Mennais [Mennais foi um dos envolvidos originalmente considerado suspeito e detido, mas solto por absoluta falta de evidência]; mas como esse cavalheiro foi plenamente exonerado por uma investigação legal, e como os argumentos de nossos diversos correspondentes parecem exibir mais fervor do que profundidade, não julgamos aconselhável torná-las públicas." Jornal matutino [*New York Courier and Inquirer*], 28 de junho.

"Temos recebido diversas missivas veementemente redigidas, ao que parece de fontes variadas, e que interpretam em grande medida como coisa certa que a desafortunada Marie Roget foi vítima de um dos inúmeros bandos de meliantes que infestam os arredores da cidade aos domingos.

CONTOS DE IMAGINAÇÃO E MISTÉRIO

Nossa própria opinião é decididamente a favor dessa suposição. Empenhar-nos-emos daqui por diante em expor alguns desses argumentos." Jornal vespertino [*New York Evening Post*], terça-feira, 31 de junho.

"Na segunda-feira, um dos balseiros empregados no serviço fiscal avistou um bote vazio flutuando pelo Sena. As velas estavam no fundo do barco. O balseiro rebocou-o à administração das barcaças. Na manhã seguinte, alguém o levou dali sem ser visto por nenhum dos funcionários. O leme encontra-se nesse momento na administração das barcaças." *Le Diligence* [*New York Standard*], quinta-feira, 26 de junho.

Depois de ler esses vários excertos, eles não só me pareceram irrelevantes, como também fui incapaz de perceber um modo pelo qual qualquer um deles poderia se aplicar ao assunto em questão. Aguardei alguma explicação de Dupin.

"No presente momento não tenho a intenção", disse ele, "de *deter-me* no primeiro e no segundo desses excertos. Eu os copiei principalmente para mostrar o extremo desleixo das autoridades, que, até onde posso depreender pelo chefe de polícia, não se deram o trabalho, em nenhum aspecto, de proceder a um exame do oficial naval ao qual se aludiu. Contudo, não passa de mera insensatez dizer que entre o primeiro e o segundo desaparecimento de Marie não existe qualquer ligação *presumível*. Vamos admitir que a primeira fuga tenha terminado em uma briga entre os enamorados, e a volta para casa da moça desiludida. Estamos agora preparados para entender uma segunda *fuga* (se *sabemos* que uma fuga mais uma vez teve lugar) como indicativa de uma renovação dos avanços do sedutor, mais do que como resultado de novas propostas feitas por um segundo indivíduo — estamos preparados para encarar isso como 'as pazes' de um velho *amour*, mais do que como o início de um novo. As chances são de dez contra um de que aquele que fugira com Marie propusesse uma nova fuga, mais do que ela, a quem propostas de fuga haviam sido feitas por um indivíduo, receber essas mesmas propostas por parte de outro. E aqui deixe-me chamar sua atenção para o fato de que o tempo transcorrido entre a primeira fuga e a segunda suposta fuga é de alguns meses mais do que o período geral de cruzeiro de nossas belonaves. Teria sido o enamorado interrompido em sua primeira vilania pela necessidade de se fazer ao mar,

370

O MISTÉRIO DE MARIE ROGET

e teria aproveitado o primeiro momento de seu regresso para retomar as vis intenções ainda não inteiramente consumadas — ou ainda não inteiramente *por ele* consumadas? Disso tudo nada sabemos.

"Dirá você, entretanto, que, no segundo caso, não houve fuga *alguma*, tal como imaginado. Decerto não — mas estamos preparados para afirmar que não houve intenção frustrada? À parte St. Eustache, e talvez Beauvais, não encontramos nenhum pretendente reconhecido, declarado ou honrado de Marie. De nenhum outro há qualquer coisa sendo dita. Quem, então, é o enamorado secreto, de quem os parentes (*pelo menos a maioria deles*) nada sabe, mas com quem Marie se encontrou na manhã de domingo, e que goza tão profundamente de sua confiança que ela não hesita em permanecer em sua companhia até o cair das sombras noturnas, em meio aos solitários bosques da Barrière du Roule? Quem é esse amante secreto, pergunto, a respeito de quem, pelo menos, *a maioria* dos parentes nada sabe? E qual o significado da singular profecia de Madame Roget na manhã em que Marie partiu? — 'Receio que nunca mais verei Marie outra vez'.

"Mas se não imaginamos Madame Roget a par do plano de fuga, não podemos ao menos supor que essa fosse a intenção acalentada pela moça? Ao sair de casa, ela deu a entender que pretendia visitar a tia na Rue des Drômes, e St. Eustache foi solicitado a buscá-la após escurecer. Ora, a um primeiro olhar, esse fato depõe fortemente contra minha sugestão; — mas reflitamos. Que ela *de fato* encontrou-se com alguém, e prosseguiu com ele até o outro lado do rio, chegando à Barrière du Roule já bem tarde, às três horas, é sabido. Mas ao consentir em acompanhar esse indivíduo (*com seja lá que propósito — conhecido ou ignorado por sua mãe*), deve ter pensado na intenção que expressara ao sair de casa, e na surpresa e desconfiança suscitada no peito daquele a quem estava prometida, St. Eustache, quando, indo à sua procura, na hora designada, na Rue des Drômes, viesse a descobrir que ela não aparecera por lá, e quando, além do mais, ao voltar à *pension* com sua alarmante informação, viesse a tomar consciência de sua prolongada ausência de casa. Ela deve ter pensado nessas coisas, repito. Deve ter previsto a mortificação de St. Eustache, a desconfiança de todos. Não poderia ter pensado em voltar para confrontar essa desconfiança; mas a desconfiança se torna um ponto de trivial importância para ela se supomos que *não* pretende voltar.

"Podemos imaginá-la pensando assim — 'Vou encontrar determinada pessoa com o propósito de fugir, ou com determinados outros propósitos conhecidos apenas de mim mesma. É necessário que não haja qualquer oportunidade de interrupção — devemos ter tempo suficiente para nos esquivar de qualquer busca — darei a entender que vou visitar e passar o dia em minha tia na Rue des Drômes — direi a St. Eustache que só venha me buscar ao escurecer — desse modo, minha ausência de casa pelo mais longo período possível, sem causar desconfiança ou ansiedade, ficará explicado, e ganharei mais tempo do que de qualquer outra maneira. Se peço a St. Eustache para me buscar ao escurecer, ele com certeza não virá antes disso; mas se me omitir por completo de pedir que venha me buscar, meu tempo de fuga ficará reduzido, uma vez que seria de se esperar meu regresso quanto antes, e minha ausência despertará ansiedade mais cedo. Ora, se fosse minha intenção voltar *de um modo ou de outro* — se estivesse contemplando meramente um passeio com o indivíduo em questão — não seria minha estratégia pedir que St. Eustache fosse ao meu encontro; pois, ao buscar-me, ele *certamente* perceberá que o enganei — fato acerca do qual posso mantê-lo para sempre na ignorância, saindo de casa sem notificá-lo de minha intenção, voltando antes de escurecer e depois afirmando que visitara minha tia na Rue des Drômes. Mas como é minha intenção *jamais* regressar — ou não regressar por algumas semanas — ou pelo menos não até que certos acobertamentos sejam efetuados — o ganho de tempo é o único ponto sobre o qual preciso me preocupar'.

"Como você observou em suas anotações, a opinião mais geral acerca desse triste episódio é, e sempre foi desde o início, a de que a garota havia sido vítima de *uma gangue* de meliantes. Ora, a opinião popular, sob certas condições, não deve ser desprezada. Quando surgida por si mesma — quando se manifestando de um modo estritamente espontâneo — devemos olhar para ela como análoga a essa *intuição* que é a idiossincrasia do homem de gênio individual. Em noventa e nove de cada cem casos eu me pautaria pelo que ela decidir. Mas é importante não encontrarmos o menor vestígio palpável de *sugestão*. A opinião deve ser rigorosamente

372

apenas do público; e a distinção é muitas vezes sumamente difícil de perceber e de manter. No presente caso, parece-me que essa 'opinião pública' em relação a *uma gangue* foi introduzida pelo evento colateral que está detalhado no terceiro de meus excertos. Toda Paris ficou agitada com a descoberta do cadáver de Marie, uma moça jovem, muito bonita e conhecida. Esse corpo foi encontrado exibindo marcas de violência e boiando no rio. Mas é depois divulgado que, nesse mesmo período, ou por volta desse mesmo período, em que se supõe que a garota foi assassinada, uma barbaridade de natureza similar à que se submeteu a falecida, embora em menor extensão, foi perpetrada por uma gangue de jovens rufiões contra a pessoa de uma segunda jovem. Não é extraordinário que uma atrocidade conhecida influencie o juízo popular em relação à outra, desconhecida? Esse juízo aguardava uma orientação, e a conhecida barbaridade pareceu tão oportunamente concedê-la! Marie, também, foi encontrada no rio; e foi precisamente nesse rio que a barbaridade de que se tem conhecimento foi cometida. A ligação entre os dois eventos teve tanto de palpável que o verdadeiro motivo de espanto teria sido a população *deixar* de percebê-la e dela se apoderar. Mas, na verdade, uma atrocidade, reconhecidamente admitida como tal, é, se alguma coisa for, evidência de que a outra, cometida em um período quase coincidente, *não* o foi. Teria sido um milagre de fato se, enquanto uma gangue de rufiões perpetrava, em uma dada localidade, uma iniquidade das mais ultrajantes, tivesse havido outra gangue similar, em uma localidade similar, na mesma cidade, sob as mesmas circunstâncias, com os mesmos meios e instrumentos, envolvida em iniquidade precisamente do mesmo aspecto, precisamente no mesmo período de tempo! E contudo em que senão nessa maravilhosa cadeia de coincidências a opinião acidentalmente *sugestionada* do populacho espera que acreditemos?

"Antes de ir mais além, consideremos a suposta cena do assassinato, em meio à moita da Barrière du Roule. Essa moita, embora densa, ficava bem nas proximidades de uma estrada pública. Dentro havia três ou quatro grandes pedras, formando uma espécie de banco com encosto e escabelo. Na pedra de cima foi encontrada uma anágua branca; na segunda, um lenço de seda. Uma sombrinha, luvas e um lenço de bolso também foram encontrados. O lenço portava o nome 'Marie Roget'. Fragmentos de vestido foram vistos nos galhos em volta. A terra estava revolvida, os arbustos, quebrados, e havia sinais de uma violenta luta.

"Não obstante a aclamação com que a descoberta dessa moita foi recebida pela imprensa, e a unanimidade com que se imaginava que indicaria a precisa cena da barbaridade, deve-se admitir que havia um motivo muito bom para dúvida. Que foi *de fato* a cena, posso tanto acreditar como não — mas havia um excelente motivo para dúvida. Se a *verdadeira* cena tivesse sido, como sugeriu o *Le Commercial*, nos arredores da Rue Pavée St. Andrée, os perpetradores do crime, supondo que ainda residam em Paris, teriam naturalmente sido tomados de pânico com a atenção pública desse modo tão agudamente direcionada para o canal apropriado; e, em certas classes de mente, isso teria suscitado, na mesma hora, uma percepção da necessidade de empreender alguma diligência para desviar essa atenção. E assim, a moita na Barrière du Roule tendo já levantado suspeitas, a ideia de plantar os objetos onde foram encontrados pode naturalmente ter sido engendrada. Não existe qualquer evidência genuína, embora o *Le Soleil* assim o suponha, de que os objetos encontrados estivessem mais que uns poucos dias na moita; ao passo que há bastante prova circunstancial de que não podiam ter permanecido ali, sem atrair a atenção, durante os vinte dias transcorridos entre o domingo fatídico e a tarde em que foram descobertos pelos meninos. 'Estavam todos fortemente *embolorados*', diz o *Le Soleil*, adotando a opinião de seus predecessores, 'pela ação da chuva, e colados com o *bolor*. A relva crescera em volta e cobrira alguns deles. A seda da sombrinha era resistente, mas as fibras haviam grudado por dentro. A parte de cima, onde ela fora fechada e enrolada, estava toda embolorada e podre, e rasgou quando aberta.' Em relação ao fato de que 'a relva crescera em volta e cobrira alguns deles', é óbvio que o fato só poderia ter sido atestado com base nas palavras, e nas lembranças, de dois meninos pequenos; pois esses meninos removeram os objetos e os levaram para casa antes de serem vistos por uma terceira parte. Mas a relva pode crescer, principalmente no tempo quente e úmido (tal como era o período do assassinato), até cerca de seis ou sete centímetros num único dia. Uma sombrinha caída sobre um solo de grama viçosa pode, numa semana, ficar inteiramente ocultada da vista pela relva que cresceu. E no tocante ao *bolor* em que o editor do *Le Soleil* tão obstinadamente insiste, de tal modo que emprega a palavra não menos que três vezes no parágrafo acima citado, acaso será ele realmente ignorante da natureza desse *bolor*? Ninguém lhe contou que pertence a uma das inúmeras classes de *fungus*, dos quais a característica mais ordinária é o crescimento e a decadência no intervalo de vinte e quatro horas?

"Desse modo vemos, num rápido olhar, que o que foi mais triunfantemente exemplificado em sustentação à ideia de que os objetos haviam estado ali 'por pelo menos três ou quatro semanas' na moita é da mais absurda nulidade com respeito a qualquer evidência do fato. Por outro lado, é sumamente difícil crer que esses objetos tenham permanecido na referida moita por um período mais prolongado do que uma única semana — por um período mais longo do que o de um domingo até o seguinte. Qualquer um minimamente informado sobre os arredores de Paris sabe a extrema dificuldade de se encontrar *isolamento*, a não ser a uma grande distância dos subúrbios. Algo como um recanto inexplorado, ou mesmo visitado com pouca frequência, em meio a seus bosques e arvoredos, não é sequer por um instante algo imaginável. Que o tente qualquer um que, sendo no íntimo um amante da natureza, ainda que agrilhoado pelo dever à poeira e ao calor dessa grande metrópole — que qualquer um nessas condições tente, mesmo durante dias úteis, aplacar sua sede de solidão em meio aos cenários adoráveis da natureza que nos cercam. A cada dois passos ele verá seu crescente encanto desmanchado pela voz e a intrusão pessoal de algum rufião ou bando de patifes embriagados. Ele buscará privacidade em meio às densas folhagens, mas em vão. São aí precisamente os recessos onde mais grassa essa ralé — aí estão os templos mais profanados. Com o coração apertado nosso transeunte voltará correndo para a poluída Paris como sendo um lugar menos odioso por ser um menos incongruente antro de poluição. Mas se os arredores da cidade são de tal modo perturbados durante os dias úteis da semana, o que não dizer do domingo! É especialmente então que, libertados das obrigações do trabalho, ou privados das costumeiras oportunidades de crime, os meliantes urbanos buscam as vizinhanças da cidade, não por amor ao meio rural, coisa que no íntimo desprezam, mas como um modo de escapar das restrições e conven-

CONTOS DE IMAGINAÇÃO E MISTÉRIO

ções da sociedade. Eles desejam menos o ar fresco e as verdes árvores do que a completa *licenciosidade* do campo. Aqui, numa estalagem de beira de estrada, ou sob a folhagem do arvoredo, entregam-se, sem a restrição de qualquer olhar exceto o de seus companheiros de pândega, a todos os descontrolados excessos de um arremedo de hilaridade — a cria combinada da liberdade e do rum. Não digo nada além do que já deve ser óbvio para qualquer observador desapaixonado quando repito que a circunstância de os objetos em questão terem permanecido sem ser descobertos por um período mais longo do que o de um domingo a outro em *qualquer* moita nos imediatos arredores de Paris precisa ser encarado como pouco mais que miraculoso.

"Mas não se necessitam de outros fundamentos para a suspeita de que os objetos foram plantados na moita com vistas a desviar o olhar da verdadeira cena da barbaridade. E, antes de mais nada, deixe-me dirigir sua atenção para a *data* em que os objetos foram descobertos. Compare essa data com a do quinto excerto por mim próprio separado dos jornais. Vai perceber que a descoberta se sucedeu, quase imediatamente, às insistentes missivas enviadas ao jornal vespertino. Essas missivas, embora variadas, e aparentemente oriundas de várias fontes, tendiam todas ao mesmo ponto — a saber, direcionar a atenção a *uma gangue* como sendo os perpetradores dessa barbaridade e à área da Barrière du Roule como sendo sua cena. Ora, aqui, é claro, a suspeita não é a de que, em consequência dessas missivas, ou da atenção pública por elas direcionadas, os objetos tenham sido encontrados pelos meninos; mas a suspeita pode e deve ser de que os objetos não tenham sido encontrados *antes* pelos meninos pelo motivo de que os objetos não estavam antes na moita; tendo sido depositados ali somente em um período posterior, como na data das missivas, ou pouco antes disso, pelos autores mesmo dessas missivas, os culpados.

"Essa moita era singular — sobremaneira singular. Era incomumente densa. Entre suas paredes naturais havia três pedras extraordinárias, *formando um banco com encosto e escabelo*. E essa moita, tão cheia de arte natural, ficava na imediata vizinhança, *a não muitos metros*, da residência de Madame Deluc, cujos meninos tinham por hábito examinar detidamente os arbustos em torno à procura da casca do sassafrás. Acaso seria uma

376

aposta insensata — uma aposta de mil contra um — crer que nem *um dia* sequer se passasse sobre a cabeça desses meninos sem dar com pelo menos um deles acomodado à sombra desse salão e entronizado em seu trono natural? E quem numa aposta dessas hesitasse, ou nunca foi menino, ou se esqueceu de como é a natureza dos meninos. Repito — é sobremaneira difícil compreender como os objetos podiam ter permanecido nessa moita sem serem descobertos por um período maior do que um ou dois dias; e desse modo há uma boa base para suspeitar, a despeito da dogmática ignorância do *Le Soleil*, que foram, em data comparativamente recente, deixados no local de sua descoberta.

"Mas há ainda outros motivos, mais fortes do que qualquer outro até aqui enfatizado, para acreditar que foram desse modo deixados. E agora, permita-me chamar sua atenção para a disposição amplamente artificial dos objetos. Na pedra *de cima* havia uma anágua; na *segunda* uma echarpe de seda; espalhados em torno, uma sombrinha, luvas e um lenço de bolso exibindo o nome 'Marie Roget'. Esse é o tipo de arranjo que teria sido *naturalmente* feito por uma pessoa não muito inteligente tentando dispor os itens *naturalmente*. Mas não é de modo algum um arranjo *realmente* natural. Eu teria esperado antes ver os objetos *todos* caídos no chão e pisoteados. No estreito confinamento daquele caramanchão, dificilmente teria sido possível que a echarpe e a anágua fossem parar sobre as pedras, quando sujeitadas ao contato repetido de muitas pessoas em luta. 'Havia sinais', foi dito, 'de uma luta; e a terra estava pisoteada, e os galhos, quebrados' — mas a anágua e a echarpe são encontrados como que arrumados em prateleiras. 'Os pedaços de seu vestido arrancados pelos arbustos tinham cerca de oito centímetros de largura e quinze de comprimento. Uma parte era a bainha do vestido, que fora remendada; a outra peça era parte da saia, não a bainha. Pareciam *tiras arrancadas*.' Aqui, inadvertidamente, o *Le Soleil* empregou uma expressão sumamente suspeita. Os pedaços, como descrito, de fato 'parecem tiras arrancadas'; mas propositalmente, e com a mão. É acidente dos mais raros que um pedaço seja 'arrancado' de qualquer peça de vestuário tal como essa em questão pela ação *de um espinho*. Pela própria natureza de tais tecidos, um espinho ou prego neles enganchando os rasga de maneira retangular — divide-os em duas faixas

CONTOS DE IMAGINAÇÃO E MISTÉRIO

longitudinais, em ângulos retos uma com a outra, e convergindo para um vértice onde entra o espinho — mas dificilmente será possível conceber um pedaço sendo 'arrancado'. Nunca vi tal coisa, você tampouco. Para *arrancar* um pedaço de tal tecido duas forças distintas, em diferentes direções, serão, praticamente em qualquer situação, exigidas. Se houver duas extremidades no tecido — se, por exemplo, for um lenço de bolso, e se se desejar dele arrancar uma tira, então, e somente então, uma única força servirá ao propósito. Mas no presente caso a questão é de um vestido, que não exibe senão uma extremidade. Arrancar um pedaço da parte interna, onde nenhuma extremidade se apresenta, só poderia ser efetuado por milagre com a ação de espinhos, e nenhum espinho *isolado* o teria feito. Mas, mesmo onde uma extremidade se apresenta, dois espinhos serão necessários, operando um em duas direções distintas, e o outro em uma. E isso na suposição de que a extremidade não tem bainha. Se houver bainha, é praticamente um assunto fora de questão. Vemos assim os diversos e grandes obstáculos nessa história de pedaços 'arrancados' pela simples ação de 'espinhos'; contudo, é-nos exigido acreditar que não só um pedaço como também muitos foram desse modo arrancados. 'E uma parte', além disso, *'era a bainha do vestido!'* Outro pedaço era *'parte da saia, não a bainha'* — ou seja, foi completamente arrancado por ação dos espinhos na parte interna do vestido, não a partir de nenhuma extremidade! Essas, repito, são coisas em que facilmente se perdoará a descrença; contudo, tomadas em conjunto, formam, talvez, uma base para suspeita menos razoável do que a surpreendente circunstância de os objetos terem sido deixados ali naquela moita por eventuais *assassinos* precavidos o bastante para pensar em remover o corpo. Mas você não terá compreendido direito onde quero chegar se supuser que é meu intento *desacreditar* essa moita como a cena da barbaridade. Pode ter ocorrido algum delito *ali*, ou, mais possivelmente, um acidente na casa de Madame Deluc. Mas, na verdade, essa é uma questão de menor importância. Não estamos empenhados em tentar descobrir a cena, mas em achar os perpetradores do crime. O que aduzi, não obstante a minuciosidade de minhas aduções, foi com vistas a, primeiro, mostrar a insensatez das afirmações confiantes e precipitadas do *Le Soleil*, mas,

378

em segundo e sobretudo, conduzi-lo, pela rota mais natural, a uma mais aprofundada contemplação da dúvida quanto a se esse assassinato foi ou não obra de uma *gangue*.

"Retomaremos essa questão meramente aludindo aos revoltantes detalhes do cirurgião consultado na investigação. É necessário dizer apenas que as *inferências* dele publicadas em relação ao número de rufiões têm sido apropriadamente ridicularizadas como errôneas e totalmente infundadas por todos os anatomistas de reputação em Paris. Não que o caso *não poderia* ter sido como o inferido, mas por não haver base para a inferência: — não havia bastante para uma outra?

"Reflitamos agora quanto aos 'sinais de luta'; e deixe-me perguntar o que se supõe que esses indícios tenham demonstrado. Uma gangue. Mas não demonstram eles antes a ausência de uma gangue? Que *luta* poderia ter tido lugar — que luta tão violenta e tão demorada a ponto de ter deixado seus 'sinais' em todas as direções — entre uma jovem fraca e indefesa e a *gangue* de rufiões imaginada? A silenciosa ação de uns poucos braços rudes e tudo estaria terminado. A vítima teria se mostrado inteiramente passiva sob a vontade deles. Tenha em mente que os argumentos enfatizados contra a moita como cena são aplicáveis, na maior parte, apenas contra o lugar como cena de uma barbaridade cometida por *mais que um único indivíduo*. Se imaginamos apenas *um* transgressor, podemos conceber, e apenas assim conceber, uma luta de natureza tão violenta e obstinada a ponto de ter deixado 'sinais' aparentes.

"E volto a repetir. Já mencionei a suspeita despertada pelo fato de que os objetos em questão possam ter permanecido *de algum modo* na moita onde foram encontrados. Parece quase impossível que essas evidências de culpa tenham sido acidentalmente deixadas no lugar de sua descoberta. Houve suficiente presença de espírito (ao que tudo indica) para a remoção do cadáver; e contudo uma evidência ainda mais explícita que o próprio corpo (cujas feições podiam vir a ser rapidamente obliteradas pela putrefação) é abandonada conspicuamente na cena da barbaridade — estou aludindo ao lenço com o *nome* da vítima. Se isso foi um acidente, não foi o acidente *de uma gangue*. Só podemos imaginá-lo como o acidente de um indivíduo. Vejamos. Um indivíduo cometeu o crime. Está sozinho com o

fantasma da falecida. Apavorado com o corpo inerte diante de si. A fúria de suas paixões se esvaiu e há espaço de sobra em seu coração para o terror natural inspirado pelo ato. Nele nada existe dessa confiança que a presença de um grande número inevitavelmente inspira. Ele está *sozinho* com a morta. Está tomado por tremores e confusão. Contudo há a necessidade de se livrar do corpo. Ele o carrega até o rio, mas deixa para trás as demais evidências de culpa; pois é difícil, quando não impossível, carregar tudo de uma só vez, e será fácil voltar ao que deixou. Mas em sua árdua jornada até a água seus medos redobram dentro dele. Sons de atividade o cercam pelo trajeto. Uma dúzia de vezes escuta ou imagina escutar passos de algum observador. Até as próprias luzes da cidade aumentam sua confusão. Contudo, com o tempo, e fazendo longas e frequentes pausas de profunda agonia, ele chega à margem do rio, e livra-se do macabro fardo — talvez com o uso de um bote. Mas *agora* que tesouro haveria neste mundo — que ameaça de vingança poderia existir — capaz de incitar esse assassino solitário a refazer seus passos pela trilha laboriosa e arriscada até aquela moita com suas reminiscências de enregelar o sangue? Ele *não* volta, sejam quais forem as consequências. Não *conseguiria* voltar nem se quisesse. Seu único pensamento é a fuga imediata. Ele dá as costas *para sempre* ao apavorante bosque e corre da ira que está por vir.

"Mas, e com uma gangue? Seu número ter-lhes-ia infundido confiança; se, de fato, a confiança está alguma vez ausente no peito desses rematados meliantes; e unicamente de rematados meliantes imagina-se que as *gangues* sejam constituídas. Seu número, repito, ter-lhes-ia poupado a desorientação e o terror que segundo imaginei paralisariam o homem solitário. Supuséssemos um descuido em um, ou dois, ou três, esse descuido teria sido remediado por um quarto. Eles não teriam deixado nada atrás de si; pois seu número lhes teria permitido carregar *tudo* de uma vez. Não teria havido necessidade de *regresso*.

"Considere agora a circunstância de que, no exterior do vestido, como encontrado no cadáver, 'uma faixa, com cerca de trinta centímetros de largura, fora rasgada da barra inferior até a cintura, mas não arrancada. Estava enrolada três vezes em torno da cintura e presa por uma espécie de nó às costas'. Isso foi feito com o óbvio propósito de constituir uma *alça* pela qual carregar o corpo. Mas que *número* de homens teria ideado recorrer a tal expediente? Para três ou quatro, os braços e pernas do cadáver teriam constituído não apenas ponto de preensão suficiente, mas o melhor ponto possível. O recurso cabe a um único indivíduo; e isso nos conduz ao fato de que, 'entre a moita e o rio, descobriu-se que as tábuas da cerca haviam sido derrubadas e o solo mostrava evidência de que algum pesado fardo fora arrastado'! Mas que homens, se em algum *número*, dar-se-iam o trabalho supérfluo de derrubar uma cerca com o propósito de arrastar por ela um corpo que poderiam ter *erguido* por cima da cerca num piscar de olhos? Que *número* de homens teria desse modo *arrastado* um cadáver e deixado evidentes *vestígios* de sua ação?

"E aqui devemos fazer referência a uma observação do *Le Commercial*; observação sobre a qual, em certa medida, já aventei um comentário. 'Um pedaço de uma das anáguas da infeliz garota', diz o jornal, 'com sessenta centímetros de comprimento e trinta de largura, foi arrancado e amarrado sob seu queixo e em torno da nuca, provavelmente para impedir que gritasse. Isso foi feito por sujeitos que não carregam lenços de bolso.'

"Já tive oportunidade de sugerir anteriormente que um genuíno meliante nunca anda *sem* seu lenço de bolso. Mas não é para esse fato que particularmente advirto. Que não foi por falta de um lenço de bolso para o propósito imaginado pelo *Le Commercial* que essa bandagem foi empregada fica óbvio com o lenço de bolso encontrado na moita; e que o item não se destinava a 'impedir que gritasse' transparece, também, em ter sido empregada a bandagem preferencialmente ao que com tão mais eficácia teria atendido a esse propósito. Mas o fraseado do depoimento refere-se à faixa em questão como tendo sido 'encontrada em torno do pescoço, enrolada de um modo frouxo, e presa com um nó cego'. Tais palavras são bastante vagas, mas diferem substancialmente das que figuram no *Le Commercial*. Essa faixa de tecido tinha quarenta e cinco centímetros de largura e, logo, embora de musselina, teria funcionado como uma forte atadura quando dobrada ou torcida no sentido longitudinal. E desse modo, torcida, foi encontrada. Minha inferência é a seguinte. O assassino solitário, tendo carregado o cadáver por certa distância (seja desde a moita, seja de outro lugar) com auxílio da bandagem *presa em alça* no

382

meio, percebeu que o peso, nesse modo de proceder, era grande demais para sua força. Ele resolveu arrastar o fardo — a evidência mostra que foi *de fato* arrastado. Com tal objetivo em mente, tornou-se necessário atar algo como uma corda a uma das extremidades. O melhor ponto para isso revelou ser o pescoço, onde a cabeça impediria o laço de escapar. E desse modo o assassino inquestionavelmente considerou a faixa em torno dos quadris. Dela poderia ter se servido, não fossem as voltas com que se enrolava em torno do corpo, a *alça* que a obstruía e a consideração de que não fora 'arrancada' acidentalmente da roupa. Era mais fácil rasgar uma nova tira da anágua. Ele assim o fez, prendendo-a firmemente no pescoço, e desse modo *arrastou* sua vítima até a margem do rio. Que essa 'bandagem', somente obtida a muito custo e com grande demora, e prestando-se apenas imperfeitamente a sua finalidade — que essa bandagem tenha *ainda assim* sido empregada demonstra que a necessidade de seu uso derivou de circunstâncias surgidas num momento em que o lenço de bolso não mais estava acessível — isto é, surgidas, como imaginamos, após afastar-se da moita (se de fato era a moita) e na estrada entre a moita e o rio.

"Mas, dirá você, o depoimento de Madame Deluc (!) aponta especialmente para a presença de *uma gangue* nas cercanias da moita, no instante ou perto da hora do crime. Isso eu admito. Duvido que não houvesse *uma dúzia de gangues*, tal como a descrita por Madame Deluc, no local e nos arredores da Barrière du Roule no instante *ou perto* de quando ocorreu essa tragédia. Mas a gangue que atraiu para si a referida animadversão, apesar do testemunho em certa medida tardio e deveras suspeito de Madame Deluc, é a *única* gangue descrita por essa velha senhora honesta e escrupulosa como tendo comido seus bolos e tomado seu brande sem haver se dignado a lhe pagar o que deviam. *Et hinc illæ iræ?*[56]

"Mas qual é *de fato* o preciso depoimento de Madame Deluc? 'Uma gangue de malfeitores chegou, comportaram-se ruidosamente, comeram e beberam sem pagar, seguiram o caminho tomado pelo jovem e pela moça, voltaram à hospedaria *ao entardecer* e tornaram a cruzar o rio, aparentando grande pressa.'

"Ora, essa 'grande pressa' possivelmente pareceu *ainda maior* aos olhos de Madame Deluc, uma vez que ela se detém prolongada e lamentosamente em seus bolos e sua cerveja profanados — bolos e cerveja para os quais talvez ainda acalentasse uma débil esperança de compensação. Ora, de outro modo, uma vez que era o *entardecer*, por que frisar a questão da *pressa*? Não causa admiração, certamente, que mesmo uma gangue de meliantes deva estar com *pressa* de chegar em casa quando há um amplo rio a ser cruzado em pequenos botes, quando uma tempestade é iminente e quando a noite *se aproxima*.

"Digo *se aproxima*; pois a noite *ainda não havia chegado*. Foi apenas *ao entardecer* que a pressa indecente desses 'malfeitores' constituiu ofensa aos sóbrios olhos de Madame Deluc. Mas somos informados de que é nessa mesma tarde que Madame Deluc, assim como seu filho mais velho, 'escutou gritos de mulher nos arredores da hospedaria'. E com que palavras Madame Deluc descreve o período da tarde em que esses gritos foram ouvidos? 'Foi *pouco depois de escurecer*', diz. Mas 'pouco *depois de* escurecer' já é, pelo menos, *escuro*; e '*ao entardecer*' certamente ainda há luz do dia. Desse modo fica sobejamente claro que a gangue deixou a Barrière du Roule *antes* dos gritos escutados (?) por Madame Deluc. E embora nos inúmeros relatos dos testemunhos as relativas expressões em questão sejam distinta e invariavelmente empregadas exatamente do modo como eu as empreguei nessa nossa conversa, nenhuma observação, por menor que seja, da grosseira discrepância foi, ainda, apontada por qualquer um desses jornais ou por qualquer um dos beleguins da polícia.

"Aos argumentos contra *uma gangue* não acrescentarei mais que apenas um; mas esse *único* argumento, em meu próprio entendimento, pelo menos, tem um peso absolutamente irresistível. Sob as circunstâncias da grande recompensa oferecida e do pleno perdão prometido a qualquer cúmplice confesso é difícil não imaginar, por um momento, que o membro de alguma *gangue* de vis rufiões, ou de qualquer bando de homens, já não teria há muito traído seus comparsas. Qualquer membro de tais gangues estaria tão ávido por recompensa, ou ansioso por escapar, quanto *receoso de traição*. O sujeito se mostrará impaciente e apressado em trair, *antes de ser ele próprio traído*. Que o segredo ainda não tenha sido revelado é a melhor prova de que permanece, efetivamente, um segredo. Os horrores desse negro feito são conhecidos apenas por *um*, ou dois, seres humanos, e por Deus.

O MISTÉRIO DE MARIE ROGET

"Recapitulemos agora os escassos porém seguros frutos de nossa longa análise. Chegamos à ideia seja de um acidente fatal sob o teto de Madame Deluc, seja de um crime perpetrado, no bosque da Barrière du Roule, por um namorado, ou ao menos por um conhecido íntimo e secreto da falecida. Esse conhecido é de tez trigueira. Essa tez, a 'alça' feita com a bandagem e o 'nó de marinheiro' com que a fita do chapéu foi amarrada apontam para um homem do mar. Suas relações com a falecida, uma jovem alegre, embora não abjeta, sugere ser ele alguém acima da patente de marujo comum. Nisso as missivas bem escritas e insistentes dos jornais prestam-se devidamente à corroboração. A circunstância do primeiro sumiço, como mencionado pelo *Le Mercurie*, tende a combinar a ideia desse marinheiro com a do 'oficial de marinha' que segundo se sabe primeiro induziu a infeliz a cair em desgraça.

"E aqui, muito adequadamente, surge a consideração sobre a ausência persistente desse homem de tez escura. Permita-me fazer uma pausa para observar que a tez desse indivíduo é escura e trigueira; não era nenhum amorenado comum esse que constituiu o *único* detalhe a ser lembrado tanto por Valence como por Madame Deluc. Mas por que se acha ausente esse homem? Foi ele assassinado pela gangue? Nesse caso, por que restaram *indícios* apenas da *moça* assassinada? A cena das duas barbaridades seria naturalmente de se supor a mesma. E onde está seu corpo? Os assassinos teriam muito provavelmente se livrado de ambos do mesmo modo. Mas pode-se dizer talvez que esse homem ainda vive e se furta a vir a público pelo receio de ser acusado do crime. Podemos supor que tal consideração ocupe agora seus pensamentos — nesse momento posterior — uma vez tendo sido afirmado nos testemunhos que foi visto em companhia de Marie — mas tal argumento não teria força alguma no instante do ato. O primeiro impulso de um homem inocente teria sido denunciar a barbaridade e ajudar na identificação dos rufiões. Tal seria o *curso de ação* aconselhável. Ele fora visto com a moça. Havia atravessado o rio com ela em um barco aberto. A denúncia dos assassinos teria parecido, mesmo para um parvo, o modo mais seguro e o único de afastar de si qualquer suspeita. Não podemos supô-lo, na noite do fatídico domingo, ao mesmo tempo inocente e ignorante da barbaridade cometida. E contudo apenas sob tais circunstâncias é possível imaginar que ele teria deixado, se vivo, de denunciar os assassinos.

"E que meios possuímos nós de alcançar a verdade? Veremos esses meios se multiplicarem e ganharem nitidez à medida que prosseguirmos. Analisemos até o fundo esse episódio da primeira fuga. Informemo-nos sobre a história completa desse 'oficial', com suas presentes circunstâncias, e seu paradeiro no preciso momento do crime. Comparemos cuidadosamente entre si as várias missivas enviadas ao periódico vespertino cujo objetivo era inculpar *uma gangue*. Isso feito, comparemos essas missivas, tanto em respeito ao estilo como à caligrafia, com as que foram enviadas ao periódico matutino, em um período precedente, e que insistiam com tal veemência na culpa de Mennais. E, feito tudo isso, comparemos mais uma vez essas várias missivas com a conhecida caligrafia do oficial. Empenhemo-nos em determinar, por intermédio dos repetidos inquéritos de Madame Deluc e seus meninos, bem como do cocheiro de ônibus, Valence, algo mais sobre a aparência pessoal e a conduta do 'homem de tez escura'. Perguntas, se habilmente direcionadas, não deixarão de extrair, de uma dessas partes, informação acerca desse ponto particular (ou outros) — informação de cuja posse talvez nem mesmo as próprias partes envolvidas tenham consciência de estar. E rastreemos agora *o barco* recolhido pelo balseiro na manhã da segunda-feira, dia 23 de junho, e que foi retirado da administração das barcaças sem conhecimento do funcionário de plantão e *sem o leme*, em algum momento anterior à descoberta do cadáver. Com precaução e perseverança apropriadas rastrearemos infalivelmente esse barco; pois não só o balseiro que o apanhou pode identificá-lo como também *o leme está à mão*. O leme de *um barco à vela* não teria sido abandonado, sem investigação, por uma alma inteiramente despreocupada. E aqui deixe-me fazer uma pausa para insinuar uma questão. Não *se anunciou* de modo algum o barco recolhido. Ele foi silenciosamente rebocado para a administração das barcaças, e tão silenciosamente quanto removido. Mas seu proprietário ou usuário — como pode ter *acontecido* de ele, tão cedo na terça de manhã, ter sido informado, sem o auxílio de um anúncio, do paradeiro do barco levado na segunda, a menos que imaginemos alguma ligação sua com a *marinha* — alguma relação pessoal permanente implicando o conhecimento de seus mínimos assuntos — de suas corriqueiras notícias locais?

386

O MISTÉRIO DE MARIE ROGET

"Ao falar do assassino solitário arrastando seu fardo para a margem, já sugeri a probabilidade de haver ele se servido *de um barco*. Agora cabe--nos compreender que Marie Roget *foi de fato* atirada de um barco. Esse naturalmente terá sido o caso. O corpo não poderia ter sido confiado às águas rasas da beira do rio. As peculiares marcas nas costas e nos ombros da vítima dão indício do cavername no fundo de um barco. Que o corpo tenha sido encontrado sem um peso também corrobora a ideia. Se lançado da margem, um peso ter-lhe-ia sido lastreado. Só podemos explicar sua ausência supondo que o assassino negligenciou a precaução de providenciar algum antes de afastar-se da terra. No ato de consignar o cadáver à água, deve inquestionavelmente ter notado seu descuido; mas então remédio algum haveria à mão. Qualquer risco teria sido preferível a voltar à malfadada margem. Tendo se livrado de seu macabro fardo, o assassino teria regressado apressadamente à cidade. Ali, em algum cais obscuro, teria saltado em terra firme. Mas e o barco — será que o teria amarrado? Sua pressa seria grande demais para se ocupar de tal coisa, como prender o barco. Além disso, amarrando-o ao cais, sua sensação teria sido de constituir uma evidência contra si mesmo. Seu pensamento natural terá sido alijar de sua pessoa, tão longe quanto possível, tudo que guardasse relação com o crime. Ele não só fugiria do cais como também não teria permitido que *o barco* ali permanecesse. Seguramente o teria lançado à deriva. Sigamos imaginando. — Pela manhã, o canalha é tomado de inenarrável horror ao descobrir que o barco foi resgatado e acha-se recolhido em um local que ele tem o hábito diário de frequentar — em um local, talvez, que seus deveres obrigam-no a frequentar. Na noite seguinte, *sem ousar perguntar pelo leme*, ele o tira de lá. Mas *onde* está agora esse barco sem leme? Que seja um de nossos primeiros objetivos descobrir. A um primeiro vislumbre que obtivermos disso, o início de nosso êxito começará a se insinuar. Esse barco vai nos guiar, com uma rapidez que surpreenderá até mesmo a nós próprios, àquele que o empregou na meia-noite do fatídico domingo. Corroboração após corroboração surgirá, e o assassino será rastreado."

(Por motivos que não especificaremos, mas que para muitos leitores parecerão óbvios, tomamos a liberdade aqui de omitir, do manuscrito que ora temos em mãos, a parte em que se detalha o *levantamento* da pista apa-

387

rentemente insignificante obtida por Dupin. Julgamos aconselhável apenas expor, em suma, que o resultado desejado foi satisfatoriamente obtido; e que o chefe de polícia cumpriu prontamente, embora com relutância, os termos de seu acordo com o cavalheiro. O artigo do sr. Poe encerra-se com as palavras que seguem. *Eds.*)[57]

Compreender-se-á que falo de coincidências *e nada mais*. O que já afirmei acima a esse respeito deve bastar. Em meu íntimo não reside fé alguma no sobrenatural. Que a Natureza e seu Deus são dois, nenhum homem pensante irá negar. Que este último, tendo criado a primeira, pode, à vontade, controlá-la ou modificá-la também é inquestionável. Repito, "à vontade"; pois a questão diz respeito a vontade, e não, como a insanidade da lógica presume, a poder. Não se trata de pensar que a Divindade *não possa* modificar suas leis, mas que é um insulto imaginar a possível necessidade de modificação. Em sua origem, essas leis são criadas para abranger *todas* as contingências que *podem* residir no Futuro. Para Deus, tudo é *Agora*.

Repito, assim, que falo dessas coisas apenas enquanto coincidências. E digo mais: no que relato, ver-se-á que entre o destino da infeliz Mary Cecilia Rogers, na medida em que esse destino é sabido, e o destino de uma certa Marie Roget, até certo ponto de sua história pessoal, existiu um paralelo cuja prodigiosa exatidão a razão fica desconcertada ao contemplar. Repito que tudo isso ver-se-á. Mas que não se suponha sequer por um momento que, procedendo à triste narrativa de Marie desde a época acima mencionada, e rastreando até seu *dénouement*[58] o mistério que envolveu a jovem, seja minha intenção secreta insinuar uma extrapolação do paralelo, ou mesmo sugerir que as medidas adotadas em Paris para a descoberta do assassino de uma *grisette*, ou que medidas baseadas em qualquer raciocínio similar, produziriam algum resultado similar.

Pois, em respeito à última parte da suposição, deve-se considerar que a mais trivial variação nos fatos dos dois casos pode dar origem a erros de cálculo assaz importantes, ao desviar inteiramente os dois cursos de eventos; muito ao modo como, em aritmética, um erro que, por sua própria individualidade, pode ser desprezível produz, ao fim e ao cabo, por força de multiplicação em todos os pontos do processo, um resultado em enorme divergência com a verdade. E, em relação à primeira parte, não devemos deixar de ter em mente que o próprio Cálculo de Probabilidades ao qual me referi obsta toda ideia de extrapolação do paralelo: — obsta com uma positividade forte e categórica na exata proporção com que esse paralelo já foi protraído e exigido. Eis uma dessas anômalas proposições que, aparentemente apelando ao pensamento inteiramente à parte do matemático, é contudo uma que apenas os matemáticos podem plenamente apreciar. Nada, por exemplo, é mais difícil do que convencer o leitor meramente comum que o fato de que o seis tenha sido duas vezes lançado em sucessão por um jogador de dados é causa suficiente para apostar com maior probabilidade que o seis não será lançado na terceira tentativa. A sugestão desse fenômeno é em geral rejeitada pelo intelecto na mesma hora. Parece impossível que os dois lances que foram efetuados, e que residem absolutamente no Passado, possam ter influência sobre o lance que reside unicamente no Futuro. A chance de se lançar o seis parece ser precisamente a mesma a qualquer dado momento ordinário — ou seja, sujeita unicamente à influência das várias outras faces que podem ser obtidas no dado. E essa é uma reflexão que nos parece tão sobejamente óbvia que as tentativas de contestá-la são recebidas mais frequentemente com um sorriso de escárnio do que com qualquer coisa próxima da atenção respeitosa. O equívoco nisso envolvido — equívoco grosseiro e que cheira a nocivo — não é minha pretensão expor nos limites que ora se me apresentam; e, para a mente filosófica, ele não necessita ser exposto. Deverá ser suficiente dizer aqui que ele forma uma de uma infinita série de enganos que surgem no caminho da Razão em sua propensão a perseguir a verdade *em detalhes*.

O REI PESTE

Uma narrativa com uma alegoria

Os deuses aturam e permitem nos reis
As coisas que abominam nos rumos da ralé.

Buckhurst, *Tragedy of Ferrex and Porrex*

Por volta da meia-noite, certa noite no mês de outubro, e durante o cavalheiresco reinado do terceiro Eduardo, dois marinheiros pertencentes à tripulação do *Free and Easy*, uma escuna mercante que trafegava entre Sluys e o Tâmisa, e então ancorada neste rio, sentavam-se muito perplexos no interior de uma cervejaria na paróquia de St. Andrew, Londres — cervejaria cuja placa era o retrato de um "Alegre Lobo do Mar".

O lugar, embora mal projetado, enegrecido pela fumaça, de teto baixo e, em todos os demais aspectos, harmonizando com o caráter geral de tais antros na época, era, não obstante, na opinião dos grotescos grupos dispersos aqui e ali em seu ambiente, suficientemente bem adaptado aos seus propósitos.

Desses grupos, nossos dois marujos formavam, creio, o mais interessante, ou pelo menos o mais conspícuo.

O que parecia ser o mais velho, e a quem seu companheiro se dirigia pelo peculiar apelido de "Legs", era também de longe o mais mal-apanhado e, ao mesmo tempo, de longe o mais alto dos dois. Devia medir perto de dois metros e uma habitual curvatura de ombros parecia ser a consequência necessária de estatura tão colossal. — A desmesurada altura porém era mais do que compensada pelas deficiências em outros aspectos. Era excessivamente magro, e poderia, como seus companheiros afirmavam, fazer as vezes, quando bêbado, de flâmula no topo do mastro, ou servir, quando sóbrio, de pau da bujarrona. Mas tais gracejos, e outros de similar natureza, evidentemente nunca produziam, em momento algum, qualquer efeito sobre os músculos casquinadores do lobo do mar. Com malares salientes, um grande nariz adunco, queixo afundado e caído, imensos olhos brancos e esbugalhados, a expressão de seu semblante, embora perpassada por uma espécie de obstinada indiferença aos assuntos e às coisas em geral, não deixava de ser absolutamente solene e séria além de qualquer tentativa de imitação ou descrição.

O marujo mais jovem era, em todo o seu aspecto exterior, o oposto de seu companheiro. Sua altura não ultrapassava o metro e vinte. Um par de atarracadas pernas tortas sustentava sua figura troncuda e desgraciosa, enquanto os braços extraordinariamente curtos e grossos, com punhos nada prosaicos nas extremidades, pendiam frouxos ao seu lado como as nadadeiras de uma tartaruga marinha. Olhos miúdos, de nenhuma cor em particular, cintilavam no fundo de suas órbitas. O nariz jazia enterrado na massa de carne que envolvia seu rosto redondo, cheio e arroxeado; e seu grosso lábio superior repousava sobre o inferior ainda mais grosso com um ar de complacente autossatisfação que era ainda mais realçado pelo hábito de seu possuidor de lambê-los a intervalos. Evidentemente considerava o espigado camarada de bordo com um sentimento que era em parte de admiração, parte de zombaria; e ocasionalmente erguia o rosto para encará-lo tal qual o rubro sol poente encara os penhascos de Ben Nevis.

Várias e acidentadas, entretanto, haviam sido as peregrinações da insigne dupla entrando e saindo das diversas tascas nos arredores durante as primeiras horas da noite. Fundos, mesmo os mais amplos, nem sempre são duradouros: e foi com os bolsos vazios que nossos amigos se aventuraram na presente estalagem.

No preciso momento, pois, em que esta história propriamente dita começa, Legs, e seu companheiro, Hugh Tarpaulin, sentavam-se ambos com os cotovelos fincados sobre a larga mesa de carvalho no meio do bar, e ambos com a mão no queixo. Fitavam, para além da imensa jarra de *humming-stuff* ainda por pagar, as agourentas palavras "NO CHALK" que, para sua indignação e perplexidade, haviam sido riscadas na porta precisamente com esse mesmo mineral cuja presença pretendiam negar.[59] Não que o dom de decifrar caracteres escritos — dom considerado pela plebe da época pouco menos cabalístico do que a arte de escrever — pudesse, em estrita justiça, ter sido deixado ao encargo de um ou outro daqueles discípulos do mar; mas havia, a bem da verdade, uma certa curvatura na formação das letras — uma indescritível guinada a sotavento no conjunto — que pressagiava, na opinião dos dois marujos, um longo período de clima borrascoso; e os determinou imediatamente, nas alegóricas palavras do próprio Legs, a "bombear a sentina, ferrar os panos e zarpar de vento em popa".

Tendo desse modo liquidado o que restava de sua forte cerveja *ale*, e abotoado até o colarinho seus curtos gibões, os dois finalmente correram para a rua. Embora Tarpaulin houvesse por duas vezes entrado na lareira, tomando-a pela porta, a fuga deles foi enfim levada a bom termo — e meia hora após a meia-noite encontramos nossos heróis prontos para encrenca e passando sebo nas canelas por uma viela escura na direção da escadaria de St. Andrew, perseguidos furiosamente pela senhoria do "Alegre Lobo do Mar".

Na época desta acidentada narrativa, e periodicamente por muitos anos antes e depois, em toda a Inglaterra, mas mais especialmente na metrópole, ecoava o assustador grito de "Peste!". A cidade estava em grande parte despovoada — e nessas horríveis regiões, nos arredores do Tâmisa, onde, entre os escuros, estreitos e imundos becos e vielas, se supunha que o Demônio da Doença conhecera seu berço, o Assombro, o Terror e a Superstição eram os únicos que se podiam encontrar à espreita por toda parte.

Por autoridade do rei tais distritos foram *interditados* e todas as pessoas ficaram proibidas, sob pena de morte, de penetrar em seus ermos desolados. E contudo, nem o decreto do monarca, nem as imensas barreiras erguidas na entrada das ruas, nem a perspectiva dessa morte repugnante que, com infalibilidade quase absoluta, esmagava os desgraçados que risco nenhum conseguia dissuadir de por ali se aventurar, poupava as moradias desmobiliadas e desocupadas de serem despojadas, por obra de pilhagem noturna, de todo artigo, como ferro, latão ou chumbo, que pudesse de algum modo ser convertido em importância lucrativa.

Acima de tudo, em geral se descobria, na retirada anual das barreiras, todo inverno, que fechaduras, trancas e adegas secretas provavam-

-se proteção insuficiente para os ricos estoques de vinhos e bebidas que, considerando o risco e a dificuldade de remoção, muitos dos numerosos negociantes com estabelecimentos na vizinhança haviam consentido em confiar, durante o período de seu exílio, a segurança tão precária.

Mas pouquíssimos dentre a gente aterrorizada atribuíam essas iniquidades à ação de mãos humanas. Espíritos da praga, duendes da peste e demônios da febre eram os diabretes tidos pelo povo como seu autores; e tantas histórias de enregelar o sangue eram contadas hora após hora que todo o conjunto de edifícios proibidos ficou, com o tempo, envolto como que numa mortalha de terror, e os próprios saqueadores muitas vezes se deixavam afugentar pelos horrores que suas próprias pilhagens haviam criado; entregando todo o vasto perímetro de distrito interditado à melancolia, ao silêncio, à pestilência e à morte.

Foi por uma dessas barreiras já mencionadas, e que indicava a região além dela como estando sob interdição por Peste, que, ao entrar correndo por uma viela, Legs e o insigne Hugh Tarpaulin viram seu avanço subitamente impedido. Voltar estava fora de questão, e não havia tempo a perder, com seus perseguidores tão perto de seus calcanhares. Para calejados marinheiros, escalar o tapume de pranchas grosseiramente erguido era brincadeira de criança; e assim, exaltados com a dupla excitação do exercício e da bebida, eles pularam sem hesitar para o lado de dentro do cercado e, prosseguindo em sua ébria carreira aos urros e berros, viram-se em pouco tempo perdidos em seus recessos repelentes e intrincados.

Não estivessem ambos, na verdade, embriagados além de todo senso moral, seus trôpegos passos teriam sido paralisados pelo horror de sua situação. O ar estava frio e enevoado. As pedras do pavimento, soltas em seu leito, jaziam em bárbara desordem entre o mato alto e denso, que se projetava em torno de seus pés e tornozelos. Casas desmoronadas bloqueavam as ruas. Os odores mais fétidos e venenosos predominavam por toda parte; — e com auxílio dessa luz espectral que, mesmo à meia-noite, nunca deixa de emanar de uma atmosfera vaporosa e pestilencial, podiam-se discernir, caídos pelos becos e ruelas, ou apodrecendo no interior das habitações sem janelas, as carcaças de inúmeros saqueadores noturnos detidos pela mão da peste em plena perpetração de sua rapina.

Mas não estava em poder de tais imagens, sensações ou obstáculos ficar no caminho de homens que, naturalmente corajosos e, nesse momento em particular, transbordando de bravura e *humming-stuff*, teriam cambaleado, o mais em linha reta que sua condição ter-lhes-ia permitido, destemidamente para as mandíbulas da própria Morte. Adiante — sempre adiante marchava o incansável Legs, suscitando a desolada austeridade de ecos e reverberações que bradam como o terrível grito de guerra dos índios; e adiante, sempre adiante gingava o atarracado Tarpaulin, segurando o gibão de seu mais expedito companheiro e suplantando em muito os mais vigorosos esforços daquele a título de música vocal, extraindo *in basso* o som de um rombo das profundezas estentóreas de seus pulmões.

Haviam agora evidentemente alcançado o reduto da pestilência. Seu avanço a cada passo ou tropeção tornava-se cada vez mais repelente e horrível — os caminhos, mais estreitos e mais intrincados. Imensas pedras e vigas desabando de tempos em tempos dos telhados acima deles evidenciavam, por sua queda morosa e pesada, a vasta altura das casas circundantes; e embora um efetivo esforço fosse necessário para forçar passagem pelas frequentes pilhas de entulho, não era de modo algum raro que a mão tocasse um esqueleto ou pousasse sobre um cadáver ainda carnudo.

De repente, quando os marujos tropicavam contra a entrada de um prédio alto e de aspecto macabro, um chamado mais do que usualmente estridente saído da garganta do afogueado Legs foi respondido de dentro por uma rápida sucessão de gritos selvagens, derrisórios, diabólicos. Nem um pouco intimidados com sons que, por sua mera natureza, em um momento como aquele, e em um lugar como aquele, poderiam ter gelado o sangue de corações menos irrevogavelmente inflamados, a embriagada dupla fez carga contra a porta, arrombou-a e entrou cambaleante no meio da cena com uma torrente de imprecações.

A sala na qual se achavam revelou-se a oficina de um agente funerário; mas um alçapão aberto, em um canto do soalho perto da entrada, dava para uma longa fileira de adegas, cujas profundezas, pelo ocasional som de garrafas quebrando, evidentemente estavam bem abastecidas com o conteúdo apropriado. No meio do aposento havia uma mesa — em cujo centro via-se ainda uma imensa cuba do que parecia ser ponche. Garrafas de diversos vinhos e cordiais, além de jarras, bilhas e frascos de todos os formatos e qualidade, espalhavam-se profusamente sobre sua superfície. Em torno dela, sentados sobre catafalcos, havia um grupo de seis pessoas. Tentarei descrevê-las uma por uma.

De frente para a entrada, e elevando-se ligeiramente acima dos demais, estava um personagem que parecia presidir a mesa. Era macilento e de grande estatura, e Legs ficou desconcertado por contemplar uma figura ainda mais emaciada que a sua. Tinha o rosto amarelo da cor do açafrão — mas traço algum, exceto um único, era suficientemente marcante para merecer descrição particular. Consistia de uma testa tão insólita e medonhamente alta que mais parecia uma touca ou coroa de carne acrescentada à cabeça natural. Sua boca era enrugada e cheia de covinhas numa expressão de espectral afabilidade e seus olhos, como na verdade os olhos de todos à mesa, estavam vidrados com os vapores da embriaguez. Esse cavalheiro cobria-se dos pés à cabeça por uma mortalha de veludo acetinado ricamente bordada, envolvendo negligentemente sua forma à maneira de uma capa espanhola. Tinha a cabeça cheia de espigadas plumas funerárias cor de sable, que fazia balouçar de um lado a outro com ar sábio e garboso; e, na mão direita, segurava um enorme fêmur humano, com o qual ao que parecia acabara de castigar algum membro do grupo para que cantasse.

Diante dele, e de costas para a porta, havia uma dama de aspecto em nada menos extraordinário. Embora tão alta quanto o indivíduo acima descrito, não tinha por que se queixar de uma mesma emaciação tão antinatural. Encontrava-se evidentemente no último estágio de uma hidropisia; e sua figura assemelhava-se muito à do imenso barril de *ale* de outubro que ficava, com a tampa forçada para dentro, logo a seu lado, em um canto do aposento. Seu rosto era excessivamente redondo, vermelho e cheio; e a mesma peculiaridade, ou antes falta de peculiaridade, ligava-se ao seu semblante, que mencionei acima no caso daquele que presidia à mesa — ou seja, não mais que uma única característica de seu rosto era suficientemente distinta para necessitar uma caracterização separada: de fato, o perceptivo Tarpaulin observou imediatamente que a mesma consideração podia ser aplicada a todos os indivíduos ali presentes; cada um deles parecia deter o monopólio de alguma porção particular de fisionomia.

396

Com a dama em questão essa parte se revelou ser a boca. Começando pela orelha direita, estendia-se em uma medonha fenda até a esquerda — os curtos brincos que usava em cada lóbulo continuamente balançando para dentro da abertura. Empreendia, entretanto, o maior esforço para manter a boca fechada e aparentar dignidade, em um traje consistindo de uma mortalha recém-engomada e passada a ferro que lhe chegava bem junto ao queixo, com um rufo plissado de musselina de cambraia.

À sua direita sentava-se uma diminuta jovem que aparentemente gozava de sua proteção. A delicada criaturinha, no tremor de seus dedos descarnados, no lívido palor de seus lábios e na mancha levemente héctica que lhe tingia a tez em tudo mais de um plúmbeo matiz, dava evidentes indícios de consumpção galopante. Um ar de extremo *haut ton*, entretanto, permeava toda a sua aparência; vestia de maneira graciosa e *degagée*[60] um grande e belo sudário do mais refinado linho indiano; seus cabelos caíam em cachos sobre seu pescoço; um suave sorriso brincava em sua boca; mas seu nariz, extremamente longo, fino, sinuoso, flexível e pustulento pendia até bem abaixo de seu lábio inferior e, a despeito do delicado modo como de vez em quando o movia para um lado e outro com a língua, emprestava-lhe ao semblante uma expressão um tanto duvidosa.

Diante dela, e à esquerda da dama hidrópica, sentava-se um velhinho resfolegante, asmático e gotoso cujas bochechas repousavam sobre os ombros de seu possuidor como dois imensos odres de vinho do Porto. De braços cruzados, e com uma perna enfaixada pousada sobre a mesa, parecia ver-se a si mesmo no direito de alguma consideração. Evidentemente orgulhava-se bastante de cada polegada de sua aparência pessoal, mas extraía deleite todo especial de chamar a atenção para seu sobretudo de cores espalhafatosas. O casaco, verdade seja dita, devia ter lhe custado um bom dinheiro, e era de um feitio que lhe assentava esplendidamente — talhado como fora a partir de uma dessas capas de seda curiosamente bordadas pertencentes a esses gloriosos brasões d'armas que, na Inglaterra e em toda parte, costumam ficar pendurados em algum lugar à vista nas residências de antigas aristocracias.

Ao seu lado, e à direita do presidente, havia um cavalheiro vestindo as pernas com uma comprida malha branca em estilo medieval e calções de algodão. Seu corpo tremia, de maneira ridícula, num acesso do que Tarpaulin chamou de "chiliques". Seus maxilares, que haviam sido recém-barbeados, estavam fortemente presos por uma faixa de musselina; e os braços estando amarrados de forma similar junto aos pulsos impediam-no de servir-se muito liberalmente das bebidas sobre a mesa; precaução feita necessária, na opinião de Legs, pelo aspecto peculiarmente ébrio e chumbado de seu semblante. Um par de prodigiosas orelhas, não obstante, que eram sem dúvida alguma impossíveis de confinar, assomavam sobranceiras no ambiente do recinto, e se esticavam ocasionalmente num espasmo ao som de alguma rolha espocada.

De frente para ele, o sexto e último, situava-se um personagem de aparência singularmente hirta, que, sendo afligido pela paralisia, devia, para falar a sério, estar se sentindo muito pouco à vontade em seu desairoso vestuário. Trajava-se, um tanto unicamente, com um caixão de mogno novo e belo. Sua tampa ou coroa apertava-se sobre seu crânio e se estendia sobre ele à maneira de um capuz, emprestando ao rosto como um todo um ar de indescritível interesse. Cavas para os braços haviam sido abertas nas laterais, menos em nome da elegância do que da conveniência; mas o traje, não obstante, impedia seu dono de sentar tão ereto quanto seus colegas; e ali reclinado contra seu catafalco em um ângulo de quarenta e cinco graus, um par de imensos olhos esbugalhados revirava suas pavorosas escleróticas brancas para o teto em absoluta estupefação com sua própria enormidade.

Diante de cada um daquele grupo havia um crânio cortado, que era usado como taça. Acima ficava suspenso um esqueleto humano, pendurado por uma corda amarrada a uma das pernas e presa a uma argola no teto. A outra perna, livre de qualquer peia, projetava-se do corpo em ângulo reto, levando toda a ossada solta e chocalhante a balançar e girar ao sabor de qualquer ocasional sopro de vento que porventura invadisse o ambiente. No crânio dessa coisa hedionda havia um punhado de carvão em brasa que lançava uma luz indecisa mas vívida sobre toda a cena; enquanto caixões e outros artigos pertencentes à oficina de um agente funerário empilhavam-se até o teto em torno da sala, obstruindo todas as janelas e impedindo qualquer raio de luz de escapar para a rua.

À visão dessa extraordinária assembleia, e de seus ainda mais extraordinários aparatos, nossos dois marujos não se conduziram com esse grau de decoro que seria de se esperar. Legs, recostando contra a parede que calhava de lhe estar próxima, deixou cair o maxilar inferior ainda mais baixo do que de costume, e arregalou os olhos na máxima amplitude; enquanto Hugh Tarpaulin, curvando-se a ponto de deixar seu nariz no mesmo nível da mesa, e batendo com a palma das mãos nos joelhos, explodiu no rugido longo, alto e estrondoso de uma deveras inoportuna e imoderada gargalhada.

Sem todavia ofender-se diante de comportamento tão excessivamente rude, o comprido presidente sorriu mui graciosamente para os intrusos — acenou-lhes de um modo digno com sua cabeça de negros penachos — e, erguendo-se, tomou-os cada um pelo braço e conduziu-os aos seus lugares, que nesse meio-tempo os demais haviam arranjado para sua acomodação. Legs nenhuma resistência ofereceu a tudo isso, pelo contrário, fez tal como orientado; ao passo que o galante Hugh, movendo seu catafalco do lugar junto à cabeceira da mesa para a proximidade da pequena dama tísica envolta no sudário, desabou a seu lado com grande júbilo, e, servindo-se de um crânio de vinho tinto, esvaziou-o num brinde ao estreitamento de suas relações. Mas diante de tal impudência o rígido cavalheiro no caixão pareceu sumamente incomodado; e graves consequências poderiam ter daí advindo não houvesse o presidente, batendo na mesa com seu porrete, dirigido a atenção de todos os convivas para o seguinte discurso:

"Sói ser nosso dever na auspiciosa ocasião que ora se apresenta——"

"Alto lá!", interrompeu Legs, com ar muito sério, "alto lá um momento, repito, e dizei-nos quem diabos sois todos vós, e que assuntos tendes aqui, aparelhados como os demônios em pele de cracas e acendendo a lamparina com o digníssimo grogue estivado para o inverno pelo meu honesto camarada de bordo, Will Wimble, o cangalheiro!"

Ante essa imperdoável amostra de malcriadez, todo o grupo original soergueu-se nos pés e emitiu a mesma rápida sucessão de guinchos selvagens e diabólicos que anteriormente já chamara a atenção dos marujos. O presidente, entretanto, foi o primeiro a recobrar a compostura, até que finalmente, virando-se para Legs com grande dignidade, recomeçou:

"De muito bom grado satisfaremos qualquer curiosidade razoável da parte de convidados tão ilustres, por inesperados que sejam. Ficai sabendo

então que destes domínios sou monarca, e aqui governo com indiviso poder sob o título de 'Rei Peste I'.

"Este aposento, que vós sem dúvida profanamente supondes ser a oficina de Will Wimble, cangalheiro — homem que desconhecemos, e cuja plebeia designação nunca antes dessa noite ferira nossos reais ouvidos —, este aposento, repito, é o Salão de Dignitários de nosso Palácio, devotado aos conselhos do reino e a outros propósitos altivos e sacrossantos.

"A nobre dama que senta a vossa frente é a Rainha Peste, nossa Sereníssima Consorte. Os demais augustos personagens que contemplais pertencem todos a nossa família e portam a insígnia do sangue real sob os respectivos títulos de 'Sua Graça o Arquiduque Pest-Ifero' — 'Sua Graça o Duque Pest-Ilencial' — 'Sua Graça o Duque Tem-Pestuoso' — e 'Sua Sereníssima Alteza a Arquiduquesa Ana-Peste'.

"No que respeita", prosseguiu ele, "a vossa interpelação sobre o assunto que nos traz aqui em conselho, haveremos de ser perdoados por responder que concerne, e concerne *apenas e tão somente*, ao nosso particular e régio interesse, e não é de modo algum importante para qualquer outro além de nós mesmos. Mas em consideração às prerrogativas que, na condição de convidados e estrangeiros, podeis achar-vos no direito, explicar-vos-emos ainda que estamos aqui essa noite, preparados por intensa pesquisa e cuidadosa investigação, para examinar, analisar e determinar cabalmente o espírito indefinível — as qualidades e a natureza incompreensíveis — desses inestimáveis tesouros do palato, os vinhos, cervejas e licores desta aprazível metrópole; e em fazendo-o fomentar menos nossos próprios desígnios que o genuíno bem-estar dessa soberana transcendente cujo reino está acima de todos nós, cujos domínios são ilimitados e cujo nome é 'Morte'."

"Cujo nome é Davy Jones!", proferiu Tarpaulin, oferecendo à dama ao seu lado um crânio de licor, e servindo um segundo para si.

"Biltre profano!", disse o presidente, agora voltando sua atenção para o insigne Hugh, "canalha profano e execrável! — já dissemos que em consideração às prerrogativas que, mesmo em tua imunda pessoa, não sentimos inclinação alguma por violar, condescendemos em responder às tuas rudes e inoportunas indagações. Não obstante, devido a tua mundana intrusão em nossos conselhos, cremos por bem penalizar-te, a ti e a teu companheiro, em um galão de Black Strap[61] — que bebereis à prosperidade de nosso reino — de um único trago — e de joelhos — sendo que ficareis incontinente livres seja para prosseguirdes em vosso caminho, seja para permanecerdes e serdes admitidos aos privilégios de nossa mesa, segundo vossos respectivos e individuais desejos."

"Seria coisa da mais absoluta impossibilidade", replicou Legs, em quem a presunção e a dignidade do Rei Peste I tinham evidentemente inspirado alguns sentimentos de respeito, e que se levantou e firmou o corpo junto à mesa conforme falava — "seria, com a graça de vossa majestade, coisa da mais absoluta impossibilidade estivar em meu porão até mesmo a quarta parte dessa tal beberagem que vossa majestade acaba de mencionar. Para nada dizer das substâncias trazidas a bordo pela manhã a título de lastro, e sem mencionar as várias *ales* e licores embarcados esta noite em diversos portos marítimos, trago, presentemente, uma carga completa de *humming-stuff* acomodada e devidamente paga na tabuleta do 'Alegre Lobo do Mar'. De tal modo que concederá vossa majestade a graça de tomar a intenção pelo feito — pois não há definitivamente modo algum neste mundo pelo qual eu possa ou queira engolir mais uma única gota — que dizer então de uma gota dessa ignóbil água de sentina que atende pela saudação de 'Black Strap'."

"Um momento aí!", interrompeu Tarpaulin, espantado menos pela extensão do discurso de seu companheiro do que pela natureza de sua recusa — "Segura as amarras, marinheiro de água doce! — e repito, Legs, chega dessa palração! O *meu* casco ainda está leve, embora deva admitir que o teu parece um pouco adernado; e quanto à questão da tua cota da carga, ora, em lugar de fazer uma tempestade em copo d'água, prefiro achar espaço de estiva em meu próprio porão, mas—"

"Esse proceder", interpôs o presidente, "não está absolutamente de acordo com os termos da penalidade ou sentença, que é, por sua natureza, Mediana, sem prestar-se a apelações ou revogações. As condições por nós impostas devem ser cumpridas à risca, e sem hesitar por mais um momento sequer — no insucesso de cujo cumprimento decretamos que sejais amarrados, pescoço e calcanhares unidos, e devidamente afogados como rebeldes ali naquela pipa de cerveja de outubro!"

"Que sentença! — que sentença! — que sentença mais correta e justa! — que decreto glorioso! — que condenação mais insigne, direita e sacrossanta!", berrou a família Peste em uníssono. O rei elevou a testa em inumeráveis rugas; o velhinho da gota bufou como um par de foles; a dama do sudário agitou seu nariz de um lado para o outro; o cavalheiro em calções de algodão esticou as orelhas; a mulher da mortalha ofegou como um peixe agonizante; e o homem do caixão continuou rígido e revirou os olhos para o alto.

"Ugh! ugh! ugh!", casquinou Tarpaulin, sem se dar conta da comoção geral, "ugh! ugh! ugh! — ugh! ugh! ugh! ugh! — ugh! ugh! ugh! — eu ia dizendo", falou, "eu ia dizendo, quando o senhor Rei Peste aqui veio meter o seu agulhão de merlim, que no que diz respeito a dois ou três galões a mais ou a menos de Black Strap, isso era uma bagatela para um barco rijo como eu, e sem carga em excesso — mas quando se trata de beber à saúde do Demônio (que Deus o desacoime) e de me pôr de joelhos perante esta mal-apanhada majestade aí, que por acaso sei, tão bem quanto sei que sou um pecador, não ser nenhum outro neste mundo senão Tim Hurlygurly, o homem dos palcos! — ora! é coisa de caráter bem diferente, e ultrapassa completamente minha compreensão."

Não lhe foi permitido encerrar seu discurso com tranquilidade. Ao ouvir o nome de Tim Hurlygurly, toda a assembleia pulou de suas cadeiras.

"Traição!", gritou Sua Majestade o Rei Peste I.

"Traição!", disse o homenzinho da gota.

"Traição!", berrou a Arquiduquesa Ana-Peste.

"Traição!", grunhiu o homem do caixão.

"Traição! traição!", guinchou sua majestade bocuda; e, agarrando pela parte traseira das calças o desafortunado Tarpaulin, que havia nesse momento começado a se servir de um crânio de licor, ergueu-o no ar e deixou-o cair sem cerimônia no imenso barril aberto de sua tão adorada *ale*. Boiando e afundando por alguns segundos como uma maçã numa tina de grogue, ele finalmente desapareceu em meio ao turbilhão de espuma que, na bebida já borbulhante, suas debatidas rapidamente haviam criado.

Não foi submissamente, contudo, que o alto marujo contemplou o embaraço de seu companheiro. Empurrando o Rei Peste pelo alçapão aberto, o valoroso Legs bateu a tampa, aprisionando-o com uma imprecação, e marchou para o centro da sala. Ali, arrancando o esqueleto que pendia sobre a mesa, distribuiu bordoadas a torto e a direito com tamanha energia e gosto que, com os últimos vislumbres de luz morrendo no recinto, conseguiu fazer saltar os miolos do pequeno cavalheiro da gota. Arremetendo em seguida com toda a força contra a fatídica pipa cheia de cerveja de outubro e de Hugh Tarpaulin, emborcou-a e a fez rolar num piscar de olhos. Dali jorrou um dilúvio de bebida tão feroz — tão impetuoso — tão esmagador — que a sala foi inundada de parede a parede — a mesa cheia virou — os catafalcos ficaram de pernas para o ar — a cuba de ponche foi parar na lareira — e as damas se entregaram à histeria. Montes de acessórios funerários boiavam por toda parte. Jarras, pichéis e garrafões misturavam-se promiscuamente na *melée*, enquanto botijas forradas de vime chocavam-se desesperadamente contra botelhas em trançados de junco. Crânios flutuaram *en masse*; penachos fúnebres acenaram para brasões; o homem dos chiliques afogou-se na mesma hora; o pequeno cavalheiro hirto flutuou em seu caixão; e o vitorioso Legs, segurando pela cintura a dama gorda da mortalha, foi carregado junto para a rua, e fixou o curso mais direto para o *Free and Easy*, seguido a todo pano pelo formidável Hugh Tarpaulin, que, tendo espirrado três ou quatro vezes, arquejava e resfolegava ao seu encalço com a Arquiduquesa Ana-Peste.

LEONIZANDO[62]

*Todo mundo ficou
na ponta dos pés, em exaltada admiração.*

Bispo Hall, *Satires*

Sou — quer dizer, *fui* — um grande homem; mas não sou nem o autor de *Junius*, nem o homem da máscara, pois meu nome é John Smith, e nasci em algum lugar da cidade de Fum-Fudge. O primeiro ato de minha vida foi segurar meu nariz com as duas mãos. Minha mãe presenciou isso e chamou-me gênio; meu pai chorou de alegria, e comprou-me um tratado de Nosologia.[63] Antes de usar calças compridas eu não só dominava o tratado como também coligira num caderno de apontamentos e citações tudo quanto é dito a respeito do tema por Plínio, Aristóteles, Alexander Ross, Minutius Felix, Hermanus Pictorius, Del Rio, Villarêt, Bartholinus e Sir Thomas Browne.*

Então comecei tateante a trilhar o caminho da ciência, e logo vim a compreender que, dado que um homem tivesse o nariz suficientemente grande, ele poderia, meramente o seguindo, alcançar a leonicidade. Mas minha atenção não permaneceu restrita a teorias somente; todas as manhãs eu entornava um ou dois tragos e dava em minha probóscide um bom par de puxões. Quando cheguei à idade adulta, meu pai solicitou, certo dia, que o acompanhasse ao seu gabinete.

"Meu filho", disse ele, quando estávamos sentados, "qual é a principal finalidade da tua existência?"

---

*   Os autores aqui nomeados de fato trataram todos, em alguma extensão, do nariz. (N. do A.)

"Pai", disse eu, "é o estudo da Nosologia."

"E o que, John", prosseguiu, "vem a ser Nosologia?"

"Meu senhor", repliquei, "é a Ciência dos Narizes."

"E sabes me dizer", perguntou, "qual o significado de um nariz?"

"Um nariz, meu pai", disse eu, "foi das mais variadas formas definido por cerca de mil autores diferentes. (Nisso, puxei meu relógio.) Agora é meio-dia, ou pouco mais ou menos; — creio que dispomos de tempo suficiente para passar por todos eles antes da meia-noite. Comecemos, pois. O nariz, segundo Bartholinus, é essa protuberância, esse inchamento, essa excrescência, ess—"

"Isso basta, John", disse o velho cavalheiro. "Estou abismado com a extensão de teus conhecimentos. Estou, positivamente — por minha alma. Vem aqui! (Nisso fechou os olhos e pôs a mão sobre o coração.) Vem aqui! (Nisso tomou-me pelo braço.) Tua educação ainda não pode ser dada por encerrada, e já está mais do que na hora de lutares por ti mesmo — e melhor não podes fazer do que meramente seguir teu nariz — então — então — então — (Nisso chutou-me pela escada abaixo e pela porta afora.) — então sai já da minha casa, e que Deus te abençoe!"

Como sentia dentro de mim o *afflatus* divino, considerei esse incidente antes afortunado do que outra coisa. Resolvi me deixar guiar pelo aconselhamento paterno. Determinei-me a seguir meu nariz. Apliquei-lhe um ou dois puxões sem mais delongas e redigi incontinente um opúsculo acerca da Nosologia.

Toda Fum-Fudge ficou em polvorosa.

"Gênio prodigioso!", disse a *Quarterly*.

"Fisiologista soberbo!", disse o *Westminster*.

"Sujeito sabido!", disse o *Foreign*.

"Ótimo escritor!", disse o *Edinburgh*.

"Pensador profundo!", disse o *Dublin*.

"Grande homem!", disse Bentley.

"Alma divina!", disse Fraser.

"Um de nós!", disse Blackwood.

"Quem pode ser?", disse a sra. Bas-Bleu.

"O que pode ser?", disse a srta. Bas-Bleu, a grande.

"Onde pode ser?", disse a srta. Bas-Bleu, a pequena. — Mas não dei a menor atenção a essas pessoas — apenas fui para o ateliê de um artista.

A Duquesa de Bless-My-Soul posava para um retrato; o Marquês de So-and-So segurava o poodle da duquesa; o Conde de This-and-That flertava com os sais dela; e Sua Alteza Real de Touch-me-Not reclinava contra o espaldar de sua poltrona.

Aproximei-me do artista e empinei o nariz.

"Ah, lindo!", suspirou sua Graça.

"Minha nossa!", ceceou o Marquês.

"Oh, chocante!", gemeu o Conde.

"Oh, abominável!", resmungou Sua Alteza Real.

"Quanto quer por ele?", perguntou o artista.

"Por seu *nariz*!", gritou Sua Graça.

"Mil libras", disse eu, sentando-me.

"Mil libras?", perguntou o artista, refletindo.

"Mil libras", disse eu.

"Lindo!", disse ele, enlevado.

"Mil libras", disse eu.

"Dá-me garantia?", perguntou ele, virando o nariz sob a luz.

"Dou", disse eu, assoando-o bem.

"É *totalmente* original?", inquiriu ele, tocando-o com reverência.

"Humpf!", disse eu, virando-o para o lado.

"*Nenhuma* cópia ainda foi feita?", quis saber ele, examinando-o ao microscópio.

"Nenhuminha", disse eu, empinando-o.

"*Admirável!*", ele exclamou, pegando-se completamente desprevenido com a beleza da manobra.

"Mil libras", disse eu.

"*Mil* libras?", disse ele.

"Precisamente", disse eu.

"Mil *libras*?", disse ele.

"Nem mais, nem menos", disse eu.

"Tu as terás", disse ele. "Que refinada obra de arte!" Assim, preencheu um cheque ali mesmo, e fez um esboço de meu nariz. Arranjei aposentos

na Jermyn Street e enviei para Sua Majestade a nonagésima nona edição da *Nosologia*, com um retrato da probóscide. — Aquele libertinozinho desprezível, o Príncipe de Gales, convidou-me para um jantar.

Éramos todos leões e *recherchés*.

Havia um neoplatônico. Ele citou Porfírio, Jâmblico, Plotino, Proclo, Hiérocles, Máximo de Tiro e Siriano.

Havia um estudioso da perfectibilidade humana. Ele citou Turgot, Price, Priestly, Condorcet, De Stäel e o *Ambitious Student in Ill Health*.

Havia Sir Positive Paradox. Observou ele que todos os tolos eram filósofos, e que todos os filósofos eram tolos.

Havia Æstheticus Ethix. Ele falou sobre fogo, unidade e átomos; alma biparte e alma preexistente; afinidade e discordância; inteligência primitiva e homeomeria.

Havia Theologos Theology. Ele falou de Eusébio e de Ário; de heresia e do Concílio de Niceia; do puseyismo e do consubstancialismo; de *homoousios* e de *homoouioisios*.

Havia Fricassée, do Au Rocher de Cancale. Ele mencionou a língua *à l'écarlate*; a couve-flor ao molho *velouté*; a vitela *à la* Sainte-Menehould; a marinada *à la* Saint-Florentin; e as geleias de laranja *en mosaïques*.

Havia Bibulus O'Bumper. Ele comentou sobre o Latour e o Markbrünnen; sobre o Mousseaux e o Chambertin; sobre o Richebourg e o Saint-Georges; sobre o Haut-brion, o Léoville e o Médoc; sobre o Barsac e o Preignac; sobre o Graves, sobre o Sauterne, sobre o Lafitte e sobre o Saint-Péray. Abanou a cabeça para o Clos de Vougeot e explicou, com os olhos fechados, a diferença entre xerez e amontillado.

Havia o Signor Tintontintino, de Florença. Ele discorreu a respeito de Cimabue, D'Arpino, Carpaccio e Agostino — a respeito das sombras em Caravaggio, da amenidade de Albano, das cores em Ticiano, das bacantes de Rubens e das alegres cenas de Jan Steen.

Havia o reitor da Universidade de Fum-Fudge. Ele era da opinião que a lua se chamava Bendis na Trácia, Bubastis no Egito, Diana em Roma e Ártemis na Grécia.

Havia o Grão-Turco de Istambul. Ele não conseguia deixar de pensar que os anjos eram cavalos, galos e touros; que alguém no sexto paraíso tinha setenta mil cabeças; e que a Terra era suportada por uma vaca azul-celeste com número incalculável de chifres verdes.

Havia Delphinus Polyglott. Contou-nos o que se passara com as oitenta e três tragédias perdidas de Ésquilo; com os cinquenta e quatro discursos de Iseu; com os trezentos e noventa e um discursos de Lísias; com os cento e oitenta tratados de Teofrasto; com o oitavo livro das seções cônicas de Apolônio; com os hinos e ditirambos de Píndaro; e com quarenta e tantas tragédias de Homero Júnior.

Havia Ferdinand Fiz-Fossilius Feltspar. Ele nos falou sobre fogos internos e formações terciárias; sobre aeriformes, fluidiformes e solidiformes; sobre quartzo e marga; sobre xisto e turmalina; sobre gipsita e basalto; sobre talco e calcário; sobre blenda e hornblenda; sobre malacacheta e conglomerado; sobre cianita e lepidolita; sobre hematita e tremolita; sobre antimônio e calcedônio; sobre manganês e o que mais quiseres.

Havia eu mesmo. Falei de mim mesmo; — de mim, de mim, de mim; — de Nosologia, de meu opúsculo e de mim mesmo.

"Que homem maravilhosamente inteligente!", disse o Príncipe.

"Soberbo!", disseram seus convidados: — e na manhã seguinte, Sua Graça de Bless-my-Soul me fez uma visita.

"Gostarias de comparecer ao Almack's, linda criatura?", disse ela, dando um soquinho em meu queixo.

"Será uma honra", disse eu.

"Com nariz e tudo?", perguntou ela.

"Certamente", repliquei.

"Eis aqui então um convite, minha vida. Posso contar *mesmo* com tua presença?"

"Querida Duquesa, irei de todo coração."

"Ora bolas, não! — virás com todo teu nariz?"

"Cada pedacinho dele, meu amor", disse eu: — então lhe apliquei uma ou duas torceduras, e vi-me no Almack's.

Os salões estavam lotados ao ponto da sufocação.

"Aí vem ele!", disse alguém na escadaria.

"Aí vem ele!", disse alguém mais no alto.

"Aí vem ele!", disse alguém ainda mais alto.

410

"Ele veio!", exclamou a Duquesa. "Ele veio, o amorzinho!" — e, tomando-me firmemente pelas duas mãos, beijou-me três vezes no nariz.

Uma notável comoção se sucedeu imediatamente.

"*Diavolo!*", gritou o Conde Capricornutti.

"*Dios Guarda!*", murmurou Don Stiletto.

"*Mille tonnerres!*", exclamou o Príncipe de Grenouille.

"*Tousand Teufel!*", resmungou o Eleitor de Bluddennuff.

Aquilo era insuportável. Fiquei furioso. Virei abruptamente para Bluddennuff.

"Senhor!", disse-lhe, "és um babuíno."

"Senhor", replicou ele, após uma pausa, "*Donner und Blitzen!*"

Isso era tudo quanto se poderia desejar. Trocamos cartões. Em Chalk-Farm, na manhã seguinte, alvejei-lhe o nariz — e depois procurei meus amigos.

"*Bête!*", disse o primeiro.

"Tolo!", disse o segundo.

"Pateta!", disse o terceiro.

"Asno!", disse o quarto.

"Idiota!", disse o quinto.

"Estúpido!", disse o sexto.

"Some daqui!", disse o sétimo.

Diante disso tudo, fiquei mortificado, e assim fui à procura de meu pai.

"Meu filho", replicou ele, "isso ainda é o estudo da Nosologia; mas ao acertar o nariz do Reitor, erraste o alvo. Tens um belo nariz, é verdade; mas agora Bluddennuff não tem nenhum. Estás condenado, e ele se tornou o herói do dia. Garanto que em Fum-Fudge a grandeza de um leão é proporcional ao tamanho de sua probóscide — mas, bom Deus! não se pode competir com um leão que não tem probóscide alguma."

NOTAS AO PREFÁCIO

1. Texto publicado originalmente em 1857, como prefácio à antologia de contos de Poe traduzida por Baudelaire e intitulada *Nouvelles histoires extraordinaires* [Novas histórias extraordinárias].
2. Termo comum para se referir a mulheres cultas nos séculos XVIII e XIX. Em francês, *bas bleu*.
3. Escravo público na Grécia antiga, em oposição ao escravo particular.
4. Charles-Maurice de Talleyrand-Périgord (1754-1838), político e diplomata francês.
5. Latim; literalmente "a Itália que foge", também pode ser lido como "a Itália perdida".
6. Rousseau.
7. Deusa asteca.
8. Deus celta.
9. Personagem bíblico relacionado à avareza, à ganância e ao dinheiro.
10. Latim: "Raça irritável dos vates".

NOTAS AOS CONTOS

1. Optou-se, com algumas exceções (e, como aqui, eventualmente a despeito da norma), pela fidelidade à pontuação original, bastante peculiar, às vezes, sobretudo no uso do travessão. Em 1848, um ano antes de sua morte, Poe assinou um artigo na *Graham's Magazine* em que manifestava sua intenção (não concretizada) de escrever um tratado

413

sobre o assunto, e afirmava: "O travessão proporciona ao leitor uma escolha entre duas, três ou mais expressões, uma delas podendo ser mais forte que as outras, mas todas contribuindo para a ideia".

2. *Dominie*: mestre-escola; *peine forte et dure*: punição que consistia em empilhar pedras sobre o peito do réu que se recusasse a se declarar culpado ou inocente, até ele falar ou morrer sufocado.

3. "Anticonvencional"; "excêntrico"; "bizarro".

4. "Oh, não há tempos tão bons como este século de ferro." Verso do poema "Le mondaine", de Voltaire.

5. Poe modificou a data nas diversas edições desse conto ao longo de sua vida (inicialmente 1811, depois 1809 e, por fim, 1813). Aqui mantida a mais significativa, em que o próprio escritor nasceu. (N. do T.)

6. "Indignação."

7. No original *arrondées*: forma inexistente, refere-se sem dúvida a *arrondi* (masculino singular), ou cartas *arrondies*, "arredondadas" (aqui e nos demais casos, a tradução optou por simplesmente corrigir os ocasionais erros de grafia e acentuação cometidos por Edgar Allan Poe em determinadas palavras estrangeiras). E, adiante, "honras": as quatro ou cinco cartas mais altas em jogos como uíste e seus derivados (como o próprio *écarté* e também o *bridge*, por exemplo).

8. King of Terrors: a Morte (em inglês, *death* é masculino).

9. *Paces*, unidade de comprimento; cerca de quinze metros, neste caso.

10. Em 1845, Poe tornou-se proprietário e editor-chefe do *Broadway Journal*, de breve vida, no qual republicou vários de seus contos, incorporando correções manuscritas que fizera em seu exemplar impresso dos *Tales of the Grotesque and Arabesque* (que planejava publicar com o novo título de *Phantasy Pieces*). Desse modo, quando julgou de interesse do leitor, a tradução procurou observar essas alterações ou assinalou as divergências nas edições. Aqui, a seguinte epígrafe de Longfellow foi então suprimida: "*Art is long and Time is fleeting/ And our hearts, though stout and brave,/ Still, like muffled drums, are beating/ Funeral marches to the grave*" ("A arte é longa, o Tempo, fugaz/ E nossos corações, embora fortes e corajosos,/ Ainda assim, como tambores abafados, seguem tocando/ Marchas fúnebres rumo ao túmulo").

NOTAS DO PREFÁCIO E DA TRADUÇÃO

11. *Deathwatch beetle* (*Xestobium ruffovillosum*), um tipo de caruncho que ao penetrar na madeira emite estalidos, tidos como mau agouro.
12. Cerca de 70 m.
13. "Ninguém me fere impunemente."
14. Príncipe soberano que governa um ducado independente em alguns países da Europa.
15. *Ricardo II*, ato 3, cena 2: "*Let's talk of graves, of worms, and epitaphs*".
16. Até 1840, este conto ("The Assignation", no original) era conhecido como "The Visionary" [O visionário]. Em 1845, aparece com o novo título no *Broadway Journal*.
17. Poe se refere aqui a Gelos, embora a inscrição diga *gelasma* ("risada").
18. "O melhor dos artistas não tem ideia alguma/ que já não esteja inscrita no próprio mármore."
19. "*Thou wast that all to me, love,/ For which my soul did pine —/ A green isle in the sea, love,/ A fountain and a shrine,/ All wreathed with fairy fruits and flowers,/ And all the flowers were mine.// Ah, dream too bright to last!/ Ah, starry Hope! that didst arise/ But to be overcast!/ A voice from out the Future cries,/ "On! on!" — but o'er the Past/ (Dim gulf!) my spirit hovering lies/ Mute, motionless, aghast!// For alas! alas! with me/ The light of life is o'er./ "No more — no more — no more"/ (Such language holds the solemn sea/ To the sands upon the shore)/ Shall bloom the thunder-blasted tree,/ Or the stricken eagle soar!// Now all my days are trances,/ And all my nightly dreams/ Are where thy grey eye glances,/ And where thy footstep gleams —/ In what ethereal dances,/ By what Italian streams.// Alas! for that accursed time/ They bore thee o'er the billow,/ From Love to titled age and crime,/ And an unholy pillow —/ From me, and from our misty clime,/ Where weeps the silver willow!*"
20. "*He is up/ There like a Roman statue! He will stand/ Till Death hath made him marble!*"
21. "*Stay for me there! I will not fail/ To meet thee in that hollow vale.*"
22. "*Sancta Maria! turn thine eyes/ Upon the sinner's sacrifice/ Of fervent prayer, and humble love,/ From thy holy throne above.// At morn, at noon, at twilight dim,/ Maria! thou hast heard my hymn,/ In joy and wo, in good and ill,/ Mother of God! be with me still.// When my hours flew gently*"

415

CONTOS DE IMAGINAÇÃO E MISTÉRIO

by,/ And no storms were in the sky,/ My soul, lest it should truant be,/ Thy love did guide to thine and thee.// Now, when clouds of Fate o'ercast/ All my Present, and my Past,/ Let my Future radiant shine/ With sweet hopes of thee and thine." O poema, bem como a sentença que o anuncia, foi cortado no *Broadway Journal*.

23. Da ilha de Teos.

24. "O filho de Deus está morto; o absurdo é crível; e ressuscitou do túmulo; o impossível é certo."

25. "Que todos os seus passos eram sentimentos"; "que todos os seus dentes eram ideias".

26. Poe eliminou os dois parágrafos acima quando da publicação do conto no *Broadway Journal*, após terem sido criticados como excessivamente repulsivos.

27. *"Lo! 'tis a gala night/ Within the lonesome latter years!/ An angel throng, bewinged, bedight/ In veils, and drowned in tears,/ Sit in a theatre, to see/ A play of hopes and fears,/ While the orchestra breathes fitfully/ The music of the spheres.// Mimes, in the form of God on high,/ Mutter and mumble low,/ And hither and thither fly/ Mere puppets they, who come and go/ At bidding of vast formless things/ That shift the scenery to and fro,/ Flapping from out their Condor wings/ Invisible Woe!// That motley drama — oh, be sure/ It shall not be forgot!/ With its Phantom chased for evermore,/ By a crowd that seize it not,/ Through a circle that ever returneth in/ To the self-same spot,/ And much of Madness, and more of Sin,/ And Horror the soul of the plot.// But see, amid the mimic rout,/ A crawling shape intrude!/ A blood-red thing that writhes from out/ The scenic solitude!/ It writhes! — it writhes! — with mortal pangs/ The mimes become its food,/ And seraphs sob at vermin fangs/ In human gore imbued.// Out — out are the lights — out all!/ And, over each quivering form,/ The curtain, a funeral pall,/ Comes down with the rush of a storm,/ While the angels, all pallid and wan,/ Uprising, unveiling, affirm/ That the play is the tragedy, 'Man,'/ And its hero the Conqueror Worm."* O poema foi publicado pela primeira vez, isoladamente, em janeiro de 1843, na *Graham's Magazine*, tendo figurado posteriormente em coletâneas. Em 1845, Poe o incorporou ao conto, publicado no *Broadway Journal*.

416

NOTAS DO PREFÁCIO E DA TRADUÇÃO

28. *"In the greenest of our valleys,/ By good angels tenanted,/ Once a fair and stately palace —/ Radiant palace — reared its head./ In the monarch Thought's dominion —/ It stood there!/ Never seraph spread a pinion/ Over fabric half so fair.// Banners yellow, glorious, golden,/ On its roof did float and flow;/ (This — all this — was in the olden/ Time long ago)/ And every gentle air that dallied,/ In that sweet day,/ Along the ramparts plumed and pallid,/ A winged odor went away.// Wanderers in that happy valley/ Through two luminous windows saw/ Spirits moving musically/ To a lute's well-tuned law,/ Round about a throne, where sitting/ (Porphyrogene!)/ In state his glory well befitting,/ The ruler of the realm was seen.// And all with pearl and ruby glowing/ Was the fair palace door,/ Through which came flowing, flowing, flowing,/ And sparkling evermore,/ A troop of Echoes whose sweet duty/ Was but to sing,/ In voices of surpassing beauty,/ The wit and wisdom of their king.// But evil things, in robes of sorrow,/ Assailed the monarch's high estate;/ (Ah, let us mourn, for never morrow/ Shall dawn upon him, desolate!)/ And, round about his home, the glory/ That blushed and bloomed/ Is but a dim-remembered story/ Of the old time entombed.// And travellers now within that valley,/ Through the red-litten windows, see/ Vast forms that move fantastically/ To a discordant melody;/ While, like a rapid ghastly river,/ Through the pale door,/ A hideous throng rush out forever,/ And laugh — but smile no more."*

29. "Que todo nosso raciocínio se reduz a ceder ao sentimento."

30. Originalmente publicado em *The Baltimore Book*, em 1838, como "Siope — Uma fábula (À maneira das autobiografias psicológicas)", com a epígrafe: "O nosso é um mundo de palavras: Quietamente chamamos/ Silêncio — que é a palavra mais pura de todas", Al Aaraaf.

31. *Massa*, forma reduzida do francês *Monsieur* (a exemplo de sinhô/senhor ou *Mistah/Mister*); a região onde se passa a narrativa é de colonização francesa.

32. Júpiter, cujo inglês estropiado reproduz em parte o patoá crioulo de New Orleans, confunde a pronúncia do latim científico *antennæ* ("antenas") com *tin* ("estanho" ou "flandres"): "Dey aint *no* tin in him".

33. Cerca de 15 m.

CONTOS DE IMAGINAÇÃO E MISTÉRIO

34. Ou 7,62 cm.

35. Em inglês, *kid* significa, entre outras coisas, "cabrito".

36. "Um bom vidro na hospedaria do bispo no assento do diabo vinte e um graus e treze minutos nordeste quarta a norte galho principal sétimo ramo lado leste atirar do olho esquerdo da caveira uma linha de abelha a partir da árvore diretamente do tiro cinquenta pés distante."

37. Curiosamente, em outras versões, a cifra indicava "quarenta e um graus" (omitindo-se portanto o sinal] para o *w*, de *twenty*). Poe provavelmente corrigiu o ângulo, considerando a excessiva elevação da luneta.

38. No original, *bee-line* (ou *beeline*): expressão que designa o caminho mais curto entre dois pontos (segundo a crença de que é o que fazem as abelhas para voltar à colmeia).

39. Ou 6,35 cm.

40. Morgue, como em inglês e francês, significa em português, embora desusado, "necrotério". Uma curiosidade: o título inicialmente pretendido pelo escritor em 1841, "The Murders in the Rue Trianon--Bas", foi riscado e mudado para "Rue Morgue" no manuscrito original, que sobreviveu para a posteridade graças a um funcionário da tipografia que o recuperou do lixo após a revisão da composição.

41. "Raro"; "rebuscado"; "incomum".

42. Latim, "ex-".

43. "Nem nada do gênero."

44. A menção a dr. Nichol, acima, entre Órion e Epicuro, aqui obliquamente aludida por Dupin, refere-se a John Pringle Nichol (1804--1859), professor da Universidade de Glasgow, autor de *Views of the Architecture of the Heavens* (1837), defensor da hipótese nebular, proposta por Kant em 1755 e desenvolvida por Laplace em 1796 em sua *Exposition du système du monde*.

45. "A primeira letra perdeu o som antigo." Do *Fasti*, de Ovídio, em que se menciona o nascimento de Órion pela urina (em grego, *ouron*) dos deuses.

46. Dono de restaurante.

47. "Seu roupão — para melhor ouvir a música."

418

48. "Eu os tolerava."
49. "Rabo de cavalo."
50. "Chefatura."
51. Mary Rogers era balconista de uma tabacaria.
52. "Tumultos."
53. "Parcial."
54. Isto é, de fabricação industrial.
55. Mandado requerido para averiguar se a parte citada está de posse de sua sanidade ou deve ter seus direitos alienados por *non compos mentis* (incapacitação mental).
56. "E de onde [vem] essa ira?"
57. O texto entre parênteses é uma nota dos editores da revista *Ladies' Companion*, na qual o conto foi originalmente publicado, em três partes, em 1843.
58. "Desenlace."
59. *Chalk* significa tanto "giz" como "fiado".
60. *Haut ton:* distinção, elegância; *dégagée*: casual.
61. *Blackstrap*: melaço.
62. Versões deste conto com ligeiras variações surgiram em diferentes publicações ao longo dos anos (numa delas, com o título de "Some Passages in the Life of a Lion"), identificando-se o narrador também como Thomas Smith, Thomas Jones ou Robert Jones, segundo o caso, todos nomes que significam simplesmente um fulano de tal, um sujeito qualquer (supõe-se que a sátira seja endereçada a Nathaniel Parker Willis, famoso escritor contemporâneo de Poe).
63. O tom farsesco da história apela para diversos trocadilhos infames: Fum-Fudge, por exemplo, evoca a ideia de disparate, bobagem; a expressão médica nosologia, estudo das moléstias, é subvertida como significando o estudo dos *noses*, isto é, "narizes", em inglês; e assim por diante.

SOBRE O TRADUTOR E O PREFACIADOR

Cássio de Arantes Leite cursou letras e filosofia na Universidade de São Paulo e é tradutor profissional. Traduziu mais de cinquenta títulos, entre literatura e ensaios, bem como artigos para jornais e revistas (incluindo do francês e espanhol). Entre os diversos autores de língua inglesa que verteu para o português estão E. M. Forster, Graham Greene, P. G. Wodehouse, Will Self, Cormac McCarthy, Richard Yates, Charles Portis, William Maxwell, Amitav Ghosh, Paul Theroux, Joseph O'Neill e outros.

Charles Baudelaire nasceu em Paris, na França, no dia 9 de abril de 1821. Poeta e ensaísta, é um dos principais nomes da literatura do século XIX — e um dos autores que mais influenciaram a literatura moderna. Faleceu na capital francesa no dia 31 de agosto de 1867.

REFERÊNCIAS BIBLIOGRÁFICAS

Nas referências que se seguem, os números entre parênteses remetem à ordem cronológica de publicação entre os 67 contos escritos por Poe.

"William Wilson"
"William Wilson"
The Gift: A Christmas and New Year's Present for 1840
Filadélfia, 1839 (23)

"O poço e o pêndulo"
"The Pit and the Pendulum"
The Gift: A Christmas and New Year's Present for 1843
Filadélfia, 1842 (38)

"Manuscrito encontrado numa garrafa"
"MS. found in Bottle"
Baltimore Saturday Visiter
19 de outubro de 1833 (6)

"O gato preto"
"The Black Cat"
United States Saturday Post (Saturday Evening Post)
19 de agosto de 1843 (41)

"Os fatos no caso do sr. Valdemar"
"The Facts in the Case of M. Valdemar"
American Review
Dezembro de 1845 (59)

"O coração denunciador"
"The Tell-Tale Heart"
The Pioneer
Janeiro de 1843 (39)

CONTOS DE IMAGINAÇÃO E MISTÉRIO

"Uma descida no Maelström"
"A Descent into the Maelström"
Graham's Lady's and Gentleman's Magazine
Maio de 1841 (29)

"O barril de amontillado"
"The Cask of Amontillado"
Godey's Lady's Book
Novembro de 1846 (61)

"A máscara da Morte Vermelha"
"The Mask [Masque] of the Red Death: a Fantasy"
Graham's Lady's and Gentleman's Magazine
Maio de 1842 (36)

"O enterro prematuro"
"The Premature Burial"
Dollar Newspaper
31 de julho de 1844 (47)

"O encontro marcado"
"The Visionary [The Assignation]"
Godey's Lady's Book
Janeiro de 1834 (7)

"Morella"
"Morella"
Southern Literary Magazine
Abril de 1835 (9)

"Berenice"
"Berenice"
Southern Literary Magazine
Março de 1835 (8)

"Ligeia"
"Ligeia"
American Museum of Science, Literature and the Arts
Setembro de 1838 (18)

422

REFERÊNCIAS BIBLIOGRÁFICAS

"A queda da Casa de Usher"
"The Fall of the House of Usher"
Burton's Gentleman's Magazine
Setembro de 1839 (22)

"O colóquio de Monos e Una"
"The Colloquy of Monos and Una"
Graham's Lady's and Gentleman's Magazine
Agosto de 1841 (31)

"Silêncio — Uma fábula"
"Silence — A Fable"
The Baltimore Book and New Year's Present
Baltimore, 1837 (17)

"O escaravelho de ouro"
"The Gold-Bug"
Dollar Newspaper
21-28 de junho de 1843 (40)

"Os assassinatos na Rue Morgue"
"The Murders in the Rue Morgue"
Graham's Lady's and Gentleman's Magazine
Dezembro de 1841 (28)

"O mistério de Marie Roget"
"The Mystery of Marie Rogêt"
Ladie's Companion
Novembro-dezembro de 1842, fevereiro de 1843 (37)

"O Rei Peste"
"King Pest"
Southern Literary Messenger
Setembro de 1835 (12)

"Leonizando"
"Lionizing"
Maio de 1835 (10)

Este livro foi composto com a família Garamond.
Impresso para a Tordesilhas Livros em 2021.